D1244108

LE CRI PRIMAL

Thérapie primale : Traitement pour la guérison
de la névrose

Dr ARTHUR JANOV

LE CRI PRIMAL

Thérapie primale : Traitement pour la guérison
de la névrose

Traduit de l'américain par Jeanne Etoré et France Daunic
Adaptation du langage primal par France Daunic

FLAMMARION

Titre de l'édition originale :

THE PRIMAL SCREAM

Editeur original : G. P. Putnam's Sons, Inc., New York
© 1970, ARTHUR JANOV

Pour la traduction française :
© 1975, FLAMMARION

A mes patients qui ont été assez réels pour reconnaître qu'ils étaient malades et pour chercher à mettre un terme à leur lutte,

et à la jeunesse, espoir réel de l'humanité.

PREFACE

Depuis la découverte du cri primal en 1967 et la publication en 1970 par le docteur A. Janov de ses implications en psychothérapie dans le livre *The Primal Scream,* la théorie primale s'est considérablement affinée et approfondie et la thérapie primale est certainement la thérapie la plus recherchée tant aux Etats-Unis que dans le reste du monde.

Le Laboratoire de Recherches de la Fondation Primale à Los Angeles, grâce à un programme extensif d'études entreprises en liaison avec le Laboratoire de Recherches Neurologiques de l'Université de Californie U.C.L.A., a corroboré les découvertes fondamentales du docteur Janov. L'observation, pendant des années, de centaines de cas de névroses et de psychoses, la constance des résultats au niveau de l'observation du comportement, au niveau neurologique ou simplement médical, ont permis la formulation d'une théorie maintenant très complète et l'établissement d'un système thérapeutique hautement scientifique.

Lorsqu'il écrivit *The Primal Scream,* le docteur Janov décida de s'adresser au grand public généralement plus réceptif que les milieux professionnels qui ont souvent tendance à résister aux changements et à s'en tenir aux méthodes traditionnelles. L'enthousiasme du public américain pour le livre le porta en quelques mois en tête de la liste des best-sellers. Le même phénomène se produisit en Allemagne, en Scandinavie, en Amérique latine, en Australie, et les patients commencèrent à arriver de tous les pays du monde. La raison en est que la théorie primale touche une fibre réelle chez ceux qui souffrent et que la grande simplicité de son exposé la met à la portée de tous.

L'Amérique est le pays au monde le plus intéressé par les problèmes psychologiques et leurs solutions. La psychothérapie fait partie des mœurs et la statistique démontre que tout Américain a personnellement été traité à un moment de sa vie ou est l'ami ou le parent de quelqu'un ayant suivi un traitement psychothérapeutique. C'est aussi aux U.S.A. que les théories psychologiques sont le plus avancées et les recherches neurologiques le plus poussées. Pourtant la situation générale dans le domaine mental y est plutôt chaotique à cause du manque d'une thérapie systématique, universelle, prévisible et évidente. Selon le docteur Janov, « la plus grande affliction de l'humanité après la maladie mentale est la façon dont on la soigne ».

En thérapie primale, nombreux sont les patients qui avaient abandonné tout espoir de guérison après cinq ou dix ans de psychanalyse, ou après avoir « essayé » sans succès quatre ou cinq thérapies différentes et quelquefois plus. Pour ces patients, qui pouvaient souvent analyser les raisons de l'échec des différents traitements qu'ils avaient entrepris, le bien-fondé de la théorie primale sembla évident. Le succès foudroyant de la thérapie primale est à la fois dû au fait que les Américains sont très conscients de l'utilité de la psychothérapie et à la déception générale en face du manque d'efficacité des thérapies existantes.

Le docteur Janov explique pourquoi les maladies mentales présentent tant de facettes et pourquoi il règne tant d'incertitude et de tâtonnement quant à leur traitement. La cause — unique — des désordres mentaux créant un nombre infini de symptômes n'ayant jamais été découverte, la psychologie moderne s'occupait toujours de soigner les symptômes sans jamais atteindre la cause. La thérapie primale a enfin découvert la cause profonde de nos maux psychologiques et en a déduit le traitement. La « cause profonde » est ce dont le docteur Janov traite dans *Le Cri primal.*

Le titre *Le Cri primal* met l'accent sur ce cri qui choqua profondément le docteur Janov la première fois qu'il l'entendit, car il révélait une intensité de souffrance psychologique jamais soupçonnée chez l'être humain — du fait même que cette souffrance demeure au niveau inconscient. Mais le cri en soi n'est qu'un aspect mineur de la thérapie primale.

On a appelé la thérapie primale « Scream Therapy » — la thérapie du cri — et de nombreuses écoles simplistes de pseudo-thérapie en découlent, qui ne tiennent compte que du cri ou d'autres aspects fragmentaires de la théorie primale, rejoignant par-là même la pléthore des thérapies fragmentaires. La thérapie primale est plus qu'un cri. Le cri n'est ni le but de la thérapie, ni la thérapie en soi. Ainsi que l'écrit le docteur Janov : « Ce n'est pas le cri qui est notre but mais la souffrance que nous cherchons à atteindre ». Lorsque celle-ci, enfouie au niveau inconscient, atteint la conscience et que la « connexion » se fait, elle est quelquefois si dévastatrice que le patient pousse un cri d'agonie, souvent le signe précurseur d'un primal encore plus profond.

Plus le patient redescend en lui-même et fait l'expérience — pour la première fois complètement — de son passé, plus l'inconscient devient conscient. Les souffrances de son enfance et souvent de sa naissance — ou de sa vie intra-utérine — jusqu'alors enfouies sont mises au jour par l'expérience extraordinaire du primal. Le primal est un phénomène totalement naturel, n'utilisant aucun moyen artificiel tel que l'hypnose, les drogues ou des manipulations diverses. Avoir un primal, c'est revivre totalement un traumatisme physique ou psychologique à un niveau psycho-biologique. Le docteur Janov a découvert les dynamiques scientifiques de notre monde interne et a mis au point une thérapie qui découle naturellement de la compréhension de ces dynamiques : bloquer les défenses et stopper le « déjouement » (acting-out) de la souffrance. Car c'est là l'essence même de la névrose : « Déjouer inconsciemment par son comportement une souffrance que l'on ne peut ressentir ». En général, les névrosés ne ressentent pas directement la souffrance primale, mais l'éprouvent sous forme de tension. En d'autres termes, la thérapie consiste à amener le patient à ne pas éviter ce qui lui fait mal, à l'aider progressivement à le ressentir pour l'en libérer et le libérer des comportements symboliques qui en découlent, et de la tension qui en résulte. La thérapie primale ne peut se classer dans aucune catégorie de thérapie connue. Elle est complètement révolutionnaire dans sa conception et dans ses méthodes. Elle allie le traitement individuel et une thérapie de groupe très différente des séances de groupe généralement pratiquées. Après plusieurs mois de traitement, les patients peuvent s'aider mutuellement et en règle générale n'ont plus besoin d'un thérapeute professionnel; les « vieux » patients ont leurs primals de façon spontanée sans qu'une intervention soit nécessaire. Faire des primals devient une façon de vivre. Les premiers mois d'agonie profonde et presque constante passés, la cadence des primals s'espace, le patient descend dans sa souffrance plus facilement et plus rapidement — il a de moins en moins de défenses. Sa vie change souvent radicalement. Il peut commencer à vivre de façon saine, il se passe de drogues, d'alcool, de cigarettes, de médicaments, il n'a plus d'insomnies, de cauchemars, de dépressions, de problèmes psychologiques divers, de perversions bizarres ni d'existence décousue. Il peut enfin profiter de la vie et de ce qu'elle lui offre. Les symboles perdent leur sens. Sa vie devient réelle, parce qu'il devient réel. Parce qu'il ressent sa souffrance d'enfant et se libère petit à petit de l'emprise du passé, de ses ramifications et de ses prolongements, il vit dans le présent.

Le docteur Janov découvrit en 1973 l'existence — confirmée depuis par les plus récentes études neurologiques — de trois niveaux de conscience correspondant à nos stades de développement et à la structure neurophysiologique de notre cerveau. Un primal change en fait la structure profonde de notre cerveau en brisant le circuit névrotique jusque-là établi et en permettant — pour la première fois depuis son blocage — la libre circulation de la réponse psychologique réelle de l'individu à un événement donné.

Les comptes rendus des recherches et des récentes découvertes dans le domaine primal sont consignés dans la revue scientifique trimestrielle *The Journal of Primal Therapy,* publié par le *Primal Institute* de Los Angeles, et dans le dernier livre du docteur Janov *Primal Man* (en cours de publication). Depuis 1970, le docteur Janov a aussi publié successivement *The Anatomy of Mental Illness* (L'anatomie de la maladie mentale) expliquant les fondements physiologiques des troubles psychologiques, puis *The Primal Revolution* (La révolution primale) qui traite des implications de la thérapie primale dans de nombreux cas de comportements, notamment celui de l'homosexuel, du drogué, du psychotique. Son dernier livre, *The Feeling Child,* traite de la façon d'éviter le développement de la névrose chez l'enfant. De tous les livres du docteur Janov, *Le Cri primal* est cependant le plus important et le plus excitant. C'est la description originale d'une découverte extraordinaire ouvrant une ère nouvelle de logique, de guérison des maladies mentales et de compréhension des motivations les plus profondes de l'être humain. *Le Cri primal* est sans doute l'un des livres les plus importants dans l'histoire de la psychologie car, pour la première fois, la nature de la névrose est révélée ainsi que son traitement et sa guérison. La découverte de la thérapie primale est un événement capital pour ceux qui souffrent et pour l'humanité entière.

France DAUNIC.

INTRODUCTION

DECOUVERTE DE LA SOUFFRANCE PRIMALE

J'ai entendu il y a quelques années un cri qui devait modifier le cours de ma carrière et changer la vie de mes patients. Ce que j'ai entendu changera peut-être aussi la nature de la psychothérapie telle qu'on la connaît maintenant — un cri sinistre qui a jailli du fond des entrailles d'un jeune homme qui était couché par terre, au cours d'une séance de thérapie. Je ne saurais le comparer qu'au hurlement de quelqu'un qu'on assassine. Ce livre est consacré à ce cri et à ce qu'il nous révèle des aspects les plus secrets de la névrose.

J'appellerai le jeune homme Danny Wilson; c'était un étudiant de vingt-deux ans, ni psychotique, ni ce qu'on appelle hystérique, mais pauvre, calme, particulièrement sensible et renfermé sur lui-même. Pendant un moment creux, au cours de la séance de groupe, il nous parla d'un certain Ortiz, un acteur qui se produisait à l'époque sur les scènes londoniennes, langé comme un nourrisson et buvant des biberons de lait. Tout au long de son numéro, il appelait de toutes ses forces : « Papa ! maman ! papa ! maman ! ». A la fin, il vomissait et on distribuait des sacs en matière plastique aux spectateurs, qui étaient invités à en faire autant.

Danny avait l'air tellement fasciné par cette scène que cela m'incita à essayer quelque chose qui, bien qu'élémentaire, ne m'était pas venu à l'esprit jusque-là. Je demandai à Danny d'appeler « papa, maman ». Il refusa, prétendant qu'il ne voyait pas quel sens pourrait avoir un comportement aussi infantile. A dire vrai, je ne le voyais pas non plus. Mais, j'insistai et il finit par céder. Dès ses premiers appels, il manifesta un trouble profond. Tout à coup, il se mit à se tordre sur le sol. Il avait une respiration rapide et spasmodique et criait comme involontairement « papa, maman », d'une voix perçante. Il avait l'air d'être dans un état comateux ou sous hypnose. Peu à peu, les contorsions prirent un aspect convulsif, et il finit par pousser ce cri d'agonie, qui fit trembler les murs de mon cabinet. Le tout n'avait duré que quelques minutes et ni Danny, ni moi, ne comprenions ce qui s'était passé. Après coup, il ne put rien dire d'autre que : « J'y suis arrivé, je ne sais pas ce que c'est, mais je peux sentir. »

Ce qui était arrivé à Danny m'a laissé perplexe pendant des mois et des mois. J'avais pratiqué la thérapie conventionnelle pendant dix-sept ans en tant que psychiatre dans un service social et en tant que psychologue. J'avais été formé dans un hôpital psychiatrique où l'on pratiquait les méthodes freudiennes et dans un organisme s'occupant d'anciens combattants où l'on était beaucoup moins freudien. J'avais fait partie pendant plusieurs années de l'équipe de la section psychiatrique du Children's Hospital de Los Angeles. Mais, de toute ma carrière, jamais je n'avais observé quoi que ce soit de comparable à ce cri. Comme ce soir-là j'avais enregistré la séance de groupe, j'ai maintes fois écouté la bande, dans les mois qui suivirent, pour essayer de comprendre ce qui s'était passé, mais toujours en vain.

Cependant, j'eus bientôt l'occasion d'en apprendre plus.

Un homme d'une trentaine d'années que j'appellerai Gary Hillard me parlait avec beaucoup d'émotion de la manière dont ses parents l'avaient toujours critiqué, ne l'avaient jamais aimé et, d'une façon générale, lui avaient gâché la vie. Je le pressai de les appeler. Il refusa, disant qu'il « savait » qu'ils ne l'aimaient pas et qu'il ne voyait donc pas à quoi cela pourrait servir. Je lui demandai de se prêter à mon caprice. Sans grande conviction, il se mit à appeler ses parents. J'observai bientôt que sa respiration devenait plus rapide et plus profonde. Ses appels devinrent involontaires, il se mit à se tordre en mouvements quasi convulsifs et finit par pousser un hurlement.

J'étais aussi ébranlé que lui. Ce que j'avais pris pour un phénomène accidentel, pour la réaction idiosyncrasique d'un patient isolé, venait de se répéter d'une façon presque identique.

Après coup, quand Gary se fut calmé, il fut submergé par toute une série d'insights. Il me dit que toute sa vie semblait brusquement s'être mise en place. Cet homme, d'ordinaire sans trop de finesse, se transforma sous mes yeux pratiquement en un autre être humain. Son esprit s'avivait, tous ses sens s'éveillaient, il semblait se comprendre.

La similitude des réactions de ces deux patients était telle que j'écoutai avec encore plus d'attention les bandes enregistrées de leurs séances respectives. J'essayai de déterminer précisément quels facteurs et quelles techniques elles avaient en commun qui provoquaient les réactions du cri. Peu à peu, je commençai à entrevoir un sens. Au cours des mois qui suivirent, j'essayai diverses modifications et méthodes en demandant au patient d'appeler ses parents. Chaque fois, il y eut les mêmes résultats dramatiques.

J'en suis venu à considérer ce cri comme la manifestation des souffrances essentielles et universelles qui existent chez tous les névrotiques. Je les appelle souffrances primales parce qu'elles sont les blessures originelles de la petite enfance sur lesquelles se bâtit plus tard la névrose. J'affirme que ces souffrances existent chez tout névrosé à chaque minute de son existence, quelle que soit la forme que prenne sa névrose. Souvent il ne les ressent pas consciemment parce qu'elles sont diffuses et affectent le système tout entier, se manifestant au niveau des organes, des muscles, du système circulatoire, du système lymphatique et, enfin, du comportement.

La thérapie primale a pour objet l'élimination de ces souffrances. Elle est révolutionnaire parce qu'elle implique la destruction du système névrotique par un bouleversement violent. Selon moi, c'est le seul moyen de guérir la névrose.

La théorie primale est le résultat de mes observations quant aux raisons pour lesquelles des changements spécifiques se produisent. Je tiens à souligner que ma théorie n'a pas précédé l'expérience clinique. En observant Danny et Gary se tordre sur le sol dans les affres de la souffrance primale, je ne savais vraiment pas comment j'appellerais ce phénomène. La théorie s'est perfectionnée et approfondie grâce aux témoignages successifs des patients guéris de leur névrose.

Ce livre est une invitation à l'étude de la révolution qu'ils ont déclenchée.

CHAPITRE 1

PRESENTATION DU PROBLEME

Une théorie est la signification que nous donnons à un déroulement déterminé de la réalité que nous avons observé. Plus la théorie est proche de cette réalité, plus elle est valable. Une théorie est valable lorsqu'elle nous permet de faire des prédictions parce qu'elle est conforme à nos observations.

Depuis Freud, nous avons été obligés de nous appuyer sur des théories établies *a posteriori*; c'est-à-dire que nous nous sommes servis de nos systèmes théoriques pour expliquer ce qui s'est passé. Comme les données à observer sont devenues plus complexes, nos observations nous ont conduits dans un labyrinthe d'écoles et de systèmes théoriques différents. Aujourd'hui, la psychothérapie est fragmentée, divisée en spécialisations. On dirait que la névrose a pris tellement de formes diverses au cours des cinquante dernières années, que non seulement le mot de « guérison » n'est plus prononcé par les psychologues, mais la notion de névrose même a été décomposée en une multitude de domaines. C'est ainsi qu'on a écrit des livres sur la sensation, la perception, l'apprentissage, la connaissance, etc., mais pas un seul qui soit consacré à ce qu'il faut faire pour guérir la névrose. La névrose semble être tout ce que n'importe quel théoricien pense qu'elle est — phobie, dépression, symptôme psychosomatique, inadaptation, indécision, etc. Depuis Freud, les psychologues se préoccupent des symptômes, non des causes. Il nous manque une sorte de structure unifiée offrant des directives

21

concrètes quant à la façon de traiter les malades, à chaque instant de la thérapie.

Avant de découvrir ce qui allait devenir la théorie primale, je savais *grosso modo* ce que j'attendais de mes malades. Cependant, le manque de continuité d'une séance à l'autre me gênait, comme en sont gênés certains de mes collègues. J'avais l'impression de faire du rafistolage. Dès qu'apparaissait une faille dans le système de défenses de mon patient, je m'y précipitais. Un jour j'analysais peut-être un rêve, un autre jour je poussais le malade à la libre association d'idées, une semaine après je concentrais l'attention sur des événements passés, tandis que d'autres fois je maintenais le malade dans le présent.

Comme beaucoup de mes collègues, j'étais bouleversé par la complexité des problèmes que pose un malade qui souffre. La possibilité de prévoir exactement ce qui allait se passer, clef de voûte de toute approche théorique valable, cédait souvent le pas à une espèce de foi inspirée. Mon credo muet était : « Avec suffisamment d'insights, le patient finira bien, tôt ou tard, par se connaître assez pour dominer son comportement névrotique. » Mais maintenant, je ne crois plus que la névrose ait grand-chose à voir avec la « connaissance » en soi ni avec celle qu'on a d'elle.

La névrose est une maladie du sentiment. En son centre, il y a la répression du sentiment et sa transmutation en un large éventail de comportements névrotiques.

C'est l'incroyable variété des symptômes névrotiques qui vont des insomnies aux perversions sexuelles, qui nous a induits à penser qu'il existait diverses catégories de névroses. Mais à des symptômes différents ne correspondent pas des entités pathologiques différentes; *toutes* les névroses ont la même origine spécifique et réagissent au même traitement spécifique.

Si génial qu'il ait été, Freud nous a légué deux notions fort malheureuses que nous avons prises pour paroles d'Evangile. La première est qu'il n'y aurait pas de point de départ de la névrose — en d'autres termes, tout être humain naîtrait névrosé. La seconde est que l'individu qui a le système de défenses le plus fort, serait nécessairement celui qui fonctionne le mieux dans la société.

La théorie primale part du principe qu'à la naissance, tout être humain est lui-même, qu'on ne naît pas psychotique ou névrotique. On naît, un point c'est tout.

La thérapie primale consiste à démanteler les causes de tension, le système de défenses, et la névrose. Ainsi elle montre que les gens les plus sains sont ceux qui n'ont pas de défenses. *Tout ce qui contribue à renforcer le système de défenses aggrave la névrose.* C'est un processus qui enferme la tension névrotique dans des couches de mécanismes de défense, ce qui peut avoir pour conséquence que le sujet fonctionne mieux extérieurement, alors qu'il est ravagé par la tension interne.

Je ne me console pas en disant que nous vivons dans une époque de névrose (ou d'angoisse) et qu'il est normal que les gens soient névrosés. Je prétends qu'il existe quelque chose au-delà d'un « fonctionnement » amélioré sur le plan social, quelque chose au-delà d'un soulagement des symptômes et d'une compréhension plus profonde de ses propres motivations.

Il existe un état tout à fait différent de ce que nous concevons habituellement, une vie sans tension, exempte de défenses, où l'individu est entièrement lui-même, connaissant des sentiments profonds et une unité intérieure. La thérapie primale permet d'accéder à cet état. Les gens deviennent eux-mêmes et *restent* eux-mêmes.

Cela ne veut pas dire qu'après une thérapie primale, le malade ne sera plus jamais perturbé ou malheureux. Cela veut simplement dire que, quoi qu'il doive affronter, il considérera toujours ses problèmes de façon réaliste, et dans le présent. Il ne cachera plus la réalité sous des faux-semblants et ne souffrira plus d'une tension ou de phobies chroniques et inexplicables.

La thérapie primale a été appliquée avec succès à de nombreuses formes de névrose, y compris l'héroïnomanie. Les séances sont liées les unes aux autres et, la plupart du temps, le thérapeute primal est en mesure de prédire l'évolution de son patient. Cette dernière affirmation est d'une importance capitale car si nous pouvons guérir la névrose d'une façon systématique et ordonnée, nous arriverons sans doute aussi à déterminer les facteurs qui permettront de la prévenir.

CHAPITRE 2

LA NEVROSE

L'homme est une créature de besoin. Nous naissons tous
avec des besoins et la plupart d'entre nous meurent après
une vie de lutte sans avoir satisfait bon nombre de ces
besoins. Pourtant ces besoins n'ont rien d'excessif — être
nourri, au chaud et au sec, grandir et se développer à son
propre rythme, être pris dans les bras et caressé, et être
stimulé. Ces besoins primals représentent le cœur de la
réalité du nourrisson. Le processus névrotique s'enclenche
quand, pendant un certain temps, ils ne sont pas satisfaits.
Le nouveau-né ne sait pas qu'il faudrait qu'on le prenne
dans les bras quand il pleure ou qu'il ne devrait pas être
sevré trop tôt, mais si ses besoins restent insatisfaits, il
souffre.

Au début, l'enfant fait tout ce qui est en son pouvoir
pour obtenir la satisfaction de ses besoins. Il tend les bras
pour qu'on le prenne, pleure quand il a faim et gigote
dans tous les sens pour faire reconnaître ses besoins. S'ils
restent insatisfaits pendant un certain temps, si on ne le
prend pas, si on ne le change pas et si on ne lui donne
pas à manger, il souffrira continuellement jusqu'à ce qu'il
arrive à faire quelque chose pour que ses parents satis-
fassent son besoin, ou jusqu'à ce qu'il étouffe sa souffrance
en étouffant le besoin. Si la souffrance est trop forte,
l'enfant peut mourir : c'est ce que montrent diverses études
faites sur les enfants de l'Assistance.

Comme le nourrisson ne peut pas lui-même remédier à
sa faim (il ne peut pas aller chercher quelque chose dans
le réfrigérateur), pas plus qu'il ne peut trouver des substi-

tuts à son besoin d'affection, en conséquence, il doit séparer ses sensations (faim, besoin d'être pris dans les bras) de sa conscience. Cette séparation entre le moi et ses besoins et ses sentiments est une manœuvre instinctive pour couper court à une souffrance insupportable. C'est ce que nous appelons le *clivage*. L'organisme se scinde afin de protéger sa continuité. Cela ne signifie pas pour autant que les besoins insatisfaits disparaissent. Bien au contraire, ils se maintiennent tout au long de la vie : c'est leur force qui oriente les intérêts du sujet et crée les motivations nécessaires à leur satisfaction. Mais, du fait de la souffrance, les besoins ont été supprimés au niveau de la conscience, de sorte que l'individu doit rechercher des satisfactions de remplacement. Autrement dit, il doit rechercher la satisfaction de ses besoins de façon *symbolique*. Le sujet à qui on n'a pas permis de s'exprimer dans son enfance risque plus tard de toujours vouloir se faire entendre et comprendre à tout prix.

Non seulement les besoins insatisfaits, qui persistent jusqu'à devenir intolérables, sont séparés de la conscience, mais les sensations correspondantes sont relocalisées dans des domaines où il est plus facile de les dominer ou de les soulager. Ainsi des sentiments peuvent être soulagés par la miction, plus tard par l'activité sexuelle, ou contrôlés par la suppression de la respiration profonde. L'enfant frustré apprend à déguiser ses besoins et à les transformer en besoins symboliques. Adulte, il ne ressentira plus le besoin de téter le sein de sa mère, besoin qui lui est resté d'un sevrage trop brusque et précoce, mais il fumera sans arrêt. Son besoin de fumer sera un besoin symbolique et la poursuite de satisfactions symboliques est l'essence même de la névrose.

La névrose est un comportement symbolique de défense contre une souffrance psychobiologique excessive, et elle se perpétue car des satisfactions symboliques ne peuvent satisfaire des besoins réels. Pour les besoins réels soient satisfaits, ils doivent être ressentis et éprouvés. Malheureusement, du fait de la souffrance, ils ont été profondément enfouis. Lorsqu'ils sont ainsi enfouis, l'organisme est en état d'alerte permanent. Cet état d'alerte est la tension. C'est elle qui pousse le petit enfant, et plus tard l'adulte, à la satisfaction de ses besoins par tous les moyens possibles. Cet état d'alerte est nécessaire pour assurer la survie du nourrisson : s'il devait renoncer à l'espoir de voir ses besoins satisfaits, il pourrait mourir. L'organisme veut vivre à tout prix et le prix de la survie, c'est en général la névrose — qui étouffe les besoins physiques et les sentiments insatisfaits, parce qu'ils causent une souffrance trop profonde pour que le sujet puisse y résister.

Tout ce qui est naturel est un besoin réel — par exemple grandir et se développer à son propre rythme. Pour l'enfant, cela veut dire, n'être pas sevré trop vite, n'être pas forcé à marcher ou à parler trop tôt, n'être pas obligé d'attraper une balle avant qu'il n'ait un système nerveux assez développé pour pouvoir le faire sans effort particulier. Les besoins névrotiques ne sont pas naturels — ils proviennent de l'insatisfaction des besoins réels. On ne vient pas au monde avec le besoin de s'entendre louer, mais un enfant qui voit ses efforts réels constamment dénigrés, pratiquement dès sa naissance, et à qui on fait sentir que rien de ce qu'il fera ne sera jamais assez bien pour obtenir l'amour de ses parents, développera un besoin insatiable de louanges. De même, un enfant peut réprimer son besoin de s'exprimer s'il n'a personne pour l'écouter, mais il peut en résulter plus tard un besoin de parler sans arrêt.

Un enfant qu'on aime est un enfant dont les besoins naturels sont satisfaits. L'amour supprime sa souffrance. L'enfant qui n'est pas aimé souffre parce qu'il est frustré. L'enfant aimé n'éprouve pas le besoin d'être loué, car il n'a pas été dénigré. Il est estimé pour *ce qu'il est* et non pour ce qu'il peut faire pour satisfaire les besoins de ses parents. L'enfant aimé ne deviendra pas un adulte aux besoins sexuels insatiables. Il a été tenu et caressé par ses parents et n'éprouve pas la nécessité de recourir à la sexualité pour satisfaire ce besoin de son plus jeune âge. Les besoins réels vont de l'intérieur vers l'extérieur, et non l'inverse. Le besoin d'être tenu dans les bras et caressé, fait partie du besoin d'être stimulé. La peau est notre organe sensoriel le plus étendu et elle réclame au moins autant de stimulation que les autres organes des sens. Le manque de stimulation au cours du premier âge peut avoir des conséquences désastreuses. Sans stimulation, certains organes peuvent commencer à s'atrophier. Inversement, comme l'a bien montré Krech (1), une stimulation adéquate leur permet de grandir et de se développer. Une stimulation physique et mentale constante est indispensable.

Tant que des besoins restent inassouvis, ils supplantent toute autre activité humaine. Ce n'est qu'à partir du moment où ses besoins sont satisfaits que l'enfant est en

(1) D. Krech, E. Bennett, M. Diamond et M. Rosenzweig, « Chemical and Anatomical Plasticity of Brain », *Science*, vol. 146 (30 octobre 1964), pp. 610-619.

mesure de ressentir. Il fait alors l'expérience de son corps et du monde qui l'entoure. Quand ses besoins ne sont pas satisfaits, l'enfant ne ressent que de la tension, qui est le sentiment « déconnecté » de la conscience. Sans cette connexion indispensable, le névrosé ne ressent pas. La névrose est la maladie du sentiment.

La névrose ne commence pas dès l'instant où l'enfant réprime ses sentiments pour la première fois, mais on peut dire que c'est à ce moment-là que commence le processus névrotique. L'enfant se forme par étapes. A chaque besoin refoulé, à chaque frustration, l'enfant se ferme un peu plus sur lui-même. Mais il arrive un jour où un seuil critique est atteint, où l'enfant est essentiellement fermé sur lui-même, où il est davantage irréel que réel et, à ce moment-là, on peut dire qu'il a basculé dans la névrose. A partir de ce jour, il vit selon un système de double moi : le moi réel et le moi irréel. Le moi réel représente les sentiments et les besoins réels de l'organisme. Le moi irréel est la couverture de ces sentiments, c'est la « façade » qu'exigent les parents névrotiques pour satisfaire leurs propres besoins. Un père ou une mère qui a besoin de se sentir respecté parce qu'il a toujours été humilié par ses propres parents, exigera de ses enfants qu'ils soient respectueux jusqu'à l'obséquiosité, qu'ils ne lui « répondent » pas et ne lui opposent jamais de refus. Un père ou une mère infantile exigera de son enfant qu'il soit adulte longtemps avant qu'il n'y soit prêt — pour qu'eux-mêmes puissent continuer à être le bébé dont on s'occupe.

Les exigences qui rendent l'enfant irréel, sont rarement explicites. Cela n'empêche que pour l'enfant, la satisfaction de leurs besoins devient une obligation implicite. L'enfant naît dans le contexte des besoins de ses parents et il commence à lutter pour les satisfaire presque dès sa naissance. On le poussera à sourire (afin de paraître heureux), à faire « areu, areu... », à dire au revoir de la main, plus tard à s'asseoir et à marcher, enfin, à faire des efforts incessants pour que ses parents puissent avoir un enfant « précoce ». Plus l'enfant grandit, plus ce qu'on lui demande devient compliqué. Il faut qu'il ait de bonnes notes, qu'il soit serviable, qu'il fasse sa part de travaux dans la maison, qu'il soit sage et peu exigeant, qu'il ne parle pas trop, qu'il ne dise que des choses pertinentes, qu'il soit sportif. Il fera tout, sauf être lui-même. Cette multitude de relations qui s'établissent entre les parents et l'enfant et où sont déviés ses besoins naturels, ses besoins primals, signifie que celui-ci souffre. Elle signifie qu'il ne peut à la fois être ce qu'il est et être aimé. Ce sont ces souffrances profondes que j'appelle souffrances primales. Les souffrances primales sont les besoins et les sentiments réprimés ou niés par la conscience. Ils sont douloureux parce qu'on ne leur a pas permis de s'exprimer ou d'être satisfaits. Ces souffrances se résument toutes de la même manière : « Je ne suis pas aimé, et je n'ai aucun espoir de l'être en étant moi-même. »

Chaque fois qu'un enfant n'est pas pris dans les bras quand il en a besoin, chaque fois qu'on le fait taire, chaque fois qu'il est ridiculisé, ignoré ou poussé au-delà des limites de ses capacités, on ajoute à son réservoir de souffrances primales. Chaque fois qu'on ajoute à ce réservoir, on rend l'enfant plus irréel et plus névrotique.

Au fur et à mesure que les assauts contre le système réel se multiplient, ils commencent à écraser la personnalité réelle. Il arrive un jour où un événement qui n'est pas forcément traumatisant en lui-même — par exemple le fait de confier pour la centième fois l'enfant à un baby-sitter — fait pencher la balance en faveur de l'irréalité, et l'enfant devient névrotique. J'appelle cet événement la scène primale majeure. C'est le moment de la vie du petit enfant où toutes les humiliations, toutes les privations et tous les refus qu'il a dû endurer s'additionnent pour trouver un début de prise de conscience se résumant à ceci : « Je n'ai aucun espoir d'être aimé pour ce que je suis. » C'est à ce moment-là que l'enfant, pour se défendre contre ce savoir catastrophique, se coupe de ses sentiments et glisse doucement dans la névrose. Ce savoir n'est pas conscient. L'enfant commence simplement à se comporter à l'égard de ses parents et plus tard à l'égard des autres, comme ils l'attendent de lui. Il dit ce qu'ils disent et fait ce qu'ils font. Il adopte un comportement irréel — c'est-à-dire un comportement qui est en désaccord avec la réalité de ses propres besoins et de ses propres désirs. Très rapidement ce comportement névrotique devient automatique.

La névrose implique un clivage, une scission entre l'individu et ses propres sentiments. Plus l'enfant subit d'assauts de la part de ses parents, plus le gouffre se creuse entre le réel et l'irréel. L'enfant commence à parler et à se mouvoir comme on le lui prescrit, cesse de toucher son corps aux endroits défendus (cesse littéralement de se sentir), il apprend à ne plus être exubérant ou triste, etc. La fragilité de l'enfant rend cependant le clivage nécessaire. C'est le réflexe (c'est-à-dire la façon automatique) qu'a l'organisme pour l'empêcher de devenir fou. La névrose est donc la défense contre une réalité catastrophique, visant à protéger le développement et l'intégrité psychophysique de l'organisme.

La névrose implique qu'un individu est ce qu'il *n'est pas* afin d'obtenir quelque chose qui n'existe pas. Si l'amour de ses parents existait, l'enfant serait ce qu'il est; car aimer, c'est laisser l'autre être ce qu'il est. Par conséquent, la névrose peut être engendrée par des événements qui n'ont rien de particulièrement traumatisant en eux-mêmes. Elle peut naître de la simple obligation faite à l'enfant de ponctuer toutes ses phrases de « s'il vous plaît » et de « merci », ce qui doit prouver la bonne éducation des parents. Elle peut aussi naître de l'interdiction qui lui est faite de pleurer ou de se plaindre quand il est malheureux. A cause de leur propre anxiété, les parents peuvent se précipiter pour apaiser le moindre sanglot. Pour prouver qu'ils sont respectés, c'est la colère qu'ils interdiront — « Une petite fille sage ne pique pas de crise de rage, un gentil petit garçon ne répond pas ! » On peut aussi provoquer la névrose en forçant l'enfant à « se produire », par exemple à réciter des poèmes devant des invités, ou à résoudre des problèmes abstraits. Quoi que ce soit que l'on attende de lui, l'enfant s'en fait vite une juste idée : il faut jouer un rôle — sinon ! Etre ce qu'ils veulent — sinon pas d'amour, ou ce qui passe pour de l'amour, une approbation, un sourire, un clin d'œil. Peu à peu, le rôle qu'il joue domine la vie de l'enfant : il la passe à exécuter des rites et à formuler des incantations au service de ses parents et de leurs exigences.

C'est de la terrible désespérance de n'être jamais aimé que naît le clivage. L'enfant doit nier la constatation que, quoi qu'il fasse, ses besoins ne seront jamais satisfaits. Il ne peut vivre en sachant que personne ne s'intéresse à lui ou qu'on le méprise. Il lui est intolérable de savoir qu'il n'y a aucun moyen de rendre son père moins critique, ou sa mère plus gentille. Il n'a qu'une façon de se défendre : se créer des besoins de substitution, des besoins névrotiques.

Prenons l'exemple de l'enfant qui est perpétuellement dénigré par ses parents. En classe, il bavardera continuellement (ce qui lui vaudra les réprimandes des maîtres), dans la cour de récréation, il se vantera sans arrêt (et s'aliénera ainsi les autres enfants). Adulte, il risque d'avoir un besoin incoercible de chercher une satisfaction aussi manifestement symbolique (pour l'observateur) que la meilleure table dans un restaurant de luxe !

Le fait d'obtenir la table en question ne supprime pas

son besoin de se sentir important; sinon, pourquoi jouerait-il la même comédie chaque fois qu'il va au restaurant? Coupé d'un besoin authentique qui est inconscient (celui d'être reconnu en tant qu'être humain qui a de la valeur), le sujet donne un « sens » à sa vie en se faisant saluer par son nom par les maîtres d'hôtel des restaurants à la mode.

L'enfant naît donc avec des besoins biologiques réels que, pour une raison ou pour une autre, ses parents ne satisfont pas (1). Il se peut que certains parents ne voient tout simplement pas les besoins de leur enfant, ou alors que, par souci de ne point commettre d'erreur, ils suivent les conseils de quelque vénérable spécialiste de l'éducation, ne prennent l'enfant dans leurs bras qu'à heure fixe, le nourrissent en fonction d'un horaire dont la précision ferait la fierté d'une compagnie aérienne, lui imposent un sevrage strictement programmé et lui apprennent le plus tôt possible à être propre.

Néanmoins je ne crois pas que l'ignorance ou le zèle méthodique suffisent à expliquer la prodigieuse récolte de névroses qu'a produite l'humanité depuis le début de son histoire. La raison principale pour laquelle les enfants deviennent névrotiques est, à mon avis, le fait que leurs parents sont trop accaparés par la lutte qu'ils mènent contre leurs propres besoins infantiles insatisfaits.

C'est ainsi qu'une femme peut concevoir un enfant afin de pouvoir se faire dorloter comme un bébé — ce dont elle a en réalité éprouvé le besoin toute sa vie. Aussi longtemps qu'elle est au centre de l'attention, elle est relativement heureuse. Mais, après l'accouchement, elle risque de sombrer dans une dépression profonde. La grossesse servait *son* besoin et n'avait rien à voir avec la venue au monde d'un nouvel être humain. L'enfant risque même de souffrir d'avoir, en naissant, privé sa mère du seul moment de sa vie où elle obtenait que les autres s'occupent d'elle. Comme elle n'est pas prête à la maternité, elle n'aura peut-être pas de lait, et elle fera souffrir son enfant des mêmes privations dont elle-même a peut-être souffert. Voilà comment l'iniquité des pères est punie sur les enfants en un cycle apparemment sans fin.

Je désigne par le terme de « lutte », les tentatives que fait l'enfant pour plaire à ses parents. La lutte débute avec

---

(1) De nombreux parents font l'erreur de ne pas prendre leur enfant assez souvent dans leurs bras, de peur de le « gâter ». Mais c'est exactement ce qu'ils font en l'ignorant car plus tard, ils seront submergés par les exigences insatiables de l'enfant qui recherche des substituts symboliques — jusqu'au jour où leur colère explosera, ce qui aura des conséquences aussi inévitables que terribles.

les parents et s'élargit ensuite au monde tout entier. Elle s'étend au-delà des limites de la famille parce que l'individu apporte avec lui ses besoins frustrés partout où il va, et ces besoins doivent être déjoués. Il cherchera des substituts à ses parents avec qui il « jouera » son drame névrotique, ou il transformera pratiquement tout le monde (y compris ses propres enfants) en des images parentales qui satisferont ses besoins. Un père qui a toujours été empêché de parler, fera de ses enfants ses auditeurs attentifs. Ces derniers, à leur tour contraints à toujours écouter, auront le besoin refoulé d'être écoutés par quelqu'un, et il se pourrait bien que ce soit leurs enfants à eux.

Le lieu de la lutte passe du besoin réel au besoin névrotique, du corps à l'esprit, car les besoins psychologiques surviennent quand les besoins fondamentaux sont déniés. Mais les besoins psychologiques ne sont pas des besoins réels. En fait, il n'y a pas de besoins purement psychologiques. Les besoins psychologiques sont des besoins névrotiques car ils ne sont pas au service des exigences réelles de l'organisme. L'homme, par exemple, qui doit avoir la meilleure table au restaurant pour se sentir important, le fait sous l'emprise d'un besoin qui s'est développé parce qu'il n'était pas aimé et que les efforts qu'il faisait étaient soit ignorés, soit réprimés. Peut-être a-t-il besoin d'être appelé par son nom par le maître d'hôtel parce que toute son enfance, il n'a entendu parler de lui-même qu'en termes généraux — mon fils. Autrement dit, il a subi une sorte de déshumanisation de la part de ses parents, et il cherche de façon symbolique à obtenir une réaction humaine de la part des autres. S'il avait été traité par ses parents comme un être humain unique, ce prétendu besoin de se sentir important ne serait pas apparu. Le névrosé met simplement de nouvelles étiquettes (besoin de se sentir important) sur d'anciens besoins inconscients (besoin d'être aimé et apprécié). Avec le temps, il en vient à croire que ces nouvelles étiquettes correspondent à des sentiments réels et qu'il faut obtenir ce qu'elles recouvrent.

La fascination qu'exerce sur nous la vue de notre nom sur une enseigne lumineuse ou sur une page imprimée n'est qu'un signe parmi d'autres qui révèle combien la plupart d'entre nous ont souffert de n'être pas reconnus en tant qu'individu. Ces succès, même s'ils sont réels, représentent la quête symbolique de l'amour parental. La lutte consiste à plaire à un public.

La lutte empêche l'enfant de sentir son désespoir. Elle consiste à se surmener, à bûcher pour obtenir de bonnes notes, à jouer la comédie. La lutte, c'est l'espoir du névrosé d'arriver à se faire aimer. Au lieu d'être lui-même, il lutte pour devenir une autre version de lui-même. Tôt ou tard, l'enfant finit par croire que cette nouvelle version est réellement lui. La « comédie » n'est plus jouée consciemment et délibérément, elle devient un comportement automatique et inconscient. Elle est névrotique.

Les scènes primales

Il y a deux sortes de scènes primales : les majeures et les mineures. La scène primale majeure est l'événement particulier le plus bouleversant de la vie de l'enfant. C'est un moment de solitude glaciale, cosmique, la plus amère de toutes les révélations. C'est le moment où il commence à découvrir qu'il n'est pas aimé pour ce qu'il est et qu'il ne le sera jamais.

Avant cette scène primale majeure, l'enfant a fait d'innombrables expériences mineures — les scènes primales mineures — au cours desquelles il a été ridiculisé, rejeté, négligé, humilié, poussé à se « produire ». Arrive un jour où tous ces événements néfastes commencent à prendre un sens aux yeux de l'enfant. Un événement décisif semble alors résumer le sens de toutes ces expériences passées en une seule constatation : « Ils ne m'aiment pas tel que je suis. » Cette prise de conscience est catastrophique. L'enfant la nie et l'ensevelit au plus profond de lui-même. C'est la lutte du moi irréel qui prend sa place. A partir de ce moment, toutes les expériences de l'enfant sont amorties par cette façade, de sorte que l'enfant souvent ne sait plus qu'il souffre. Sa lutte couvre sa souffrance.

Certains malades arrivent à se souvenir d'une scène décisive qui a été la somme de toutes les scènes mineures antérieures. Pour d'autres, il n'y a eu qu'une lente et monotone accumulation de légers traumatismes, chacun insignifiant en soi, mais qui ont fini par provoquer un déchirement majeur. Que celui-ci se soit produit de façon dramatique au cours d'une scène primale majeure, ou qu'il soit simplement le résultat d'une accumulation de scènes mineures, un jour arrive où l'enfant devient plus irréel que réel.

Le clivage qui se produit au cours de la scène primale majeure marque la fin de l'existence de l'enfant en tant qu'être entier et en accord avec lui-même.

En général, la scène primale majeure se produit entre cinq et sept ans. C'est l'âge où l'enfant apprend à généraliser à partir de son expérience concrète. C'est l'époque où il commence à comprendre la signification de tous les événements différents qu'il a vécus jusque-là.

D'un point de vue objectif, la scène primale majeure n'est pas forcément traumatisante. Ce n'est pas nécessairement un accident de la route ou une catastrophe aérienne. C'est plutôt une brusque compréhension, une vision fugitive et terrifiante de la vérité qui frappe l'enfant pendant un événement qui peut être banal en soi. Par exemple, un malade se souvient d'avoir appelé sa mère, un jour, quand il était petit, et au lieu de sa mère, ce fut son père, dont il avait peur, qui était venu. A ce moment-là, il sut : « Ma mère ne viendra jamais quand je l'appelle. » La raison en était que les nombreuses fois où, après s'être couché, il appelait sa mère pour qu'elle lui apporte un verre d'eau, elle ne venait jamais. C'était toujours son père qui venait. Un jour, il comprit que sa mère ne viendrait jamais quand il avait besoin d'elle. Il était déchiré parce que le désir de voir sa mère faisait venir son père qu'il redoutait et qui le réprimandait pour avoir appelé; ainsi, désirer c'était obtenir ce qu'il ne désirait pas. Il n'appela plus jamais sa mère, prétendant qu'il n'avait pas besoin d'elle — jusqu'au jour où, dans mon cabinet, il appela sa maman en criant de douleur.

Les scènes mineures sont simplement les petits événements qui frappent le moi réel — des critiques, des humiliations — jusqu'à ce qu'un jour, lors de la scène majeure, ce moi réel craque sous la charge.

Il est possible que la scène primale majeure survienne au cours des premiers mois de la vie. C'est ce qui arrive quand le jeune enfant vit une expérience en elle-même si dévastatrice qu'il ne peut s'en défendre et doit se couper de cette réalité. Dans ce cas, il se produit une rupture irréparable qui dure jusqu'à ce que l'expérience soit revécue dans toute son intensité. On peut prendre pour exemple le fait d'être arraché à ses parents et mis en orphelinat dès les premiers mois de la vie.

Les scènes primales clé sont d'une importance capitale, car elles représentent des centaines d'autres expériences dont chacune a apporté de la souffrance. C'est pour cette raison que, quand les patients revivent ces scènes en thérapie primale, un flot de souvenirs qui leur sont associés remontent en même temps. Tous ces événements sont liés par un même sentiment (par exemple : « Il n'y a personne pour m'aider »).

Examinons quelques exemples de scènes primales. Tout

d'abord celle de Nick. Elle se situe juste après la fin de la Deuxième Guerre mondiale; Nick avait six ans et son père venait d'être démobilisé. Depuis Pearl Harbor, c'était le premier Noël que la famille passait réunie au grand complet, et l'on se préparait à bien le fêter. Nick attendait ce jour avec toute l'impatience d'un petit garçon. Il avait acheté une cravate pour son père, l'avait enveloppée de son mieux et y avait attaché une carte qu'il avait rédigée tout seul. A 2 heures de l'après-midi, tous les paquets avaient été ouverts, excepté celui que Nick avait destiné à son père. A 3 heures, tout le monde se régalait de la dinde farcie, sauf Nick. Son père avait complètement ignoré son cadeau.

Quelqu'un finit par l'apercevoir au pied de l'arbre et l'apporta dans la salle à manger. Nick raconte lui-même : « Mon père était soûl, et dès qu'il a vu ce cadeau, il s'est mis à faire le pitre : " Eh bien, qu'est-ce que ça peut bien être ? Peut-être une auto ? ou un bateau ? qu'est-ce que vous en pensez ? Non. C'est un avion. Le paquet est mal fait, mais je suis sûr que c'est un avion. " Tout le monde riait. J'aurais voulu me cacher sous la table. J'avais honte de lui avoir fait un cadeau. Il continuait, poussant la plaisanterie jusqu'au bout. Ivre, il était impitoyable. Il prétendait ne pas savoir de qui pouvait bien être le paquet, alors que j'avais mis « pour papa » sur ma carte (et je suis enfant unique). Quand enfin il se décida à l'ouvrir, il vint vers moi et dit en me bavant dessus : " Lumière de ma vie, des deux cent dix cravates que j'ai dans ma garde-robe, celle-ci sera dorénavant et à tout jamais ma préférée, etc. " Des idioties de ce genre. Il me couvrait de ridicule. Quand il dit au moins pour la cinquième fois " Tu n'aurais pas dû gaspiller ton argent pour ton pauvre vieux papa ", je n'y tins plus, je quittai la table en me disant : " *Nom de Dieu, tu as raison, je n'aurais pas dû* ". »

D'un point de vue objectif, dans un monde dont la bombe atomique, les camps de concentration et le génocide sont le lot quotidien, il ne s'est pas passé grand-chose cet après-midi-là. Pourtant, cet incident a contribué largement — comme la goutte qui fait déborder le vase — à condamner un homme à un quart de siècle de troubles nerveux, d'aberrations sexuelles et de périodes de profonde dépression. Pour Nick, cette cravate de Noël symbolisait ce qu'il ressentait : « Quoi que je fasse, papa, rien ne sera jamais assez bien pour que tu m'aimes. »

La scène primale fait converger des centaines et même des milliers d'incidents qui pour l'enfant signifient le désespoir. A partir du jour où elle a lieu, les sentiments réels mobilisent le moi irréel de telle façon que l'enfant ne reconnaît plus bon nombre de ses sentiments. (C'est ainsi qu'à l'âge de la puberté, Nick déguisa son besoin d'un père affectueux et le remplaça par des fantasmes homosexuels.) En outre, le moi irréel réprime ces mêmes sentiments réels, de sorte qu'ils ne peuvent être connectés et finalement résolus. (« Objectivement », Nick n'éprouvait que du mépris pour son père qui était alcoolique.) La scène primale majeure est un bond qualitatif dans la névrose.

Jusqu'à ce jour de Noël 1946, Nick avait été tendu. A partir de ce jour, sa tension ne s'est pas évanouie, pas plus que ses besoins et ses sentiments refoulés n'ont disparu. Ils sont restés en lui, codés dans son cerveau sous forme de souvenirs refoulés qui pénétraient tout son organisme, le maintenant dans un état de tension. Cette tension l'empêchait d'être conscient de son comportement et le forçait à lutter pour obtenir une satisfaction symbolique de son besoin (par l'homosexualité).

Par conséquent, il est évident qu'au cœur de la lutte du névrosé il y a l'*espoir* — l'espoir de voir son comportement lui apporter le réconfort et l'amour. Cependant cet espoir est nécessairement irréel puisqu'il le contraint d'essayer d'obtenir par la lutte quelque chose qui n'existe pas : des parents qui ressentent. Le névrosé essaie de faire de tous les êtres qu'il rencontre dans le monde, des parents affectueux, chaleureux, qui s'intéressent à lui. Si ses propres parents avaient réellement été bons et sensibles, la lutte serait inutile.

Après la crise de la scène primale majeure, il se produit dans le cours de la vie familiale des milliers d'autres incidents néfastes. Chacun d'eux approfondit le gouffre et aggrave la névrose, chacun d'eux rend l'enfant plus irréel.

Pour un autre de mes patients, la scène primale majeure avait été plus dramatique :

Peter avait quatre ans et son père lui administrait souvent des fessées pour la moindre vétille. Il les recevait en se disant qu'il devait avoir fait quelque chose de terrible pour les mériter et il continuait son bonhomme de chemin. Un jour qu'il était en voiture avec sa mère, ils eurent un accident, qui abîma complètement la voiture. A leur arrivée à la maison, le père les attendait, furieux. Sa première remarque fut : « Comment as-tu pu être aussi idiote ! » Encore sous le coup de l'accident, la mère de Peter fondit en larmes, ce qui ne fit qu'exaspérer son mari. Il la frappa et la fit tomber. En hurlant, le petit garçon se précipita sur son père et lui agrippa le bras qui était déjà levé pour frapper encore. Son père l'empoigna, le secoua rudement et l'envoya contre le mur. A cet instant Peter comprit que son père était capable de le tuer, s'il le provoquait.

A partir de ce jour, le petit garçon dut surveiller tous ses faits et gestes quand il était en présence de son père. Son enfance fut une époque terrifiante, car il était continuellement occupé à apaiser son père. Cependant il avait sa mère, vers qui il pouvait se tourner. Mais elle ne put supporter longtemps la brutalité de son mari et se mit à boire, à tel point qu'elle dut être internée. Le jour où on l'emmena, Peter comprit que « c'était la fin ». C'était effectivement la fin de son existence en tant qu'être humain normal et en accord avec lui-même. Au cours des vingt années qui suivirent, il eut un comportement symbolique à l'égard de tous ceux qu'il rencontra. Le sentiment qu'il déjouait et qui empoisonnait tous les aspects de sa vie était : « Je t'en prie, papa, ne me fais pas mal ! »

Voici encore un exemple d'un début de névrose en tant que manière d'être, et il semble tout à fait anodin. Pourtant, pour Anne, ce fut la scène primale majeure.

Anne avait six ans. Un jour, elle fut surprise par la pluie. Une voisine la trouva tremblante et trempée jusqu'aux os. Elle l'emmena chez elle et la fit se réchauffer devant un grand feu de bois, tout en la cajolant. Tout à coup, Anne se sentit « toute drôle », « bizarre » — et, sans dire un mot, elle sortit de cette maison et se précipita chez elle sous la pluie. Arrivée dans sa chambre, elle sanglota pendant près d'une heure. Sa mère vint voir ce qui lui arrivait, mais l'enfant ne savait que dire. Elle se sentait simplement mal à l'aise. Plus tard, elle essuya ses larmes et descendit à la cuisine pour aider sa mère à préparer le dîner.

Voilà tout ce en quoi consista sa scène primale majeure. Pourtant, elle fut plus traumatisante qu'une sévère correction, parce qu'elle ne put être intégrée et comprise.

Avant le jour de l'orage, Anne avait reçu des fessées pour s'être salie, avoir dit des gros mots, ou avoir soulevé sa jupe — le genre de choses qui arrivent à la plupart d'entre nous. Chaque fois, elle avait l'impression d'avoir fait quelque chose de mal, demandait pardon respectueusement et continuait à vivre à sa façon. Mais elle assimilait complètement ce qui se passait. Le jour de l'orage cependant, elle n'avait pas commis de faute, elle n'avait pas à demander pardon, et elle ne pouvait se raccrocher à rien pour comprendre ce qu'elle ressentait.

La gentillesse de cette voisine avait mis en évidence le

vide de son existence. Elle avait entrevu fugitivement ce qu'elle n'avait jamais eu chez elle : du temps qu'on lui consacrait, de la gentillesse, du réconfort, et, tout simplement, un peu d'humanité. Elle se rendit compte alors que jamais elle ne pourrait être ce qu'elle était si elle voulait que sa mère l'aime. Elle s'était précipitée à la maison afin d'étouffer par ses larmes cette prise de conscience avant d'en subir tout l'impact, avant de ressentir la force dévastatrice de ce *jamais*.

Après avoir pleuré, quand la fillette redescendit pour aider maman, sa vie réelle cessa. Extérieurement, elle devint polie, gentille et serviable. Intérieurement, la tension s'accumulait.

Elle essayait de vaincre son désarroi en aidant constamment sa mère qui était malade la plupart du temps. Elle s'offrait à s'occuper de son petit frère. Elle luttait, sa tension augmentait, et sa névrose s'aggravait. En réalité, elle n'avait aucune envie de s'occuper de son petit frère, elle aurait voulu qu'on s'occupe d'*elle* et qu'on la cajole; elle n'avait pas envie de faire la vaisselle, elle avait envie d'aller s'amuser. Mais elle cédait aux désirs de « Maman » et refoulait les siens. Elle passait sa vie à essayer de transformer sa mère en cette gentille voisine qui lui avait offert de l'amour sans rien demander en échange. La lutte l'empêchait de ressentir et de reconnaître que sa mère ne deviendrait jamais la personne affectueuse dont elle avait besoin. La petite fille était prise au piège.

Si elle avait cessé de jouer la petite fille soumise et bien élevée, elle aurait déclenché le ressentiment de sa mère d'avoir à être une mère. En étant soumise, Anne avait trouvé un moyen d'éviter d'être totalement rejetée : elle laissait sa mère jouer les petites filles, tandis qu'elle adoptait le rôle de sa mère. C'est à cause de l'espoir irréel (1) qu'elle assumait cette charge. Elle espérait qu'un jour elle obtiendrait quelque chose, et ainsi elle luttait pour l'amour imaginaire de sa mère, mais tout ce qu'elle obtenait, n'était jamais qu'une vaisselle de plus à faire.

La scène primale est donc un événement qui *n'est pas* vécu dans sa totalité. Il reste déconnecté et non résolu. Cela ne signifie pas qu'il y ait un seul moment dans notre vie qui produise la névrose, mais que ce moment — la scène primale majeure — détermine une fois pour toutes une

---

(1) Cet espoir est en grande partie inconscient et en général, il n'est même pas ressenti. Il est déjoué dans la lutte.

voie et que chaque nouveau traumatisme approfondit le gouffre entre le moi réel et le moi irréel.

La scène primale majeure est le moment où l'accumulation de petites blessures, de manifestations de rejet et de refoulements, se fige pour former une nouvelle manière d'être — la névrose. C'est le moment où l'enfant commence à comprendre que pour s'en sortir, il doit renoncer à une partie de lui-même. Cette constatation, trop pénible pour être supportée, ne devient jamais entièrement consciente de sorte que l'enfant commence à agir de façon névrotique sans avoir la moindre idée de ce qui s'est passé en lui.

Nous avons vu que certaines scènes primales peuvent être dramatiques, d'autres ne le sont pas nécessairement. Il suffit qu'une mère dise : « Si jamais tu refais ça, je ne veux plus te voir. » Ce n'est pas la scène en elle-même, mais la *signification* qu'elle a pour l'enfant qui lui donne son caractère dévastateur. Une menace apparemment légère ou une petite fessée peuvent subjectivement être aussi traumatisantes que le fait d'être envoyé à l'orphelinat.

Le moi réel et le moi irréel

Bien que je parle toujours du moi réel et du moi irréel, il ne faut pas oublier que ce sont les deux aspects d'un même moi. Le moi réel est le vrai moi, que nous étions avant de découvrir que ce moi n'était pas acceptable pour nos parents. Nous naissons réels. Etre réel n'est pas quelque chose que nous essayons de devenir.

La coquille que nous construisons autour du moi réel est ce que les Freudiens appelleraient le système de défenses. Mais les Freudiens estiment qu'un système de défenses est indispensable à l'être humain et qu'un individu « sain » et « bien intégré » est nécessairement muni d'un puissant système de défenses. Pour ma part, je considère que l'individu normal est totalement dépourvu de défenses et n'a pas de moi irréel. Plus son système de défenses est puissant, plus l'individu est malade — c'est-à-dire irréel.

Les yogi qui marchent sur des charbons ardents ou dorment sur des lits de clous, offrent une illustration parfaite de la suppression littérale du moi réel et de sa sensibilité. Je vois tous les jours dans la pratique de mon métier, des malades qui ont réussi, pour se protéger de leur souffrance, à se couper complètement de leurs sentiments et qui ne ressentent pas plus leurs souffrances psychologiques que le yogi ne ressent la douleur physique.

De temps en temps, il se peut que le névrosé entrevoie fugitivement son moi réel. Une maladie ou des vacances lui laissent peu d'occasions d'exercer sa lutte et il se trouve ramené à lui-même. Cela peut provoquer des symptômes psychiatriques — le sujet se sent soudain « dépersonnalisé », étranger à lui-même, comme s'il avait simplement fait semblant de vivre. Cette dépersonnalisation marque souvent le début de la réalité, mais comme le névrosé prend son irréalité pour sa réalité, il finit par ressentir son moi réel comme une force étrangère. En général, il se retire dans son irréalité habituelle, et se remet bien vite « dans sa peau », il se sent de nouveau lui-même. S'il pouvait faire un pas de plus et poursuivre sa démarche jusqu'au bout, il sentirait la réalité de son irréalité, et je crois qu'il pourrait redevenir réel.

Chez le névrosé, le moi réel qui ressent est donc enfoui avec la souffrance originelle; c'est pourquoi il doit ressentir cette souffrance afin de se libérer. Le fait de ressentir cette souffrance détruit le moi irréel, de la même manière que le fait de l'avoir niée, l'a créé.

Comme le moi irréel est un système superposé, le corps semble le rejeter comme il rejetterait n'importe quel élément étranger. La tendance va toujours vers le moi réel. Quand des parents névrotiques empêchent un enfant d'être réel, il choisit des chemins tortueux — c'est-à-dire névrotiques — pour atteindre la réalité. La névrose n'est rien d'autre que le moyen irréel par lequel nous essayons d'être réels.

C'est le système irréel qui déforme le corps et entrave son développement et sa croissance. Il réprime l'activité du système endocrinien qui est un système réel ou au contraire le stimule à l'excès. Il provoque une fatigue excessive de divers organes vulnérables, ce qui donne lieu à des « pannes » périodiques. Bref, le système irréel est un système total, ce n'est pas simplement un comportement qui se manifeste ici ou là. Etre névrosé veut dire qu'on n'est pas entièrement réel : par conséquent, rien en nous ne fonctionne normalement et sans accroc. Les manifestations de la névrose sont aussi infinies que celles de la normalité. Elle est dans tout ce que nous faisons.

Le névrosé a un moyen de briser la surface de ses luttes symboliques pour plonger dans les souffrances qui le motivent : c'est la thérapie primale. C'est l'attaque systématique du moi irréel qui finit par produire une nouvelle manière d'être, la normalité, tout comme les attaques portées à l'origine au moi réel, avaient produit une nouvelle manière d'être, la névrose. C'est la souffrance qui conduit à la névrose et c'est par la souffrance que l'on en sort.

Récapitulation

La théorie primale définit la névrose comme la synthèse de deux « moi », ou de deux systèmes, qui sont en conflit. Le système irréel a pour fonction de supprimer le système réel, mais comme les besoins réels ne peuvent être éliminés, le conflit n'en finit pas. Lorsque ces besoins essaient d'être satisfaits, ils sont transformés par le système irréel de sorte qu'ils ne peuvent plus trouver qu'une satisfaction symbolique. Pour que l'enfant ne soit pas vaincu par la souffrance, il faut que ses sentiments réels, qui sont devenus trop douloureux parce qu'ils n'ont pas été satisfaits, soient réprimés. Mais, paradoxalement, les besoins ne peuvent pas être satisfaits tant qu'ils ne sont pas ressentis.

Si l'on considère que ces besoins et ces sentiments refoulés représentent une énergie qui fait fonctionner l'organisme, on constate que le névrosé ressemble beaucoup à une machine dont le moteur serait toujours en marche. Rien de tout ce qu'il peut faire n'est capable d'arrêter ce moteur, tant que ses besoins et ses sentiments ne sont pas ressentis dans toutes leurs affres exactement pour ce qu'ils sont. Autrement dit, il faut que le système irréel soit renversé pour que le système réel puisse s'exprimer.

Un exemple très simple peut éclaircir ce problème, l'exemple d'un enfant qui n'a pas le droit de pleurer quand il est petit. Où vont toutes ces larmes ? Chez certains individus, elles se transforment en sinusites ou en écoulement dans le pharynx (ces symptômes disparaissent lorsqu'en thérapie primale, le sujet pleure de toutes les fibres de son corps). Chez d'autres, cette tristesse refoulée se retrouve dans l'affaissement de la commissure des lèvres ou dans la mélancolie de l'expression. De toute façon, le besoin réel n'est jamais ressenti parce qu'il est déjoué de façon symbolique. C'est précisément ce comportement symbolique qui empêche le sujet de ressentir son besoin et de le résoudre finalement. Ainsi, le névrosé continue à se refuser la satisfaction de ses besoins réels.

Le système irréel transforme des besoins réels en besoins pathologiques. Un malade peut se gaver de nourriture pour ne pas sentir le vide de son existence. La nourriture devient le symbole de l'amour. La boulimie est donc un exemple de déjouement.

Une fois que les besoins réels ont été pervertis et transformés en besoins névrotiques, ils ne peuvent plus être satisfaits. Autrement dit, une fois que s'est produit le clivage essentiel lors de la scène primale majeure, deux « moi » sont créés et se trouvent dans un conflit dialectique permanent. Le moi irréel empêche le besoin réel de se manifester et d'obtenir satisfaction. C'est pourquoi l'affection et l'amour que pourra apporter à l'enfant plus tard un de ses maîtres n'améliorera que légèrement la situation : l'enfant ne souffrira pas pendant que son maître s'occupera de lui et sera gentil avec lui. Mais le comportement du maître ne peut remédier au clivage qui a été produit par les privations imposées du matin au soir pendant les premières années cruciales de la vie par des parents tout-puissants. Une fois que le clivage a eu lieu, le fait d'être embrassé par un maître peut être douloureux pour l'enfant, car il souffre alors de ce qu'il n'a jamais eu.

Les souffrances primales sont déconnectées de la conscience, car en être conscient signifie une intolérable souffrance. L'enfant fait l'expérience de la souffrance primale quand il ne peut être lui-même. La tension naît lorsque les souffrances sont déconnectées de la conscience. Elle représente la souffrance diffuse, la pression des sentiments niés et déconnectés qui demandent à être libérés. C'est la tension qui produit l'homme d'affaires acharné, le toxicomane, l'homosexuel; chacun d'eux souffre à sa manière, mais il choisit un style de vie, autrement dit « une personnalité », pour tenter de réduire et si possible d'étouffer sa souffrance. Des trois exemples que je viens de citer, c'est souvent le toxicomane qui est le plus honnête; en général, il sait qu'il souffre.

Les souffrances primales sont des besoins primals non résolus. La tension est la façon de sentir ces besoins coupés de la conscience. Au niveau mental, la tension se traduit par l'incohérence, la confusion, le manque de mémoire, et au niveau physique par une contraction musculaire et des troubles viscéraux. La tension est le signe caractéristique de la névrose. C'est elle qui pousse le sujet à la résoudre. Mais il ne peut y avoir de solution tant qu'il n'a pas ressenti — c'est-à-dire vécu consciemment — sa souffrance primale.

La lutte névrotique est sans fin parce que les besoins de l'enfance restent non résolus. La lutte est une perpétuelle tentative pour empêcher l'organisme d'avoir des besoins. C'est cependant cette lutte qui empêche le sujet de ressentir la grande souffrance du besoin réel, et d'arriver par là au le résoudre. Une femme pourra passer entre les bras de dizaines d'amants sans jamais résoudre le besoin de l'amour de ses parents. Un professeur pourra donner des cours à des milliers d'étudiants et néanmoins éprouver un besoin désespéré d'être écouté et compris par ses parents — besoin inconscient qui le poussera à faire toujours davantage de cours. La lutte n'apporte jamais de satisfaction, précisément parce qu'elle est symbolique et non réelle.

Tout besoin réel ou tout sentiment réprimé qui découle de la relation qu'a eu le sujet dans son enfance avec son père ou avec sa mère, doit être déjoué symboliquement, tant qu'il ne s'adresse pas à eux. La thérapie primale a pour objet d'aider le sujet à devenir réel, en atteignant, par-delà le comportement symbolique, ses sentiments réels. Cela revient à aider le malade à désirer ce dont il a besoin. Le tout petit enfant qui se développe normalement, désire ce dont il a besoin parce qu'il ressent ses besoins. Lorsqu'il devient névrosé, ses désirs et ses besoins se séparent (parce qu'il ne peut avoir ce dont il a besoin), de sorte qu'il se met à désirer ce dont il n'a pas besoin. Chez l'adulte, cela peut se manifester par un besoin excessif d'alcool, de drogue, de vêtements ou d'argent. Le sujet poursuit ces objets pour soulager la tension créée par des besoins réels non reconnus. Mais il n'y aura jamais assez d'alcool, de drogue, de vêtements ou d'argent pour combler le vide.

CHAPITRE 3

LA SOUFFRANCE

Pour bien comprendre la théorie primale et la thérapie primale, il est indispensable de connaître la réaction de l'organisme humain à la souffrance. Je tiens à indiquer brièvement quelques recherches scientifiques qui m'ont aidé à formuler ma théorie.

Dans ses recherches sur la contraction et sur la dilatation de la pupille en réponse à certains stimuli, E. H. Hess (1) a constaté que la pupille se dilate sous l'effet d'un stimulus agréable, tandis qu'elle se contracte sous l'effet d'un stimulus désagréable. Lorsqu'on montrait aux sujets sur lesquels a été faite l'expérience, des scènes de torture, leurs pupilles se contractaient; de même, quand on leur demandait de se *remémorer* ces scènes pénibles, on provoquait une contraction involontaire et automatique de la pupille. Je pense que le même phénomène, mais généralisé à l'ensemble de l'organisme, se produit chez l'enfant qui se voit affronté à des scènes pénibles. Devant la souffrance, l'organisme tout entier a un mouvement de recul auquel participent les organes des sens, les processus cérébraux, le système musculaire, etc., ainsi que l'ont démontré les expériences de Hess.

J'affirme que le fait de se détourner d'une grande souffrance est un réflexe humain qui se manifeste aussi bien quand il s'agit de retirer les doigts d'un fourneau brûlant, ou de détourner les yeux devant une scène particulièrement

(1) E. H. Hess et J. M. Polt, « Pupil Size in Relation to Interest Value of Visual Stimuli », *Science*, vol. 132 (1960), pp. 349-350.

horrible d'un film d'épouvante, que quand il s'agit de dissimuler à son moi des pensées et des sentiments douloureux. Je crois que ce principe de la réaction à la souffrance est essentiel pour le développement de la névrose.

Lors de la scène primale, l'organisme de l'enfant se ferme à une prise de conscience totale et la repousse dans l'inconscient, de la même manière que sous l'effet d'une souffrance physique excessive, le plus solide d'entre nous perd conscience. La souffrance primale est une souffrance non ressentie et, vue sous cet angle, la névrose peut être considérée comme un réflexe : la réaction instantanée de l'organisme tout entier à la souffrance.

T. X. Barker a fait des tests physiologiques sur des sujets placés sous hypnose (1). Ces sujets apparemment éveillés étaient avertis sous hypnose qu'ils ne ressentiraient rien alors qu'on leur infligerait des stimuli douloureux; ils rapportaient par la suite n'avoir rien ressenti bien que toutes les mesures effectuées aient indiqué que physiquement, ils avaient réagi à la douleur. Au cours d'autres expériences, on a pu enregistrer des modifications du tracé des encéphalogrammes sur des sujets placés sous hypnose qui rapportaient n'avoir rien ressenti de la douleur qui leur avaient été infligée.

Du point de vue de la théorie primale, cela semblerait indiquer que le corps et le cerveau réagissent constamment à la souffrance, même quand l'individu ne se rend pas compte qu'il souffre. Les mesures physiologiques révèlent que l'organisme du sujet continue à réagir aux stimuli douloureux, même après l'absorption d'analgésiques. Autrement dit, la réaction physique à la souffrance et la prise de conscience de la souffrance peuvent être deux phénomènes distincts.

Puisque l'organisme se ferme à une douleur intolérable, il a besoin de quelque chose pour cacher et réprimer les souffrances primales. C'est la névrose qui assume cette fonction. Elle distrait le sujet de la souffrance et le dirige vers l'espoir, c'est-à-dire vers ce qu'il peut *faire* pour satisfaire ses besoins. Comme le névrosé a tant de besoins à la fois pressants et insatisfaits, ses facultés perceptives et cognitives doivent être détournées de la réalité.

Le blocage de la souffrance est une notion capitale dans ma théorie, car je crois que la faculté de ressentir est un tout, qui met en jeu l'organisme entier, et si nous bloquons

(1) T. X. Barker et J. Coules, « Electrical Skin Conductance and Galvanic Skin Response During Hypnosis », *International Journal of Clinical and Experimental Hypnosis*, vol. 7 (1959), pp. 79-92.

des sentiments aussi importants que les souffrances primales, nous mettons obstacle à notre capacité de ressentir quoi que ce soit.

Les sentiments primals sont comparables à un réservoir géant dans lequel nous puisons. La névrose est le couvercle de ce réservoir. Elle sert à réprimer presque tous les sentiments, aussi bien le plaisir que la douleur. C'est pourquoi les malades sont unanimes à déclarer après la thérapie, qu'ils « sont à nouveau capables de ressentir ». Ils disent que c'est la première fois depuis leur enfance qu'ils ressentent réellement du plaisir.

Cette notion d'un réservoir de souffrances primales à l'intérieur du névrosé va au-delà de la simple métaphore. Les malades l'évoquent souvent eux-mêmes sous une forme ou sous une autre (ce dépotoir de souffrances qu'ils portent à l'intérieur d'eux-mêmes). Par exemple, chaque fois que l'enfant est battu par son père, son sentiment est : « Papa, je t'en prie, sois gentil avec moi, s'il te plaît, ne me fais pas si peur ! » Mais, pour une foule de raisons, l'enfant ne le dit pas. En général, il est tellement prisonnier de la lutte qu'il n'a pas conscience de ses sentiments; mais, même s'il s'en rendait compte, une pareille franchise (« Papa, tu me fais peur »), représenterait une telle menace pour le père qu'elle risquerait fort de rapporter à l'enfant une correction encore plus violente. C'est pourquoi l'enfant déjoue ce qu'il ne peut pas dire en étant plus circonspect, en s'excusant davantage, en étant plus effacé, mieux élevé et plus poli.

Les souffrances primales sont emmagasinées une par une en couches superposées de tension qui cherchent à se libérer. Elles ne peuvent être libérées qu'en étant connectées à leur origine. Il n'est pas nécessaire que le sujet revive et connecte un à un tous les incidents, mais il faut qu'il ressente le sentiment général qui a été à la base de nombreuses expériences qu'il a vécues. Dans l'exemple que nous venons de voir, quand le sentiment est rattaché au père, le sujet sera bombardé de toute une série de souvenirs successifs (emmagasinés dans le « réservoir ») où l'enfant a eu peur de son père. Cela prouve bien l'existence de scènes primales clé, c'est-à-dire de scènes qui sont représentatives des nombreuses expériences dont chacune est reliée au sentiment central. Le processus primal vide méthodiquement le réservoir de souffrances. Quand ce réservoir est vide, j'estime que le malade est réel, qu'il est guéri.

Toute souffrance primale implique le besoin sous-jacent de survivre. Tout jeune, l'enfant fait ce qu'il a à faire pour plaire à ses parents. Un malade exprimait cela ainsi : « Je me suis écarté de moi-même. J'ai tué le petit Jimmy parce qu'il était brutal, turbulent et exubérant et qu'ils voulaient un petit garçon docile et bien élevé. Si je voulais survivre, avec des parents dingues comme les miens, il me fallait me débarrasser du petit Jimmy. J'ai tué mon meilleur ami. C'était un marché de dupes, mais je n'avais pas le choix ! »

Comme nous étions à l'origine des êtres entiers, notre moi réel fait constamment pression pour remonter à la surface et établir ces connexions. S'il n'y avait pas en nous un besoin inhérent d'être entiers, le moi réel pourrait être mis de côté pour de bon, il reposerait tranquillement au fin fond de nous-mêmes et ne tenterait jamais de venir s'immiscer dans notre comportement. Le moteur de la névrose est le besoin de redevenir entier, le besoin de retrouver le moi naturel. Le moi irréel est l'obstacle, l'ennemi qui doit finalement être détruit.

Le thérapeute primal doit fournir un effort considérable pour contraindre l'organisme à se replonger dans les souffrances de l'enfance. Si fort que soit le désir de guérir du patient, il résiste toujours quand il s'agit de ressentir les sentiments qui font mal. En fait, la plupart des malades ont peur de « devenir fous » quand ils sont sur le point de ressentir ces souffrances.

De notre point de vue, l'aspect le plus significatif de la souffrance primale réside dans le fait qu'elle reste emprisonnée à l'intérieur de nous-mêmes, aussi intacte et aussi intense qu'au jour où elle a commencé d'exister. Elle n'est en rien altérée par les circonstances de la vie et par les expériences du malade, quelles qu'elles soient. Des malades de quarante-cinq ans revivent ces expériences (qui se sont déroulées quarante ans auparavant) dans toute leur intensité dévastatrice, comme s'ils les vivaient pour la première fois. D'ailleurs, je crois que c'est effectivement ce qu'ils font. Ils n'ont jamais fait l'expérience entière de leur souffrance; elle n'avait jamais été complètement vécue et avait été dissimulée avant que son impact total n'ait pu être ressenti. Mais cette souffrance est terriblement patiente. Chaque jour de notre vie, elle se rappelle à nous par des moyens divers et fort subtils. Il est rare qu'elle se mette à crier pour réclamer sa libération.

Ce qui est plus fréquent, c'est que la souffrance devienne bien imbriquée dans la personnalité, de sorte qu'elle n'est ni ressentie ni reconnue. Le système névrotique déjoue alors la souffrance.

Ce mécanisme est automatique, car il faut que la souffrance trouve un exutoire, que celui-ci soit reconnu ou non. Ce peut être le sourire perpétuel qui demande : « Soyez gentils avec moi », ou le trouble physique qui insiste : « Occupez-vous de moi », ou encore un comportement turbulent et bruyant, ou le désir de briller en société, qui semble toujours dire : « Papa, fais attention à moi. » Quelle que soit la situation d'un homme dans la vie, que son système de défenses soit fruste ou très élaboré, si l'on gratte un peu la surface, sous la couche de vernis, on trouve un enfant meurtri.

Je tiens à souligner que l'expérience de la souffrance primale ne consiste pas seulement à *connaître,* mais à *être* cette souffrance. Tout homme est une entité psychophysique et je crois que toute approche qui divise cette unité est vouée à l'échec. Les cliniques diététiques, les cliniques de rééducation de la parole, et même les cliniques *psycho*-thérapeutiques travaillent suivant des méthodes qui isolent les symptômes et les traitent indépendamment de l'ensemble du système. Or, la névrose n'est ni une maladie affective, ni une maladie mentale, elle est les deux. Pour redevenir entier, il est nécessaire de ressentir et de reconnaître le clivage et de crier la connexion qui rendra son unité à l'individu. Plus le clivage est ressenti intensément, plus l'expérience de réunification est intense et essentielle.

Selon la théorie primale, toutes les souffrances présentes qui sont excessives ou qui ne correspondent pas à la réalité, se rattachent au réservoir de souffrances primales. L'existence de ce réservoir explique pourquoi un sentiment pénible dure bien au-delà du temps qui correspondrait à une critique ou à un ennui normalement sans grande importance.

Nous avons sans doute tous parmi nos relations un de ces êtres hostiles ou craintifs, qui sans raison apparente, semble s'éveiller tous les matins aussi hostile ou craintif. D'où viennent ces sentiments qu'il retrouve tous les jours ? A mon avis, ils sont tirés du réservoir de sentiments primals.

Tout ce qui produit une brèche dans la façade irréelle, touche à ce réservoir et provoque une poussée ascendante de souffrance. J'avais par exemple une malade dont la mère critiquait toujours l'apparence extérieure. Un jour, un ami lui dit en passant que ses jolis yeux bleus ne semblaient pas aller avec ses cheveux de jais. Cette remarque apparemment anodine fit renaître en elle le sentiment d'être rejetée, et elle avait beau « *savoir* » que son ami n'avait pas voulu lui faire de la peine, elle ne pouvait se débarrasser de son sentiment. Parler de cet incident récent en thérapie était un moyen de l'aider à atteindre sa souffrance. Ressentir cette souffrance primale est ce que j'appelle avoir ou faire un primal.

Il peut arriver que l'on vous fasse une foule de compliments au cours d'une soirée, mais il suffit d'une toute petite critique pour que ces compliments paraissent négligeables, parce qu'elle fait remonter en vous le sentiment que vous avez eu toute votre vie d'être sans valeur, de n'être pas à la hauteur ou de n'avoir jamais été désiré, etc. Souvent les névrosés sont attirés par les critiqueurs, parce qu'ils peuvent alors lutter symboliquement avec des substituts de leurs parents pour essayer d'arriver à triompher de la critique. C'est le même processus dynamique qui poussera quelqu'un à se lier à une personne froide et distante, pour pouvoir (à travers elle), vaincre la froideur de ses parents. C'est l'essence même de la lutte névrotique — recréer la situation originelle de l'enfance pour essayer de la résoudre, épouser un homme faible pour essayer de le rendre fort, ou épouser un homme fort et le harceler sans pitié de façon à ce qu'il devienne faible et sans ressort. Pourquoi les gens « épousent-ils » symboliquement leur père ou leur mère ? Pour les rendre réels et affectueux. Comme cela est impossible, on peut uniquement garantir que la lutte se poursuivra.

On peut à ce point poser la question suivante : « Comment savez-vous que le névrosé souffre vraiment d'une grande douleur ? » Je répondrai que chez tous les patients que j'ai vus, quel qu'ait été le diagnostic psychiatrique, la souffrance est remontée à la surface dès que les défenses ont été brisées. La souffrance est toujours présente, mais elle est diffuse dans tout l'organisme et se traduit par un état général de tension.

On me posera alors une seconde question : « Comment savez-vous que le sujet ne réagit pas tout simplement à la souffrance que lui impose le thérapeute ? » D'abord, le thérapeute n'*impose pas* une souffrance. L'attaque du système de défenses *permet* au patient de ressentir son moi, ses besoins, ses désirs et ses souffrances. Ensuite, une fois que la plus grande partie de la barrière pensée-sentiments est détruite, les sentiments jaillissent constamment et de façon spontanée. Enfin, la souffrance ramène immédiatement le patient à sa propre existence et ne se concentre presque jamais sur le thérapeute.

Je ne sais par quelle curieuse démarche de l'esprit, on en

est venu à croire que ce sont les êtres qui supportent le mieux la souffrance qui ont le plus de valeur et qui sont les plus forts. Celui qui sait souffrir en silence, est un « homme », quelqu'un qui peut « encaisser ». Pourtant, c'est l'individu irréel qui supporte le « mieux ». Parce qu'il est immunisé contre la souffrance. On dirait vraiment qu'on veut donner à celui qui souffre le mieux, qui se renie le plus, la médaille du Club des Névrosés ! On dirait que la civilisation occidentale a établi une relation directe entre la vertu et le reniement de soi, non seulement dans la vie religieuse où le renoncement est exalté, mais aussi dans la vie de tous les jours où l'homme travaille dur pour nourrir sa famille et meurt prématurément des suites de son sacrifice. Celui qui n'a jamais eut le temps de se consacrer à lui-même et qui a fait abnégation de lui-même, finit par se sacrifier au sens littéral du terme. C'est dans ce sens seulement que je crois pouvoir dire que l'irréalité tue.

CHAPITRE 4

SOUFFRANCE ET MEMOIRE

Lors du premier clivage névrotique, il semble qu'il se produise également un clivage au niveau de la mémoire. Il y a des souvenirs réels qui sont mis en réserve avec la souffrance, et des souvenirs liés au système irréel. Le système irréel joue le rôle d'écran, il filtre ou bloque les souvenirs qui conduiraient à la souffrance. A chaque nouvelle scène primale, le jeune enfant se voit contraint d'oblitérer une fraction plus importante de son expérience vécue, de sorte que chaque grande souffrance primale est entourée de tout un groupe d'associations qui sont bannies du niveau de la pleine conscience. Plus le traumatisme est profond, plus il risque d'affecter certains aspects de la mémoire.

Selon l'hypothèse primale, ces souvenirs refoulés sont emmagasinés avec la souffrance et ils sont réactivés quand la souffrance est ressentie. En thérapie primale, les malades sont toujours surpris de la façon dont la thérapie fait sauter les digues de la mémoire. J'ai connu le cas d'une femme qui commença la thérapie en revivant des expériences qui dataient de ses six mois, et qui, les jours suivants, revécut son existence année après année, jusqu'à ce qu'elle ait remonté le cours de sa vie. A chaque séance, sa mémoire s'élargissait beaucoup, mais elle ne dépassait jamais l'âge dans lequel elle s'était située le jour de la séance en question. Ainsi, le jour où elle se souvint qu'on l'avait laissée seule dans son lit d'enfant, elle se souvint aussi de la maison où elle habitait à cette époque-là, de la façon dont ses grands-parents venaient jouer avec elle, et de son frère qui la pinçait alors qu'elle était sans défense.

La mémoire est étroitement liée à la souffrance. Le sujet tend toujours à oublier les souvenirs trop douloureux pour être intégrés et acceptés par la conscience. C'est pourquoi le névrosé aura toujours des souvenirs incomplets dans certaines zones dangereuses.

Voici quelques exemples de séances où les patients ont revécu des scènes primales.

Première scène. Une institutrice de trente-cinq ans la revit avec une agitation croissante. « Elle est dans un fauteuil roulant. On la pousse le long du couloir. Il fait sombre. On la met sur le lit. Elle est seule. C'est épouvantable... Oooh ! » (A ce moment, elle se recroqueville sur elle-même, comme si elle avait reçu un coup au ventre.) « Mon Dieu, on *me* met au lit pour trois ans; je ne peux pas le supporter ! Je ne peux pas le supporter ! »

Elle retrouva le souvenir de cette scène au cours du quatrième mois de thérapie. Ce jour-là, elle était agitée en arrivant, sans savoir pourquoi. Son trouble augmentait au fur et à mesure qu'elle parlait et qu'elle ressentait; elle commença son récit à la troisième personne : « Elle est dans un fauteuil roulant ! » Elle se recroquevilla brusquement lorsqu'elle passa de la troisième personne, « elle », à la première personne, « je », du moi divisé au moi unifié. En disant : « Je ne peux pas le supporter », elle hurlait et se tordait de douleur. Tout cela se rapportait au jour où on avait découvert qu'elle souffrait d'un rhumatisme cardiaque et qu'elle devrait rester au lit pendant trois ans; elle avait alors cinq ans. C'était une expérience si tragique qu'elle dut s'en détacher pour la rendre tolérable; à partir de ce jour, elle se vit vivre comme si elle était deux personnes. C'était comme si elle disait : « Ce n'est pas à *moi* que cela arrive, c'est à *elle*. »

(Ainsi que nous l'avons indiqué précédemment, les parents ne sont pas toujours *directement* impliqués dans les scènes primales. Mais je crois que si les parents sont gentils et s'ils aiment leur enfant, il n'y aura pas en lui de clivage névrotique, quel que soit le traumatisme. J'ai le souvenir d'une femme qui se rappelait les bombes qui tombaient sur son orphelinat à la frontière entre l'Italie et la Yougoslavie. Le sentiment principal demeurait *toujours* : « Maman, j'ai peur, où es-tu ? Reviens me protéger, je t'en prie ! » Après son primal, elle expliquait que pour elle, la guerre avait été terrifiante, parce qu'elle n'avait personne pour lui expliquer ce qui se passait, personne pour la protéger et lui donner une impression de sécurité. Elle ne pouvait, à son âge, soutenir toute seule une telle tension.)

Jusqu'au jour de son primal, la scène décrite par la femme au rhumatisme cardiaque, n'avait été qu'un souvenir brumeux. Elle se rappelait qu'elle avait colorié des albums, bu du lait au lit, etc., mais rien de très net : la souffrance avait emporté avec elle, au fond d'un royaume enfoui, les souvenirs plus profonds. Après avoir revécu cette scène, elle dit qu'elle sentait les muscles de ses jambes et les os de ses pieds. Elle comprit soudain pourquoi elle avait toute sa vie évité même le désir d'une activité physique. Elle avait en effet atrophié non seulement tout désir conscient, mais aussi les membres qui devaient exécuter ses désirs instinctifs de courir et de jouer.

Il fallut quatre mois de thérapie pour faire remonter ce souvenir. Mais, à ce moment-là, il survint presque automatiquement comme si le corps était maintenant préparé à supporter une plus grande souffrance et capable de résister à son impact. Le souvenir s'était reconstitué en remontant le cours du temps. D'abord il y avait eu le souvenir dans le cadre du clivage : elle se décrivait et parlait de ce qui lui était arrivé à la troisième personne. Ensuite la malade se souvenait de fragments, de certains détails : le fauteuil roulant poussé tout le long du couloir, le fait d'être portée au lit, etc. Ces souvenirs fragmentaires avaient fusé comme des pétards en chaîne jusqu'au moment unique, total, de l'explosion où elle revécut le clivage lui-même (où le « elle » devint « je ») et où elle redevint *une*.

Deuxième scène. Une jeune femme de vingt-trois ans eut au cours de la deuxième semaine de thérapie le souvenir suivant : « J'avais sept ans. On m'emmena voir ma mère dans un hôpital ou quelque chose comme ça. Je vois son peignoir bleu, et les draps blancs et raides; je vois ses cheveux ébouriffés, comme si elle n'était pas coiffée. Je m'assieds sur le lit... je ne sais pas... c'est tout ce dont je me souviens. » Je la pousse vers le sentiment, je lui demande de regarder. Elle poursuit : « Je crois que j'étais assise à côté de maman. Je la regarde... Oooh ! Ses yeux ! ses yeux ! Elle ne sait pas qui je suis. Elle est folle ! Maman est folle ! »

Ce souvenir ouvrit une grande brèche. La patiente avait toujours cru qu'elle avait rêvé que sa mère avait tenté de la tuer, mais elle se souvint plus tard que, dans un moment de dépression nerveuse, sa mère avait effectivement essayé de tuer ses enfants. Immédiatement, son souvenir s'élargit. Elle sut que c'était dans un hôpital psychiatrique qu'on avait mis sa mère. Elle s'était toujours souvenue de certains aspects fragmentaires de la scène : la visite à l'hôpital, la montée dans l'ascenseur, etc., mais jamais elle ne s'était souvenue d'avoir réellement vu sa mère et d'avoir pris conscience de son véritable état.

Les clivages qu'avaient provoqués ces scènes peuvent être comparés à des états amnésiques, pas aussi complets ni aussi dramatiques que les cas dont on entend parler, mais si la situation est totalement inacceptable, comme par exemple le viol par le père (c'est un cas que nous avons eu parmi nos malades), il peut y avoir de larges zones où la souffrance oblitère un ou deux ans avant ou après l'événement en question. Parfois, l'hypnose est capable de ressusciter quelques-uns de ces vieux souvenirs en annihilant le facteur souffrance; mais je ne crois pas que l'hypnose puisse atteindre les domaines et les souvenirs où la souffrance l'emporte sur tout. La malade qui, à un très jeune âge, avait été violée par son père n'a pu retrouver ce souvenir qu'au bout d'une trentaine de séances de thérapie primale — et encore n'y est-elle parvenue que par étapes.

Un jeune homme de vingt-sept ans se remémorait en thérapie son enfance lorsqu'il tomba sur un souvenir qu'il avait complètement oublié : celui d'avoir été heurté un jour par une balançoire. Il y avait une nette disproportion entre ce souvenir et la souffrance qu'il ressentit à ce moment-là. Il revécut les choses dans l'ordre suivant : « Je ne sais pas pourquoi je me sens si mal. Il y a une balançoire et elle va me heurter. Elle m'assomme littéralement. Oh ! il faut qu'il y ait autre chose. Où est maman ? Maman, maman ! C'est ça, personne n'est venu, personne n'est jamais venu. J'étais toujours seul et personne ne se souciait de savoir où j'étais. Oooh ! maman, maman, occupe-toi de moi, je t'en prie ! » Il dit que s'il avait oublié tout ce qui s'était passé alors à cet endroit, c'est qu'il n'avait jamais voulu se rendre compte à quel point il était seul et rejeté : « C'est comme ça que j'ai oublié toute cette histoire de balançoire ! » Le souvenir d'avoir été heurté par une balançoire n'était pas important en lui-même; le sens de l'événement était catastrophique, et c'est ce sens, à savoir que personne ne se souciait de lui, qu'il niait et déjouait toute sa vie par des tentatives d'obtenir qu'on se soucie de lui. Quand il fut prêt à affronter le fait que sa mère, dont il se croyait aimé, ne se souciait pas le moins du monde de lui et ne s'en était jamais souciée, le souvenir de la balançoire devint conscient, total et réel.

Les souvenirs du névrosé tiennent souvent du rêve et il arrive que le patient ait autant de difficultés à se souvenir de sa petite enfance qu'à se rappeler certains de ses rêves. Je crois que pour que le sujet ait un souvenir concret, il faut une expérience concrète — c'est-à-dire que le sujet doit être engagé entièrement dans son expérience et ne pas en être coupé par la peur ou l'agitation. J'ai vu des patients qui avaient traversé la vie en ignorant à peu près complètement ce qui se passait autour d'eux. Ils se plaignent souvent de n'avoir pas vécu leur vie. C'est à leur moi *irréel* que tout arrivait. Ils allaient à travers la vie sans être jamais « tout à fait là ». D'habitude, ils vivaient à l'abri d'une sorte de barrière qui amortissait l'impact de leurs expériences et ne laissait passer que ce qui était agréable. Au fur et à mesure que le malade, au cours de la thérapie primale, ouvre des brèches dans cette barrière, il découvre le vrai sens de ses expériences et de ses comportements, émoussé jusque-là par la souffrance.

Je pense que les souvenirs sont refoulés dans la mesure où ils sont l'écho d'éléments ressemblant aux souffrances des scènes primales clé. Si une insulte dans le présent fait renaître une blessure ancienne et refoulée — par exemple, se sentir stupide — celle-ci peut rester oubliée ou revenir à la mémoire de façon vague. L'intensité du souvenir dépendra du degré de similitude qui existe entre la situation et le sentiment nouveaux et la souffrance ancienne.

La notion selon laquelle la mémoire irréelle prend naissance lors de la scène primale majeure initiale, comporte de nombreuses implications. Par exemple, un névrosé peut avoir une mémoire phénoménale de dates, de lieux et de faits historiques, même en ce qui concerne sa propre vie, et pourtant cette mémoire ne lui sert peut-être qu'à étayer la façade irréelle qui dit : « Regardez comme je suis brillant et instruit. » Cela n'empêche pas qu'en profondeur, sa mémoire puisse être totalement bloquée. La mémoire du moi irréel est sélective et les souvenirs restent vivants pour soulager la tension et renforcer « l'ego ». Cela veut dire que ce qu'on appelle une « bonne mémoire » n'est souvent, pour le névrosé, qu'un moyen de défense contre une mémoire *réelle*.

Le cas suivant pourra aider à clarifier la relation entre la souffrance et la mémoire. Une jeune femme, d'une vingtaine d'années, faisait de bons progrès en thérapie : elle avait fait deux primals et avait beaucoup d'insights. A la fin de la deuxième semaine, elle eut un grave accident de voiture. Elle eut de nombreuses fractures et on diagnostiqua une commotion cérébrale. Lorsqu'elle reprit connaissance, elle n'avait aucun souvenir de l'accident. Ses médecins doutaient qu'elle en retrouve jamais le souvenir et ils lui dirent que si ce souvenir ne revenait pas dans les semaines suivantes, il était vraisemblable qu'elle ne le retrouverait jamais.

Au bout de plusieurs semaines, elle était suffisamment remise pour reprendre sa thérapie. Avant la première séance, elle commença à souffrir de crampes d'estomac et, pendant trois jours, elle ne put aller à la selle. A la suite d'un primal qui se rapportait à une des grandes souffrances de sa petite enfance, elle fut automatiquement et sans directives amenée à sa souffrance la plus récente : son accident de voiture. Sans effort conscient de mémoire, elle revécut tout le traumatisme dans tous les détails, du début jusqu'à la fin. Elle vit la voiture venir sur elle, entendit le choc, sentit le coup sur son crâne, et poussa le cri épouvantable qu'elle n'avait pu pousser sur le moment. Elle put parler de tous les détails de l'accident, sans la moindre imprécision de la pensée.

Cet exemple montre bien que les effets physiques d'une commotion cérébrale ne sont peut-être pas seuls responsables d'une perte de mémoire; la souffrance qui l'accompagne peut contribuer à l'enfouissement d'un événement catastrophique. Si cette hypothèse est juste, il sera possible, dans le cas de traumatismes graves tels que le viol, de faire faire un primal à un sujet pour qu'il retrouve le souvenir de l'événement.

Je ne crois pas qu'un névrosé puisse avoir une mémoire complète tant qu'il a des souffrances primales. Il semble qu'après la thérapie primale, la mémoire s'améliore considérablement, et la plupart des patients remontent sans difficulté jusqu'aux premiers mois de leur vie en retrouvant un souvenir après l'autre. C'est comme si l'expérience de la souffrance primale faisait éclater les barrières de la mémoire.

CHAPITRE 5

NATURE DE LA TENSION

En termes primals, il n'y a pas de névrose sans tension. J'entends par là non pas la tension naturelle dont chacun d'entre nous a besoin pour agir, mais une tension anormale, qui n'a pas sa place chez l'être psychologiquement normal. Cette tension qui n'est pas naturelle est chronique chez le névrosé, elle représente la pression des besoins et des sentiments niés ou non résolus. Quand je parlerai de tension, c'est toujours de la tension névrotique qu'il sera question. Au lieu de ressentir des sentiments réels, le névrosé ressent divers degrés de tension. En général, il se sent bien lorsqu'il est moins tendu, et lorsque la tension augmente, il se sent mal. Ce que le névrosé cherche à obtenir par son comportement est de se sentir mieux.

D'où vient la tension et quelle est sa fonction ? Je pense que la tension, en tant que partie de la névrose, est un mécanisme de survie qui pousse l'organisme vers la satisfaction de ses besoins ou le protège, l'empêchant de ressentir des sentiments désastreux. Dans les deux cas, elle essaie de maintenir l'intégrité et la survie de l'organisme. Lorsque, par exemple, nous ne recevons pas de nourriture, la tension, en s'élevant, nous pousse à chercher des aliments pour satisfaire notre besoin. Si nous ne sommes pas pris dans les bras ou stimulés, le besoin nous incite à l'action. Si on laisse un besoin insatisfait persister chez l'enfant pendant ses premiers mois et ses premières années, cette insatisfaction finit par devenir douloureuse et intolérable; pour supprimer la souffrance, le besoin est supprimé et demeure sous forme de tension. Cette tension se maintiendra jusqu'à ce que le besoin soit connecté avec la conscience et résolu. Il en est de même d'un mouvement qu'on réprime (ne cours pas, reste tranquille sur ta chaise, etc.); il restera sous forme de tension jusqu'à ce qu'il soit connecté et résolu.

En résumé : tout refoulement décisif d'un sentiment ou d'un mouvement dans les premiers temps de la vie, devient un besoin jusqu'à ce qu'il soit ressenti, exprimé et par là même, résolu.

C'est la peur qui maintient la déconnexion. La peur donne l'alerte dès que la souffrance (le besoin ou le sentiment qui la provoquerait) approche de la conscience. Elle fait entrer en action le système de défenses qui fait appel à toutes les manœuvres susceptibles de tenir le besoin à l'écart. La peur est une réaction automatique qui fait partie des mécanismes de survie. Elle prépare l'organisme à parer au coup, de la même manière qu'on se contracte avant de recevoir une piqûre. Si le système ne réussit pas à se protéger de la souffrance, la peur devient consciente, et c'est l'anxiété. En général, la peur non plus n'est pas ressentie consciemment; elle fait partie du réservoir de tension.

L'anxiété est la peur que l'on ressent mais que l'on n'identifie pas exactement. Elle naît quand le système de défenses est affaibli et qu'il laisse le sentiment redouté s'approcher du niveau de la conscience. Comme ce sentiment n'est pas connecté, l'anxiété reste souvent indéfinie. Elle est toujours fondée sur la peur de n'être pas aimé. La plupart d'entre nous se défendent de l'anxiété en adoptant un type de personnalité qui leur évite de sentir à quel point ils ne sont pas aimés.

La personnalité est un moyen de protection. Elle a pour fonction de satisfaire les besoins de l'enfant. Autrement dit, il essaiera d'être ce qu'« ils » veulent pour qu'« il » puisse enfin être aimé. C'est en essayant d'être « eux » qu'il engendre la tension. Etre soi-même l'élimine. Etre soi-même, c'est être entier, corps et esprit étant connectés. Prenons par exemple un petit garçon qui a besoin que son père le prenne dans ses bras et dont le père pense qu'entre « hommes », on ne s'embrasse pas. L'enfant, pour essayer d'être un homme aux yeux de son père, refoule son besoin et adopte un comportement bourru. Cette personnalité bourrue fait naître la tension et la fixe à la fois. Lorsque cet enfant grandit, il a un ulcère et est envoyé en psychothérapie. Après les premières séances de thérapie, je le traite de pédale. Maintenant il est anxieux. J'ai découvert son point faible — autrement dit, j'ai mis le doigt sur le besoin qu'il a refoulé et qui a pu se transformer en tendances homosexuelles latentes. Il se met peut-être en colère à cause de mes paroles, mais cette colère n'est qu'un moyen de dissimuler sa blessure réelle — une défense pour ne pas ressentir son besoin réel. Sa colère est une façon de décharger sa tension. Au départ il a adopté ce comportement bourru pour obtenir l'amour de son père, mais cette motivation est enfouie depuis longtemps. Lui interdire d'être bourru, c'est lui faire voir qu'il n'a jamais été ni aimé, ni accepté — c'est le confronter avec le désespoir primal.

Tout comportement présent fondé sur des sentiments niés dans le passé (inconscients) est un comportement *symbolique*. C'est-à-dire que le sujet essaie à travers sa conduite présente, de satisfaire un besoin ancien. Tout comportement présent fondé sur ces besoins inconscients est ce que j'appelle un « déjouement ». C'est en ce sens qu'on peut dire que la personnalité est le déjouement du névrosé. La façon dont il se tient, dont il marche, dont il regarde sont des attitudes par lesquelles il réagit à des sentiments anciens enfouis.

Seule la connexion peut mettre un terme à la tension chronique du névrosé. D'autres activités peuvent *soulager* momentanément la tension, mais elles ne la résolvent pas. Je ne crois pas qu'il y ait une tension fondamentale innée ou une anxiété fondamentale chez l'être humain. Ce sont des éléments qui se développent à partir de conditions névrotiques de l'enfance. Tout névrosé est tendu, qu'il en soit conscient ou non.

Névrose n'est pas synonyme de défenses. Le terme de névrose est plus large et il indique la manière dont sont organisées les défenses du sujet; les divers types de névrose correspondent simplement aux divers types de structures de défense que l'on peut rencontrer. Comme le névrosé peut utiliser toutes sortes de défenses dans sa vie quotidienne, il ne peut y avoir de type pur. En général, le névrosé choisit un style (par exemple : intellectuel à outrance) auquel, pour plus de commodité, nous mettons l'étiquette d'une certaine catégorie de névrose. Toute névrose suppose l'existence d'un système irréel qui convertit les sentiments réels en tension. Pour la plupart, les sentiments et les besoins humains sont assez semblables. Ce qui est plus compliqué, c'est la façon dont nous nous en défendons. Mais il n'y a aucune raison de s'arrêter à ces complications si l'on peut atteindre ce qu'elles cachent.

Tant que les souffrances primales demeurent, le névrosé s'en défend par la tension. Sa personnalité est la façon plus ou moins équilibrée qu'il a trouvée pour s'en défendre. Enlever ses souffrances, c'est lui « enlever » sa personnalité.

Transposons cela en termes d'énergie. La loi de la conservation de l'énergie nous dit que l'énergie ne se perd pas, elle peut seulement être transformée. Je considère les sentiments primals originels comme étant essentiellement une énergie neurochimique qui est transformée en énergie mécanique ou cinétique, créant un mouvement physique constant, ou une pression interne. La thérapie primale a pour but de retransformer cette énergie pour lui faire reprendre sa forme originelle et supprimer ainsi la force intérieure qui contraint le sujet à l'action compulsive. C'est ce sentiment de pression qui est la raison pour laquelle tant de névrosés se sentent agités ou nerveux, pourquoi ils ne peuvent rester en place, pourquoi ils doivent constamment *faire quelque chose*. Il ne faut pas oublier que la tension est un phénomène qui implique le corps entier. Chaque nouveau sentiment bloqué ou chaque besoin insatisfait ajoute son poids à la pression intérieure qui affecte le système tout entier.

Il est possible de se débarrasser de la tension de façon mécanique — en jouant au tennis, au handball, en courant, etc. En fait, la plupart de ceux qui vivent « sur leurs nerfs », usent leur tension. Mais il n'y a aucun moyen d'éliminer les sentiments primals, par conséquent, la tension semble être perpétuelle. Je comparerais les gens qui passent leur vie à essayer de se débarrasser de leur tension, aux poulets décapités qui continuent à courir. En un certain sens, le névrosé est lui aussi décapité tant qu'il n'arrive pas à connecter les actions de son corps avec les raisons spécifiques de ces actions.

Grâce à l'ampleur des réactions physiques à la tension, il existe de nombreux moyens de la mesurer. Le chercheur E. Jacobson définit la tension en termes de contraction musculaire (1). Pour lui, la tension prépare le corps à une sorte de locomotion (la fuite) et il en résulte un raccourcissement des fibres musculaires. Les modifications dont ces fibres sont le siège, entraînent une augmentation de la tension électrique, ou du voltage, que l'on peut mesurer

(1) E. Jacobson, « Electrophysiology of Mental Activities », *American Journal of Psychology*, vol. 44 (1932), pp. 627-694; « Variation of Blood Pressure with Skeletal Muscle Tension and Relaxation », *Annals of International Medecine*, vol. 13 (1940), p. 1619; « The Affects and their Pleasure-Unpleasure Qualities in Relation to Psychic Discharge Processes », dans R. M. Loewenstein, éd., *Drives, Affects and Behavior* (New York, International Universities Press, 1953).

avec un appareil électronique : l'électromyographe. Mais cet appareil est encore trop imprécis pour mesurer les changements minimes qui se produisent dans les fibres musculaires. Jacobson établit néanmoins que la tension affecte tout notre système musculaire, fatiguant l'organisme aussi bien quand il est éveillé que pendant son sommeil. Cela explique pourquoi le névrosé est souvent plus fatigué au réveil qu'il ne l'était quand il s'est couché.

La tension est non seulement un phénomène qui affecte l'organisme tout entier, mais elle a également tendance à se concentrer dans les zones les plus vulnérables. Au cours de ses recherches, Malmo a montré que la plupart d'entre nous présentent des « zones-cibles » qui, sous l'effet du stress, sont le siège d'une augmentation de tension (1).

Par exemple, chez un sujet souffrant d'une douleur chronique dans la partie gauche de la nuque, on enregistrera dans une situation éprouvante une tension bien plus forte dans cette partie que dans la partie droite.

Bien que la tension soit toujours la pression intérieure qui résulte des sentiments déniés, elle se manifeste différemment chez chaque individu. Un tremblement, des nœuds à l'estomac, une raideur des muscles du squelette, une oppression sur la poitrine, des grincements de dents, des malaises, un sentiment de malheur imminent, des nausées, la gorge serrée ou les jambes en coton sont des expressions diverses de la tension. C'est la tension qui entretient un mouvement incessant des lèvres, contracte les muscles des mâchoires, fait battre continuellement des paupières, cogner le cœur, s'emballer l'esprit, taper du pied, et rend le regard incapable de se fixer. Il n'y a pas lieu d'insister. La tension est insupportable et elle se manifeste de façons très diverses.

Nous sommes si nombreux à vivre dans un perpétuel état de tension que nous en sommes venus à croire que cela faisait tout simplement partie de la nature humaine. Je suis persuadé que tel n'est pas le cas. Malheureusement, bon nombre de théories psychologiques sont cependant fondées sur le caractère inévitable de la tension. Par exemple, la théorie freudienne pose l'existence d'une anxiété fondamentale autour de laquelle nous devons organiser notre système de défenses, si nous voulons garder notre santé. Je crois que cette anxiété est uniquement fonction de l'irréalité du sujet.

(1) R. B. Malmo, dans A. Bachrach, éd., *Experimental Foundations of Clinical Psychology* (New York, Basic Books, 1962), p. 146.

On a fait, sur des animaux aussi bien que sur les êtres humains, un certain nombre d'expériences dans lesquelles une sonnerie retentissait chaque fois que les sujets recevaient une légère décharge électrique. Au bout d'un certain temps, la sonnerie à elle seule produisait le même sentiment anticipé d'un danger et un niveau élevé d'activation physique. Ce genre d'expérience conditionne le sujet à redouter quelque chose qui normalement n'a absolument rien de redoutable (une sonnerie). Inversement, on peut déconditionner le sujet en associant le stimulus inoffensif (la sonnerie), à une récompense ou à une situation qui ne comporte pas de choc.

La thérapie primale traite, elle aussi, le choc. Ce choc est souvent une prise de conscience précoce qui, si elle était totalement ressentie, serait catastrophique. Le choc est réprimé et produit à sa suite un comportement tendu, qui se poursuit pendant des années après que le danger est passé. Un enfant de six ans que ses parents méprisent (c'est une attitude qui est rarement manifestée ouvertement, mais l'enfant la sent) court un grand danger aussi bien sur le plan physique que sur le plan psychologique; mais l'adulte de trente-six ans qui comprend maintenant que ses parents le méprisaient ne court plus le moindre danger — même si son comportement d'adulte a été en majeure partie déterminé par la peur d'être méprisé.

Pour comprendre pourquoi un individu réagit encore au bout de trente ans à une prise de conscience traumatisante, il ne faut pas oublier que l'enfant est grand ouvert. Il est sans défenses, ce qui veut dire qu'il perçoit les choses en les ressentant directement. Ce qu'il perçoit dans les premiers mois ou les premières années de sa vie peut être trop dur à supporter. Il se met à couvert en développant des symptômes pathologiques ou en engourdissant ses sens, mais la douloureuse vérité est là et elle attend d'être ressentie. Je citerai le cas d'un patient qui, à deux ans et demi, perçut à quel point le visage de ses parents était sans vie. Il commença à comprendre que l'existence de tous ceux qui l'entouraient et la sienne propre étaient absolument dénuées de vie. Il ne ressentit pas cela entièrement mais commença à avoir de l'asthme. *Il ne put ressentir cette absence de vie que bien plus tard, lorsqu'il en fut à l'abri.* Car cette absence de vie signifiait qu'il devait être « mort » lui aussi afin de pouvoir continuer à vivre avec ses parents. Il fallut de nombreux primals pour qu'il arrive à ressentir ce sentiment dans sa totalité. Ressentir cette mort le ramena à la vie.

Le choc psychologique originel engendrait la peur; et la peur transformait le sentiment en une tension vague et généralisée. Chez ce patient, l'anxiété n'était pas consciente. Il adoptait inconsciemment un comportement sans vie pour éviter l'anxiété. Ses mouvements sans vie et son visage impassible étaient les moyens qu'il avait trouvés pour coexister avec ses parents. Tant qu'il était « mort », il était tendu, mais non anxieux. C'est la nécessité d'agir de façon vivante qui faisait naître en lui l'anxiété. Dans la plupart des cas, la névrose (le déjouement) fixe la tension de sorte que le névrosé ne sait même pas qu'il est tendu (1). La distinction entre la peur et l'anxiété est une question de contexte, non de physiologie. Le processus physiologique de la peur peut être identique à celui de l'anxiété, mais dans le cas de la peur, le sujet réagit à la situation présente, tandis que dans celui de l'anxiété, il réagit au passé comme s'il était le présent. C'est en général au moment où la tension devient anxiété ressentie, qu'il vient en psychothérapie.

La peur réelle est le sentiment que notre vie est en danger. Elle survient sans tension et sans engourdissement des sens ou de l'esprit. La peur réelle prépare l'organisme à affronter le danger qui le menace. La peur primale engourdit, parce qu'elle est une panique catastrophique; et elle ne disparaît pas parce que la souffrance primale (le « Ils ne m'aiment pas ») subsiste. Cela signifie que l'ancienne menace demeure jusque dans le présent, transformant la peur en anxiété. L'anxiété est l'ancienne peur non connectée parce que la connexion aurait représenté une souffrance catastrophique. (Nous reprendrons cela en détail dans le chapitre consacré à la peur.) La réaction devant un camion qui nous fonce dessus, c'est la peur; le sentiment qu'un camion pourrait nous foncer dessus, c'est l'anxiété.

Le bébé et un jeune enfant ressentent la peur directement, et se comportent en accord avec leurs sentiments. Mais, au fur et à mesure qu'il grandit, des parents névrotiques peuvent critiquer même le fait qu'il montre sa peur (« Cesse de pleurer; tu sais bien qu'il n'y a pas de quoi

(1) Il est vraisemblable qu'au tout début de sa vie, l'enfant ne sait pas distinguer entre la douleur physique et la douleur affective parce que son niveau d'intelligence conceptuelle n'est pas encore assez élevé pour pouvoir faire de subtiles distinctions entre une blessure psychologique et une blessure physique. Quand il arrive à distinguer ces deux catégories, il a peut-être recouvert ses souffrances primales par la névrose. Par exemple, un très jeune enfant ne sait probablement pas qu'on l'humilie, il se sent simplement mal à l'aise quand ses parents lui disent certaines choses d'une certaine façon. Il ressent alors une souffrance indifférenciée. Ce ne sera peut-être que bien plus tard, en thérapie primale, qu'il ressentira à nouveau ces vagues douleurs et qu'il sera en mesure d'en concevoir la signification.

avoir peur ! »), de sorte que la peur est niée et va rejoindre le réservoir de souffrances primales sous la forme d'un surcroît de tension. Cette peur refoulée signifie que le sujet ne peut pas réagir à ses sentiments de façon directe et appropriée. Il devra inventer des supports à sa peur (les Noirs, les activistes, etc.) pour fixer ses sentiments et soulager sa tension.

C'est en forçant le névrosé à ressentir ses peurs primales au lieu de les déjouer, qu'on peut l'aider à comprendre les sentiments qui le terrorisent. C'est en le faisant plonger dans sa peur et en le conduisant au-delà, qu'on le conduit à ses souffrances primales.

Une étude publiée par Martin Seligman dans *Psychology Today* (juin 1969), est consacrée à cette notion de choc dans la petite enfance. Seligman décrit une expérience faite par R. L. Solomon : on mettait un harnais à des chiens et on leur envoyait des décharges électriques. On mettait ensuite les mêmes chiens dans des cages à deux compartiments où ils étaient censés apprendre à échapper à la secousse en sautant tout simplement une barrière très basse qui séparait la partie où ils recevaient les décharges, de celle où ils n'en recevaient pas. On a découvert que, quand un chien recevait une décharge alors qu'il était immobilisé par son harnais de sorte qu'il ne pouvait pas échapper, il se passait quelque chose de « bizarre » : au cours des séances suivantes, alors qu'il avait toute liberté de sauter par-dessus la barrière, le chien restait dans la partie où il recevait des décharges, et ce, jusqu'à ce qu'on l'en sorte de force. En revanche, les chiens qui n'étaient pas attachés (donc pas réduits à l'impuissance), lorsqu'ils recevaient les premières décharges, apprenaient très rapidement à sauter pour se libérer. A bien des égards, le jeune enfant est mis dans le harnais d'une situation traumatisante à laquelle il ne peut échapper et dans laquelle il est aussi impuissant que ces chiens attachés. Lui non plus ne peut rien faire d'approprié pour échapper à une incessante souffrance et bien souvent, même plus tard, il lui est impossible d'apprendre les comportements qu'il faut adopter pour éviter qu'on lui fasse mal. Si aucune réaction dont un enfant est capable ne change quoi que ce soit à sa situation, il n'a souvent pas grand-chose d'autre à faire que de se fermer intérieurement, de rester aussi passif devant la souffrance que ces chiens attachés qui ne pouvaient pas échapper au premier choc important de leur vie. L'expérience de Solomon démontre que si les chiens ont reçu ces premières décharges dans une situation d'où ils pouvaient s'échapper (faire quelque chose pour remédier à leur situation fâcheuse), ils apprenaient normalement à échapper aux décharges quand on leur infligeait à nouveau des chocs tout en leur permettant de réagir librement. Seligman fait remarquer que quand un enfant pleure parce qu'il a faim et qu'il n'y a personne autour de lui pour lui donner à manger, ses pleurs deviennent une réaction inutile, qui sera abandonnée avec le temps pour la simple raison qu'elle s'est avérée impuissante à modifier une situation douloureuse ou inconfortable. La théorie primale affirme que la souffrance continuelle de ne rien obtenir, de ne voir jamais satisfaits ses besoins de tout petit enfant, pousse le sujet à étouffer la réaction jusqu'à ce qu'il revienne à son enfance et ose pleurer comme le nourrisson qu'il a été.

Tant qu'elles ne sont pas ressenties (je veux dire « vécues dans leur intégralité »), les souffrances primales ont des effets permanents. C'est-à-dire qu'on ne peut pas les extirper de l'organisme par des méthodes de conditionnement. Par conséquent, que l'on punisse ou récompense leurs manifestations extérieures (tabac, alcool, drogue, etc.), on ne change rien à ces souffrances elles-mêmes. Tant qu'elles ne sont pas ressenties entièrement, elles exigent des exutoires névrotiques d'une sorte ou d'une autre.

Le névrosé adopte un comportement symbolique irréel pour soulager sa tension. C'est ainsi qu'il aura une activité sexuelle compulsive afin de se sentir aimé, sans jamais reconnaître qu'enfant, il ne se sentait pas aimé.

Bien que la tension se manifeste dans l'organisme tout entier, il semble qu'elle se concentre souvent sur un organe particulier : l'estomac. On dirait que la contraction des muscles de l'estomac (et de la région abdominale en général) est le calmant interne du névrosé. C'est une découverte que Wilhelm Reich a faite il y a des dizaines d'années (1). Une grande partie des méthodes thérapeutiques qu'il a établies au début de sa carrière ont pour but la relaxation de la région abdominale.

Pour presque tous les névrosés, l'estomac est le foyer de la tension. Le langage courant en témoigne avec des expressions du style : « Il m'a fait ravaler ce que je disais », « je ne l'ai pas avalé », « ça m'a pris aux tripes », « il a de l'estomac », etc. Il est évident que quand il est question de ravaler ses mots, il ne s'agit pas d'une expression purement symbolique.

(1) Wilhelm Reich, *The Discovery of the Orgone* (New York, Noonday Press, 1948).

Il semblerait que les mots sont littéralement avalés et renfermés dans l'estomac du névrosé qui se sent « noué ». Dans la plupart des cas, avant d'entrer en thérapie primale, le malade ne se rend pas compte de la quantité de tension qu'il a au niveau de l'estomac, jusqu'à ce que nous commencions à la libérer. Au cours de la thérapie primale, nous voyons souvent la tension quitter l'estomac et se frayer un chemin vers le haut. Le patient fait successivement état d'une barre qu'il ressent au niveau de la poitrine, d'un nœud qui lui serre la gorge, d'une douleur dans la mâchoire, d'un grincement de dents — et puis, une fois que les mots essentiels ont été prononcés, tout cela disparaît.

J'hésite à dire : « On voit la tension remonter de l'estomac à la bouche », cependant nous avons des enregistrements vidéo de ce phénomène. Les sentiments qui commencent à monter font frémir et trembler toute la région abdominale. C'est comme s'ils étaient arrachés à l'étau abdominal dans lequel ils étaient enserrés. Ils remontent le long du corps et s'échappent de la bouche sous la forme du cri primal. A ce moment-là, les patients disent que pour la première fois, ils sentent leur estomac débloqué. Jusque-là, il était engorgé par la tension, qui empêchait la digestion complète de la nourriture.

Toutefois, la tension ne provoque pas toujours une incapacité de manger. Il peut se passer le contraire — le malade étouffe ses sentiments sous des quantités d'aliments. Dans ce cas, on assiste à un double phénomène — une tension ascendante et descendante. Il y a mouvement ascendant de la tension quand le système de défenses du malade est affaibli et que ses sentiments approchent de sa conscience. Cette tension ascendante (l'anxiété) rend souvent difficile l'absorption de nourriture. Inversement, la tension descendante permet au névrosé de tenir ses sentiments en échec en mangeant — de sorte que la tension ne devient pas anxiété. En règle générale, les personnes vraiment obèses ont de profondes souffrances dissimulées. Les couches de graisse constituent en quelque sorte un rempart isolant autour d'elles — c'est la tension descendante.

CHAPITRE 6

LE SYSTEME DE DEFENSES

On retrouve la notion de système de défenses dans de nombreuses théories psychologiques, à commencer par celle de Freud. La théorie primale affirme que *toute* défense relève d'un système névrotique et qu'il n'est pas de défense « saine ». La croyance selon laquelle il y aurait des défenses saines est fondée sur la supposition qu'il existe une angoisse fondamentale qui doit être tenue en échec et qui serait inhérente à la nature humaine. Cette notion d'angoisse fondamentale chez le sujet normal n'est pas partagée par la théorie primale. Nous y reviendrons ultérieurement en détail. Enfin, le dernier point par lequel, en ce domaine, la théorie primale se différencie des autres théories psychologiques, réside dans le fait qu'elle considère les défenses comme des phénomènes psychobiologiques et non simplement comme une activité mentale. Ainsi la constriction d'un vaisseau sanguin peut aussi bien être une défense qu'un bavardage compulsif (1).

En termes primals, une défense est un ensemble de comportements qui fonctionnent pour bloquer les sentiments primals. Lorsque les muscles de l'abdomen se contractent automatiquement, lorsque l'individu ravale un

---

(1) Dans son livre, *Le Moi et les mécanismes de défense* (P.U.F.), Anna Freud écrit : « Les efforts que fait le moi de l'enfant pour éviter la souffrance en résistant aux impressions qui lui viennent de l'extérieur, relèvent de la psychologie *normale* (c'est moi qui souligne). Ils peuvent avoir des conséquences considérables sur la formation de son moi et de son caractère, mais ils ne sont en rien *pathogènes*. » (C'est encore moi qui souligne.)

sentiment, lorsque des tics parcourent le visage dans une situation de stress, le corps refrène le sentiment.

Il y a des défenses involontaires et des défenses volontaires. Les défenses involontaires sont les réactions automatiques du corps et de l'esprit à la souffrance primale — fantasmes, énurésie, gorge serrée, clignements d'yeux, crispations musculaires. Ce sont en général ces défenses-là que le sujet utilise en premier lieu. Ce sont les défenses innées de l'enfant. Par exemple, la contraction des muscles de l'appareil respiratoire affectera le timbre de la voix. Le processus de contraction et la voix nouée qui en résulte, finissent par s'intégrer à certains aspects de la personnalité du sujet. De cette façon, la personnalité se construit à partir des défenses et en fait partie intégrante.

Les défenses involontaires sont de deux types : celles qui augmentent la tension, et celles qui la relâchent. La contraction des muscles de l'estomac retient les sentiments et il en résulte une augmentation de tension. En revanche, le fait d'uriner au lit (quand les défenses conscientes sont affaiblies) est un relâchement involontaire de la tension. Il existe d'autres formes de relâchement involontaire, par exemple le fait de grincer des dents, de soupirer, d'avoir des cauchemars, (nous y reviendrons plus loin).

Les défenses volontaires entrent en jeu quand les défenses involontaires s'avèrent insuffisantes. Fumer, boire, se droguer et trop manger sont des exemples de défenses volontaires. Le sujet peut cesser d'en user par un effort de volonté. Les défenses volontaires servent à soulager un excès de tension — un mot désagréable de la part du garçon d'un restaurant peut suffire à entamer la façade avenante du névrosé et à créer en lui le besoin de boire. Mais, qu'elles soient volontaires ou involontaires, les défenses on toujours pour but le blocage des sentiments réels.

Les défenses sont continuellement en action, nuit et jour. Un garçon efféminé ne redevient pas brusquement viril quand il dort. Son caractère efféminé est un phénomène psychophysiologique qui ne change pas, qu'il dorme ou qu'il soit éveillé, c'est un trait qui fait partie de son organisme. Cela veut dire qu'un comportement non naturel devient la norme parce que le sujet ne peut pas ressentir ses inclinations naturelles. Tant qu'il n'a pas retrouvé son moi naturel, il est incapable de marcher, de parler ou de se comporter d'une autre façon.

En gros, les défenses correspondent à ce que les parents exigent de l'enfant. Un enfant peut parler continuellement en utilisant de grands mots, alors qu'un autre fait semblant d'être sot. Tous deux réagissent à ce qu'ils sentent que leurs parents attendent d'eux, tous deux étouffent certains aspects d'eux-mêmes.

Les défenses entrent en action en tant que mécanisme d'adaptation afin que l'organisme continue à fonctionner. En ce sens, on peut considérer la névrose comme un aspect des mécanismes d'adaptation innés que nous possédons tous. C'est justement parce que la névrose fait partie des mécanismes d'adaptation qu'on ne peut pas la supprimer à coup d'électrochocs. Il faut démanteler en bon ordre les défenses petit à petit, jusqu'à ce que le sujet soit en mesure de s'en passer totalement.

Dans les premiers mois et dans les premières années de sa vie, l'enfant se ferme sur lui-même parce qu'en général, il n'a pas le choix. Les parents refoulés qui veulent un enfant poli et très soumis, ne toléreront pas longtemps un enfant bavard et exubérant. Ils le réprimanderont ou le battront jusqu'à ce qu'il renonce à ce genre de comportement. Par conséquent, pour survivre, l'enfant doit condamner à mort toute une partie de lui-même. Il faut qu'il joue le jeu de ses parents, pas le sien. Le même type de comportement peut être provoqué par des parents qui font trop pour l'enfant, de sorte qu'il n'a jamais d'effort à faire lui-même. Il est étouffé par leur gentillesse.

Si la façade irréelle ne suffit pas, si elle n'arrive pas à provoquer une réaction humaine de la part des parents, l'enfant se voit contraint d'avoir recours à des défenses plus radicales. Pour ne pas leur déplaire, ou pour les rendre chaleureux et gentils, il peut étouffer toute sa personnalité. Il parlera de façon compassé, comme un ordinateur; son esprit se rétrécit, ses yeux ne sont plus que des fentes; bref, il se déshumanise pour essayer de rendre ses parents humains. Il peut aller jusqu'à se transformer complètement pour eux — c'est ainsi qu'on voit un garçon devenir une « fille ».

La notion de réaction totale est une notion essentielle. Le besoin d'amour n'est pas simplement quelque chose de cérébral que l'on peut modifier en modifiant les idées de quelqu'un. Il pénètre tout le système et déforme aussi bien le corps que l'esprit. C'est cette distorsion qui est le système de défenses.

Si la personnalité ne suffit pas à juguler la tension, on assiste à l'apparition de symptômes. L'enfant se masturbe, se suce le pouce, se ronge les ongles, ou urine au lit. Ce sont des moyens supplémentaires de soulagement. Trop souvent, les parents, croyant à tort aider l'enfant, essaient de lui faire passer ces habitudes qui sont les exutoires de la tension; ce faisant, ils compliquent le problème en contraignant l'enfant à chercher des moyens encore plus cachés. Un malade m'a dit qu'il lâchait perpétuellement des vents parce que ses parents croyaient qu'il avait des troubles digestifs. « Péter était la seule chose qu'ils acceptaient, parce qu'ils étaient persuadés que c'était involontaire. »

Un petit enfant ne peut pas comprendre que ce sont ses parents qui ont des difficultés. Il ne sait pas que leurs problèmes existent indépendamment de tout ce qu'il peut faire. Il ne sait pas que ce n'est pas sa tâche à lui de faire cesser leurs querelles, de les rendre heureux, libres, ou quoi que ce soit. Il fait ce qu'il peut pour arriver à vivre. S'il est ridiculisé presque dès sa naissance, il en vient à croire qu'il y a effectivement quelque chose qui ne va pas en lui. Il fera tout ce qu'il pourra pour plaire à ses parents, mais, malheureusement, ce qu'on attend de lui reste vague et indéfini, parce que ses parents, eux-mêmes, ne savent que faire pour être libres et heureux. Comme ses parents ne l'aident pas à se sentir mieux, l'enfant en est remis à lui-même. Il mange tout ce qui lui tombe sous la main, suce son pouce quand on ne le regarde pas, se masturbe, et plus tard se drogue pour soulager la souffrance que personne ne l'a aidé à apaiser. Il n'est plus simplement névrosé, la névrose est sa façon d'être.

Le toxicomane est l'exemple type du sujet qui a épuisé toutes ses défenses intérieures. En général, il a étouffé en lui-même tant de sentiments qu'il est presque devenu apathique. Comme il n'arrive pas à se défendre comme le font les autres névrosés, il établit une relation directe avec la piqûre : souffrance... piqûre... soulagement. Si l'on supprime la piqûre, la souffrance est là. Le pénis joue le même rôle pour l'homosexuel. Il représente, lui aussi, le soulagement de la tension. Une connexion extérieure s'est établie à la place de la connexion intérieure qui n'a jamais été faite.

Quelle que soit la douleur que comporte la piqûre ou la pratique des rapports homosexuels, le sentiment symbolique que ressent le sujet est un sentiment de plaisir, ou plus exactement, de soulagement. La douleur physique réelle, la douleur ressentie par le moi réel, est filtrée par le système de défenses qui l'interprète comme du plaisir.

Les divers moyens de défense que peut adopter le névrosé ont été classés par les hommes du métier en catégories auxquelles correspondent des diagnostics spécifiques. Je tiens cependant à souligner à nouveau que le système de défenses n'est important que dans la mesure où il masque la souffrance. La seule chose qui compte dans l'optique de la théorie primale, c'est la souffrance.

Tout ce que vit le névrosé doit se frayer un chemin à travers le labyrinthe de ses défenses, où ce qui arrive n'est pas vu, est mal interprété ou exagéré. Le même processus de distorsion se produit au niveau de son activité physique, de sorte qu'il est finalement incapable de comprendre les changements que subit son propre organisme. Il est alors placé dans une situation bizarre, puisqu'il doit s'adresser à un étranger (psychothérapeute professionnel) pour lui demander de l'aider à comprendre ce qu'il ressent à l'intérieur de lui-même.

Le degré d'élaboration du système de défenses dépend de la situation familiale de l'enfant. Avec des parents brutaux, la défense est directe et en surface. Quand les relations familiales sont plus subtiles, le système de défenses devient également plus subtil.

Ce sont les sujets qui ont superposé des couches de défenses intellectuelles raffinées (ceux qui ont cherché refuge dans leur « tête ») qui sont les plus difficiles à guérir. Les intellectuels ont principalement eu recours aux méthodes de la psychothérapie conventionnelle, mais toute méthode qui fait encore appel à leur « intellect », ne fait qu'aggraver leur problème.

Il y a des dizaines d'années que Reich a expliqué ce qu'étaient les défenses physiques : « On peut dire que toute raideur musculaire porte en elle-même l'histoire et la signification de ses origines. Par conséquent, il n'est pas nécessaire de déduire à partir de rêves ou d'associations d'idées quelle a été l'évolution de la cuirasse musculaire; cette cuirasse est plutôt la forme sous laquelle l'expérience de l'enfance continue à exister et à nuire (1). »

Reich a expliqué que la rigidité musculaire n'est pas seulement le résultat d'un refoulement mais qu'elle constitue « la partie la plus essentielle du processus de refoulement ». Il a fait remarquer que ce dernier est un processus dialectique par lequel le corps non seulement se tend sous l'effet de la névrose, mais perpétue la névrose par la tension musculaire. Il n'a pas indiqué clairement ce qui, pendant des années, entretient la tension dans le corps, mais il était persuadé que la névrose pouvait être influencée

(1) Wilhelm Reich, *op. cit.*

de façon décisive par certains exercices ou certaines techniques destinés à réduire la tension musculaire, plus particulièrement la tension abdominale.

Selon la théorie primale, les besoins et les sentiments bloqués existent pratiquement dès la naissance et la plupart du temps avant que le sujet soit en mesure d'en parler. L'enfant que ses parents ne prennent pas assez dans leurs bras, dans les tout premiers mois de sa vie, ne sait pas consciemment ce qui lui manque, néanmoins, il souffre. Il souffre dans tout son corps, car c'est là qu'est situé le besoin. Celui-ci n'est donc pas simplement quelque chose de mental, emmagasiné dans un coin du cerveau. Il est codé dans toutes les fibres du corps où il exerce une force perpétuelle à la recherche de sa satisfaction. Cette force est ressentie sous forme de tension. On peut dire que le corps « se souvient » de ses besoins et de ses frustrations, exactement comme le cerveau. Pour se libérer de sa tension, il faut que le sujet ressente les besoins qui sont au cœur même de cette tension, c'est-à-dire dans tout son organisme, parce qu'ils sont effectivement diffus dans tout l'organisme. Ils se trouvent dans les muscles, dans les organes, et dans le système circulatoire.

Il ne suffit pas de connaître simplement ses besoins et ses sentiments inconscients. La psychothérapie moderne est en grande partie fondée sur l'hypothèse selon laquelle il suffit, pour transformer quelqu'un, de lui faire prendre conscience de ses sentiments inconscients. Je vois les choses différemment : pour moi, la conscience est le résultat d'un processus par lequel le sujet ressent ses besoins dans tout son organisme, et c'est le fait de *ressentir,* non seulement de *connaître* ses besoins, qui transforme le sujet. A mon avis, le fait de connaître nos besoins ne nous en débarrasse pas. Nous avons sous-estimé l'ampleur des frustrations que l'enfant subit dans les premiers mois de sa vie, et l'importance qu'elles ont pour le restant de sa vie. Les disciples de Reich reconnaissent qu'une grande partie des choses qui ont affaire à nos sentiments ne peuvent être exprimées verbalement et ils essaient de traiter physiquement les sentiments refoulés par des manipulations corporelles.

Le but de la thérapie primale est de connecter les besoins du corps avec les souvenirs emmagasinés dans l'inconscient, afin de redonner au sujet son unité. Les thérapies par la danse, le yoga, les thérapies du mouvement et les exercices destinés à libérer le corps de la tension, ne seront d'aucun secours, car ces tensions (frustrations et blocages inconscients du jeune âge) sont inextricablement mêlées aux souvenirs primals et forment avec eux des événements qui affectent l'organisme entier. Les thérapies qui encouragent l'insight divisent l'individu d'une certaine manière, et les thérapies corporelles le divisent d'une autre façon. Il nous faut une méthode globale — unissant *simultanément* corps et esprit. Il n'est pas possible de chasser à jamais, par des massages, les souvenirs qui ont raidi une épaule, alors que ces souvenirs innervent cette épaule au-dessous du niveau de la conscience.

La façon dont nous nous développons peut nous aider à comprendre cela. Le petit enfant n'est guère capable de penser dans l'abstrait ou de raisonner sur sa situation fâcheuse. Il ne peut pas transformer ses besoins en fantasmes particuliers ou les déjouer de façon symbolique tant qu'il est si petit. Il faut que son corps fabrique ses défenses. Pour lui, il n'est pas question que l'esprit contrôle le corps; dans les premiers mois de sa vie, ses facultés mentales ne sont pas assez développées pour cela. Ce qui semblerait plutôt se produire, c'est que certains enfants ont à se défendre physiquement, presque dès leur naissance.

J'ai le souvenir d'une malade qui était dans un orphelinat où il n'y avait pratiquement personne pour s'occuper d'elle. Lors des primals qu'elle fit à un stade assez avancé de la thérapie, elle se revit dans son berceau à l'orphelinat et elle se souvint d'avoir pleuré longtemps, sans que personne ne vînt. Elle revécut alors ce qu'elle avait fait à ce moment-là. Elle avait environ huit mois. Après avoir pleuré un certain temps elle s'était assise dans son berceau, avait regardé autour d'elle et voyant qu'il n'y avait personne, elle sentit son corps s'engourdir et se laissa envahir par le sommeil. Cela devint bientôt une habitude. Elle s'éveillait toujours mal à l'aise, commençait à pleurer, puis se refermait sur elle-même et s'allongeait à nouveau, engourdie. Durant les deux premières années qu'elle passa à l'orphelinat, cet engourdissement devint automatique. Plus tard, quand elle eut quitté l'hôpital, elle s'engourdissait chaque fois qu'elle se sentait mal à l'aise ou qu'elle avait peur. Elle disait : « C'était comme si je m'aspirais en moi-même, pour m'hébéter. J'étouffais tout ce qu'il y avait de vivant en moi, de sorte que j'étais à moitié endormie même quand je me déplaçais. » De nombreuses études qui ont été faites sur les enfants de l'Assistance publique font d'ailleurs état chez eux de cette apathie et de cette absence de vie. Je crois qu'il leur faut étouffer en eux-mêmes toute vie et créer cette barrière pour survivre.

Ce qui se passait chez cette femme à l'orphelinat était le résultat d'un système de protection que son corps faisait entrer en jeu. Cette défense physique qui devait durer toute une vie, s'était développée parce qu'elle avait subi le traumatisme et le clivage de son moi avant le développement de son intellect et de ses possibilités de défenses intellectuelles. Je ne crois pas que tous les exercices du monde auraient pu, par la suite, assouplir et activer son système musculaire. Après la thérapie, pendant laquelle elle avait revécu ces traumatismes de l'enfance qui avaient raidi son système musculaire, le privant de toute liberté, elle se sentit libérée et « légère ». Pour la première fois elle pouvait danser sans contrainte, sans ce sentiment de lourdeur et d'absence de vie dont elle avait toujours été affligée. Elle vint à la vie en ressentant son manque de vie.

Nous avons eu récemment en thérapie primale un haltérophile. Il avait la passion de regarder son corps. Ce qu'il voyait dans le miroir, c'était un bel édifice de tension. Il regardait son système de défenses et essayait de le construire physiquement — le tout pour éviter de se sentir faible et sans protection. Son attitude inconsciente étant la suivante : « Il n'y a personne qui me protège. Il faut que je sois très fort pour pouvoir me protéger moi-même. » Le symbolisme était : « Si je me comporte comme un homme et si j'ai l'air d'un homme, je serai un homme. » En thérapie primale, il commença à avoir les sentiments du petit garçon faible et sans protection qu'il était. Il fallut lui faire cesser la pratique de l'haltérophilie — c'est-à-dire lui enlever assez de sa protection — pour qu'il ressente cette faiblesse.

Le traitement de la névrose doit toujours s'adresser au système tout entier. Nous autres thérapeutes avons passé des dizaines d'années à nous adresser à la façade irréelle de nos patients, croyant que nous arriverions à les convaincre de renoncer aux besoins et aux souffrances qui l'ont créée. Mais aucune puissance au monde ne peut faire cela.

On pourrait se demander : « Mais qu'est-ce que cela peut bien faire ? Si je me sens bien, n'est-ce pas ce qui importe ? Est-ce qu'il faut renoncer à ce que je ressens maintenant parce que quelqu'un peut imaginer un état plus idéal ? » De toute évidence, il faut répondre non. Mais je pense que beaucoup de gens, les homosexuels par exemple, finissent par s'accommoder de leur maladie parce qu'ils sont sincèrement convaincus de n'avoir pas d'alternative. Bien que la plupart des névrosés ne soient pas heureux, ils ne souffrent que d'un vague malaise tant que leur système de défenses fonctionne. Mais il faudrait qu'ils sachent qu'il y a une alternative, un état d'être au-delà de ce qu'ils peuvent imaginer présentement. Peut-être un névrosé a-t-il pris du L.S.D. à une certaine époque de sa vie et a-t-il eu des sentiments et des sensations sublimes. Peut-être les a-t-il attribués à la drogue. Je suis d'un autre avis. Les drogues ne ressentent rien, ce sont les gens qui ressentent ! C'est-à-dire que les sens non névrosés ressentent, et je crois que le plus grand apport de la thérapie primale est de permettre aux gens d'éprouver leurs propres sentiments.

Récapitulation

Les comportements névrotiques sont les moyens idiosyncrasiques que chacun d'entre nous trouve pour soulager sa tension. Ce n'est pas en modifiant ou en supprimant certains comportements de surface que l'on peut agir sur la névrose. Le développement de « bonnes habitudes » (par exemple : ne pas trop manger) demande toujours un effort au névrosé, car il essaie de noyer sa souffrance primale.

La névrose c'est la souffrance figée. Dans le cours de la vie quotidienne, nous souffrons souvent et nous nous en remettons; mais la souffrance primale n'a pas de fin, parce qu'elle n'est pas ressentie. Néanmoins, on peut souvent la lire sur le visage des névrosés, c'est elle qui déforme, tire et tord leurs traits.

Bien qu'en général le névrosé n'ait pas conscience de ses maux, c'est une épave sur le plan nerveux. Que ce soit le médecin qui court d'une salle d'hôpital à l'autre ou la dame qui se plaint toujours vaguement de quelque chose, le névrosé est en général trop préoccupé d'être lui-même pour se rendre compte qu'il ne l'est pas.

A son origine, la névrose est un moyen qu'emploie l'enfant pour apaiser des parents névrotiques, en niant ou en cachant certains sentiments, dans l'espoir « qu'ils » finiront par l'aimer. Peu importe le nombre des années de déception qui passent, l'espoir est éternel. Il doit l'être parce que les besoins le sont. Ce sont eux qui poussent le sujet à croire en des idées irrationnelles et à adopter des comportements irrationnels, parce que la vérité rationnelle est si douloureuse. Tant que le sujet n'a pas ressenti totalement ses souffrances, il ne peut pas renoncer à l'espoir. En thérapie primale, le sujet ressent le désespoir de son enfance, et détruit par-là même l'espoir irréel qui est le fondement de la lutte névrotique.

Quand la névrose débute-t-elle ? A n'importe quel moment de l'enfance — un an, cinq ans, dix ans. Ce qu'il importe de savoir, c'est qu'elle a un commencement — c'est le moment où l'enfant se sépare de son moi réel et commence à mener une double existence. Cela veut-il dire qu'une seule scène ou un seul événement rend l'individu névrosé ? De toute évidence, non. La scène majeure déterminante n'est que le point culminant de relations parents-enfant néfastes, qui ont duré pendant des années. Beaucoup d'enfants se ferment vers six ou sept ans parce que c'est à ce moment-là qu'ils sont en mesure de comprendre ce qui se passe dans leur vie. Le clivage a lieu, et nul effort conscient ne peut rétablir l'unité (détruire la tension névrotique).

Il peut arriver, quand le traumatisme est grave et que ce qui s'est passé antérieurement le justifie, que la névrose commence à un an. De toute évidence, chez bien des sujets le clivage se situe avant six ou sept ans, puisque les bègues que j'ai traités disent que leurs difficultés d'élocution datent de l'époque où ils ont commencé à parler — c'est-à-dire entre deux et trois ans. D'autres situent le clivage définitif à douze ans. Un malade m'a dit que jusqu'à l'âge de treize ans, il arrivait à s'en sortir assez bien. C'est alors que ses parents avaient divorcé et que son père s'était remarié. On avait exigé de lui qu'il considère la femme de son père comme sa mère et qu'il l'appelle « maman ». Au lieu de faire face à la perte de sa véritable mère, il s'était fermé sur lui-même.

Pourquoi est-ce que la névrose débute si tôt et non pendant l'adolescence par exemple ? Parce que c'est dans les premiers mois et dans les premières années de sa vie que l'enfant est complètement impuissant et qu'il dépend entièrement de ses parents. Pour lui, « ils » sont le monde. Ce qu'ils font le met sur une certaine voie, dont, très vite, le cours ne peut plus être modifié et qui détermine l'attitude qu'il aura à son tour devant la vie et le monde.

Lorsqu'il entre à l'école, l'enfant est en général déconnecté et névrosé, et sa névrose a une influence sur la façon dont il se comporte vis-à-vis de ses maîtres et de ses camarades. Un enfant qui est devenu une « pierre », qui a été rendu timide et obséquieux par des parents autoritaires, aura tendance à avoir le même comportement avec les autres. Le clivage ne survient en général pas comme un grand coup, un événement pareil à un cataclysme. Un jour, l'enfant devient simplement plus irréel que réel. Si cela survient avant l'adolescence, c'est qu'en règle générale, si l'enfant pouvait atteindre l'adolescence sans névrose, il trouverait alors d'autres soutiens : l'amour d'une petite amie, ou la compréhension d'un professeur, qui lui permettraient de supporter la pression et le trouble qu'il rencontre dans sa famille. En général, quand il atteint l'adolescence, le sujet a déjà développé une personnalité névrotique que de tels appuis ne peuvent plus détruire, tout au plus atténuer temporairement. Pourquoi est-ce que le fait de n'être pas admis dans un club, de redoubler une classe, ou d'être abandonné par un amant, ne provoque-t-il pas une névrose ? Parce que des événements isolés, même quand ils surviennent à la maison, ne produisent pas de réactions assez violentes pour provoquer un clivage. L'enfant normal qui est rejeté par un professeur en attribue les raisons au professeur qui a des problèmes, à son propre travail insatisfaisant, ou à sa mauvaise conduite... il ressent *cela* et ne se coupe pas de ce qu'il ressent. Dans l'optique de la thérapie primale, un traumatisme n'est pas un événement douloureux, du style de l'exclusion d'une association scolaire. Le traumatisme, c'est ce qui n'est *pas* éprouvé. C'est une réaction si violente et si accablante qu'une partie de l'événement se trouve rejetée par la conscience. L'enfant qui pleure dans les bras de sa mère qui le console parce qu'il se sent rejeté par les autres, est dans une situation tout à fait différente de celui qui se rend compte qu'il est haï par sa mère et n'a personne vers qui se tourner avec ses sentiments. Tous les conseils de famille ultérieurs sont impuissants à réparer cela. L'enfant peut comprendre plus tard *pourquoi* sa mère l'a rejeté, mais cette compréhension ne modifie en rien les besoins frustés de son jeune âge.

La scène primale signifie-t-elle que l'on est névrosé à partir de ce moment et à tout jamais ? Elle représente le bond qualitatif, le passage à un nouvel état : la névrose. A partir de ce moment-là, tout ce qu'on pourra lui accorder d'amour, de réconfort et d'attention ne détruira pas la névrose. Elle s'aggravera à chaque nouveau traumatisme et à chaque nouvelle frustation infligée par les parents. Si l'enfant voyait soudain apparaître, à l'âge de huit ans par exemple, un père ou une mère qui l'aime, il n'en resterait pas moins qu'il faudrait faire disparaître les dommages qu'il aurait subis auparavant. L'arrivée de ce père ou de cette mère représenterait une aide, bien évidemment, puisqu'elle n'aggraverait pas sa névrose, mais elle ne peut la détruire. Seule la souffrance peut le faire — le fait de ressentir les souffrances qui ont exigé qu'une partie du moi réel soit cachée.

CHAPITRE 7

NATURE DU SENTIMENT

L'exigence principale du corps est de se sentir. Nous commençons à ressentir lorsque les besoins de notre tout jeune âge sont satisfaits, lorsque l'on nous prend dans les bras, que l'on nous embrasse, lorsqu'on nous permet de nous exprimer et de bouger librement, et que nous pouvons nous développer à un rythme naturel. Quand ses besoins fondamentaux sont satisfaits, l'enfant est prêt à ressentir tout ce qui, chaque jour, se présente à lui. Mais, s'ils ne sont pas satisfaits, ces besoins l'emportent sur tout le reste et empêchent l'enfant de ressentir le présent. C'est ainsi que pour le névrosé, le présent n'est qu'un mécanisme de déclenchement qui ravive d'anciens besoins et d'anciennes souffrances et qui pousse le sujet à essayer de les résoudre.

Il y a deux raisons pour lesquelles les besoins et les sentiments du passé sont inconscients : souvent le sentiment s'est développé avant que l'enfant ne dispose de concepts, de sorte qu'il ne l'identifie pas. (Par exemple : le nourrisson ne sait pas qu'il ne devrait pas être sevré trop tôt.) Ensuite, même si ces sentiments étaient identifiables avant la scène primale majeure, ils ont peut-être été continuellement réprimés par des parents névrosés, de sorte qu'avec le temps, l'enfant finit par ne plus savoir ce qu'il ressent. Si un enfant n'a pas le droit de pleurer, soit à cause de l'excès de sollicitude de parents qui ne peuvent pas supporter de le voir triste un seul instant, soit à cause de parents qui le tournent en dérision et le traitent de « bébé », il ne faut pas bien longtemps pour qu'il ne sache même plus qu'il a envie de pleurer. En effet, il se peut que lui aussi, plus tard, méprise les larmes comme une faiblesse.

La répression du sentiment n'est pas nécessairement le fait direct des parents. Le refoulement peut se produire dans la petite enfance, alors que l'enfant est encore trop jeune pour composer avec ses sentiments et se faire une « façade ». Le simple fait de n'avoir jamais près de lui un père ou une mère qui le prenne dans ses bras, peut créer chez l'enfant une telle souffrance que pour la supprimer, il supprime le besoin. Il cesse de *ressentir* ce besoin. Néanmoins, ce dernier persiste, minute après minute, année après année. Il demeure fixe et infantile parce que c'est *effectivement* un besoin infantile. Le névrosé ne peut pas avoir de sentiments adultes, alors qu'il est encore importuné par les besoins de son enfance. Plus tard, il aura, par exemple, une activité sexuelle compulsive, non pas à cause de sentiments sexuels réels, mais à cause du besoin très ancien d'être tenu dans les bras et d'être aimé. Ce n'est qu'après avoir ressenti ces besoins anciens pour ce qu'ils sont, qu'il pourra ressentir la véritable sexualité — qui est très différente de l'idée que le névrosé s'en fait.

Dans le cas de cette activité sexuelle compulsive, le névrosé déjoue un besoin très ancien, qu'il n'a peut-être jamais identifié sur le plan conceptuel. Il peut mettre une nouvelle étiquette sur son besoin (besoin sexuel), mais en réalité, il s'agit toujours du besoin d'être pris dans les bras. Lorsque ce fait frappa un de mes malades au cours de l'acte sexuel, son érection (son sentiment sexuel symbolique) cessa et il demanda alors à sa femme de le tenir tout simplement dans ses bras. Lorsqu'il interrompit l'acte sexuel, cet homme ressentit vraiment. (Sa femme n'apprécia pas particulièrement cet insight...) Il avait compris son besoin réel et cessé de le déjouer sur le plan symbolique. Nous voyons ainsi que le sentiment est une sensation passée sur le plan conceptuel, c'est-à-dire correctement conceptualisée. Une sensation de creux à l'estomac peut correspondre au sentiment du vide de l'existence; le névrosé transforme ce sentiment en sensation de faim.

La névrose masque les sensations douloureuses du corps, empêchant ainsi le sujet de les reconnaître pour ce qu'elles sont (« Ils ne m'aiment pas »), de sorte que le sujet souffre perpétuellement. Il cherche à se soulager d'une manière ou d'une autre (dans l'exemple précédent, par la sexualité), mais la sensation ne peut être apaisée que lorsqu'elle est correctement connectée *et qu'elle devient un sentiment* (1).

Les souffrances primales sont les *sensations* de la souffrance. En thérapie elles deviennent des sentiments grâce à la connexion avec les traumatismes spécifiques qui sont à leur origine. *Seule la connexion* change une sensation de souffrance en un véritable sentiment. Inversement, la coupure entre la pensée et le contenu du sentiment, qui s'est produite tôt dans la vie, provoque continuellement des sensations douloureuses — maux de tête, allergies, douleurs dorsales, etc. Elles persistent parce qu'elles n'ont pas été connectées. C'est comme si le sentiment douloureux était coupé de la pensée («Je suis seul, il n'y a personne qui me comprenne ») et prenait une vie indépendante à l'intérieur de l'organisme, se manifestant ici et là sous forme de maux et de souffrances divers.

Une fois ressentie, la souffrance n'a plus rien de douloureux, et le névrosé est en mesure de ressentir. Tout ce qui engendre de vrais sentiments chez le névrosé doit créer de la souffrance. Tout sentiment qui se veut profond, s'il ne fait pas naître la souffrance, n'est qu'un pseudo-sentiment — un déjouement non connecté.

Après un certain temps de thérapie, de nombreux patients rapportent que l'acte sexuel déclenche souvent un primal involontaire. L'un d'eux expliquait ce phénomène de la façon suivante :

« Avant la thérapie, j'avais toutes sortes de sentiments refoulés dont je me libérais par l'activité sexuelle. Je croyais que j'étais très porté là-dessus. Je pouvais le faire tout le temps. Maintenant, je sais que ce désir sexuel très marqué était l'expression de tous ces autres sentiments qui cherchaient à s'échapper par n'importe quel moyen. Je les faisais jaillir par mon pénis. Rien d'étonnant à ce que l'orgasme ait souvent été douloureux pour moi. Je pensais que c'était normal. Je jouissais trop vite parce que tous ces autres sentiments cachés exerçaient une telle pression pour

---

(1) Sentiment n'est pas synonyme d'émotion. L'émotion peut être l'expression du sentiment — la manifestation extérieure du sentiment. Les véritables sentiments soulèvent peu d'émotion. Quand un sujet montre beaucoup d'émotion, il vit les manifestations extérieures du sentiment, sans le sentiment lui-même. Malheureusement, beaucoup de névrosés prennent l'émotion pour un signe du sentiment, et si quelqu'un n'est pas démonstratif et n'a pas de réactions exagérées, ils ont tendance à croire que cette personne ne ressent pas vraiment. Ainsi les parents névrosés sont rarement contents d'un simple « merci » pour les cadeaux qu'ils font, il leur faut de grandes démonstrations de joie pour être sûrs que le cadeau est apprécié. C'est de cette façon très subtile qu'on empêche l'enfant d'être lui-même et de réagir naturellement; on le force à exagérer ses réactions parce qu'une attitude naturelle est trop souvent prise par les parents pour un signe de rejet.

être libérés que je ne pouvais les dominer. Au début de ma vie, cela avait pris une autre forme : je faisais pipi au lit. Mais ce n'était pas le contrôle de moi que je devais apprendre, ni dans un cas, ni dans l'autre. J'avais besoin de ressentir tous ces sentiments refoulés pour me débarrasser ainsi de cette pression horrible et continuelle. »

Quand il n'eut plus la possibilité de déguiser ses anciens sentiments en besoins sexuels, il fut beaucoup moins porté sur le sexe et son désir sexuel diminua notablement. Cette même pression aurait tout aussi bien pu produire (dans d'autres conditions) un besoin constant de parler — d'utiliser la bouche comme exutoire de la tension. Dans ce cas, le sujet ne parle pas par envie de parler, c'est la tension qui le fait parler. On sent la différence, car on se désintéresse facilement de ce que dit quelqu'un qui parle sans arrêt pour satisfaire un ancien besoin intérieur, alors qu'il est difficile de n'être pas intéressé par quelqu'un qui sent vraiment ce qu'il dit. Le bavard névrotique ne s'adresse à personne; il s'adresse à son besoin (en réalité, à ses parents). Là encore, nous voyons le paradoxe. Le sujet ne *peut s'empêcher* de parler parce que personne ne l'a jamais écouté, et son discours névrotique lui aliène les autres, ce qui ne fait qu'augmenter son besoin (et sa compulsion) de parler toujours plus. Il ne peut ressentir ce qu'il dit tant que son vieux besoin le fait parler. Et cela ne changera pas tant qu'il n'aura pas *ressenti* la grande souffrance qui correspond à ce besoin.

Tant que le névrosé ne ressent rien réellement, il est prisonnier de ses sensations. Il cherchera ou bien des sensations agréables pour atténuer celles qui sont douloureuses et inconscientes, ou bien il souffrira de ces sensations douloureuses dans son corps, croyant qu'il souffre d'un mal physique réel. Ceux qui boivent de l'alcool pour défaire le nœud qu'ils sentent au creux de l'estomac, évitent peut-être un mal plus sérieux (par exemple, un ulcère). Ceux qui n'ont pas beaucoup d'exutoires symboliques pour soulager leur souffrance intérieure, sont peut-être condamnés à souffrir de douleurs physiques. Le névrosé qui ne boit pas d'alcool peut utiliser d'autres moyens pour se soulager, des analgésiques, par exemple. Mais tout cela revient au même, car tous les sentiments refoulés sont par définition douloureux. Par conséquent, que le névrosé prenne plaisir à l'absence de pesanteur en plongée sous-marine, aux couleurs d'une peinture, à l'euphorie de l'alcool ou au soulagement que lui procure un cachet, il est toujours en train d'échanger une sensation (douloureuse) contre une autre.

Tant qu'il ne connecte pas la raideur de sa nuque — qui bien vite devient une douleur — avec le sentiment plus profond, il passe sa vie à substituer une sensation à une autre.

La substitution d'une sensation à une autre, voilà ce que cache en grande partie toute activité compulsive, notamment l'activité sexuelle. L'orgasme devient pour le névrosé un narcotique, un sédatif. Si on lui interdit ce comportement symbolique, (le sédatif), l'organisme souffre.

Pourquoi le névrosé est-il prisonnier de ses sensations ? Parce que personne n'a reconnu ses sentiments. Les enfants ont droit à certaines douleurs *permises*. Ils peuvent avoir mal au ventre, par exemple, mais les douleurs affectives, la tristesse par exemple, leurs sont interdites. C'est ainsi que l'enfant doit avoir recours aux souffrances vers lesquelles on l'oriente; il adopte un comportement symbolique alors que tout ce qu'il essaie de dire à ses parents, c'est : « Je suis triste ».

Pour illustrer ce que je viens de dire, je ferai appel à un incident tiré de la vie d'un de mes malades. Un jeune homme se marie. A la réception, un homme d'un certain âge, un vieil ami, le serre dans ses bras et l'embrasse en lui souhaitant beaucoup de bonheur. Le jeune marié est alors saisi d'une profonde tristesse et fond en larmes en étreignant cet ami. Il ne comprend rien à ce qui lui arrive.

La théorie primale propose comme explication que l'accolade de ce vieil ami a ravivé chez ce patient une ancienne souffrance. Ce malade rapportait n'avoir jamais eu un père tendre qui l'aurait pris dans ses bras ou lui aurait souhaité d'être heureux, quelqu'un qui se serait soucié de lui et se serait réjoui sincèrement de le voir heureux. Ce jeune homme transportait en lui cet immense vide sans jamais le ressentir, jusqu'au jour où un geste chaleureux déclencha sa souffrance.

Ce qu'il ressentit alors n'était qu'un fragment d'un sentiment global qui, s'il l'avait ressenti dans sa totalité, l'aurait inondé d'une souffrance bien plus profonde encore que la tristesse qu'il éprouva à cet instant-là. Certes, il a reçu ce jour-là de la chaleur, mais cela ne changera rien à cette souffrance tant qu'il ne pourra pas s'allonger, ressentir son sentiment en entier et, ce qui est plus important encore, comprendre intellectuellement sa blessure. Sa lutte avait commencé le jour où il avait entrevu pour la première fois qu'il n'aurait jamais un père chaleureux. Il avait commencé à adopter un comportement indépendant, comme s'il n'avait réellement pas besoin de l'affection de

son père. Tant qu'il avait pu éviter tout signe d'affection
— (ce dont il avait en réalité besoin) — il avait évité la
souffrance. Mais la tendresse soudaine de ce vieil homme
l'avait pris au dépourvu, dans un moment d'émotion où il
était particulièrement vulnérable, celui de son mariage.

Une autre malade parlait de ce qui s'était passé en elle,
en ces termes : « C'était comme si j'avais tracé un cercle
autour de cette image de moi dont on ne voulait pas, pour
qu'on ne la voie pas, qu'on ne l'entende pas, et qu'elle
soit reléguée dans l'oubli. Mais c'étaient tous mes propres
sentiments que je chassais en même temps que la douleur
de n'être pas aimée. Avec eux, je perdais aussi l'amour,
la force, et le désir. Je n'existais plus. Quand je me retournais pour chercher ce moi, je ne trouvais que le vide, le
néant. Leur haine et le fait d'être rejetée par eux m'avait
enlevé la vie. La réalité, pour moi, c'était ressentir la réalité
du mépris qu'ils portaient à mon moi. »

Quand le névrosé se dégage de sa souffrance, il cesse, à
mon avis, de ressentir d'une façon complète. Mais tant qu'il
ne ressent pas à nouveau complètement, il ne sait pas qu'il
ne ressent pas. Il est donc impossible de convaincre un
névrosé qu'il ne ressent pas. La seule chose qui peut le
convaincre, c'est le fait de ressentir à nouveau. Jusque-là,
le névrosé peut toujours répondre qu'il a récemment vu une
séquence tragique au cinéma et qu'elle l'a ému aux larmes.
« J'ai bien ressenti quelque chose », dira-t-il. Mais en
réalité, il n'a pas ressenti sa propre tristesse et c'est pour
cette raison qu'on ne peut pas considérer son émotion
comme un sentiment complet. S'il avait établi une relation
exacte entre cette scène de cinéma et sa propre vie, il aurait
pu faire un primal dans la salle. Effectivement, beaucoup
de primals sont déclenchés lorsque le malade raconte une
scène de film qui l'a fait pleurer. Néanmoins, le sentiment
ressenti lors du spectacle, et celui qui est ressenti plus tard
dans mon cabinet, sont deux phénomènes bien distincts.

Les larmes que le névrosé verse au cinéma sont un
fragment de son passé refoulé. Elles sont en général davantage le résultat d'une libération d'émotions que l'élargissement vers des sentiments primals complets. C'est ce processus de libération qui contribue à ce que le sentiment
complet ne soit pas ressenti. Il fait avorter le sentiment,
le falsifie et atténue ainsi la souffrance.

La même explication s'applique au sujet qui a fréquemment de violents accès de colère. Il ne fait pas de doute
qu'il ressent et exprime de la colère. Mais tant que cette
colère, qui explose tous les jours de façon fragmentaire

contre les cibles *apparentes,* n'est pas ressentie et connectée avec son contexte initial, on ne peut pas dire qu'elle soit ressentie au sens primal.

Prenons le sujet qui se met en colère dès qu'on le fait attendre, si peu que ce soit. Cet adulte ne serait-il pas justement l'enfant que ses parents ont toujours fait attendre ? Plus tard dans sa vie tout ce qui rappelle le peu d'attention que lui accordaient ses parents, peut déclencher en lui une colère, qui est largement hors de proportion avec ses motifs apparents. Malheureusement, le manque d'attention de la part d'autres personnes continuera à déclencher la colère, jusqu'à ce qu'il soit en mesure de ressentir le contexte réel où ont pris naissance ses sentiments de colère initiaux.

Jusque-là, sa colère ne peut être considérée comme un sentiment réel, car elle ne s'adresse qu'à des cibles symboliques qui ne sont pas les causes réelles de la colère. Ces éclats ne sont par conséquent que des actes symboliques névrotiques.

A mon avis, les sentiments obéissent au principe du tout ou rien. Tout ce qui provoque un sentiment fera qu'il sera ressenti dans tout le corps. Chez le névrosé cependant, l'érotisme ne produit souvent que des sensations localisées dans les parties génitales, au lieu de véritables sentiments sexuels qui engagent tout le corps, de la tête aux pieds. C'est le caractère fragmentaire des sensations du névrosé qui explique son rire étranglé, ses éternuements étouffés, et son parler qui a l'air de s'écouler de sa bouche sans que le reste du visage y participe le moins du monde. Ces caractéristiques ne se retrouvent pas chez tous les névrosés, mais le processus de fragmentation s'exprime toujours sous une forme ou sous une autre.

Il y a un certain nombre d'expressions où entre le mot « sentiment » alors qu'à mon avis, il ne s'agit pas du tout de sentiments. On parle par exemple de « sentiment de culpabilité ». Un névrosé dira : « Je suis malade d'avoir menti, je me sens terriblement coupable. » Pour ma part, je considère le sentiment de culpabilité comme une fuite devant le sentiment (la souffrance), car il met en action les mécanismes destinés à soulager la tension. Une personne saine qui a fait quelque chose de mal, ressent tout ce que cela implique et essaie de réparer les choses.

Je crois que la culpabilité n'est rien de plus que la peur de perdre l'amour des parents. Au cours d'un primal, un patient disait qu'il était furieux contre son père parce que celui-ci l'avait abandonné alors qu'il était tout petit. Il dit qu'il avait l'impression d'avoir un lion en colère au fond de ses entrailles et dans sa bouche, un petit chaton tout tremblant. C'est parce qu'il se sentait coupable, ajouta-t-il, qu'il ne pouvait hurler sa colère. Quand il identifia ce qu'il ressentait réellement, il découvrit qu'il hésitait à dire ses quatre vérités à son père, une fois pour toutes, de peur qu'il ne revienne plus jamais. Cet exemple montre bien que le sentiment de culpabilité est la réaction du sujet devant la peur.

On parle souvent de la *dépression* comme d'un sentiment. Après la thérapie primale, les malades n'ont plus de dépressions. Ils éprouvent des sentiments de tristesse à l'occasion de tel ou tel événement, mais ces sentiments sont toujours en relation avec une situation spécifique. D'après ce que j'ai pu observer, la dépression est un masque que met le sujet sur des sentiments très profonds et très douloureux qu'il ne peut pas connecter. En effet, certains névrosés préféreraient se tuer plutôt que ressentir ces sentiments. La dépression est un « état d'âme » proche des sentiments primals, mais qui est ressenti sous forme de sensations phyiques désagréables (« Je suis à plat », « J'ai le cafard », « J'ai un énorme poids sur la poitrine », « J'ai le cœur serré », etc.), parce que la connexion avec la source initiale n'est pas établie. La connexion transforme les états d'âme en sentiments, et c'est pour cette raison qu'après la thérapie, les malades n'ont plus d' « états d'âme » mais seulement des sentiments. Quand on mesure la dépression à l'aide d'un électromyographe, on enregistre un niveau de tension très élevé, ce qui prouve bien que la dépression est un sentiment déconnecté. Le docteur Frederick Snyder du National Institute of Mental Health a enregistré récemment la courbe de sommeil des malades atteints de dépression. Il a constaté qu'ils commencent à rêver pratiquement dès qu'ils s'endorment, et qu'ils ont un sommeil raccourci et fragmenté. En outre, ils ont tendance à dormir moins que les autres, ce qui est encore un indice de la tension inhérente à toute dépression (1).

Les événements les plus insignifiants peuvent déclencher une dépression. Je citerai l'exemple d'une malade quittant très tôt une soirée parce qu'elle se sentait déprimée. Personne ne lui avait parlé ou n'avait semblé suffisamment intéressé pour venir s'asseoir à côté d'elle. Cette dépression dura plusieurs jours, et il devint clair qu'il ne s'agissait plus d'une réaction à cette soirée. Cette dernière avait

(1) G. B. Whatmore, « Tension Factors in Schizophrenia and Depression », dans E. Jacobson, éd., *Tension in Medicine* (Springfield, Ill., Charles Thomas, 1967).

de toute évidence déclenché un ancien sentiment enfoui, à savoir que ses parents ne s'étaient jamais assez intéressés à elle pour venir s'asseoir à côté d'elle et parler avec elle. Après un primal au cours duquel elle lui supplia de venir lui parler, sa dépression disparut. Certaines personnes échappent à leur dépression en courant les magasins, ou en faisant des projets pour un rendez-vous ou une réception, mais la dépression reste aux aguets, en attendant que ces activités se terminent. Elle continuera à harceler le sujet tant qu'il n'aura pas ressenti les sentiments réels qui l'oppressent.

Il y a d'autres pseudo-sentiments. Voici un exemple du sentiment de rejet. Au cours d'une séance de formation, je reprochai au rapport écrit par un jeune psychologue d'être inexact. Il commença à se défendre par un flot d'arguments : « Vous ne l'avez pas compris dans le sens où je l'entendais, en outre ce rapport est inachevé », etc. Quand je lui demandai ce qu'il ressentait, il me répondit : « Je me sens rejeté. » En réalité, il éprouvait un sentiment très ancien; celui d'être rejeté par son père. (« Rien de ce que je pourrais faire, ne suffit pour obtenir ton amour. ») Néanmoins, pour éviter de ressentir cette souffrance dans sa totalité, il construisait un écran d'explications fumeuses et d'excuses pour se protéger du sentiment primal. Ce n'est pas l'inexactitude de son rapport qu'il discutait; ces erreurs signifiaient pour lui qu'il ne valait rien et qu'il ne serait jamais aimé. Le sentiment naissant d'être rejeté n'était cependant pas ressenti complètement. Il déclenchait plutôt un comportement propre à le dissimuler.

Ce que le jeune psychologue faisait en réalité, c'était dissimuler le sentiment *ancien* qu'avait ravivé la critique *présente*. En soi, le fait d'avoir écrit un rapport imparfait n'était pas douloureux au point de justifier tant de dénégations et d'excuses. Il s'excusait à propos de son rapport pour écarter la souffrance primale. Il commençait bien à ressentir quelque chose — il se sentait rejeté — ce vieux sentiment réel, mais il dissimulait ce *sentiment* : c'est pour cette raison que je dis que le névrosé ne ressent pas pleinement. Il est coupé de son enfance et des sentiments de son enfance, de sorte qu'il ne peut faire l'expérience du sentiment entier. A l'âge adulte, chaque nouvelle critique, chaque nouvelle humiliation fait surgir en lui des bribes de la souffrance ancienne. Mais se sentir réellement rejeté, c'est se tordre de douleur au cours d'un primal — c'est se sentir totalement seul et non désiré comme l'était l'enfant. Une fois que cette expérience-là est faite, il n'y a plus de

« sentiment d'être rejeté », il n'y a plus que les sentiments qu'éveille le moment présent. Un homme qu'une femme traitera de haut au cours d'une réunion, dira : « Je ne lui suis pas sympathique », ou « Elle n'est vraiment pas abordable aujourd'hui », mais il ne se sentira pas « rejeté » au sens névrotique du terme. Cela veut dire que dans son passé, le sujet ne s'est pas senti rejeté, de sorte qu'un tel comportement ne le bouleversera pas pour toute une journée.

La *honte* est encore un pseudo-sentiment. Prenons par exemple l'adulte qui pleure, puis qui en a honte. Ce qu'il ressent en réalité, c'est qu'il n'aura pas l'approbation des autres pour cette marque de « faiblesse ». Il essaie de dissimuler son comportement en s'excusant pour sa mauvaise tenue (« J'ai tellement honte »), le tout pour éviter de sentir qu'on ne l'aime pas. Dans ce sens, on peut dire que c'est le moi irréel qui, ayant adopté le système de valeurs des parents (puis de la société), tient en échec le moi réel.

La *fierté* correspond au triomphe du moi irréel. C'est la négation d'un sentiment. C'est une manière de désigner quelque chose, une attitude qui, même si souvent le sujet ne s'en rend pas compte, a fait « leur » fierté. C'est l'exploit réalisé pour eux. Les gens qui ont des sentiments n'ont pas besoin de prouesses pour ressentir. Ce que doit faire le névrosé pour se sentir fier varie en fonction de son âge. A deux ans, il ne se salit plus, à trente ans, il tue un éléphant. Le même besoin peut être à l'origine de ces deux comportements car il est constant. En grandissant, nous construisons, en cercles concentriques, des défenses de plus en plus puissantes autour du besoin jusqu'à ce que nous soyons perdus dans un dédale d'activités symboliques.

Quand le névrosé croit éprouver des sentiments extraordinaires dans une situation quelconque de sa vie présente, l'intensité de ce qu'il ressent est due au poids qu'ajoute le réservoir de souffrances primales. Une fois que ce réservoir a été vidé méthodiquement, en thérapie primale, le sujet découvre à quel point ses sentiments sont peu intenses. Quand ses vêtements sont mal nettoyés à la teinturerie, il peut en être ennuyé, mais non furieux. Débarrassé de son réservoir de souffrances primales, le sujet découvrira aussi que les sentiments humains sont peu nombreux. Libéré de la honte, de la culpabilité, du sentiment d'être rejeté et de tous les autres pseudo-sentiments, il comprendra qu'ils n'étaient tous que des synonymes du profond sentiment primal dissimulé : le sentiment de n'être pas aimé.

Même quand le névrosé croit connaître une émotion très intense, par exemple en thérapie conventionnelle de groupe, il ne se fait pas la moindre idée de la gamme et de la puissance extraordinaire des sentiments névrotiques refoulés. Les pleurs et les sanglots que l'on voit en thérapie de groupe conventionnelle ne sont que d'infimes manifestations de ce gigantesque volcan intérieur, encore endormi, que forment les milliers de sentiments refoulés et d'expériences accumulées qui cherchent à se libérer. La thérapie primale fait entrer en activité ce volcan par étapes. Une fois que ces refoulements sont ressentis, ces grandes profondeurs émotionnelles que l'on s'est habitué à attendre chez l'homme, n'existent plus. La conception primale du sentiment est à peu près aux antipodes de ce que le profane entend sous ce terme. En général, les gens terriblement émotifs déjouent des sentiments refoulés de leur passé et ne ressentent pas le présent. Les gens normaux, délivrés des refoulements passés, ne ressentent que le présent, et ce présent est loin d'être aussi inconsistant que l'émotivité du névrosé, parce qu'il n'est pas chargé d'une force réprimée. Ainsi, le névrosé éclate d'un rire explosif parce qu'une explosion a effectivement lieu en lui. Ou il peut être incapable d'un rire spontané parce qu'il est toujours retenu par une sorte de tristesse qui est en lui. Dans le premier cas, il a dissimulé un sentiment réel et l'a dévié en rire, dans le second, le rire (aussi bien que la tristesse) a peut-être été réprimé par un sujet qui a laminé *toutes* ses émotions. Ce que le profane a l'habitude de considérer comme un sentiment réel, n'est souvent qu'une violente réaction à la souffrance — colère, peur, jalousie, fierté, etc.

En thérapie conventionnelle, la position même du malade, assis en face du thérapeute, semble faire obstacle à la possibilité de ressentir ces sentiments de façon aussi bouleversante. En outre, ces sentiments ne sont pas le résultat d'une espèce de confrontation thérapeutique entre le médecin et son malade. La seule confrontation qui ait lieu en thérapie primale, c'est la confrontation entre le moi réel et le moi irréel.

Le fait est que le névrosé est un être qui ressent totalement mais ses sentiments sont verrouillés par la tension. Il est constamment habité par cette foule de vieux sentiments non résolus qui demandent une connexion finale et qui se manifestent sous forme de tension. Pour redevenir capable de ressentir pleinement, le névrosé doit retourner en arrière et être ce qu'il n'a pas été. Ainsi, il peut s'essayer dans certains types de thérapie de groupe, à des contacts physiques et des embrassades et croire qu'il rompt les barrières qui le séparent des autres et qu'il fait l'expérience de la chaleur humaine. Mais il n'y a, pour une personne qui ne ressent rien, aucun moyen d'avoir le sentiment des autres, aussi nombreux que soient les contacts physiques. On apprend *d'abord* à se sentir soi-même, *ensuite,* on peut avoir le sentiment des autres. On peut imaginer qu'un sujet bloqué passe une journée entière en contact physique avec quelqu'un d'autre, sans rien ressentir. « Rien » n'est pas tout à fait exact — il ressentira son ancienne souffrance, celle de n'avoir pas connu de chaleur physique dans son enfance, seulement il ne saura pas que c'est cela qu'il ressent. Pour moi, être sensuel, c'est avoir tous ses sens ouverts aux stimulis extérieurs. Si cette condition n'est pas remplie, nous trouvons des cas comme celui de la femme frigide qui couche avec quantité d'hommes et qui, *malgré tout,* ne ressent rien.

Le point décisif, c'est que les barrières ne sont généralement pas *entre* les gens — sinon de façon indirecte — elles sont intérieures. La barrière, le bouclier ou la « membrane » derrière laquelle vivent tant de névrosés est le produit de milliers d'expériences au cours desquelles sentiment et réaction ont été refoulés. A chaque nouveau refoulement, cette barrière s'est épaissie. On ne peut la briser d'un seul coup de façon spectaculaire. Le seul moyen est de revenir en arrière et de ressentir une à une toutes les souffrances majeures qui ont été refoulées, jusqu'à ce qu'au terme de ce processus d'effritement, il n'y ait un jour plus de barrière du tout — plus de moi irréel pour filtrer et embrumer l'expérience vivante. Ainsi, plus on est proche de soi-même, plus on peut être proche des autres.

Des moyens symboliques de détruire ces barrières que les gens ont érigées en eux, ne peuvent pas résoudre des sentiments *réels*. Il est une technique très populaire qui consiste à former un cercle et à faire entrer quelqu'un au milieu. Ce dernier apprend à « briser » le cercle des autres qui se tiennent au coude à coude. Je suppose que théoriquement, cet acte doit lui apprendre à être libre. On essaie souvent de l'expliquer en disant qu'il apprend à se libérer par lui-même. On dirait vraiment qu'il s'agit de magie : « Si j'obéis à ce rite, je résoudrai mes problèmes réels. » Je suppose que ce rite est censé permettre au sujet de se sentir véritablement libre. Mais tant qu'il n'a pas ressenti ce qui l'emprisonne vraiment, je pense que ce type de rite ne peut qu'aggraver la névrose en encourageant un déjouement symbolique. Je ne vois pas de différence entre cette technique et l'attitude du névrosé qui saute en parachute pour *se sentir libre*. Je suis persuadé que le rite symbolique apporte un soulagement momentané de la tension, mais c'est à peine s'il égratigne le système de défenses.

Tout cela revient à dire que les actes du névrosé, quels qu'ils soient, ne peuvent détruire la névrose. Le névrosé peut toucher sans rien sentir, écouter sans rien entendre, voir sans percevoir. Il peut se livrer à des exercices destinés à développer la perception, tels les contacts physiques pour développer son sens du toucher. Mais ce n'est que quand il sera en mesure de ressentir ces expériences qu'il saisira leur signification; or, à ce moment-là, il n'aura plus besoin de techniques d'expansion de la perception pour arriver à ressentir.

La conception primale du sentiment diffère considérablement de celle des autres théories psychologiques. Le fait de tenir fermement la main de quelqu'un au cours d'une séance où l'on enseigne les techniques d'expansion de la perception, ne serait normalement qu'une expérience de chaleur entre deux personnes. Pour le névrosé, un tel geste crée une étincelle, mais il n'enflamme pas réellement les puissants besoins primals, qui n'ont pas de nom mais qui font souvent que le sujet se sent « matraqué ». Pourquoi ? Parce que, ce qui est un simple geste d'affection tout naturel, une sensation agréable, tombe dans le contexte profondément émotionnel d'une enfance négligée et stérile, ce qui ajoute une résonance et une puissance extraordinaires à l'expérience en question. Comme cette puissance n'est pas saisie intellectuellement, elle tend à rester une expérience isolée où le sujet sera submergé par l'émotion ou connaîtra d'ineffables sensations mystiques qu'il considérera comme un sommet de la sensibilité. En thérapie primale, on enflamme non seulement le réservoir de puissance où sont emmagasinés les sentiments, mais on relie ces sentiments en les faisant passer au plan conceptuel. Par la suite, les expériences que vit le patient peuvent être ce qu'elles sont, un simple contact, et non ce qu'en fait un passé d'abandon. Nous voyons ici combien sont exagérées les réactions du névrosé, si elles sont créees par des besoins insatisfaits.

Je crois qu'il y a différents niveaux de défenses — plus exactement des couches de défenses qui permettent au sujet d'être plus proche que d'autres de ses sentiments.

Cela dépend de la structure familiale, du milieu culturel, aussi bien que de la constitution générale du sujet. Il est des familles où tout sentiment est interdit, d'autres où la sexualité est permise mais où la colère est proscrite. Mais, d'une façon générale, les parents névrosés sont anti-sentiments; et l'on peut prévoir d'après ce qu'ils ont dû étouffer en eux-mêmes pour survivre, ce qu'ils essaieront d'étouffer chez leurs enfants. Souvent ce processus de répression n'est pas délibéré. Il peut se manifester dans la manière dont on fait taire l'enfant dès qu'il devient exubérant, dans un regard dès que l'enfant se plaint ou ronchonne, dans la gêne quand les enfants parlent de la sexualité ou qu'une fille se montre nue dans son bain. Ce peut être le « Pas d'enfantillages ! » du père qui se moque des peurs de son fils ou de la tristesse de sa fille; ce peut être la mère qui a été tellement malmenée par la vie qu'elle ne peut supporter ou permettre que sa fille exprime son désarroi et son besoin de protection. Ce sont les « Que je ne t'entende plus jamais dire ça ! » « Ne t'arrête pas à l'échec, pense à la réussite, mon fils », ou « Qu'est-ce que tu as, poule mouillée, tu ne peux pas encaisser ça ? » C'est ce que l'on trouve dans les milliers d'expériences de la vie quotidienne où l'on interdit aux enfants d'être de mauvaise humeur, de critiquer, d'être fous de joie ou de piquer une colère. Cela peut aussi prendre une forme plus dramatique, quand il n'y a personne à qui l'enfant puisse dire ce qu'il ressent — une mère qui travaille, un père ou une mère trop malade pour l'aider ou l'écouter, ou un père trop préoccupé de gagner le pain du ménage pour avoir le temps de lui prêter attention. Tout cela a un même résultat — le vrai moi blessé est enfoui par la souffrance.

Je crois que dans le domaine de la psychologie, la confusion règne depuis toujours quant à savoir ce qui arrive aux sentiments du névrosé. Certains affirment que le névrosé n'a jamais complètement développé la capacité de ressentir. D'autres croient que les sentiments de l'enfance sont ensevelis à tout jamais et ne peuvent être ressuscités. Je soutiens que la capacité de ressentir ne peut être irrévocablement atteinte. En effet, le névrosé semble être un primal ambulant, en ce sens qu'il transporte avec lui ses sentiments à chaque instant de sa journée. Ils se manifestent par sa tension artérielle élevée, ses allergies, ses maux de tête, la contraction des muscles du squelette, la crispation de ses mâchoires, le plissement de ses yeux, sa mine sombre, le timbre de sa voix, sa démarche. Ce que nous avons été incapables de faire jusqu'ici, c'est de retrouver ces sentiments fragmentaires dans leurs exutoires symptomatiques et de reconstituer à partir de ces fragments un sentiment complet et clair.

Je crois que pour retrouver ces sentiments, il faut utiliser la méthode de la thérapie primale que je vais décrire au prochain chapitre.

CHAPITRE 8

LE TRAITEMENT

En général, les malades qui veulent entrer en thérapie primale savent d'avance qu'il ne s'agit pas d'un traitement classique. Avant de rencontrer un patient éventuel, nous lui demandons de nous envoyer son curriculum vitae. S'il semble apte à suivre le traitement, (c'est-à-dire, s'il n'a pas de troubles cérébraux d'origine organique et pas de psychose sévère), il est convoqué pour un entretien dont le résultat ainsi que les renseignements fournis par le curriculum vitae sont soumis au comité des thérapeutes, pour être discutés. Le sujet est alors admis ou refusé.

Si le patient est *admis,* nous lui demandons éventuellement de plus amples informations écrites. Il est invité à subir un examen médical complet auprès de notre directeur médical; en outre, nous lui demandons fréquemment d'accepter d'être à la fois patient et sujet de recherche. S'il accepte, on fait tout au long du traitement des analyses complètes de sang et d'urine et on étudie ses électro-encéphalogrammes. Dans certains cas, on effectue aussi des tests psychologiques.

A la suite de son admission le patient reçoit un dossier. Ce dernier comprend une liste d'instructions à suivre pendant tout le traitement. Il est essentiel que le malade suive ces instructions à la lettre, qui interdisent notamment l'usage du tabac, de l'alcool, de tranquillisants et d'analgésiques. Le dossier comprend quelquefois également un questionnaire de recherches et il indique dans leurs grandes lignes les résultats que le patient peut attendre de la thérapie.

Le malade est averti qu'il aura trois semaines de thérapie individuelle au cours desquelles il sera vu tous les jours aussi longtemps qu'il le faudra. Par la suite, il aura des séances de groupe qui ne relèvent pas vraiment de la thérapie de groupe, mais constituent plutôt des « primals faits au milieu d'un groupe ». Pendant les trois semaines de thérapie individuelle, le patient est prié de ne pas travailler, de ne pas assister à des cours, et de n'avoir aucune autre occupation, car il aura besoin de toute son énergie pour le traitement. En outre, il sera trop bouleversé pour pouvoir travailler, et il n'en aura pas le désir. Pendant ces trois semaines, le thérapeute n'aura *que lui* comme patient en thérapie individuelle. Il lui accordera par conséquent tous les jours, tout le temps dont il aura besoin : seuls les sentiments du malade déterminent la fin de chaque séance. En général, les séances durent entre deux et trois heures; il est rare qu'un malade ait besoin de moins de deux heures ou de plus de trois heures et demie. Le coût global d'une thérapie primale est de loin inférieur à celui d'une psychanalyse.

Vingt-quatre heures avant le début de la thérapie, le malade est isolé dans une chambre d'hôtel qu'il est prié de ne pas quitter avant l'heure de la séance, le lendemain. Au cours de ces vingt-quatre heures, il ne doit ni lire, ni regarder la télévision, ni donner des coups de téléphone. Il lui est permis d'écrire. Si nous avons des raisons de penser que c'est un malade qui a un système de défense particulièrement puissant, nous lui demandons de ne pas se coucher de la nuit. C'est un procédé que nous utilisons quelquefois au cours des deux premières semaines de thérapie individuelle.

L'isolement et le manque de sommeil sont des techniques importantes, qui amènent souvent le patient au bord d'un primal. L'isolement a pour but de priver le patient de tous les exutoires habituels de sa tension, tandis que l'interdiction de dormir vise à affaiblir les défenses qui lui restent : il a moins de ressources pour combattre ses sentiments. Le but est d'empêcher le patient d'être distrait de lui-même. Un patient m'a dit : « Au beau milieu de la nuit, j'ai commencé à faire des appuis-avant. Chaque fois que je m'arrêtais et que je regardais par la fenêtre de l'hôtel, je fondais en larmes sans savoir pourquoi. » Une malade fut prise de panique et me téléphona à minuit; elle voulait être rassurée parce qu'elle croyait qu'elle devenait folle. Souvent, la solitude conduit le névrosé au désespoir. Pour beaucoup de malades, cette nuit dans la chambre d'hôtel, c'est la première fois depuis des années qu'ils se retrouvent complètement seuls, sans rien faire d'autre que réfléchir sur eux-mêmes. Ils ne peuvent aller nulle part et ils n'ont pas de quoi s'occuper. Il n'y a aucune occasion de déjouer l'irréalité. Faire veiller le patient toute la nuit a une fonction importante : cela l'empêche de déjouer son irréalité dans ses rêves. Le manque de sommeil contribue à l'émiettement des défenses, en partie parce que le simple fait d'être fatigué rend le sujet moins apte à jouer son rôle, mais surtout parce que, privé de ses rêves, il n'a aucun moyen de soulager sa tension. En coupant court à ce comportement symbolique — que le sujet soit éveillé ou endormi — nous rapprochons l'individu de ses sentiments. En outre, de nombreuses études ont établi que l'isolement en lui-même abaissait le seuil de la souffrance.

La première séance

Quand le patient arrive, il souffre. Il ne fume pas, il n'a pas pris de tranquillisants, il est fatigué et rempli d'appréhension. Il n'est pas très sûr de ce qui l'attend. Il se peut qu'on le fasse attendre cinq à dix minutes au-delà de l'heure du rendez-vous pour faire monter encore la tension. Le cabinet insonorisé est plongé dans la pénombre, il n'y a pas de téléphone. Le patient est allongé sur le divan. Il est prié d'avoir les jambes et les bras écartés car je veux que le corps se trouve dans une position aussi désarmée que possible. J'ai compris l'importance que pouvait avoir la position du corps en observant en prison les nouveaux détenus; la plupart du temps, ils passent les premiers jours les jambes croisées, les bras entourant l'abdomen, le haut du corps penché sur les genoux, comme pour se protéger de leur solitude, de leur désespoir et de leur souffrance. A partir de ce moment-là, le déroulement des événements varie en fonction du patient. Je donne ici un exemple type.

Le patient parle de sa tension, de ses problèmes, de son impuissance, de ses maux de tête, de sa dépression et de son malheur en général. Il dira par exemple : « A quoi bon tout cela ? » ou « Tous les gens sont complètement détraqués, il ne reste personne », ou encore « J'en ai marre d'être seul ! Je n'arrive pas à me faire des amis et quand j'en ai, j'en ai vite assez d'eux ! » Ce qui compte, c'est que le patient est malheureux et qu'il souffre. S'il est très tendu et effrayé, je lui demande de se laisser envahir par ce sentiment. S'il est pris de panique, je le pousse à appeler son père et sa mère pour leur demander de l'aide. Il peut arriver que cela produise un sentiment douloureux, dès le premier quart d'heure de la première séance. Je demande au patient de parler de son enfance. Il dit qu'il ne se souvient pas de grand-chose. Je le pousse à dire le peu dont il se souvient. Il commence alors à parler de son enfance.

Au fur et à mesure qu'il parle, je récolte des renseignements. Le patient dévoile son système de défenses de deux manières. D'abord par la façon dont il parle. Il peut intellectualiser, ne montrer pratiquement aucun sentiment, utiliser des formules abstraites et d'une façon générale, se comporter comme s'il était le spectateur de sa propre vie plutôt que celui qui l'a vécue. Comme il utilise sa « personnalité », (son moi irréel) pour décrire sa vie, nous sommes très attentifs à ce que dit *ce* moi. Le malade prudent qui est évasif et élude les questions du thérapeute en les modifiant veut dire par là : « Ne me faites plus mal, je ne sentirai rien tant que vous me ferez mal. »

En parlant, le malade nous renseigne aussi sur le comportement qu'il avait chez lui : « Quand il disait ça, je la fermais d'habitude », « Pour rien au monde je ne voulais lui donner le plaisir de savoir qu'il m'avait fait mal », ou « Ma mère était tellement bébé qu'il me fallait prendre les choses en mains et que c'était plutôt moi la mère ! », ou « Mon père passait son temps à m'accuser, il fallait que j'aie la réplique rapide ! », ou « Je ne pouvais jamais avoir raison », ou encore « Il n'y avait pas la moindre affection ».

On encourage alors le malade à se replonger dans une de ces situations de l'enfance qui semblent avoir éveillé en lui des sentiments profonds. « J'étais assis là, et je le regardais battre mon frère et — oh... je me sens tendu, je ne sais pas ce que c'est... » A nouveau, on encourage le patient à se laisser aller à son sentiment. Il se peut qu'il ne parvienne pas à le définir, ou bien il dira : « Je crois que je commençais à sentir qu'il pourrait bien m'arriver la même chose si je répondais comme mon frère... ooh... j'ai l'estomac serré. Est-ce que j'avais peur ? » Le patient commence à tressaillir un peu. Il remue bras et jambes. Il bat des paupières et plisse le front. Il soupire ou grince des dents. Je le presse : « Ressentez cela ! Maintenez-vous dans ce sentiment ! » Il arrive qu'il réponde : « C'est fini, le sentiment a disparu. » Ce processus d'attaque et de défense peut se poursuivre pendant des heures ou des jours.

Le patient pourra alors dire : « Je me sens tout raide. Il faut croire que j'avais vraiment peur du vieux. » A ce moment-là, quand je vois qu'il est plongé dans son sentiment et qu'il s'y cramponne, je lui demande de respirer profondément à partir du ventre. Je dis : « Ouvrez la bouche aussi grand que possible et restez comme ça ! Maintenant tirez, tirez ce sentiment du fond de votre ventre. » Le malade commence à respirer profondément, d'abord en frémissant, puis en tremblant. Quand cette respiration semble être automatique, je le presse : « Dites à papa que vous avez peur. » « Je ne dirai rien du tout à cette espèce de salaud », répond-il. J'insiste : « Dites-le, dites-le. » En général, au cours de cette première séance, le patient n'arrive pas à le dire, aussi simple que cela paraisse. Si néanmoins, il réussit à le sortir dans un cri, ce dernier sera d'habitude suivi d'un torrent de larmes et d'un halètement qui lui retourne l'estomac. Immédiatement après, le patient se mettra à parler du type de personne qu'était son père. Il y a de grandes chances pour qu'il ait un certain nombre d'insights en parlant.

Cette réaction initiale est appelée un « pré-primal ». Les pré-primals peuvent se poursuivre pendant plusieurs jours, parfois même une semaine. Il s'agit essentiellement d'un processus d'effritement qui a pour but d' « ouvrir » le malade et de le préparer à renoncer à son système de défenses. Personne n'est disposé à se laisser faire d'emblée. Ce n'est qu'à contrecœur et par étapes que l'organisme renonce à sa névrose.

Au bout d'une quinzaine de minutes, le patient est de nouveau calme et recommence son « bavardage » habituel qui n'implique aucune communication réelle : c'est *sa* façon de parler, qui est dénuée de tout sentiment. A nouveau, il est conduit vers une situation paticulièrement pénible de son passé. Le thérapeute attaque le système de défenses du patient partout où il apparaît. Par exemple, si le malade parle très doucement, il est prié de parler haut. S'il a l'attitude d'un intellectuel, on dénonce son intellectualisme partout où il se manifeste. Le patient qui est loin de ses sentiments, qui vit « dans sa tête », met en général plusieurs jours avant de pouvoir arriver à un pré-primal. Nous n'en continuons pas moins à chaque séance à l'y pousser.

Pour l'intellectuel, la première séance peut fort bien ressembler à une séance de thérapie conventionnelle : discussion, histoire, questions, clarifications. En aucun cas on ne discute d'idées. Nous ne cédons pas au désir de beaucoup de patients qui voudraient parler de la théorie primale et de sa valeur. On essaie tous les jours d'agrandir la brèche que l'on a ouverte dans le système de défenses, jusqu'à ce que le patient ne puisse plus se défendre. Les premiers jours de thérapie semblent correspondre aux premières années de la vie du patient, avant la scène primale qui l'a fermé sur lui-même. Il revit des événements isolés qui lui reviennent par bribes et par morceaux. Quand tous ces fragments s'assemblent en un tout significatif, le patient a un primal.

Quelle que soit la façade que le malade présente, qu'il se montre brillant, humble, poli, obséquieux, hostile ou théâtral, on lui interdit cette attitude pour arriver à lui faire dépasser son système de défenses et atteindre son sentiment. S'il remonte les genoux, ou s'il tourne la tête, il est prié de rester totalement allongé. S'il part d'un rire nerveux ou bâille au moment où le sentiment monte, on le lui fait remarquer sur un ton d'impatience. S'il essaie de changer de sujet, on l'en empêche. Il peut aussi arriver qu'il avale littéralement son sentiment, ce qui est le cas de beaucoup de patients qui avalent effectivement leur salive chaque fois qu'un sentiment commence à monter. C'est l'une des raisons pour lesquelles on demande au malade de garder la bouche ouverte.

Tandis que le malade parle d'un autre événement de son enfance, nous continuons à guetter les signes d'un sentiment. Il se peut que sa voix tremble un peu, comme sous l'assaut de la tension. Nous demandons à nouveau au patient de respirer profondément et de se laisser aller à son sentiment. Cette fois, peut-être une ou deux heures plus tard, le patient est ébranlé. Il ne sait pas ce qu'il ressent, il se sent simplement tendu et contracté — c'est-à-dire raidi contre le sentiment. Je lui demande de le faire monter en respirant profondément. Il jure qu'il ne sait pas identifier le sentiment en question. Il a la gorge nouée et il a l'impression d'avoir la poitrine serrée dans un étau. Il commence à suffoquer et il a des haut-le-cœur. Il dit : « Je vais vomir. » Je lui dis que c'est un sentiment qui monte et qu'il ne vomira pas. Je le pousse à dire ce qu'il ressent, même quand il ne le sait pas. Il commence à former un mot et se met à se débattre et à se tordre de souffrance. Je le presse de le laisser sortir et il continue à essayer de dire quelque chose. Enfin, le cri jaillit : « Papa, sois gentil », « Maman, au secours ! » — ou un cri de haine : « Je vous hais, je vous hais. » Ce cri est le cri primal. Il s'échappe en halètements saccadés, sous la pression d'années et d'années de refoulement et de négation du sentiment. Souvent ce n'est qu'un appel : « Maman » ou « Papa ». Ces simples mots provoquent des torrents de souffrance, parce que de nombreuses « mamans » ne permettent même pas à leurs enfants de les appeler autrement que « Mère » (1). Le fait de se laisser aller et d'être ce petit enfant qui a besoin d'une « maman », contribue à libérer tous ces sentiments accumulés.

Le cri est à la fois un cri de souffrance et un cri de libération par lequel le système de défenses du patient s'ouvre de façon dramatique. Il provient de la pression créée par le fait que le moi réel a été retenu prisonnier, parfois pendant des dizaines d'années. C'est en grande partie un acte involontaire. Ce cri est ressenti dans le corps tout entier. Beaucoup le décrivent comme un éclair fracassant qui semble briser toutes les défenses inconscientes du corps. Je reviendrai plus en détail sur le cri et sur sa signification dans un chapitre suivant. Pour l'instant, il suffit de noter que le cri primal est à la fois la cause et la conséquence de l'effondrement du système de défenses.

Au cours de la première séance, je me borne quelquefois à faire parler le patient uniquement à ses parents. S'il me parlait *d'eux* il prendrait automatiquement du recul par rapport à ses sentiments, ce serait comme n'importe quelle conversation entre deux adultes. Ainsi, par exemple, le patient peut dire : « Je me souviens, papa, du temps où tu m'apprenais à nager et où tu m'engueulais parce que j'avais peur de mettre la tête sous l'eau. Finalement, tu m'y as plongé de force. » A ce moment-là, il peut, furieux, se tourner vers moi pour dire : « Vous imaginez, cet idiot, maintenir la tête sous l'eau à un enfant de six ans ? » Je réponds : « Dites-lui ce que vous ressentez. » Et c'est ce qu'il fait; il débite toute une tirade, et il crie de peur exactement comme l'enfant de six ans qu'il était. Cela le conduit à d'autres associations et il est maintenant plongé dans un certain sentiment. Il commence à raconter comment son père a voulu lui apprendre un tas d'autres choses et à quel point il avait toujours peur. « Une fois, il y avait ce grand cheval, et je ne savais pas monter à cheval, mais il me fit monter quand même, le cheval s'emballa et partit au galop, le maître de manège nous attrapa et arrêta le cheval. Mon père ne dit pas un mot. » Je lui demande à nouveau de dire à son père ce qu'il ressent. Ses associations le font

(1) N.D.T. : Usage beaucoup plus fréquent aux Etats-Unis qu'en France où il a pratiquement disparu.

peut-être s'attarder aux leçons qu'il a reçues dans sa vie ou aux situations redoutables dans lesquelles son père lui interdisait d'avoir peur. Ou bien, il se peut qu'il passe brusquement à sa mère : « Pourquoi n'est-elle jamais intervenue ? Elle était tellement faible. Elle ne me protégeait jamais de lui. » De lui-même, le patient, qui commence à apprendre la méthode, s'adresse à elle : « Maman, aide-moi, j'ai besoin d'aide. J'ai peur ! » Cela peut le conduire à des sentiments plus profonds encore, à des sanglots, à des larmes et à une contraction abdominale. Il peut avoir d'autres souvenirs du temps où elle ne le protégeait pas contre le « monstre », — d'autres prises de conscience du caractère puéril et craintif de sa mère, de sa trop grande faiblesse qui l'empêchait de l'aider, etc. Au bout de deux ou trois heures, le patient est exténué et c'est fini pour la journée.

Il regagne sa chambre d'hôtel. Il sait qu'il peut toujours me joindre par téléphone s'il a besoin de moi et au cours de la première semaine, il peut même, s'il le désire, revenir pour une autre séance dans le courant de la journée, si son angoisse est trop profonde. Passée la première semaine, le cas se présente moins souvent. Il n'a toujours pas le droit de regarder la télévision ni d'aller au cinéma. Il n'en a du reste pas envie parce qu'il est absorbé par lui-même.

Deuxième jour

Le malade arrive débordant d'insights. « J'ai l'impression que ma tête explose », dit-il, « j'ai compris tant de choses hier soir, que je n'ai presque pas dormi et que je n'ai même pas faim. Le peu de temps où j'ai dormi, je n'ai pas cesser de rêver. » Il y a tant de choses qui remontent qu'il attaque tout de suite. Il évoque des souvenirs qu'il savait oubliés et parle d'autres situations douloureuses qu'il n'avait pas mentionnées le premier jour. Il peut arriver que dès les dix premières minutes de la séance, il pleure tout en parlant alternativement de ses souvenirs et de ce qu'il a compris. Il semble plongé dans une profonde souffrance, cependant, il dira ce que disent presque tous les patients : « Il me tardait tellement de revenir. » De nouveau, nous attaquons le système de défenses. Nous ne permettons pas au malade de s'écarter du sujet si nous soupçonnons qu'il veut éviter quelque chose. Il n'a pas non plus le droit de s'asseoir ni de « bavarder ». Nous voici replongés dans un souvenir douloureux : « Un jour, ma mère m'emmena faire des courses avec elle et deux de ses amies; elle m'avait mis un magnifique nœud dans les cheveux et leur dit : " Vous ne trouvez pas qu'il ferait une jolie petite fille ? " Imbécile, je suis un garçon ! » hurle-t-il. Ensuite, il parle de tout ce que faisait sa mère pour le rendre efféminé. D'autres souvenirs, prises de conscience et sentiments qui la concernent. Puis il discute de son passé, de ce qui la fit telle qu'elle était, pourquoi elle avait épousé un homme si efféminé. Puis il en vient à un autre souvenir. « Je partais au service militaire et en m'embrassant, elle glissa sa langue dans ma bouche. Vous imaginez, ma propre mère ! Mon Dieu ! C'est toujours moi qu'elle désirait au lieu de mon père. Maman, laisse-moi tranquille, laisse-moi seul, je suis ton fils ! » Puis il dira peut-être : « Maintenant je comprends pourquoi elle en avait toujours contre mes petites amies, elle me voulait pour elle toute seule. Dieu, que c'est dégoûtant ! Maintenant je me souviens du jour où nous avons fait un pique-nique et où elle et moi nous nous sommes sauvés et cachés de mon père. Elle mit sa tête sur mes genoux. Je me sentais tout drôle. Une sorte de nausée. Eh oui, ma mère voulait me séduire. Je me suis senti mal et j'ai vomi sans savoir pourquoi. Maintenant je sais. Elle me montait contre mon père, le seul être convenable dans ma vie ! Salope, salope ! » A ce moment-là, le patient se roule par terre, se tord et halète. « Je la hais, hais, hais, ooh ! » Il crie qu'il voudrait la tuer. Je lui dis : « *Dites-le-lui.* » Il se met à frapper le sol dans une colère qu'il ne contrôle plus et qui peut durer quinze ou vingt minutes. Finalement, elle s'apaise. Il est exténué, trop fatigué pour parler encore, et c'est la fin de la deuxième séance

Troisième jour

Le patient a perdu ses défenses. Quelquefois, il se met à pleurer dès qu'il entre dans le cabinet. Il arrive que je le trouve dans la salle d'attente, par terre, en train de sangloter. Il gémit : « Je ne peux pas supporter toute cette souffrance. C'est trop. Je n'arrive pas à lire parce que je suis envahi de souvenirs et que je comprends tant de choses. Combien de temps cela va-t-il durer ? » Nous nous remettons à évoquer des sentiments : « Je me souviens d'un jour où papa était furieux contre moi, parce que je ne voulais pas faire ce que demandait ma mère. Je n'avais que huit ans. Je lui ai dit de la boucler. Il m'a dit de bien prendre garde à ne plus jamais lui dire ça. Je l'ai répété. Il a attrapé le balai et m'en a menacé. Je me suis sauvé. Il m'a poursuivi, m'a rattrapé et a commencé à me frapper. Mon Dieu ! il va me tuer ! Papa me hait ! Il voudrait se débarrasser de moi ! Arrête, papa, arrête ! » A ce moment-là, le malade est submergé par son sentiment. Il a roulé du divan sur le sol et hurle, avec des mouvements convulsifs de l'abdomen, que son père va le tuer. Il étouffe et transpire en essayant de crier, mais le cri ne veut pas sortir. Il continue à suffoquer et à s'étrangler en criant qu'il va mourir. Finalement : « Je serai gentil, papa, je ne dirai plus de gros mots. » Et il n'en dit plus. Il est devenu un bon petit garçon. Ce que vient de vivre le patient est un primal. *Une expérience totale du sentiment et de la pensée, venue du passé.* Le tout se passe en quelques minutes qui paraissent extraordinairement douloureuses. Le malade n'a pas parlé de ses sentiments, il les a ressentis.

Un primal est une expérience qui submerge l'être tout entier. Le malade est presque inconscient de l'endroit où il se trouve à ce moment. Pendant les deux premiers jours de thérapie, il a vécu ce que j'appelle des pré-primals. Ce sont des sentiments importants de son passé, mais qui ne le submergent pas encore entièrement. Cela ne veut pas dire qu'il soit impossible qu'un primal complet se produise au cours de la première séance, mais en règle générale, c'est rare. Quelquefois il se passe des semaines avant qu'un primal complet ait lieu. Lorsqu'il survient, il semble briser la barrière pensée-sentiment, de sorte que le sujet s'ouvre à toutes sortes de sentiments et commence à avoir des primals spontanément, en dehors de la thérapie. A partir de ce moment-là, le malade est en voie de guérison.

Au fur et à mesure que les jours passent, il a toutes chances d'avoir des expériences de plus en plus profondes, jusqu'au jour où l'équilibre précaire entre le moi réel et le moi irréel penche au profit du moi réel, ce qui permet au malade de faire la pleine expérience de son sentiment. A partir de là, le patient est submergé par des expériences douloureuses de son passé, et il fera des primals en grand nombre pendant plusieurs mois. Cela ne veut pas dire pour autant que le sujet sera devenu entièrement réel. Chaque primal réduit le domaine du moi irréel et élargit celui du moi réel. Quand les souffrances essentielles auront été ressenties, il n'y aura plus de moi irréel et nous pourrons dire que le sujet est « normal ». Notre tâche consiste à faire remonter les souffrances pour faire du malade une personne réelle qui ressent.

Au cours des trois semaines suivantes, le traitement suit dans une large mesure le processus que nous venons de décrire. Il y a des creux, où le patient ne semble pas ressentir grand-chose, être « à sec ». Il peut simplement se trouver dans une période où il est réfractaire, parce que l'organisme se repose des journées de souffrance. L'organisme est un excellent régulateur de souffrance et nous sommes très attentifs à ne pas infliger à un malade une souffrance excessive, quand il est dans une telle période.

Quelquefois, le malade refuse simplement de faire face à ses sentiments, car son système de défenses résiste toujours. Alors, bien qu'en règle générale, le malade quitte la chambre d'hôtel au bout de la première semaine (1), il peut arriver que nous lui demandions d'y retourner et de veiller encore toute la nuit, l'objectif étant toujours l'affaiblissement du système de défenses.

Certains malades estiment que chaque jour de thérapie les dépouille d'une couche de défenses. Ce processus s'amplifie de lui-même parce que toute souffrance ressentie permet au malade d'en supporter davantage. Chaque primal semble faire surgir de nouveaux souvenirs ensevelis qui eux-mêmes conduisent à de nouveaux primals. Au fur et à mesure que les défenses se brisent, les primals successifs peuvent de plus en plus englober l'organisme entier. Mais le corps ne supporte qu'une certaine quantité de souffrance à la fois; par conséquent, si le patient n'est pas soumis à une pression excessive, les primals ont lieu à des intervalles réguliers et en toute sécurité. Si l'on contraint un patient à ressentir plus de choses qu'il n'en peut supporter, on aboutira simplement à le faire à nouveau se refermer sur lui-même.

En général, au fur et à mesure que les jours passent, le malade remonte, avec chaque primal, plus loin dans son enfance. Il est courant de l'entendre prendre la voix de l'âge qu'il revit — le zézaiement, le parler du tout jeune enfant, et quelquefois même les pleurs du nourrisson.

C'est l'observation de tous ces éléments qui m'a conduit à comprendre le rapport qu'il y a entre la souffrance et la mémoire; en effet, une fois que la souffrance est éliminée, les souvenirs des malades qui ont été en thérapie primale, remontent jusqu'aux tout premiers mois de leur

---

(1) N.D.T. A l'heure actuelle, les malades passent la totalité de leurs trois semaines de thérapie individuelle dans un motel.

vie. Ces observations m'ont aussi conduit à comprendre l'énorme importance des trois premières années de la vie. Ce n'est pas une découverte nouvelle, Freud l'a dit dès le début de ce siècle. Mais la nature du traumatisme est presque insaisissable : ce peut être le simple fait de n'être pas changé et d'être abandonné dans son berceau, le fait d'être manié sans douceur, d'être négligé et de pleurer pendant des heures et des heures sans que personne s'occupe de vous, le fait d'être exposé aux voix perçantes des parents qui troublent la tranquillité de l'enfant, de n'être pas nourri au sein, ou si on l'est, d'être sevré non de façon naturelle mais selon un programme précis.

Le traumatisme peut aussi résulter d'une naissance difficile ce qui nous conduit à reconsidérer les travaux d'Otto Rank qui, dès le début de ce siècle, parlait du traumatisme de la naissance. Mais Rank pensait que la naissance en elle-même (le fait de quitter la chaleur et la sécurité du ventre de la mère) était traumatisante, tandis que selon moi, seules les naissances difficiles sont traumatisantes. La naissance est un processus naturel et je ne crois pas que quoi que ce soit de naturel puisse être traumatisant.

J'ai assisté au primal d'une femme qui était roulée en boule, gargouillait et s'étouffait presque en crachant du liquide; tout à coup, elle s'est étirée, vagissant comme un nouveau-né. Après le primal, elle sentit qu'elle venait de revivre sa naissance qui avait été particulièrement difficile et au cours de laquelle elle avait effectivement failli être étouffée par les liquides. Un autre malade revécut sa naissance qui avait été extrêmement longue — le travail avait duré une vingtaine d'heures. Après avoir senti combien il avait dû lutter pour venir au monde, il comprit que sa lutte avait commencé à sa naissance et n'avait jamais cessé depuis. « On aurait dit que ma mère voulait me rendre la vie dure dès le départ ! » disait-il.

J'ai assisté à un autre primal qui m'a beaucoup appris à ce sujet. Il s'agissait d'une femme qui avait toujours le sentiment d'être mal à l'aise et malheureuse, sans savoir pourquoi. Elle se plaignait de ne pouvoir pleurer. Soudain, elle revécut une expérience et des larmes jaillirent de ses yeux; cette expérience était une opération qui avait été faite sur son canal lacrymal, alors qu'elle avait un an, pour remédier à une obturation qui s'était produite après la naissance. Cette femme avait la trentaine et pouvait pleurer; pourtant, lorsqu'elle revivait dans mon cabinet des événements antérieurs à cette opération, elle était incapable de verser une larme.

Ceci montre bien que le traumatisme existe, même avant l'acquisition du langage. Ce n'est pas simplement la façon dont le père ou la mère crient quand ils s'adressent à l'enfant qui provoque la névrose; il semble que le traumatisme s'inscrive dans le système nerveux et que l'organisme tout entier en garde la mémoire. Le corps « sait » qu'il est traumatisé, même quand cela ne s'accompagne d'aucune prise de conscience. Et ici encore, il ne suffit pas que le sujet ait *connaissance* de ce qui lui arrive; si ces événements ont été traumatisants, il faut qu'il les revive et en refasse *l'expérience* complète pour mettre un terme à l'effet qu'ils continuent d'exercer sur l'organisme.

En général, à partir de la deuxième semaine de traitement, les primals sont presque quotidiens. Chaque sujet a un type spécifique de primals. Certains ont besoin de parler pour arriver au sentiment, d'autres partent d'une sensation physique inexplicable sur le moment, mais qu'ils relient ensuite à un souvenir. Juste avant la connexion décisive, qui est si douloureuse, certains patients s'agrippent au divan, d'autres se tiennent le ventre, d'autres encore tournent la tête sans arrêt, claquent des dents ou transpirent abondamment. Sous l'effet de la souffrance, certains patients se plient en deux, d'autres se recroquevillent dans un coin du divan, et d'autres encore tombent du divan et se roulent par terre en mouvements convulsifs.

Même pour un même sujet, il n'y a pas deux primals semblables. Ils peuvent être sous le signe de la colère et de la violence, de la peur, du silence ou de la tristesse. Mais, quelque forme que prenne le primal, le traitement vise les sentiments anciens non résolus.

Il est difficile d'exprimer avec des mots combien de façons différentes il peut y avoir de ressentir un sentiment. Une malade qui avait été en thérapie conventionnelle, disait qu'elle y avait beaucoup pleuré, mais que cela avait été une expérience tout à fait différence de celle d'un primal. Auparavant, elle pleurait pour soulager sa souffrance et pour se sentir mieux, pour protéger son moi blessé. Maintenant, c'est *la souffrance* qui la fait pleurer et ces sentiments sont beaucoup plus intenses et la submergent entièrement. Elle disait qu'au cours d'un primal, elle pouvait sentir ses pleurs jusqu'au bout des orteils.

En thérapie, les patients apprennent vite comment accéder à leurs sentiments. Un malade raconte par exemple un rêve de la nuit précédente, parle comme s'il le vivait à l'instant, ressent sa peur et son impuissance, perd rapidement la maîtrise de lui-même et relie le sentiment à son origine. Le fait de perdre complètement le contrôle de soi permet d'établir la connexion, car le contrôle de soi équivaut presque toujours à la répression du moi réel. Le patient désire cette souffrance parce qu'il sait qu'elle est le *seul* moyen de le sortir de la névrose. « C'est mon moi qui souffre », disait un patient « et si j'arrive à sentir mon moi, c'est tout ce que je veux. »

Au bout d'un certain temps, le rôle du thérapeute se réduit à garder le silence. Quand le malade est plongé dans un sentiment, il retourne « là-bas », il revit son expérience — retrouve les odeurs, entend les bruits, et passe par les processus physiques qui ont eu lieu à ce moment lointain de son passé et ont été bloqués alors. Un patient qu'on aimait parce qu'il se retenait si bien et ne se mouillait presque jamais à l'âge de un an et demi, souffrit durant son primal du même besoin terrible d'uriner dont il avait souffert tout petit. Il ne faut pas oublier que le patient est entièrement replongé dans une situation du passé et que toute intervention du thérapeute dans le présent risque de l'en faire sortir. Si on laisse agir le sentiment, il ramènera le patient à ses origines; cela ne peut se faire si le thérapeute *discute* le sentiment avec son patient.

Un primal possède un certain nombre de caractéristiques. En premier lieu, le vocabulaire. Si le sujet utilise un vocabulaire de petit enfant, ce qui est le plus souvent le cas, c'est qu'il est effectivement plongé dans un primal. Un docteur en philosophie dit par exemple au cours d'un primal : « Papa, moi peur ! » Pour moi, c'était le signe qu'il ne jouait pas la comédie. En revanche, si un patient crie des injures du style de « Papa, tu es un salaud ! », il y a toutes chances pour qu'il ne fasse qu'un pré-primal

Les primals ont une autre caractéristique : le fait de ressentir des fragments toujours plus grands de la petite enfance et de l'enfance, produit plus de maturité. Cela s'explique par le fait qu'en éliminant le passé de l'organisme du sujet, on lui permet d'être réellement adulte, au lieu de *jouer* à « l'adulte ». En résumé, il devient ce qu'il est. Un patient plongé dans un primal crie et pleure souvent avec une voix de bébé de un an, et lorsqu'il en sort, il a une voix nouvelle, plus grave et mieux timbrée, au lieu de la voix fluette et infantile qu'il avait avant le traitement.

Quand un patient a revécu son passé au cours d'un primal, il a tendance à perdre la notion du temps. Certains disent : « Il me semble qu'il y a des années que je suis entré dans ce cabinet ce matin. » Quand je demande au patient de dire approximativement combien de temps il croit avoir passé dans mon bureau, il n'est pas rare qu'il réponde : « Une trentaine d'années, je suppose ». Il semble que dans les minutes ou les heures qu'il passe dans son environnement d'antan, il ne vive plus le temps présent.

Les patients eux-mêmes décrivent ces primals comme un coma conscient. Bien qu'ils puissent s'en sortir à n'importe quel moment s'ils le désirent, ils préfèrent continuer. Ils savent où ils sont et ce qui se passe, mais durant un primal, ils revivent leur passé et en sont complètement submergés. En fait, ils ont toujours été submergés par leur passé, mais ils le déjouaient au lieu de le ressentir. Même leurs rêves avaient généralement pour objet le passé. Le primal remet le passé. Le primal remet le passé à sa place, permettant au patient de vivre enfin dans le présent.

Le cri primal

Le cri primal n'est pas un cri pour le cri. Ce n'est pas non plus un moyen de soulager la tension. Lorsqu'il est provoqué par des sentiments profonds et dévastateurs, je crois que c'est un agent curatif bien plus qu'un agent de détente. De toute façon, ce n'est pas le cri en lui-même qui est curatif, c'est la souffrance. Le cri n'est qu'une expression de la souffrance. La souffrance est l'agent curatif parce qu'elle signifie que le sujet ressent à nouveau. Au moment même où le patient ressent la douleur, la souffrance disparaît. Si le névrosé a eu mal, c'est que son corps a été constamment branché sur la souffrance. C'est la tension de l'appréhension qui lui a fait mal.

Le véritable cri primal ne peut être méconnu. C'est un cri profond et involontaire qui ressemble à un râle. Lorsque le thérapeute détruit brusquement une partie de ses défenses et que le patient se trouve tout à coup nu dans sa souffrance, il crie parce qu'il est entièrement exposé à sa vérité. Le cri est la réaction la plus fréquente à cette soudaine vulnérabilité à la souffrance, mais ce n'est ni l'unique ni la constante réaction possible. Il y a des sujets qui geignent, gémissent, se tordent ou se débattent dans tous les sens. Le résultat est le même; ce qui s'exprime quand le sujet crie, c'est un sentiment unique qui est peut-être à la base de milliers d'expériences antérieures : « Papa, ne me fais plus mal ! » ou « Maman, j'ai peur. » Quelquefois, pour commencer, le malade a juste besoin de crier. Il crie pour les centaines de fois où on l'a fait taire, où on l'a ridiculisé, humilié, ou battu. Il crie aujourd'hui parce qu'il a souvent été blessé sans avoir droit au luxe de saigner ! C'est comme si quelqu'un l'avait continuellement piqué avec une petite aiguille, sans qu'il ait une seule fois pu crier « Aïe ! »

La résistance

La thérapie primale ne se déroule pas toujours aussi facilement que j'ai l'air de le dire. Les défenses elles-mêmes sont une résistance au sentiment. Par conséquent, tant qu'il subsiste une partie quelconque du système de défenses, il y a toujours une résistance. Beaucoup de patients refusent d'appeler leurs parents. Quelquefois ils ont derrière eux des années de psychanalyse et ils déclarent : « Ecoutez, je sais à quoi m'en tenir depuis des années ; je sais comment ils sont, et ce que vous me demandez n'a pas de sens. » Je leur fais remarquer qu'ils ne peuvent pas le savoir, tant qu'ils ne les ont pas appelés. D'autres patients sont gênés par cet exercice « puéril ». Un jeune psychologue m'a dit : « Vous ne trouvez pas que c'est un peu simpliste ? » Pourtant, le fait de savoir intellectuellement que l'on n'a pas été aimé, est une expérience dissociée, c'est une semi-expérience à laquelle le corps ne prend pas part. Demander d'être aimé c'est une tout autre affaire. La lutte névrotique a commencé parce que l'enfant ne pouvait plus en toute sécurité demander d'être aimé ; cette demande entraînait le fait d'être rejeté et de souffrir. Comme la lutte est la manière symbolique continuelle de demander d'être aimé, le fait de ramener le sujet à la question directe : « Maman, je t'en prie, aime-moi », c'est repousser la lutte et mettre à nu la souffrance.

Quelquefois, la résistance est physique. On demande au malade de respirer et il le fait à l'envers. Il semble repousser l'air vers le bas au lieu de pousser vers le haut et d'exhaler. On rencontre souvent cette incapacité d'exhaler chez les névrosés, surtout chez ceux qui ont été réprimés et qui ont toujours dû tout retenir en eux-mêmes. Il semble que la résistance physique soit automatique. La gorge se serre, le corps se plie en deux, le malade roule sur lui-même et se met en boule — le tout pour couper court au sentiment. Il ne faut jamais oublier que, si douloureuse que soit la névrose, jamais personne ne s'allonge simplement sur le divan pour s'en défaire.

Si le patient persiste dans sa respiration superficielle, il peut arriver que j'appuie sur son abdomen. Mais il est rare que ce soit nécessaire. En aucun cas, il ne faudrait le faire avant que le patient ne soit solidement accroché à un sentiment, car ce n'est pas la respiration qu'on recherche, mais le sentiment.

Le primal symbolique

Toute souffrance excessive étant, semble-t-il, automatiquement coupée par notre système, j'appellerai ce qui semble se passer dans les premiers jours de thérapie, le primal symbolique. C'est particulièrement vrai pour des personnes d'un certain âge qui ont des défenses renforcées. Il se peut que le côté physique de la souffrance soit éveillé tout de suite, mais le malade n'arrive pas à faire la connexion mentale. A la place, il sentira une terrible douleur dans le dos (symbole de quelqu'un qu'il avait toujours « sur le dos ») ou il sera brusquement paralysé localement, (symbole de son impuissance), ou encore il sentira un poids sur ses épaules (symbole du fardeau qu'il a porté). Le symbolisme varie. Un patient eut le côté gauche paralysé pendant une demi-heure; dès qu'il commença à établir les connexions, il dit : « C'est tout ce poids mort que toute ma vie j'ai dû traîner avec moi. »

Lorsque le thérapeute primal empêche le comportement symbolique du patient, on dirait que la névrose se retire sur la ligne de défense suivante : le symbolisme du corps — autrement dit, les troubles psychosomatiques. Nous constatons une fois de plus que la douleur physique est le résultat de la souffrance mentale de l'enfance, et que quand cette souffrance est ressentie, les troubles physiques disparaissent.

En début de thérapie primale, presque tous les malades souffrent de troubles psychosomatiques, même quand leur état de santé était relativement bon auparavant. Après son premier primal important, un patient eut la diarrhée. Il me dit : « Les choses sortent de moi, avant même que je puisse savoir ce qu'elles sont ! » Une fois qu'il eut compris et ressenti ce qu'elles étaient, il n'eut plus de diarrhée. Quand des sentiments essentiels sont bloqués, la souffrance semble se retourner d'abord contre certaines parties du corps. C'est ce qui nous indique que la souffrance est en train de remonter. Dès que les connexions sont faites, les troubles psychosomatiques disparaissent rapidement.

Au cours de son second pré-primal, un patient se sentit

littéralement déchiré. Il avait les poings serrés, les bras tendus, raides et tremblants. Il suffisait de l'observer pour voir qu'il était tiré des deux côtés. Pourtant, c'était un comportement symbolique indiquant qu'il se sentait (et qu'il était effectivement) scindé en deux, mais incapable d'établir la connexion avec les causes du clivage. Plus tard, il sentit ce qui s'était passé. Il revivait une scène de l'époque du divorce de ses parents. Il ressentait combien il désirait aller avec son père, mais sans oser le ressentir de peur de déplaire à sa mère... Il sentait combien il haïssait sa mère mais qu'il fallait étouffer ce sentiment parce qu'il était obligé de vivre avec elle et qu'il allait dépendre exclusivement d'elle... Il ressentait sa colère à l'égard de son père qui le quittait, mais il fallait la dissimuler pour être sûr qu'il revienne le voir... Toutes ces contradictions se manifestaient par un tiraillement physique. Elles se manifestaient physiquement parce qu'il n'osait pas les ressentir directement. Les sentiments étaient alors inscrits dans son système musculaire en termes de leur valeur *symbolique*; il était réellement déchiré par ces sentiments opposés parce que les sentiments sont des choses réelles, physiques. Pour résoudre le déchirement, il dut retourner en arrière et ressentir séparément tous les éléments de cette contradiction. Il ne suffisait pas de « savoir » qu'il était en conflit à cause du divorce.

La théorie primale explique un cas comme celui-là par le fait que les souvenirs refoulés, c'est-à-dire les événements trop douloureux pour que le sujet les regarde en face, sont emmagasinés dans le cerveau au-dessous du niveau de la conscience, et qu'ils envoient des messages à l'organisme. C'est ainsi que le désir jamais exprimé de rendre ses coups à un père tyrannique, se manifestera par la contraction des muscles d'un bras. Au cours d'un de ses premiers primals, le malade, en se souvenant d'avoir été battu par son père, ressentira cette contraction dans les muscles du bras, mais sans savoir l'expliquer. Plus tard, il arrivera à relier cette crispation musculaire au contexte de son origine (colère, désir de battre) et elle finira par disparaître.

J'ai eu un malade qui grinçait continuellement des dents. C'était un comportement automatique et inconscient qui se poursuivait jour et nuit (pendant son sommeil). Il commença à repenser au moment où son père n'avait pas tenu sa promesse de l'emmener à un match de base-ball, et il se mit inconsciemment à grincer des dents avec fureur. Dans sa famille, il était interdit d'exprimer sa colère. Dans mon cabinet il put enfin crier sa rage et le grincement de dents cessa. L'incident du match de base-ball n'avait pas déclenché à lui seul le grincement de dents. Ce souvenir particulièrement frappant représentait et déclenchait simplement toute la colère du patient pour les innombrables promesses non tenues, sans qu'il ait jamais eu le droit de se plaindre.

Nous voyons tous autour de nous des comportements symboliques, mais probablement, nous ne leur donnons pas ce nom. L'enfant qui fait l'école buissonnière, agit impulsivement. En fait, il déjoue vraisemblablement une liberté qu'il ne peut ressentir. Ce n'est peut-être pas le moins du monde l'école qui l'emprisonne, mais de vieux sentiments. En ressentant ces sentiments, il se libérera du besoin de déjouer sa liberté en quittant l'école. Un bon éducateur ou un thérapeute compréhensif pourrait arriver à convaincre l'enfant de *se comporter* mieux à l'école, en lui démontrant la nécessité d'être responsable; mais le besoin qui le pousse à être libre demeurera, provoquant un comportement symbolique et souvent asocial.

Le stade symbolique est une nécessité en thérapie primale. Le malade ressent une partie du sentiment parce que le ressentir en entier est trop douloureux. Le corps se ferme alors provisoirement sur lui-même et le patient déjoue (ou joue) la partie qui reste. Ce déjouement n'est pas forcément spécifique. Il peut se limiter à une tension assez vague, qui permet au sujet de garder intacte une partie de son ancienne personnalité.

Ce stade symbolique doit se dérouler sans précipitation. L'organisme affronte la souffrance à petites doses, il continuera ainsi, de façon ordonnée, et au fur et à mesure que plus de sentiment est ressenti, le symbolisme diminue. Ce processus se reflète aussi dans les rêves du malade où le symbolisme va décroissant.

Au fur et à mesure que le patient quitte le stade symbolique pour entrer plus directement dans ses sentiments, il porte de moins en moins d'intérêt à tout ce qui est symbolique. Il semble que le symbolisme soit un phénomène total et, malheureusement, bien des névrosés passent toute leur vie dans ce pays imaginaire totalement symbolique. Le sujet a de « furieux » maux de tête qui trahissent sa colère, et bien que ces maux de tête se répètent pendant des années, il les comprend rarement. A la suite d'un primal particulièrement violent, un malade s'exprimait ainsi : « Je crois que toute cette pression dans ma tête, c'était des sentiments de colère qui ne pouvaient pas sortir et qui s'accrochaient à mes sensations physiques. C'était comme si j'avais dû fourrer même mes idées dans une case qui était déjà pleine à craquer. »

La partie la plus pénible de la thérapie primale semble être la première semaine. Le patient est angoissé et malheureux et demande en général : « Mon Dieu, quand est-ce que tout cela va finir ? Il n'y a qu'une semaine que cela dure et cela me semble toute une vie ! » Il est plongé dans un grand tourment. Un patient m'a dit : « On dirait que dès que je suis entré ici, vous m'avez attrapé par les pieds, que vous m'avez mis la tête en bas, et que vous avez fait sortir tout ce qu'il y avait en moi. »

Le patient se sent plus tendu qu'il ne l'a jamais été parce qu'il a moins de défenses névrotiques contre les sentiments qui sont en train de monter à la surface. Une fois que son système de défenses est complètement brisé, ses besoins prennent un caractère tellement urgent que le thérapeute doit être constamment disponible pour lui.

A la fin de la troisième semaine, la plus grande partie du travail de démentèlement du système de défenses est effectuée. Cependant, le patient n'est pas encore guéri. Il a encore beaucoup de tension résiduelle — des sentiments anciens et des souffrances qui n'ont pas encore surgi ou qui, pour une raison ou pour une autre, n'ont pas été ravivés. Comme il est coûteux et inutile de garder le malade en thérapie individuelle, il est placé dans un groupe post-primal. Il peut arriver qu'il ait encore besoin à l'occasion d'une séance individuelle, mais le plus gros du travail se fait désormais en thérapie de groupe.

Quand je dis que la majeure partie du travail est faite au bout des trois premières semaines, je veux dire que dès ce moment-là, on remarque des modifications sensibles de la personnalité du patient et des symptômes qu'il présente. Quand je pratiquais la thérapie conventionnelle, il me fallait trois semaines, uniquement pour arriver à faire l'anamnèse du patient et pour procéder à toute une série de tests psychologiques. En thérapie primale, dans le même laps de temps, nous observons des changements comme une baisse de tension spectaculaire (et définitive), chez un malade qui, toute sa vie, a souffert d'hypertension. Il y a une modification de la façon de parler du patient, du timbre de sa voix, de son expression — des visages « morts » deviennent expressifs et vivants. Les idées du sujet se modifient du tout au tout dans cette brève période et ce, sans la moindre discussion avec le thérapeute. Cela s'explique par le fait qu'un système irréel s'accompagne nécessairement d'idées irréelles.

Le vrai but est, bien entendu, de briser les défenses dans les trois premières semaines. Et c'est en général ce qui se produit. Le sujet ne peut pratiquement pas parler sans une profonde émotion de choses importantes. Même sa façon de marcher change — surtout chez les hommes efféminés. Beaucoup de ces modifications sont décrites en détail dans les rapports rédigés par mes patients.

Variations dans les types de primals

Les primals peuvent prendre des aspects très divers. J'ai eu par exemple une malade qui commença ses primals par ce qui parut être sa naissance. Le premier jour de thérapie, elle se roula en boule, se mit à contracter son corps, puis à se détendre; elle dit qu'elle sentait de l'air froid contre son corps, enfin elle poussa un vagissement comme un nouveau-né. Elle n'avait alors pas la moindre idée de ce qui se passait en elle, et disait que c'était un processus totalement involontaire. D'autres patients ne remontent jamais aussi loin. Une malade qui n'avait pas de souvenirs antérieurs à ses dix ans, commença par vivre des expériences qui dataient de ses quatorze ans, ensuite, elle descendit le cours des ans, jusqu'à ce qu'elle retrouvât le souvenir d'une scène terrible qui avait causé le clivage définitif à l'âge de dix ans. Mais par la suite, elle eut des primals qui remontaient de plus en plus loin dans son passé et elle arriva à l'âge de trois ans où elle ressentit « à l'état pur », le besoin d'être aimée de ses parents. Elle dit ensuite que cela avait été le plus douloureux de ses primals — ressentir ce besoin physique, c'était ressentir la souffrance constante causée par quelque chose qui n'avait jamais été satisfait. Au cours de ce primal, elle n'avait pas parlé, c'était une expérience totalement intérieure au cours de laquelle elle se roulait en boule, gémissait, se tordait, serrait les poings et grinçait des dents.

Les primals varient en fonction de l'âge où s'est produit le clivage, et de l'intensité de la souffrance. Certains patients peuvent aller directement à la scène primale majeure où s'est produit le clivage, pour d'autres, cela prend des mois. Certains disent qu'ils ne retrouvent jamais une scène spécifique et il semble qu'il y ait eu pour eux plusieurs scènes qui aient été également responsables de leur névrose. Si le clivage a lieu tôt et si la souffrance est intense, il peut arriver que le malade revive une scène particulière plusieurs fois. Par exemple, il n'y a pas longtemps, un malade s'est souvenu qu'on l'avait laissé seul pendant plusieurs semaines dans un petit lit d'hôpital, à l'âge de neuf mois. Ses parents ne pouvaient pas venir le voir parce qu'il était atteint d'une maladie contagieuse. Le lendemain, il revint sur cette scène et se souvint qu'il était dans une sorte d'hôpital; ensuite, il vit le visage de sa mère, et finalement, il vit ses parents s'en aller et sentit son abandon. Le déjouement névrotique de toute sa vie avait consisté à chercher quelqu'un, récemment une petite amie, à qui s'accrocher, et à tout faire pour qu'elle ne le quitte pas. Il ne se rendait pas compte du tout qu'en grande partie, ce comportement était fondé sur un événement qui avait eu lieu dans sa petite enfance. En fait, il n'avait pas le moindre souvenir de cette expérience. A la première séance, il était arrivé dans un état de grande tension parce que sa dernière petite amie l'avait quitté. C'est en s'enfonçant dans ce qu'il ressentait qu'il fut ramené à cette scène de l'hôpital. Tandis qu'il la revivait, il pleurait exactement comme un bébé. Il fit plusieurs primals où il ne parlait pas. A la fin du dernier primal de cette série, il poussa un cri perçant pour que ses parents reviennent, ce que, dans son lit d'enfant à l'hôpital, pour une raison ou pour une autre, il n'avait pas osé faire.

En général, il est facile de reconnaître le moment où le malade sort d'un primal. Il ouvre les yeux et bat des paupières, comme s'il sortait d'une espèce de coma. Quelquefois, c'est moins spectaculaire; il n'y a qu'un changement dans son timbre de voix qui redevient adulte, ce qui montre que le malade a quitté les sentiments de l'enfance. Ce qui est toujours surprenant, c'est la manière dont la tension se réinstalle quand l'organisme a eu assez de souffrance pour la journée. Après avoir ressenti une souffrance très intense, le malade se sentira inexplicablement tendu et dira qu'il ne se souvient plus de rien. Ou alors il se sentira complètement détendu, s'il a ressenti un sentiment dans sa totalité. Quand le malade sort tendu d'un primal, nous savons qu'il n'a pas ressenti l'intégralité de son sentiment. La tension résiduelle que l'on observe après un primal est la preuve évidente que la névrose a été notre première amie et notre bienfaitrice. Elle a pris le dessus et elle nous a protégés quand la vie devenait trop douloureuse pour être supportable, et c'est elle qui prend le dessus et rend le malade tendu quand il a eu assez de souffrance pour la journée.

Il y a des périodes où les primals sont de caractère essentiellement physique. Vers la fin de la thérapie, un malade eut un primal où son corps commença à se tordre de droite et de gauche et à prendre les positions les plus bizarres. Il était couché sur le ventre, les jambes repliées vers le dos et la tête renversée, en arc de cercle. Cette attitude involontaire dura environ une heure. Puis il se mit debout, tout droit et dit que la douleur qui presque toute sa vie lui avait fait courber le dos avait disparu. Il décrivit ce qui s'était passé de la façon suivante :

« Je crois qu'il n'y avait pas que mon esprit qui était tordu, mais aussi mon corps. J'ai eu l'impression qu'il passait par toute une série d'étapes où il était d'abord tout tordu (ce que j'étais effectivement) et puis il commençait automatiquement à se remettre d'aplomb. Juste avant cette scène, j'étais en train de me dire que je devenais fou. Il y a eu un déclic qui s'est fait dans ma tête et c'est alors que cette scène physique a commencé. Je crois que ce qui s'est passé, c'est que mon esprit a enfin abandonné la lutte et toute cette irréalité (une manière de laisser mon corps se morceler) et alors mon corps a enfin pu redevenir réel et être en accord avec lui-même. Maintenant, je me tiens droit, je marche de façon décontractée, je suis un homme différent. Jamais je n'avais pu croiser mes jambes comme je le fais maintenant, et, si bizarre que cela paraisse, c'est la première fois de ma vie que je peux vraiment tourner la tête. Tout ce que je peux dire, c'est que non seulement mon esprit était dans une camisole de force, avec des idées étroites, mais que mon corps était également enfermé dans une espèce de moule, une matrice qui m'imposait une forme étrange. »

Nous sommes tous tellement habitués à observer la gamme « normale » des émotions qu'il est difficile de donner une idée de la puissance énorme des primals. Leur intensité et la gamme des sentiments qu'ils reflètent défient toute description, de même que leur immense variété et leur caractère souvent étrange. Nous nous contenterons de dire que quand un sentiment peut plonger un individu dans un état convulsif et provoquer des cris déchirants, il témoigne de l'énorme pression à laquelle est constamment soumis le névrosé. Ce qui est stupéfiant, c'est que tant de névrosés ne peuvent pas la ressentir directement; à la place, ils se sentent la poitrine oppressée, le ventre ballonné, ou la tête prête à exploser.

Le processus primal conduit le patient dans un monde qui est rarement vu, sinon jamais, même dans les cabinets des psychothérapeutes. Et il est encore plus rare qu'il soit compris. Ce n'est pas une fuite hystérique et fortuite, mais une expédition systématique et organisée que l'homme entreprend pas à pas en lui-même. Quand le malade arrive enfin à ce sentiment catastrophique du jeune âge qui consiste à savoir qu'il n'a jamais été aimé, qu'il a été haï, ou qu'il n'a jamais été compris — cette révélation de la solitude fondamentale — il comprend parfaitement pourquoi il s'est fermé, et qu'un petit enfant ne pouvait supporter un tel sentiment et continuer à vivre. En observant ces malades au paroxysme de la souffrance, quand ils atteignent ce sentiment, on découvre les profondeurs de la sensibilité humaine. Dans toutes mes années de thérapie conventionnelle, je n'ai jamais vu et même jamais compris la nature réelle du sentiment. Bien sûr, j'ai vu beaucoup de pleurs et de souffrances, mais il y a un monde entre une crise de larmes et une expérience primale.

Voici comment un malade décrivait ses expériences primales :

« Dans un primal, le sentiment qui est associé à un événement de l'enfance survenu après le clivage, fait partie du moi réel; or, ce moi réel ne peut être totalement ressenti si l'on ne remonte pas à la période qui a précédé le clivage. C'est pourquoi il est si important en thérapie primale de revivre les scènes ou les expériences de l'enfance. Elles aident à ressentir des fragments du moi réel, en associant la souffrance à des incidents spécifiques, jusqu'à ce qu'on arrive à *être* véritablement l'essence de ce moi réel. Prenons un exemple : si je fais un primal à propos de ma mère qui me repousse, je dirai vraisemblablement : " Maman, ne me repousse pas ! " Le sentiment à l'état pur que je ressens à ce moment-là est inexprimable. Ce sentiment *est* mon moi réel, et la signification réelle de ce que je dis est : " Maman, je me sens mal, s'il te plaît, enlève-moi cette souffrance ", ce qui est une défense pour ne pas *être* ce sentiment. A force d'associer ce sentiment à des incidents spécifiques, je crois que le patient finira par être entièrement ce sentiment et vivra son *essence,* ce qui ne lui est arrivé qu'une fois auparavant, juste avant le clivage. A ce moment-là, il n'y a plus rien à dire, plus de connexions à faire. On est soi-même. Pour moi, c'est ce que ce dépouillement total a fait. Je ne peux espérer exprimer par des mots ce que j'ai ressenti dans cette expérience; et le fait que je ne le puisse pas, montre bien encore une fois que cela ne peut s'exprimer avec des mots... »

L'intensité des souffrances primales est presque impossible à décrire. En observant les malades au cours de leurs primals, on est convaincu qu'ils souffrent la torture. J'en étais si convaincu que l'idée de demander à un patient si cela faisait mal, ne m'est venue qu'au bout de plusieurs mois d'exercice de la thérapie. A ma grande surprise, les malades disaient que, malgré tous ces cris, ces gémissements et les mouvements convulsifs, la souffrance *ne leur faisait pas mal !* L'un d'eux exprimait cela ainsi :

« Ce n'est pas comme si vous vous étiez fait une coupure à la main et disiez en la regardant : " Oh, là là, ma main me fait mal ! " Au cours d'un primal, vous ne vous demandez même pas si cela fait mal. On se sent seulement partout dans un état pitoyable, mais cela ne fait pas mal. Ou s'il fallait dire quelque chose, on pourrait dire que c'est une douleur agréable, parce que c'est un soulagement extraordinaire que d'être enfin capable de ressentir quelque chose ! »

Ce qu'il voulait dire, je crois, c'est qu'au cours d'un primal, on ne réfléchit pas à ce que l'on fait, on n'assimile pas ce qui se passe, on ne raisonne pas le besoin, pour ainsi dire. Il n'y a qu'un moi qui, pour la première fois depuis l'enfance, s'engage dans quelque chose. Le sujet est le sentiment. S'il peut ainsi arriver à s'engager totalement dans le processus de ressentir, c'est peut-être en partie parce qu'il n'est pas assis, raide, dans un fauteuil en train d'essayer de retrouver ses souvenirs. Tout son corps est engagé dans le processus, de même que le jeune enfant y était totalement engagé, avant de se refermer sur lui-même. Les malades se souviennent de la manière dont ils exprimaient leur colère quand ils étaient tout petits : couchés par terre, donnant des coups de pieds, battant des bras, et hurlant. Ils étaient totalement « pris », et si vous demandiez à l'enfant qui vient de piquer une colère, s'il a eu mal (en admettant qu'il puisse comprendre la question), il est fort peu vraisemblable qu'il réponde « oui ».

Voici la description d'un autre primal qui survint vers la fin de la thérapie; je la cite ici car elle peut aider à comprendre ce phénomène de souffrance non douloureuse :

« Je crois que la meilleure façon de décrire cette expérience, est de dire que je n'étais pas conscient du sentiment et de ses connexions. Je crois qu'en fait, je n'étais conscient de rien. J'étais simplement ma souffrance, et il n'était point besoin de connexion (rien de séparé qui dirait " tu as mal "). Il fallait simplement que mon être accepte l'expérience et qu'il ne s'en coupe pas, comme il l'avait fait quand j'étais devenu névrotique. Cette expérience, c'était être mon moi réel. »

La signification essentielle de l'expérience de la souffrance primale est que les sentiments, en eux-mêmes, ne font pas mal. C'est le fait de se tendre pour leur résister qui est douloureux. Cela ne veut pas dire qu'il n'y ait pas de sentiments désagréables, mais quand on les ressent pour ce qu'ils sont, ils ne sont pas transformés en souffrance. La tristesse en elle-même ne fait pas mal. Mais si l'on est privé de sa tristesse, si l'on n'a pas le droit de sentir son malheur, *alors* on souffre. *Par conséquent, le sentiment est l'antithèse de la souffrance.* Le principe dialectique de la thérapie primale est le suivant : *plus on ressent de souffrance, moins on a mal.* On ne peut pas réellement blesser les sentiments d'une personne normale, mais on peut blesser un névrosé, en ravivant ses sentiments refoulés.

L'expérience de groupe

Les groupes de thérapie post-primale se réunissent plusieurs fois par semaine, pour des séances de trois à quatre heures. Le groupe se compose de patients qui ont terminé leur thérapie primale individuelle. Il a pour fonction essentielle de provoquer chez ses membres de nouveaux primals. L'atmosphère émotionnelle est favorable. Le primal d'un malade peut en déclencher un chez plusieurs autres membres du groupe. Il n'est pas rare que se produisent simultanément des dizaines de primals, car les malades, qui sont maintenant sans défenses, sont entraînés par la souffrance qui les entoure. Quand plusieurs primals débutent en même temps, on pourrait se croire dans une maison de fous. Les seuls à ne pas être affectés par ce chaos sont ceux qui ont leur primal. Ils ne remarquent même pas ce que font les autres. Il n'est pas rare que l'on assiste à cinquante primals au cours d'une seule séance de groupe qui dure trois heures.

Comme tout le processus primal est bouleversant (c'est le moins qu'on puisse dire), le groupe a également une autre fonction : il réconforte les patients qui ont la possibilité de se rencontrer et de connaître d'autres personnes qui suivent la thérapie. Cette thérapie de groupe s'étend sur plusieurs mois, selon les patients.

Comme dans mes longues années de thérapie conventionnelle j'ai pratiqué la thérapie de groupe, je tiens à souligner ici que la thérapie de groupe est tout à fait différente de la thérapie primale. Les malades qui ont pratiqué d'autres thérapies de groupe, allant des séances marathon aux groupes d'analyse, le constatent également. Dans le groupe de thérapie primale, il y a fort peu d'interaction. On n'y trouve presque rien du « ici et maintenant » et du « donnant donnant » de la thérapie de groupe conventionnelle. Les malades se posent peu de questions sur leurs motivations respectives, et n'échangent pas leurs insights. Il est également rare qu'ils manifestent entre eux de la colère ou de la peur. L'attention se concentre à l'intérieur. Quand un sujet passe son temps à regarder les autres et à observer leurs réactions, c'est un signe évident que dans ce moment précis, il ne ressent rien. Il y a bien des raisons à tout cela, mais je crois que l'une des principales est que la thérapie primale n'est pas un processus d'action réciproque. C'est un processus qui fait ressentir des sentiments personnels et où les insights affluent presque sans arrêt, lorsqu'une souffrance a été ressentie en profondeur. (Voir chapitre consacré à l'insight.)

La seconde différence réside dans le fait que les malades comprennent que les réactions excessives qu'ils observent en groupe (quelle que soit la forme qu'elles prennent), sont liées à des expériences *anciennes*.

En troisième lieu, quand le patient est en thérapie de groupe, il est sans défenses. Les patients entrent dans le groupe et ont immédiatement des primals parce qu'ils ne peuvent plus retenir les sentiments qu'ils refoulaient auparavant. Ils n'ont besoin de personne pour les y encourager. Ils sont, pour ainsi dire, une seule masse de sentiments. Ainsi que je l'ai déjà indiqué, il est très fréquent que si un malade dit : « Je ne pouvais jamais dire que j'avais peur », il éveille des sentiments similaires chez ceux qui l'entourent.

Trois heures, c'est court pour une séance de groupe primal. Après un primal fait en groupe — un primal dure en moyenne une heure ou deux — le patient reste couché là pendant une heure environ, établissant silencieusement les connexions pendant que d'autres primals se poursuivent. Il semble que ce qui arrive aux uns ne dérange en rien les autres qui sont plongés dans leurs sentiments et dans leurs souvenirs. A la fin de chaque séance de groupe, les participants parlent de ce qui leur est arrivé. Ils discutent par exemple de la façon dont un sentiment spécifique, ressenti lors de leur primal, avait produit dans le temps un comportement névrotique particulier.

Au bout d'un an de thérapie de groupe, ou davantage, le malade continue à faire des primals, mais en général, il est en mesure d'accéder à ses sentiments chez lui, sans l'aide d'un thérapeute. Il n'y a plus en lui de défenses puissantes susceptibles de lui cacher ses sentiments et de le pousser au déjouement. Le malade n'a plus de comportement symbolique. Il peut continuer à venir en séance de groupe, mais moins souvent, ou bien abandonner le groupe et poursuivre son traitement tout seul. Le fait qu'il quitte le groupe ne signifie pas qu'il soit guéri, pas plus que le fait de rester signifie forcément que sa névrose prédomine encore. Le groupe est tout simplement un lieu où il peut venir pour ressentir ses sentiments.

Il y a une période décisive, qui se situe généralement au bout de dix-huit mois, où la majeure partie des comportements névrotiques disparaissent. C'en est fini du besoin de fumer ou de boire. Même s'il le voulait, le malade ne pourrait plus adopter un comportement irréel. Il ne peut plus retrouver ses anciens maux de tête parce que ces maux de tête faisaient partie de ce qui se passait quand les sentiments étaient bloqués. A cette époque, le malade a très peu de défenses, de sorte que le café ou l'alcool ont sur lui un tout autre effet qu'auparavant : il suffit de deux tasses de café pour qu'il se sente surexcité et d'un verre de vin pour qu'il commence à avoir la tête qui tourne. Il perçoit immédiatement l'âcreté de la fumée de cigarette. Il ne peut plus se livrer à un déjouement sexuel (sexualité compulsive) parce qu'il n'y a plus en lui d'anciennes pulsions qui ont été bloquées et déniées dans le domaine sexuel. Il n'a plus le désir de trop manger, parce qu'il n'étouffe pas ses sentiments avec des aliments.

Ces améliorations se maintiennent-elles dans le temps ? Oui. Jusqu'ici on n'a pas vu le comportement irréel, y compris des symptômes physiques, réapparaître chez les patients qui ont terminé la thérapie. Comment pourrait-il en être autrement ? Le malade est devenu lui-même et pour reprendre un comportement irréel, il faudrait qu'il redevienne un autre. Les événements de la vie d'un adulte ne peuvent pas produire le clivage qui sépare un individu en deux. Cela se produit chez les tout jeunes enfants, parce qu'ils sont si fragiles et que leur vie dépend à un tel point de leurs parents. Bon gré, mal gré, il faut qu'ils deviennent ce que leurs parents exigent. L'adulte est rarement placé dans de pareilles conditions. Nul ne peut faire d'un adulte réel quelqu'un d'irréel. Il ne s'engagera pas dans une lutte contre un patron borné ou contre une situation de travail impossible.

Je tiens cependant à souligner que le patient qui achève la thérapie ne vit pas dans l'extase ni même le bonheur. Le bonheur n'est pas l'objectif de la thérapie. Il se peut qu'à la fin du traitement, le patient ait encore beaucoup de souffrances à ressentir, parce qu'il y a derrière lui toute une vie de souffrances non ressenties. Par conséquent, après la thérapie, il connaîtra aussi des moments de détresse, mais comme l'a dit un patient : « Au moins, c'est une détresse *réelle,* qui d'une manière ou d'une autre finira un jour. »

Le fait que le patient soit guéri ne signifie pas nécessairement que ses intérêts changent; beaucoup de patients découvrent qu'ils peuvent reprendre leurs activités antérieures mais avec un sentiment tout à fait différent. « Etre guéri », c'est ressentir ce qui se passe dans le présent. Le patient sait quand il ressent enfin ses sentiments dans leur intégralité, car à ce moment-là, il n'a plus de tension résiduelle et il est complètement détendu. Rien ne provoque la tension. Il peut être troublé par certains événements, et se sentir troublé, mais jamais tendu.

Pour beaucoup de patients, le traitement dure à peu près un an, mais pour certains, il peut durer deux ans environ. Tout dépend de la profondeur de leur névrose au départ — il faut savoir à quel degré de refoulement et d'inconscience ils en étaient arrivés avant d'entrer en traitement. Quel que soit le nombre de primals que fait le sujet, s'il reste en lui d'importants sentiments bloqués, ils provoquent *perpétuellement* un déjouement symbolique, jusqu'à ce qu'ils soient ressentis et résolus.

Retournant à l'université au bout de trois mois de traitement, un malade constata qu'il ne comprenait plus rien à ses cours. Il se trouvait stupide et commençait effectivement à passer pour tel, car il ne comprenait même pas les choses les plus simples dites par le professeur. Il vint à une séance de groupe et raconta qu'un assistant l'avait tourné en dérision parce qu'il n'avait pas compris quelque chose dans un sujet d'examen. En parlant, il se laissa aller à ce qu'il ressentait et dit : « Explique-le-moi, papa, donne-moi un peu de temps. » Son père le ridiculisait toujours quand il ne comprenait pas quelque chose immédiatement. De ce fait, il avait toujours fait tout ce qu'il pouvait pour saisir immédiatement, afin de faire plaisir à son père et d'éviter la souffrance.

C'était un sentiment simple mais qui avait des incidences très profondes. La souffrance résidait dans le fait qu'il se sentait stupide et essayait de dissimuler cela en comprenant rapidement. Comme il entrait dans son troisième mois de thérapie, cette défense qui consistait à tout saisir rapidement, commençait à se démanteler, et il se comportait de façon stupide. Cette stupidité voulait dire : « Explique-moi. » Il devait continuer à se comporter stupidement jusqu'à ce qu'il ait ressenti la source de cette stupidité.

Récapitulation

Je crois qu'on ne peut guérir la névrose qu'en l'éliminant par la force et par la violence : la force de sentiments et de besoins refoulés pendant des années, et la violence qu'il faut pour les arracher à un système irréel.

De même que le sujet devient névrosé en se fermant progressivement sur lui-même, il ne peut guérir qu'en s'ouvrant progressivement. Comme la souffrance interdit un retour trop rapide à ces sentiments primals, il faut que la névrose les ressente pas à pas. Tant qu'il ne les a pas tous ressentis, il est probable qu'il aura recours à un déjouement.

La thérapie primale est pour ainsi dire le processus névrotique à l'envers. Dans la vie du jeune enfant, chaque jour apporte une nouvelle souffrance qui le fait se fermer un peu plus sur lui-même, jusqu'à ce qu'il devienne névrosé. En thérapie primale, le patient revit toutes ces souffrances et s'ouvre au fur et à mesure, jusqu'à ce qu'il soit guéri. Une seule souffrance ne suffit pas à provoquer la névrose, et un seul primal ne suffit pas à rendre un malade normal. C'est l'accumulation de souffrances et le fait de les ressentir qui finalement changent la quantité en des qualités nouvelles et qui font du sujet un malade, ou un homme normal. Je crois que dans la mesure où le malade suit le traitement jusqu'au bout, la thérapie primale lui assure la guérison. Une fois que la plus grande partie de son système de défenses est détruite, le névrosé n'a pas d'autre solution que de guérir. Sa guérison est inévitable à peu près comme il est inévitable que le jeune enfant qui vit dans un milieu traumatisant où il est constamment réprimé, oblitère son moi réel et se bâtisse un solide système de défenses : l'issue n'est pas douteuse. Que l'on retire l'enfant de ce milieu avant que ne survienne le clivage définitif, et toute névrose grave peut être évitée. Que l'on retire le malade du milieu thérapeutique avant qu'il ait réparé le clivage, et sa guérison n'est plus garantie.

Pourquoi la névrose de la petite enfance ne peut-elle être éliminée par des parents ou des maîtres réellement affectueux ? Bon nombre de patients ont vécu leur adolescence aux côtés de beaux-pères ou de belles-mères avec qui ils s'entendaient très bien et qui étaient souvent affectueux et chaleureux, et pourtant ces sujets ont eu besoin de thérapie plus tard. Ces gentils beaux-parents n'ont *jamais* été capables de faire disparaître des affections telles que le bégaiement, les tics, les allergies, etc. Les orthophonistes n'ont pas réussi à guérir les troubles du langage. Le fait de quitter le milieu familial à la fin de l'adolescence et de trouver des amis et amies véritables et aimants, n'a jamais suffi à détruire la tension et des symptômes chroniques comme la psoriasis (que la thérapie primale semble d'ailleurs être capable de guérir). Si la gentillesse, l'amour et l'intérêt pouvaient guérir la névrose, la psychothérapie pratiquée par des thérapeutes chaleureux aurait dû venir à bout de bien des névroses; or, je ne pense pas que ce soit le cas.

Ni les apaisements, ni le raisonnement, ni les menaces, ni l'amour, ne peuvent faire disparaître une névrose. C'est un processus pathologique qui semble engloutir tout sur son passage. On peut alimenter la névrose à coup d'insights, elle les absorbe allègrement et continue sa route. On peut fermer un exutoire névrotique après l'autre, mais ce ne sera jamais que pour en découvrir d'autres, mieux dissimulés. On peut soulager la névrose avec un médicament après l'autre, mais dès que les médicaments seront supprimés, elle réapparaîtra toujours aussi vigoureuse. En effet, elle s'alimente à une des sources d'énergie les plus puissantes qui soient — le besoin d'être aimé et d'être réel aussi bien sur le plan physique que mental.

Ayant bien appris la prudence scientifique, je me rends compte à quel point tout ce que j'écris peut sembler extraordinaire et même « fantastique ». Il se peut que certains lecteurs désirent limiter la thérapie primale en prétendant qu'elle n'est applicable qu'à certaines catégories de névroses. Pourtant, elle est valable pour toutes les névroses et sans doute même, ainsi que nous le verrons plus loin, pour la psychose. Les malades que j'ai d'abord traités en thérapie conventionnelle n'avaient jamais rien vécu de semblable à un primal. Après avoir découvert la thérapie primale, j'ai demandé à quelques-uns de mes anciens patients de se laisser traiter par la nouvelle méthode, et nous n'avons pas manqué de mettre à nu leur souffrance. Après nous être occupés pendant des années de leur « façade » rationnelle, il nous semblait incroyable qu'elle puisse cacher encore tant de sentiments inexplorés.

Cependant, on arrive à comprendre la névrose quand on pense aux milliers de fois où l'enfant se voit interdire un comportement réel. En fait, c'est un miracle de la nature humaine que le moi réel attende toujours d'être ressenti; on dirait que le système, de lui-même, exige la réalité.

En thérapie primale, le patient est un allié. Sa souffrance attend depuis de longues années et en général, elle veut faire surface. Il semble que les comportements compulsifs ne soient que la recherche inconsciente du sujet pour trouver la bonne connexion de sorte que la souffrance puisse sortir. Quand l'occasion se présente, rien ne peut arrêter ce processus, et je crois que c'est ce qui explique que nous réussissions à guérir des catégories si diverses de névroses.

Chez certains névrosés, la thérapie primale provoque des réactions ambivalentes, selon la profondeur où ils ont enfoui leur souffrance. Quand ils en sont proches, il semble qu'ils soient immédiatement attirés par elle, parce qu'ils ont le *sentiment* d'être sur le bon chemin. Mais quand ils sont loin de leurs sentiments, il arrive qu'ils considèrent la méthode comme primaire, naïve et simpliste. Le névrosé qui a dû se déformer complètement pour obtenir quelque chose de valable de ses parents, risque de trouver qu'une thérapie qui ne comporte pas de lutte très prolongée et très pénible qui s'étendrait sur des années, ne peut pas valoir grand-chose.

Cependant, la thérapie primale peut paraître si simple que je me vois contraint de faire une mise en garde : NUL NE DOIT S'ESSAYER A LA PRATIQUE DE LA THÉRAPIE PRIMALE SANS AVOIR REÇU UNE FORMATION COMPLÈTE A CET EFFET. Les résultats risqueraient d'être désastreux. Il y a un groupe de psychologues qui sont en formation depuis maintenant plusieurs années (1). Je pense, aussi bien que les membres du groupe eux-mêmes, qu'ils n'ont pas encore la maîtrise totale ni des principes fondamentaux de la théorie, ni de la technique primale. Si j'insiste sur ce point, c'est pour bien montrer le danger que pourrait comporter la pratique de la thérapie primale par un personnel non formé.

(1) N.D.T. Depuis la publication de ce livre, l'Institut Primal de Los Angeles a formé une équipe importante de thérapeutes primals.

Bien que je ne donne pratiquement pas de détails dans ce livre sur la technique primale, je tiens à préciser que ce n'est pas une méthode qui s'en remet au hasard. Elle obéit à un programme bien établi. Il y a des objectifs précis à atteindre dans les trois premières semaines, et des résultats qui doivent être obtenus d'un mois à l'autre. Nous savons de quelle façon le malade mangera et dormira au cours de la thérapie, et ce que cela signifie. Dans des conditions thérapeutiques données, le traitement de différentes personnes suit presque exactement le même cours.

C'est une thérapeutique qui demande de la part du malade beaucoup de confiance dans son thérapeute. Si le thérapeute n'est pas réel, le traitement ne réussira pas. S'il est réel, les malades le sentiront. Beaucoup d'entre nous sont tout prêts à laisser un chirurgien ouvrir leur corps après une simple poignée de main, il n'y a donc rien d'étonnant à ce qu'un malade laisse un thérapeute primal couper dans sa souffrance, peu après leur première rencontre.

La fin de la névrose ressemble beaucoup à son début. Ce n'est pas un grand « boum », un dernier grand éclair introspectif ou une émotion bouleversante. C'est un jour comme tous les autres, où le malade a ressenti un sentiment nouveau qui le tenait encore soudé à son passé. Voici comment un patient décrivait la fin de sa névrose : « Je ne sais pas ce que j'attendais de tout cela. Il faut croire que j'attendais qu'il se passe quelque chose de spectaculaire pour compenser toutes ces années de malheur. Peut-être que j'attendais de devenir mon fantasme névrotique — un être très particulier qui serait enfin aimé et apprécié. Il semble qu'il n'y ait rien d'autre que moi-même... » Et ce moi n'est pas névrosé.

Kathy

Les pages suivantes sont extraites du journal qu'a tenu pendant plusieurs semaines de thérapie, une malade de vingt-cinq ans. Il est publié pour donner au lecteur une idée de ce que ressent le patient durant le traitement, jour après jour. Cette malade était entrée en thérapie parce qu'elle avait des hallucinations effrayantes à la suite d'un « voyage » angoissant qu'elle avait fait après avoir pris du L.S.D. Ces hallucinations avaient persisté pendant des mois. Actuellement, elle a terminé la thérapie, et tous ses symptômes ont disparu. Elle se considère comme un être nouveau.

Voici un compte rendu de mes cinq premières semaines de thérapie primale. Exception faite de quelques modifications qui y ont été apportées pour des besoins de clarté, mes notes sont présentées exactement comme je les ai rédigées à l'issue de chaque séance.

Jusqu'à dix ans, j'ai vécu avec ma mère, mon père, ma sœur aînée et mon oncle. Ensuite, mes parents ont divorcé et, jusqu'à seize ans, j'ai vécu avec ma mère, ma sœur et une autre femme. Je me suis mariée et j'ai divorcé au bout de deux ans, j'avais alors vingt-trois ans. J'ai passé quatre ans à l'université, mais sans obtenir de diplôme. J'ai vingt-cinq ans.

Peu avant d'entrer en thérapie, j'ai commencé d'avoir des hallucinations visuelles, je voyais des couteaux et des lames de rasoir qui s'approchaient de mon visage. Quand je conduisais, j'étais prise de panique, imaginant que des voitures allaient entrer en collision avec la mienne. Dans ces fantasmes, je ne laissais jamais les couteaux arriver jusqu'à mon visage, mais j'avais peur de me blesser pour de bon. J'ai décidé que j'avais besoin d'aide.

Mercredi

Pour commencer, il faut que j'essaie de me souvenir de mon enfance. Je suis bouleversée parce que je m'aperçois que je n'ai presque pas de souvenirs. Je me souviens de m'être sentie rejetée et abandonnée à l'école de filles où ma sœur et moi avions été envoyées quand maman avait fait une dépression nerveuse. Je devais avoir quatre ans et je me souviens que j'étais assise par terre et que je n'en finissais pas de pleurer. Je me souviens de la maison de W —, c'était une maison sombre, j'y ai vécu jusqu'à l'âge de cinq ans. Je rentrais à la maison de D —, en me demandant si maman serait là. Elle m'a raconté qu'en rentrant, elle m'avait trouvée assise, en train de faire brûler des allumettes. Je mentais beaucoup, je volais des choses quand j'étais invitée, je découpais la lingerie de ma sœur, et aujourd'hui, pour la première fois, j'ai vu un lien entre tout cela. Je trichais avec mon père et ma mère parce qu'ils ne me donnaient pas ce dont j'avais besoin — parce qu'eux-mêmes trichaient avec moi. Ils n'étaient pas là pour moi, ils n'étaient pas réels. Ils faisaient semblant que tout allait bien et ce n'était pas vrai, que nous formions une véritable famille et ce n'était pas vrai. Et moi aussi, je faisais semblant. Voilà pourquoi, dans mon souvenir, mon enfance m'est toujours apparue heureuse — je faisais semblant d'être une petite fille heureuse parce que je ne pouvais pas regarder la situation réelle en face.

Je me souviens d'avoir vu mon père pleurer, à D —. A cette époque et après la séparation, il montrait combien il était triste — il avait toujours l'air malheureux. Le soir où je suis revenue du camp de vacances, j'avais dix ans, juste avant que je découvre qu'ils voulaient se séparer, il m'a dit qu'il m'aimait, il avait l'air malheureux, il voulait renforcer notre lien, avant la rupture. Mais maman ne s'est pas laissée impressionner. Elle prétendait que j'avais besoin d'elle. Je me sentais perdue. Il y avait quelque chose qui n'était pas réel — peut-être que rien ne l'était. Je ne leur ai pas dit ce que j'éprouvais. J'ai tout enfoui en moi, et puis j'ai fait brûler des allumettes.

Vers la fin de la séance, je me sentais faible et prise de vertige. Je suis revenue encore un peu sur mon enfance — mais tout est si décousu et incohérent. Comment se fait-il que j'aie si peu de souvenirs ? On dirait que je n'y étais pas vraiment.

Jeudi

Aujourd'hui, le début a été difficile — je luttais pour retrouver des souvenirs qui ne sont pas là. J'ai commencé à être prise de panique — pourquoi est-ce que je ne peux pas me souvenir ? Je suis perdue; d'abord je me suis sentie perdue en tant qu'adulte, puis comme enfant. J'ai essayé d'appeler maman. Cela me paraissait irréel. Puis j'ai appelé, je l'ai sentie qui me tenait. Mais cela ne m'apportait pas de consolation, je sentais seulement ma solitude avant qu'elle n'arrive. J'ai commencé à me rendre compte que je remuais les mains. J'avais l'impression d'être un bébé dans mon berceau, remuant les mains. Je me sentais seule. J'étais réellement plongée dans l'obscurité de la maison de W —, là où était mon berceau. J'étais un petit bébé tout seul. Je voulais ma maman, mais je ne pouvais pas l'appeler. Alors je me suis rendu compte que même quand j'étais bébé, je ne l'avais pas appelée. J'étais allongée, j'étais calme et j'ai senti la tristesse de tout cela, et j'ai pleuré. Ensuite, je me suis sentie glacée et je me suis mise dans la position du fœtus pour avoir chaud. Soudain, j'ai eu l'impression de faire une chute dans l'espace. Je flottais, j'étais terrifiée. J'avais peur de tomber, de me heurter à quelque chose, et de me blesser. J'étais toujours roulée en boule et mon corps a commencé à se contracter et à se détendre alternativement. Je n'avais plus conscience de ce qui m'arrivait, mais je sentais que j'avais peur et que je luttais et j'ai crié. Enfin, j'ai senti que je me faufilais à travers un passage étroit. Je sentais qu'il y avait des parois autour de moi. J'avais peur de me blesser en forçant le passage, mais lorsque je suis sortie, j'ai compris que je venais de naître et que je m'étais pas fait mal. J'étais sortie et j'ai senti de l'air froid autour de moi. Mon corps s'est étiré un peu. Je me sentais épuisée et heureuse. J'étais née ! J'avais l'impression que dans le ventre de ma mère, j'avais conscience de tout alors que je n'aurais dû me rendre compte de rien. Comme si je vivais un événement qui aurait dû se passer alors que je dormais. Janov a dit que j'étais restée contractée pendant un quart d'heure, moi, il semblait que cela n'avait duré que quelques minutes. C'est fantastique.

J'ai reconnu toutes mes peurs des précipices, de la chute, de l'océan. J'ai regardé par la fenêtre puis j'ai inspecté le cabinet. Je vois tout sous un jour nouveau, c'est comme si on avait enlevé une pellicule qui recouvrait tout. Lorsque j'ai quitté le cabinet, je me sentais merveilleusement bien.

Ce soir, en écoutant de la musique, je me suis mise à pleurer. J'ai senti à quel point mon père était triste — à quel point ils étaient tous deux malheureux — et quelle petite fille triste j'ai été. J'ai essayé de me représenter maman. Je l'ai vue assise au piano, mais son visage se transformait toujours en une figure d'épouvante de bande dessinée. J'essaie de la voir comme elle est maintenant mais je vois toujours ce visage triste et malade qu'elle avait il y a vingt ans. Je me sens bouleversée car je me rends compte pour la première fois combien elle était malade et pitoyable.

Vendredi

Je commence par regarder ma mère au piano, comme je l'ai vue hier soir, et aujourd'hui encore son visage se transforme en figure d'épouvante. Je n'arrive pas à retenir l'image pour la regarder. Puis, je l'ai vue comme elle était quand elle avait une trentaine d'années. Elle ne pouvait pas regarder les gens en face, elle était paniquée, paranoïaque. Je crie : « Elle est folle ». Je pleure et je pleure. Elle est folle et irréelle. Un masque. Quand j'étais petite, elle n'était pas là pour moi, parce qu'elle était folle. Il lui a fallu courir continuellement, à l'époque et maintenant, pour ne pas devenir folle. C'est de devoir toujours rester à la maison avec ma sœur et moi qui a dû la rendre folle. Pauvre maman. Brusquement, je suis redevenue petite et je regardais ma famille. Papa est triste, maman est folle et elle a peur, ma sœur est en colère — et chacun d'entre nous est seul. J'essayais d'arranger les choses en exécutant des danses sauvages et en faisant toujours le pitre. J'étais déconcertée, bien trop petite pour comprendre la situation et pour l'accepter. Ils étaient pitoyables et effrayants, et n'apportaient aucune aide à une petite fille. Je sentais la folie de ma mère. Je comprends sa façon de faire semblant. Elle pense que si elle adopte un comportement « normal », si elle fait des choses « normales », tout ira bien. C'est tout ce que sa thérapie a fait pour elle. J'ai également pleuré pour ma sœur qui essayait aussi d'arranger les choses en faisant semblant et en jouant un rôle.

Samedi

Toujours pas de souvenirs d'enfance. J'ai donc parlé de mes « voyages » au L.S.D. Les deux premiers étaient joyeux, extatiques, mystiques, totalement irréels et très visuels. Au cours des trois mois qui ont séparé le deuxième « voyage » du troisième, je me suis mise à prendre beaucoup d'amphétamines et de la cocaïne. La troisième fois que j'ai pris du L.S.D., j'ai été très malheureuse et je voulais que cela me fasse me sentir mieux. J'avais peur d'en prendre toute seule mais je l'ai fait quand même. Les deux premières heures ont été semblables à celles des autres « voyages ». J'ai eu la visite de quelques amis, mais ils ne sont pas restés longtemps, et quand ils sont partis, je me suis sentie angoissée. J'ai essayé de me souvenir pourquoi j'avais eu peur d'en prendre toute seule, mais je m'embrouillais. Je ne savais plus ce qu'était le L.S.D., je ne me souvenais plus de rien de réel. Les hallucinations devenaient effrayantes et accablantes. Les minutes paraissaient interminables, le temps se désagrégeait. Mon esprit ne fonctionnait plus. Je ne savais plus qui j'étais. Je n'avais plus aucun point de repère. J'étais folle, je sentais que jamais plus je ne retournerais au monde réel. Terrifiée, j'ai découvert que je pouvais encore me servir du téléphone, et j'ai appelé ma sœur et lui ai demandé de venir. J'ai été tellement soulagée d'entendre sa voix « réelle », que quand elle est arrivée, j'avais quelque peu retrouvé mes esprits. Le reste du « voyage » fut alternativement drôle et triste, mais je savais que je ne serais plus jamais la même après avoir senti cette folie. Trois semaines plus tard, trois semaines pendant lesquelles j'avais pris beaucoup de Méthédrine et de codéine, je me suis éveillée un matin profondément déprimée. J'ai passé toute la journée allongée sur la plage, j'ai attrapé un coup de soleil et je me sentais toujours terriblement déprimée. Je suis allée voir ma mère, et j'ai pleuré hystériquement, en suffoquant. Elle m'a donné un tranquillisant qui m'a fait dormir. Quand je me suis éveillée, je pleurais toujours, et je souffrais d'hyperventilation. Le lendemain elle m'a conduite à l'Institut neuropsychiatrique de l'Université de Californie à Los Angeles. Là, j'ai eu un entretien avec le spécialiste du L.S.D. qui m'a assuré que je n'étais pas vraiment malade et que je ne faisais que réagir aux diverses drogues que j'avais prises et au L.S.D. D'après lui, il suffisait que je cesse d'en prendre et que je mène une vie normale pour que tout rentre dans l'ordre. Il m'a prescrit assez de Melléril pour assommer un bœuf et il m'a dit de reprendre mon travail le plus tôt possible et de m'arranger pour n'être jamais seule. Tout ce qu'il m'a conseillé m'a éloignée encore plus de mes sentiments réels, c'était m'aider à les dissimuler à nouveau, juste au moment où ils étaient sur le point d'être mis à nu et ressentis. Je suis restée dans un état de profonde dépression pendant environ un mois, je pleurais, je dormais, et je souffrais toujours d'hyperventilation. A la fin, je me suis reprise un peu, j'ai repoussé mes sentiments, et j'ai pu reprendre mon activité.

Au cours de la séance d'aujourd'hui, j'ai compris que j'étais devenue folle parce que je ne pouvais pas affronter le sentiment de solitude que le L.S.D. avait démasqué. Mes fantasmes récents, ces couteaux et ces lames de rasoir qui me viennent dessus, y sont rattachés. Si je les laissais vraiment arriver jusqu'à moi, ils me déchireraient et libéreraient mes sentiments. Cette peur que j'ai de me blesser est la même que la peur de m'exposer à la souffrance qui est enfouie en moi, et de la ressentir. Je commence à sentir toute la tristesse et toute la souffrance qu'il y a en moi. Il y a enfoui en moi vingt-cinq ans de peur, de souffrance et de solitude. Je me rends compte que suffoquer n'est qu'une manière de lutter pour retenir les sentiments quand ils commencent à monter, comme ils le faisaient quand j'ai pris du L.S.D. Je pleure, je n'en finis pas de pleurer. On dirait que cela ne s'arrêtera jamais. Je sens la souffrance dans ma tête qui est bourrée de choses. Je voudrais arriver à vomir tout cela. Je suis seule et j'ai peur.

Je me rends compte que si, au cours des deux premiers « voyages » au L.S.D., et dans d'autres occasions, je n'ai pas souffert de solitude, c'est uniquement parce que je suis arrivée à dissimuler si bien mes sentiments. Je prétendais que tout allait bien (exactement comme je le faisais dans mon enfance) parce que je ne pouvais pas supporter de me sentir seule et impuissante. Même aujourd'hui, après cette séance, je prétends ne rien ressentir parce que je ne peux pas supporter de me sentir misérable et seule toute la journée. J'enfouis toujours mes sentiments, sauf au cours des séances.

Mardi

Aujourd'hui, dès le début, j'avais des sentiments puissants dans le ventre. Ils sont sortis du fond des entrailles en cris saccadés et inarticulés. A la fin, j'ai compris que j'étais terrifiée parce que j'étais seule; papa et maman n'étaient pas là. Je ne pouvais m'en tirer toute seule, j'étais trop petite. J'ai vu ma mère telle qu'elle était quand elle est sortie de l'hôpital psychiatrique, alors que j'avais quatre ans, et telle qu'elle est aujourd'hui : avenante et prétendant toujours être gaie, mais tout cela n'est qu'un masque. Puis, j'ai compris pourquoi il me répugne de la voir montrer son corps, sa laideur, c'est que je suis comme elle, tout est dissimulé — mes sentiments et ma peur sont recouverts d'un masque. Voilà pourquoi j'avais reconnu sa souffrance quand j'étais petite, mais même à cette époque-là, je ne pouvais pas y faire face. J'ai de grosses jambes, parce que j'ai toujours repoussé mes sentiments vers le bas, exactement comme elle. J'ai de gros seins parce que je jouais à l'adulte. Maintenant, je sens la tension dans tout mon corps et je voudrais m'en défaire. Je me laisse aller à cette tension, et je sens que c'est de la souffrance. Toute ma tension provient de la souffrance que je ne ressens pas. Maintenant, je la ressens et je pleure.

J'ai découvert également aujourd'hui que le souci que j'ai du bien-être de ma sœur, n'est qu'un souci de moi-même déguisé, car elle a déjoué la souffrance et la douleur que j'ai gardées enfermées en moi.

Mercredi

Quand je suis arrivée ce matin, j'avais l'estomac retourné et j'étais nerveuse et excitée. Tout ce que j'aurais pu dire semblait faux, je me suis donc plongée dans le sentiment. J'étais petite et j'étais couchée dans mon berceau. J'ai levé les yeux et j'ai vu maman seule avec moi. Elle avait l'air malheureuse, terrifiée et folle. J'étais horrifiée, et je sentais moi-même tout ce que je voyais sur son visage. Même quand j'étais bébé, je la voyais telle qu'elle était. C'était trop douloureux. J'étais trop petite pour être obligée de voir ça. Ce n'était pas juste. Je ne pouvais pas le supporter. Voilà pourquoi il m'avait fallu refouler mes sentiments dès le début. Un petit bébé, obligé de voir que sa mère est folle et impuissante.

Ensuite, j'ai essayé de me souvenir de papa. Je suis devenue plus petite, tout en me sentant relativement plus grande (comme quand j'ai de la fièvre). J'étais toute petite, dans mon berceau (à première vue, on aurait dit un incubateur parce qu'il y avait un couvercle de plastique au-dessus de moi). Je ne voyais que l'obscurité et je sentais que j'avais besoin que mon père me prenne dans ses bras. Puis, je l'ai vu debout, bien au-dessus de moi. C'était une statue qui me regardait. Je ne parvenais pas à arriver jusqu'à lui. Je l'appelais doucement, mais il ne m'entendait pas, il ne m'entendait tout simplement pas. « Qu'est-ce qui t'arrive, papa ? » Je ne pouvais pas bouger, je ne pouvais plus crier. Ensuite, j'ai vu ma mère à côté de lui. Ils étaient tous les deux des statues de cire, des coquilles vides qui me regardaient, mais ne me voyaient pas et ne ressentaient rien. Puis, il y a eu ma sœur à ma droite, un sourire feint sur les lèvres, elle avançait les mains dans mon petit lit pour me pincer. J'aurais voulu qu'ils partent tous — ils étaient horribles et irréels. C'était effrayant. J'ai fermé les yeux et je me suis couchée sur le côté gauche, espérant qu'ils penseraient que je dormais et qu'ils s'en iraient.

J'ai eu une enfance horrible et effrayante dès le départ, mais je me le suis caché. J'ai serré les dents sur le sentiment — et il est toujours enserré.

Jeudi

Aujourd'hui encore, dès le début, j'avais le ventre tout tendu. Je suis devenue un bébé, je ressentais un besoin très puissant, mais il n'y avait pas de mots. J'ai essayé d'appeler maman, mais en vain. Ensuite, je l'ai vue, mais je n'avais pas envie qu'elle me prenne parce qu'elle avait l'air folle. Je voulais que ni elle, ni papa ne soient fous et qu'ils ne soient pas en cire. Je me sentais triste parce que je ne pouvais simplement ressentir le besoin sans éprouver d'abord le besoin de les voir changer. Je les suppliais de ne pas être fous, et c'était un sentiment très réel. Ensuite, j'ai senti la fureur que dissimulait cette réalité. Je leur ai crié : « J'avais besoin de vous, et vous ne m'avez été d'aucun secours — vous étiez bien trop fous ! » Qui voudrait, quand elle appelle ses parents, voir arriver deux fous ? Je croyais que cette fureur allait durer à jamais, mais un seul cri et tout semblait sorti.

J'ai été triste toute la journée et toute la nuit qui ont suivi cette séance, je me sentais trompée et prisonnière de mon moi de bébé malheureux.

Vendredi

J'étais petite et j'ai senti le besoin de papa et de maman. J'avais peur et terriblement froid. J'étais couchée là, paralysée et transie de peur qu'ils ne s'occupent pas de moi, qu'ils ne me prennent pas. Je ne pouvais pas appeler parce que je ne pouvais toujours pas supporter de les regarder. Quand j'ai enfin crié pour les appeler et que j'ai poussé un cri de bébé du fond du ventre, je me suis fait mal à l'oreille gauche. Peut-être qu'elle s'est ouverte, parce que j'ai senti que le cri sortait par l'oreille. C'était un véritable cri de bébé, j'ai eu l'impression que c'était un bêlement quand j'ai crié. Tandis que j'étais étendue là, glacée, j'ai senti combien j'avais le ventre serré, contracté contre le sentiment. Aujourd'hui encore, j'ai les muscles abdominaux durs comme du bois.

Lundi

Tout le week-end et ce matin, j'ai eu mal au ventre, des crampes d'estomac et des maux de tête. J'ai encore ce sentiment de creux à l'estomac que j'ai toujours eu (et qui m'a toujours rappelé le passé). J'ai essayé de me laisser aller à ce sentiment — la tête me tourne (comme quand on est drogué ou qu'on a la fièvre). La sensation que tout tourne en rond, avec une sorte de glissement vers l'extérieur. J'ai eu l'impression que mon bras gauche était paralysé, comme si quelqu'un l'abaissait de force en comprimant les muscles. J'ai crié : « Lâche-moi, lâche-moi ! », mais ce n'était pas ça. Soudain, mon étourdissement a pris une autre forme : c'était comme si quelqu'un balançait trop fort mon landau, comme pour me faire peur. Ma raison disait que ce devait être ma sœur, mais après, j'ai vu ma mère, le visage grimaçant. Mais cela non plus ne semblait pas être tout à fait ça. J'ai senti de nouveau mon bras. J'avais la nausée. Mes parents me tenaient, ils me tordaient le bras et me faisaient peur. J'ai hurlé et j'ai enfin dégagé mon bras. Immédiatement j'y ai senti un afflux de sensations. Mais j'étais terrifiée et sens dessus dessous. Je ne comprenais pas ce qui s'était passé. J'ai fini par crier : « Je ne comprends pas », et cette fois, c'était ça. Je devais avoir cinq ans et j'étais consternée et troublée par mes parents. Ils ne s'occupaient pas de moi. Tout ce qu'ils faisaient me troublait ou me faisait mal. Ils étaient fous et ils me rendaient folle. Je les haïssais tout en ayant besoin d'eux. Ils ne m'aimaient pas. Je devenais folle à force d'essayer de comprendre ce qui se passait. Et je déjouais cette folie par les danses déchaînées et les grimaces pour dissimuler ce que je ressentais. J'étais trop petite pour comprendre, mais je comprenais plus que lorsque j'avais été un bébé. C'était terriblement douloureux. J'avais toujours la tête prise, le nez et les oreilles bouchés, la gorge nouée — c'était toute cette merde et tout le désarroi qui s'étaient accumulés en moi. J'ai poussé encore quelques cris de bébé et je me suis sentie un peu mieux. Quand je me suis redressée j'ai fredonné tout naturellement, presque inconsciemment, une chanson enfantine. Peut-être voulais-je que ce soit aussi simple que ça.

Mardi

Je me suis immédiatement sentie petite. J'étais comme paralysée, debout à la porte entre la salle à manger et la cuisine et je regardais dans le salon. Papa et maman sont là, puis ne sont pas là, ils sont transparents. J'ai besoin d'eux mais je ne peux pas les appeler. Je suis paralysée entre le désir que j'ai d'eux et la peur de leur irréalité. J'étais seule, très seule. Je prétendais que je n'avais pas besoin d'eux. Je ne leur ai jamais rien demandé. Je n'ai même jamais demandé à papa de m'aider à couper ma viande alors que ma sœur le lui demandait. Aujourd'hui, j'ai crié : « Papa, où es-tu ? Je ne te vois nulle part dans la maison. » Ensuite, j'ai senti que je voulais parler à ma mère, j'aurais voulu lui dire que j'avais mal à la tête. J'ai fini par le faire, et c'était très réel. Je lui ai aussi crié : « J'avais besoin de toi », ce qui est devenu : « J'ai besoin de toi ». J'ai senti que même quand toutes les lampes étaient allumées, la maison avait toujours l'air vide et sombre. J'étais petite et seule, et je prétendais être grande et indépendante. En réalité, même quand ils étaient là, ils n'étaient jamais là pour moi. Je me sentais flouée. Pourquoi ne vous êtes-vous pas occupés de moi ? Même si j'avais hurlé et tapé des pieds, ils ne m'auraient pas entendue ni vue.

Mercredi

Ce matin, j'étais angoissée. J'ai commencé par me souvenir plus nettement de la maison de D —. Ensuite, je me suis sentie petite — j'étais sur la porte de derrière, et j'avais peur devant cette maison vide. Je ne pouvais pas respirer; j'avais le sentiment que je ne pouvais pas marcher dans la maison, mais j'ai continué à me représenter toutes les pièces du rez-de-chaussée. Enfin, je me suis mise à parcourir la maison et je me suis même souvenue de ce qu'il y avait dans les placards. J'avais réellement peur d'aller au premier étage, peur de découvrir quelque horrible secret qui aurait été la cause de mon angoisse. Je me suis forcée à monter l'escalier, marche par marche. J'ai regardé dans la chambre de mon oncle, il n'y avait rien. Puis j'ai traversé le corridor pour aller à la chambre de mes parents, j'avais le cœur battant. A la porte j'ai perdu courage en voyant que la chambre était vide et en comprenant que c'était tout. J'avais peur parce que la maison était vide; il n'y avait personne pour moi, j'étais seule. Je me suis sentie plus triste que jamais. Je me suis rendu compte qu'à l'époque, je n'avais jamais fait le tour de la maison. Je ne pouvais pas affronter seule la peur et la souffrance. C'est pourquoi je suis allée m'asseoir devant la télévision et je dissimulais ce que je ressentais sous la colère. Je faisais brûler des allumettes pour décharger ma colère, de sorte que quand maman arrivait, je pouvais faire semblant que tout allait très bien. Intérieurement, je réagissais comme un bébé, mais dans mon comportement extérieur, je n'en laissais rien paraître.

J'ai passé toute la nuit dans une sorte de panique —
je ne pouvais pas respirer, j'avais l'estomac noué, comme
par des crampes. Ce matin, je ne pouvais pas avoir de
séance, alors j'ai décidé d'essayer d'y arriver toute seule.
Je voyais toujours la maison de... où nous habitions quand
j'avais dix ans. J'ai regardé dans la chambre de mes
parents, et j'ai ressenti de la violence, de la colère — je me
représentais une dispute, mais ce n'était pas réel. J'ai fini
par me retrouver dans ma chambre. Je me suis souvenue
du soir où j'étais revenue du camp de vacances et où j'avais
compris que quelque chose n'allait pas. Le lendemain,
j'avais demandé à ma mère s'ils avaient jamais envisagé de
divorcer. Ce soir-là, je croyais les avoir entendus se disputer au premier, alors que j'étais dans ma chambre. Je
me rappelais mon père, me disant qu'il m'aimait tandis
que je prenais mon bain; il avait l'air triste, me faisant
comprendre par son expression que tout n'allait pas bien.
J'ai pleuré. Aujourd'hui, j'ai dû pleurer de souffrance pendant deux heures. Ce soir-là, je compris qu'on allait en
finir avec les faux-semblants, que sous peu ce serait inévitable. Il n'y avait pas de famille. Il fallait que je
reconnaisse que nous n'étions pas une vraie famille, que
nous ne l'avions jamais été et que, pendant dix ans, nous
n'avions fait que nous jouer la comédie. J'étais terrifiée —
je ne serais pas capable de regarder les choses en face.
J'aurais voulu les supplier, je criais : « Non, non, non ! »
Toute la souffrance que j'avais cachée quand j'étais toute
petite, il m'avait fallu la dissimuler à nouveau ce soir-là.
Maman aurait pu tout arranger — si elle avait continué à
faire semblant, nous aurions tous pu continuer à jouer la
comédie. C'était horrible, c'était la fin du monde, la fin de
notre monde hypocrite.

Vendredi

Toujours mal à l'estomac et à la tête. Hier, je ne suis
pas arrivée à me débarrasser de tout. J'ai tout repris à la
séance d'aujourd'hui. Tout ce qui restait, c'était les cris
que je n'avais pas osé pousser chez moi. J'ai crié « non »
un bon nombre de fois, et me suis sentie soulagée.

Lundi

J'ai souffert encore la plus grande partie de la journée. En séance, je me suis plongée dans ma peur d'être seule, en essayant d'atteindre la terreur. Mais la terreur est dans l'attente. Une fois que j'ai ressenti la solitude au lieu de la repousser, je me suis sentie tout simplement seule et triste. Ce n'était pas agréable, mais c'était supportable. Je me suis concentrée sur le martèlement que je ressentais dans mon estomac et je l'ai fait monter dans ma tête, mais je n'arrivais toujours pas à identifier le sentiment. Je me suis mise à pleurer très fort, en poussant des cris qui partaient du fond de l'estomac pour essayer de faire sortir le sentiment. J'ai crié à maman : « J'ai besoin de toi; j'ai peur; occupe-toi de moi. » Cela n'a servi à rien. J'ai eu peur. Je n'y arrivais pas. J'avais le nez bouché, je suffoquais. Je ne pouvais pas dire ce que je ressentais; les choses tournaient en rond dans ma tête, je m'embrouillais et je devenais folle. C'était comme pendant le « voyage » au L.D.S. : j'essayais d'exprimer quelque chose de simple avec des mots, mais c'était quelque chose que je ne pouvais pas affronter. Je cherchais des réponses avec acharnement, j'essayais de me représenter clairement les choses, j'étais gagnée par la colère. J'ai fini par renoncer, je suis rentrée à l'hôtel, remplie de peur et de confusion.

Mardi

J'ai décidé de revenir sur le primal pour voir ce que je n'avais pas pu regarder en face — tous mes amis et les besoins que j'avais ressentis, n'avaient pas été connectés. Je suis revenue sur le lendemain du soir où j'étais rentrée du camp de vacances. J'étais en voiture avec maman, nous allions à Glendale. Je lui ai demandé s'ils avaient jamais envisagé de divorcer. Avant même qu'elle réponde, je me suis sentie glacée, je flottais, je n'étais plus dans la voiture, j'étais étourdie, je tombais. J'ai compris que j'étais en train de prendre du recul pour éviter de revivre cette scène. Je me suis contrainte à y revenir. J'étais de nouveau dans la voiture, je regardais ma mère. Je lui ai posé la même question. Une fois de plus, j'ai senti un martèlement dans mon estomac. Elle a répondu : « Oui ». Je me suis effondrée, c'était comme un grand coup dans l'estomac — impossible. Elle avait répondu « oui ». Je me suis sentie poussée contre la porte, ils me poussaient dehors, elle, en tout cas.

Enfin, j'ai été frappée comme j'avais été frappée alors :
« Elle ne m'aime pas. » Si elle m'aimait, elle n'aurait pas
dit oui — elle me mentirait, elle me protégerait, elle resterait irréelle, pour moi. J'avais besoin qu'elle dise non.
Voilà le sentiment que je n'avais pas pu affronter. A vingt-
cinq ans, j'avais préféré devenir folle, plutôt que d'affronter cela à dix ans, et j'avais senti probablement toute ma
vie que ma mère ne m'aimait pas.

Samedi

J'ai commencé par pleurer. J'ai vu notre maison de la
rue O — où nous avons habité après le divorce. Ma
chambre — je suis couchée sur le lit, je me sens tellement
seule. J'ai pleuré et crié pour appeler maman. Je ne pouvais pas supporter de me sentir tellement seule. C'était
encore le sentiment qu'elle ne m'aimait pas, sinon elle
n'aurait pas divorcé — c'est ce qui a fait s'écrouler le
fantasme.

Mercredi

J'ai commencé la séance avec des battements dans le
ventre et la gorge nouée. J'ai vu la maison de la rue B —.
Le couloir entre ma chambre et la cuisine. J'ai parcouru la
maison en cherchant quelque chose. J'ai vu ma mère et ma
sœur à divers endroits, mais elles étaient immobiles, comme
des statues. J'avais besoin d'elles pour quelque chose, mais
je ne pouvais pas l'obtenir. J'étais coupée d'elles, seule.
J'avais réellement besoin d'être avec quelqu'un, maman,
j'avais besoin d'affection. J'avais besoin qu'elle m'aime.
J'avais mal, mal aux bras et à la tête. Puis, je me suis
sentie paralysée comme un bébé. C'était les deux seules
façons que je connaissais d'obtenir de l'amour. Je les ai
vus tous les trois dans le salon. Leurs yeux exprimaient
la maladie, la peur. Je voulais fermer la porte, comme je
le faisais toujours. J'allais dans ma chambre, ou alors, je
me réfugiais dans la lecture. J'ai réalisé que toute ma vie,
j'avais connecté amour et souffrance et que j'avais été un
petit enfant impuissant, c'est pourquoi je ne suis jamais
tombée amoureuse sans que l'amour comporte cette lutte
avec la souffrance. Et le besoin d'emprunter de l'argent à
papa et à maman, il fallait que je leur soutire quelque
chose. Quand j'ai voulu leur demander de m'aimer, ma

bouche était glacée. Mais à la fin, je suis arrivée à demander leur amour, encore et toujours.

Jeudi

J'avais la gorge tellement nouée ce matin qu'en entrant, je ne pouvais même pas parler. Je sentais toute la souffrance de mon enfance comme un grand coup dans l'estomac. J'ai crié : « Maman, pourquoi est-ce que tu ne m'aimes pas ? Je t'en prie, aime-moi ! » J'ai senti que je voulais qu'elle s'occupe de moi et qu'elle me protège; après j'ai crié : « Maman, je t'en prie, ne me fais pas mal ! » Et j'ai répété ça je ne sais combien de fois. Tous ces appels n'ont servi à rien; là-dessus, j'ai crié : « Tu me fais mal, je suis malade, tu me rends malade. » Je me suis mise sur le côté, j'avais la nausée, j'ai dit : « Tu ne peux pas m'aider ? » Je me suis laissée aller à ce sentiment — terrorisée d'être seule et de sentir la souffrance. En respirant profondément, je suis arrivée à faire remonter cela en partie de mes entrailles. J'étais simplement plus triste encore, j'ai senti en moi une tristesse et une terreur plus profondes que tout ce que j'avais vécu jusqu'ici.

J'ai pleuré encore un peu. Puis j'avais des démangeaisons par tout le corps, j'avais le ventre contracté, mais intérieurement j'étais plus calme. Quand je me suis redressée, je me suis touché le visage, et la sensation était différente, comme si je n'avais jamais encore senti quelque chose sous ma peau — mon masque d'enfant glacé de terreur s'était déchiré.

Vendredi

Le sentiment est toujours dans mon ventre et dans ma gorge. Enfin, aujourd'hui, j'ai vraiment senti la souffrance et la solitude. Mais je n'ai pas pu faire la connexion. D'où vient cette souffrance immense ? Je n'arrive pas à la faire sortir. J'en suis arrivée à la sentir tout le temps, même en dehors des séances. Mais je sens que je dois la faire sortir.

Samedi

Le sentiment est là, dans le groupe. Enfin un cri involontaire jaillit. Je pleure, je pleure et enfin, je dis : « Je

143

savais depuis toujours que ma mère n'était pas là pour moi. Je savais qu'elle ne pouvait rien changer à ma solitude. » J'ai été provisoirement soulagée que cela soit sorti enfin. Mais tout n'est pas encore sorti. Ce n'est toujours qu'un fragment de la souffrance.

CHAPITRE 9

LA RESPIRATION, LA VOIX ET LE CRI

Freud pensait que les rêves étaient la « route royale de l'inconscient ». S'il est une « route royale », ce serait plutôt celle de la respiration profonde. Dans certains cas, les techniques de respiration profonde font partie des méthodes qui contribuent à libérer l'énorme puissance de la souffrance dans le corps.

Un travail de recherche effectué il y aura bientôt un quart de siècle sur une éventuelle corrélation entre la respiration et le malaise psychologique, aboutit à des conclusions positives (1). A des sujets qui devaient penser à des choses agréables, l'on demanda brusquement l'inverse. On observa qu'un grand nombre d'entre eux se mettaient à respirer profondément. Plus récemment, une étude sur le problème de l'hyperoxygénation reconnut l'existence d'un lien profond entre l'anxiété et les troubles du système respiratoire. On constata même, au cours de tests d'hyperoxygénation qui consistaient à presser avec la paume de la main sur le bas de la cage thoracique du sujet pour obtenir une expiration absolument complète, que, dans la quasi-totalité des cas, il en résultait une détente émotionnelle accompagnée de pleurs et de la révélation d'événements passés importants (2).

Wilhelm Reich estimait que l'inhibition respiratoire allait

(1) J. E. Finesinger, « The Effect of Pleasant and Unpleasant Ideas on the Respiratory Pattern in Psychonevrotic Patients », *American Journal of Psychiatry*, vol. 100 (1944), p. 659.
(2) B. I. Lewis. « Hyperventilation Syndromes; Clinical and Physiological Evaluation », *California Medecine*, vol. 91 (1959), p. 121.

de pair avec l'inhibition des sentiments : « De toute évidence », écrivait-il, « l'inhibition respiratoire est le mécanisme physiologique de la suppression et de la répression de l'émotion; par conséquent, c'est le mécanisme de base de la névrose » (1). D'après Reich, chez les névrosés, les troubles respiratoires proviennent de la tension abdominale qui entraîne le sujet, sous l'effet de la peur, à retenir son souffle.

C'est pourquoi la technique de la respiration profonde est utilisée en thérapie primale pour conduire le patient plus près de ses propres sentiments. Beaucoup de patients déclarent après le traitement que leur respiration a changé; ce n'est qu'après avoir commencé à respirer profondément qu'ils se rendent compte à quel point leur respiration était superficielle auparavant. Ils disent que quand ils respirent maintenant, ils sentent l'air « descendre au plus profond d'eux-mêmes ». Dans le contexte primal, cela signifie que, dans le cours de leur vie quotidienne, ils ne « plongent » pas dans leur souffrance, ce qui laisse à penser que la respiration superficielle a, entre autres fonctions, celle d'empêcher la souffrance profonde de monter.

La respiration normale devrait être instinctive — la chose la plus naturelle du monde — cependant, parmi tous les névrosés que j'ai pu observer, rares sont ceux qui respiraient correctement. En effet, pour eux, la respiration est un moyen de réprimer le sentiment; autrement dit, le mode de respiration fait partie du système non naturel. La respiration du névrosé est l'illustration de la suppression du système réel au profit d'un système irréel : après leur primals, les patients respirent profondément et normalement.

Comme le névrosé utilise la respiration pour refouler sa souffrance, il n'est pas rare qu'on l'aide à soulever le couvercle de la répression en le contraignant à respirer profondément. Il en résulte la libération d'une force explosive qui restait jusque-là diffuse au sein de l'organisme et se manifeste par une élévation de la tension artérielle, une montée de température, un tremblement des mains ou d'autres symptômes du même ordre. Les techniques respiratoires primales sont « la voie royale » qui conduit à la souffrance libérant des souvenirs en cours de route. A ce titre, elles peuvent être qualifiées de « sentier vers l'inconscient ».

On serait tenté de minimiser l'importance de l'expérience primale en la considérant comme une simple répercussion

(1) Reich, *op. cit.*

du syndrome de l'hyperoxygénation (en respirant plus profondément que ne l'exige l'organisme, on provoque une oxygénation plus forte et une réduction de la proportion de gaz carbonique dans le sang). Mais ce serait ne pas tenir compte de deux facteurs essentiels. Tout d'abord, des études ont démontré que ressentir une douleur ou un malaise suffit à approfondir le mouvement respiratoire — phénomène maintes fois constaté scientifiquement, mais jamais expliqué. Pour ma part, j'estime que la thérapie primale explique la relation qui existe entre la souffrance et l'amplitude de la respiration. En second lieu, dans la plupart des cas, l'hyperoxygénation s'accompagne d'étourdissements et de vertiges, ce qui n'est pas le cas lors d'un primal.

Je ne pense pas que les techniques respiratoires aient en elles-mêmes quelque pouvoir intrinsèque sur la névrose. Tout au plus servent-elles, comme un soupir, à relâcher temporairement la tension, et, sous ce rapport, elles doivent être considérées comme une défense, au même titre que les autres agents de relaxation.

La plupart du temps, ces techniques ne sont plus nécessaires ou sont rarement utilisées au-delà des premiers jours de thérapie. Il ne faut pas oublier que notre objectif est la *souffrance* et que l'utilisation des techniques respiratoires n'est que l'un des nombreux moyens que nous employons pour l'atteindre.

La respiration et la voix, qui vont toujours de pair, sont de toute apparence de bons révélateurs de la névrose. Il n'est pas rare de voir dans les émissions de télévision des invités qui sont incapables de prendre leur souffle pour parler. Cela peut être imputé à un désir de présenter une image d'eux-mêmes qui n'est pas en accord avec leur personnalité réelle.

Le patient qui arrive considérablement tendu à notre première séance est souvent dans un état analogue. Souvent il est terrifié, haletant, se passe la langue sur les lèvres et avale sa salive fréquemment.

Dès que la thérapeute commence à attaquer son système de défenses, le halètement s'accentue. La souffrance, qui semble monter du nœud de l'estomac, ne peut pas dépasser le niveau de la poitrine (où le malade se sent pris comme dans un étau). La respiration profonde commence à miner cette barrière.

Le malade est alors prié d'exercer une poussée ascendante tout en disant « Aaa... ». Dès que le « Aaa... » accroche le sentiment montant, le patient est abandonné à lui-même. La force qui vient du plus profond de lui-même, trouvant une issue, exerce automatiquement une poussée vers le haut et le patient entre dans une phase que j'appellerai respiration conflictuelle.

C'est à ce stade que va se situer la percée essentielle; le malade est sur le point de passer d'un état où prévaut l'irréel, à un état où c'est le réel qui prédomine. La respiration conflictuelle n'apparaît habituellement qu'à la suite d'un certain nombre de primals, juste avant la connexion majeure qui unifie la personne et inonde le patient de sentiments et de révélations sur lui-même.

La respiration conflictuelle est un stade involontaire du primal où le patient est pris d'un halètement profond qui a quelque chose d'animal; la respiration devient de plus en plus profonde et de plus en plus forte pour finir par ressembler, par moments, à un bruit de locomotive. Le patient est souvent trop accaparé par son propre sentiment pour se rendre compte de la manière dont il respire. Il semble que la respiration conflictuelle soit le résultat de la lutte entre la poussée ascendante des sentiments réprimés et les forces de la névrose qui les refoulent. Ce phénomène peut durer de quinze à vingt minutes pendant lesquelles le malade a l'air d'être pris dans une course à la mort où le moindre souffle d'air lui est précieux. En temps ordinaire, le patient s'évanouirait.

Une fois que la respiration a trouvé son propre rythme, le thérapeute n'a pratiquement plus qu'à observer.

La respiration conflictuelle est un signe pathognomonique de l'amorce du primal. Les malades rapportent qu'ils se sentent impuissants devant le déferlement de la souffrance. Pourtant, ils sentent confusément qu'il ne tiendrait qu'à eux de cesser l'expérience; toutefois, on ne connaît aucun patient qui ait interrompu un primal à ce stade.

Lorsque la respiration gagne en ampleur et en profondeur, l'observateur sent que le moment crucial n'est plus qu'à quelques secondes ou à quelques minutes. L'estomac du patient est pris de tremblements, sa poitrine palpite, il tourne la tête à gauche et à droite, tend et détend les jambes, s'étouffe et semble en général être poussé dans les derniers retranchements de sa fuite éperdue devant la souffrance. Soudain, dans une grande convulsion, il semble que la connexion soit établie; c'est alors que jaillit le cri primal. Aussitôt, la respiration devient profonde et facile; un patient déclara : « C'est cette respiration qui m'a redonné la vie. » Les malades disent alors se sentir « frais, lavés » et « purs ».

Après l'établissement de la connexion, l'air circule sans effort, nous sommes loin de la respiration saccadée et sporadique du début de la séance. Un malade étudiant, particulièrement sportif, dit n'avoir jamais rien ressenti de semblable à cette respiration complète, même après avoir couru un quinze cents mètres.

Le cri a plusieurs effets secondaires. Des malades qui n'ont jamais osé « piper mot » dans leur vie familiale, se sentent brusquement gagnés par un sentiment de puissance. Le cri en lui-même semble être une expérience libératrice. Il suffit d'écouter l'enregistrement sur magnétophone d'un primal pour percevoir les modifications de respiration qui accompagnent les divers stades de l'expérience. Le bruit respiratoire est révélateur : un malade qui veut conserver partiellement ses défenses ne peut adopter une respiration qui engage tout son être.

Il peut arriver, très exceptionnellement, que le malade simule le cri. Il semble sortir du haut des poumons et prend alors presque toujours la forme d'un cri perçant. Ce cri artificiel semble être le prolongement de l'espoir irréel. Puisque le cri primal marque la fin de la lutte, il n'a guère de chances d'être poussé par quelqu'un qui est encore engagé dans cette lutte.

Bien que nous parlions souvent de sentiments « profonds », nous précisons rarement à quel niveau ils se situent. A mon avis, les sentiments « profonds » sont ceux qui impliquent l'organisme entier et tout particulièrement la région de l'estomac et du diaphragme. Certains sujets ont très tôt l'impression que leurs parents ne souhaitent pas les voir exubérants et réellement vivants; en conséquence, ils s'habituent vite à vivre en retenant leur souffle de peur de dire ou de faire quelque chose de mal, d'être trop bruyants, trop turbulents ou de rire trop fort. Tôt ou tard cette peur transforme le sentiment en phénomènes tels que gorge serrée, poitrine oppressée ou estomac noué. Ce processus de refoulement a un effet sur la voix qui a tendance à devenir aiguë : c'est une voix qui n'est pas liée au corps dans son entier.

Souvent le discours du névrosé fait penser à la poupée du ventriloque — la bouche exécute des mouvements mécaniques, en quelque sorte déshumanisés et apparemment dénués de tout lien avec l'ensemble du système. Parce qu'elle repose sur une couche de tension et non sur un solide fonds de sentiments, la voix tendue est souvent chevrotante.

La bouche supporte aussi les conséquences de la névrose.

Il n'est pas rare, après le traitement, que les patients s'aperçoivent de la disparition d'une certaine tension qu'ils ressentaient au niveau des lèvres. Une malade s'est rendu compte après son primal, que c'était la première fois depuis des années qu'elle sentait sa lèvre supérieure. Elle rapporta que cette lèvre avait toujours été comme engourdie, « peut-être », ajoutait-elle, « parce que j'ai grandi dans une famille nourrie de clichés du style : il faut serrer les dents. » Ce que je voudrais suggérer, c'est que notre corps tout entier semble refléter la souffrance. La colère, par exemple, fait en général rentrer les lèvres qui ne forment plus qu'une ligne très mince; si la colère persiste, la position des lèvres se maintient également.

Les primals sont suivis non seulement d'une détente du visage et des mâchoires, mais aussi la voix baisse d'un ton. C'est sans doute l'un des signes les plus évidents et les plus spectaculaires qui distinguent le malade qui a subi la thérapie. Des femmes qui avaient une petite voix et une élocution enfantine se retrouvent après la cure avec une voix plus profonde et bien posée; leur discours a pris de l'étoffe.

Le discours du névrosé manque souvent de nuances car il reflète un état de tension perpétuel. Un patient déclare : « J'avais toujours un débit précipité, je parlais avec une voix de tête. Je ne ressentais rien en parlant. La tension interne faisait jaillir de moi les mots par bribes saccadées. Maintenant, je me sens parler. » Quand on parle de « torrent de mots », on emploie sans aucun doute la tournure qui traduit le mieux le fait que, chez le névrosé, le discours est l'exutoire de la tension.

Un patient qui avait toujours eu une petite voix expliquait après son primal : « Je crois que chez moi, tout était petit. J'avais bien l'impression qu'il y avait quelque part à ma portée une voix forte, mais je n'avais jamais le courage de m'en servir ! »

Un autre malade, qui auparavant parlait du nez, déclarait : « Toute ma vie j'ai cru que j'avais quelque chose au nez; aujourd'hui, il paraît que c'était une façon de me plaindre et que je ne m'en rendais pas compte. Au lieu d'être ouvert et direct, je "filtrais" tous mes sentiments par les narines. »

Un indice du fait que le discours est un fidèle miroir du moi, peut être trouvé dans le fait que nous éprouvons souvent de l'anxiété quand nous nous imaginons dotés de la voix de quelqu'un d'autre (privés de notre manière de parler qui est notre moyen de défense). C'est pourquoi il m'arrive parfois en thérapie de groupe de demander aux patients d'échanger leurs voix afin de diminuer leurs défenses.

Je considère effectivement le discours du névrosé comme un mécanisme de défense. Une voix ténue peut déjouer par des phrases inaudibles la crainte d'attirer trop l'attention et ce n'est par conséquent qu'un moyen de réprimer un cri.

Quand le thérapeute oblige un patient à ralentir son élocution et lui demande de « faire des efforts » pour parler, c'est un mécanisme de défense qu'il tente de rompre. Tant que la réserve des sentiments refoulés n'est pas épuisée, ils colorent et façonnent tous les mots que prononce le névrosé et la structure même de sa bouche. Au cours des premières heures où le patient s'exprime, c'est son système de défenses que nous entendons. Ici, du moins, « le véhicule du message constitue le message lui-même ».

Mais je pense que le discours n'est que l'un des aspects de l'ensemble des mécanismes de défense de la personne. D'après mon expérience, à un langage puéril, correspond une immaturité sur le plan sexuel et souvent sur le plan du développement physique (qui reste celui d'une petite fille ou d'un petit garçon). D'après ce qui précède, il est clair que si l'on découvre un problème sur un plan, il faut s'attendre à le voir ressurgir ailleurs : ce qui interdit au patient l'acquisition d'une voix pleine, l'empêchera aussi d'accéder à l'orgasme complet.

Voici un exemple : un jeune garçon est constamment critiqué pour ses actes et ses paroles, il lui est aussi interdit de répondre et de manifester sa colère. Cette colère refoulée subsiste et se grave dans ses traits au cours de la croissance. Plus tard, il a des enfants à son tour. Toutes ses paroles sont empreintes de colère et constituent une perpétuelle et sourde menace à l'égard de son enfant. Ce dernier déguise tous les aspects de son propre comportement de peur de déclencher le volcan de colère du père; son parler est assourdi, ses gestes sont étriqués et craintifs. Cette contrainte risque d'affecter tous les processus physiques, peut-être même la croissance. La peur de dire quelque chose qu'il ne fallait pas et de provoquer ainsi une explosion de colère paternelle peut entraîner chez l'enfant des problèmes d'élocution. En effet il examine chaque mot en fonction du danger qu'il représente. Par conséquent, il peut commencer à balbutier et à bégayer.

Un ancien bègue expliquait son problème de la manière suivante : « Mon bégaiement représentait en fait la lutte. Tout se passait comme si le non-moi parlait pour empêcher le moi réel de se manifester. Depuis que j'avais appris à parler, j'avais toujours eu à peser soigneusement mes mots. A la fin, j'en étais venu à reproduire exactement les pensées et les paroles de mes parents. Je disais ce qu'ils souhaitaient entendre. C'était comme si j'avais été attaché à eux par la bouche. Tant que le moi réel ne disait pas ce qu'il éprouvait vraiment, j'ai pu m'entendre avec eux. »

Ce malade ne bégayait jamais au cours d'un primal quand il était son moi réel. Le bégaiement apparaît comme la preuve évidente du conflit qui se joue entre les deux moi et des symptômes qu'il engendre. Ces primals où le malade ne bégayait pas, montrent aussi comment le sentiment élimine les symptômes de la névrose.

Au cours d'une séance de thérapie de groupe, alors que ce malade décrivait ses symptômes, une autre patiente fit remarquer que tandis qu'il restait attaché à ses parents « par la bouche », elle le restait en étant frigide. En d'autres termes, elle voulait dire que le foyer de la lutte se situe là où l'enfant le localise en grandissant. Pour une femme qui voudrait rester parfaite et pure aux yeux de ses parents, la lutte (la répression des sentiments) peut se situer au niveau des organes sexuels. Dans d'autres cas, comme nous l'avons vu, cela peut être la bouche. De toute façon, si l'enfant adopte les attitudes de ses parents et réagit par rapport à elles et non par rapport à ses propres sentiments, il faut s'attendre à ce que son organisme ne connaisse pas un fonctionnement réel et harmonieux.

Le discours est un processus créatif qui consiste à produire à chaque instant quelque chose qui jusque-là n'existait pas. Le névrosé, au fur et à mesure qu'il parle, recrée son passé; le sujet normal crée un présent perpétuellement nouveau.

CHAPITRE 10

NEVROSE ET MALADIE PSYCHOSOMATIQUE

Tous les comportements du névrosé sont essentiellement motivés par son état de tension. Comme son activation s'inscrit dans un système irréel, il n'y a pas de feedback dans le système qui vienne indiquer au sujet quand il devra s'arrêter. Les muscles restent contractés, les glandes continuent à secréter des hormones, le cerveau est maintenu en alerte — le tout pour se prémunir contre un danger qui n'existe plus.

John Lacey et ses collaborateurs ont procédé à une expérience qui nous renseigne mieux sur les mécanismes mis en jeu dans les réactions du corps au stress (1). Leur étude porte sur l'accélération et le ralentissement du rythme cardiaque sous l'effet du stress. On a constaté que le rythme cardiaque ralentit quand le sujet est attentif et ouvert au monde qui l'entoure — c'est-à-dire, quand il est prêt à accepter ce qui se passe autour de lui. Le rythme cardiaque s'accélère quand le sujet est sous l'effet de la douleur ou quand il désire refuser ce qui se passe. Les chercheurs qui ont procédé à cette étude pensent qu'il devient plus rapide afin de mobiliser par avance l'orga-

---

(1) John I. Lacey, « Psychophysiological Approaches to the Evaluation of Psychotherapeutic Process and Outcome », dans E. A. Rubenstein et N. B. Parloff, éd., *Research and Psychotherapy* (Washington, D. C., American Psychological Association National Publishing Co., 1959).

nisme contre l'impact de la douleur. En outre, la douleur entraîne une augmentation de la tension artérielle (1).

L'importance de cette étude réside dans la constatation que ce n'est peut-être pas la douleur qui, à elle seule, provoquerait l'accélération du rythme cardiaque *mais le besoin de la rejeter*. Si l'hypothèse de l'existence de la souffrance primale est juste, il s'ensuit que l'organisme et tout particulièrement le cœur, souffrent des efforts qu'ils font pour rejeter cette souffrance. Cela aiderait à expliquer la présence fréquente de syndromes du rythme cardiaque et de la pression artérielle que l'on peut constater dès le jeune âge chez beaucoup d'entre nous. Notre corps fait simplement des « heures supplémentaires », il combat des ennemis qu'il ne voit et ne sent pas. En tant que muscle, le cœur ne peut que réagir de la même manière que le reste de notre système musculaire.

La tension, en tant qu'expérience du corps entier, doit ravager l'organisme entier en attaquant en premier lieu les organes constitutionnellement affaiblis. Il faut croire que d'année en année, ce stress « use », puisque ceux qui n'en sont pas victimes vivent sensiblement plus longtemps que leurs homologues névrosés.

Le symptôme qui se développe dépend d'un certain nombre de facteurs : par exemple, ce que le patrimoine culturel de l'individu lui fait considérer comme acceptable — aux Etats-Unis, les maux de tête et les ulcères sont des symptômes auxquels « on s'attend ».

Mais la localisation de la région ou de l'organe atteint, revêt une signification symbolique plus importante. En général, le névrosé ne peut ou n'ose pas voir ses problèmes, de sorte que le message du sentiment apparaît sous forme symbolique : la myopie, par exemple, ou l'asthme qui se développe chez l'enfant qu'on ne laisse même pas respirer librement. (A l'approche des sentiments primals essentiels, un patient était repris par les crises d'asthme qu'il avait eues dans son enfance.)

De « terribles » maux de tête sont les symboles directs du clivage névrotique du moi. Ils sont en grande partie dus au fait que le sujet éprouve des sentiments d'un certain ordre et est forcé d'agir d'une autre façon. Un malade me

(1) Dans le numéro de février 1969 de *American Psychologist,* Ernest R. Hilgard rend compte de ses recherches sur la douleur et la tension artérielle (« Pain as Puzzle »). Il écrit : « Lorsque les conditions de stress, qui normalement entraînent aussi bien la douleur qu'une augmentation de la tension artérielle, ne provoquent pas cet accroissement de la tension, on peut supposer qu'il n'y a pas de douleur. »

disait : « Mon esprit a honte de ce que mon corps ressent. »

Le névrosé a alors recours à l'aspirine ou autres analgésiques, sans comprendre que la souffrance dont il s'agit est la souffrance primale. Les maux de tête reviennent toujours parce que la souffrance primale ne disparaît pas. Un patient s'exprimait de la façon suivante : « Je disais toujours : " Maman, ma tête me tue ! ", sans savoir ce que je disais. Ma tête tuait en effet mon moi. Il fallait que je fasse comme si mes sentiments n'existaient pas; je les enfouissais donc dans un coin de ma tête, jusqu'à ce qu'elle semblât vouloir éclater. »

Beaucoup d'entre nous perdent leur temps à s'acharner contre de fausses souffrances, à prendre des antispasmodiques ou des médicaments décontractants ou encore des tranquillisants, s'efforçant en vain de chasser des maux qui ne sont que l'expression symptomatique de réelles souffrances intérieures. Ces douleurs symptomatiques se sont frayé un passage à travers le système de défenses pour nous mettre en alerte, mais ce système de défenses est tel que, seule, la douleur localisée à un point précis de l'organisme affleure au niveau de la conscience, de sorte que le malade continue à ignorer la cause de son mal.

Lors d'un récent congrès de l'Academy of Science de New York, plusieurs savants ont émis l'hypothèse qu'il existe un lien entre les émotions et le cancer. Clauss Bahnson, psychiatre du Jefferson Medical College, a déclaré : « Les malades prédisposés au cancer sont souvent ceux qui refoulent leurs émotions. » Il a constaté que parmi les gens confrontés à une tragédie personnelle, les individus prédisposés au cancer ont tendance à canaliser leurs réactions émotionnelles par le système nerveux. Cette réaction entraîne à son tour un déséquilibre hormonal et joue par conséquent un certain rôle dans la genèse du cancer. Bahnson a également souligné que les cancéreux sont en général des sujets « qui ont avec leurs parents des rapports insatisfaisants, arides et mécaniques » (1). Bahnson explique cela par le fait que ces parents ne pouvant ou ne voulant pas établir de relations émotionnelles avec leurs enfants, ces derniers s'habituaient à réprimer leurs sentiments au lieu de les exprimer.

Ces hypothèses semblent corroborées par un certain nombre d'autres découvertes exposées au cours de ce

(1) Claus Bahnson, « Proceedings », New York Academy of Science (printemps 1968).

même congrès. W. A. Greene, de l'Université de Rochester, a constaté chez les cancéreux une forte propension au sentiment de désespoir et d'impuissance (1).

(Notons en passant le fait intéressant que chez les Sioux connus pour donner libre cours à leurs émotions, on n'enregistre presque pas de cancers.)

Un grand nombre d'ouvrages de psychologie sont consacrés à la médecine psychosomatique. Dans ce domaine, on doit beaucoup à Franz Alexander pour son livre sur la signification des maladies psychosomatiques (2). Mon intention n'est pas de passer en revue toutes les maladies psychosomatiques et d'examiner leur signification. Je me contenterai de noter que bien des maladies courantes considérées jusqu'ici comme strictement physiques doivent être interprétées sous l'aspect d'un corps atteint, imbriqué *dans sa totalité* dans un système malade qui, dans des conditions par ailleurs normales, fonctionne étonnamment bien et de façon saine.

Tant que l'enfant est petit et que son organisme est fort, il peut apparemment résister à une tension considérable. Mais après des années d'état de tension chronique, les organes vulnérables ont tendance à céder. Pour avoir la liberté de devenir vraiment l'adulte que l'on est, aussi bien physiquement que mentalement, il faut être prêt à l'âge adulte et libéré de son enfance. Par conséquent, la maturité est aussi bien la maturité des membres et des organes que celle de l'esprit. (Le développement de la personnalité est la croissance de la personne tout entière.) Une patiente qui était très petite se mit à grandir à la suite d'un primal, au cours duquel elle avait découvert pourquoi elle était petite. « Je restais petite pour que mon père n'oublie pas que j'étais toujours sa petite fille qui avait besoin qu'il s'occupe d'elle. Si j'étais devenue grande (c'est, du moins, ce que je pensais), il ne se serait jamais rendu compte que j'étais toujours son bébé. » Jamais, dans le cadre des thérapeutiques conventionnelles, il ne m'a été donné d'observer de pareils résultats.

Les recherches d'un pédiatre de l'Institut Johns Hopkins, Robert Blizzard, sont récemment venues confirmer l'existence d'un rapport entre le statut mental de l'individu et sa croissance. Au cours d'une conférence faite le 22 septembre 1969 à Los Angeles devant la Children's Division

(1) W. A. Greene, « Proceedings », New York Academy of Science (printemps 1968).
(2) Franz Alexander, *Psychosomatic Medicine* (New York, Norton, 1950).

Of County U.S.C. Medical Center, il a déclaré : « Beaucoup de pédiatres considèrent comme absolument ridicule la théorie selon laquelle le psychisme de l'enfant déterminerait sa croissance. Mais ils ont tort. » Le docteur Blizzard a observé à ce sujet que dans bien des cas, chez les enfants de six ans qui avaient la taille d'enfants de trois ans, le taux d'hormones de croissance était bien inférieur à ce qu'il aurait dû être. Il fait remarquer que des enfants petits retirés d'un milieu familial très insatisfaisant se mettent à grandir rapidement, même quand ils sont confiés à un orphelinat. En quatre ou cinq jours, ils se mettent à produire la quantité voulue d'hormones de croissance et certains vont jusqu'à grandir de vingt-cinq centimètres en une année. Dès qu'ils sont replacés dans leur milieu d'origine, ces enfants cessent à nouveau de grandir. Si l'on examine de plus près les foyers dans lesquels ils vivaient, on découvre qu'ils souffraient d'un grand manque d'affection. Dans certains cas, les mères reconnaissaient haïr leurs enfants. D'après le docteur Blizzard, il n'y a qu'un moyen de soigner les enfants chétifs : les changer de milieu. Pour les adultes, je proposerais la thérapie primale.

La pratique de la médecine psychosomatique pose souvent au médecin des problèmes embarrassants, car d'une part, il est fréquent que le malade n'ait pas conscience de son état de tension, et, d'autre part, il arrive que rien dans sa situation présente ne laisse supposer ce qui a pu être à l'origine de ses troubles.

Ainsi, la maladie qui se déclare brusquement n'a souvent pas de cause psychologique apparente. On ne peut en trouver meilleure illustration que l'homme très actif qui finit par avoir un premier accident cardiaque. Son médecin peut croire que cela provient du surmenage et lui dire : « A partir de maintenant, vous feriez mieux de prendre votre temps, de vous détendre et de réduire un peu votre activité. » Mais ce nouveau comportement risque justement de précipiter les choses et de provoquer un deuxième infarctus; en effet, l'inactivité est équivalente à la destruction du système de défenses, elle contribue à augmenter la tension et à accentuer la pression interne, de sorte que la deuxième attaque provient non plus d'un excès, mais d'une insuffisance de travail. Plus exactement, elle survient parce que le malade est brusquement privé de ce qui lui servait d'exutoire de la tension. On peut se demander si les décès précoces que l'on enregistre juste après la mise à la retraite, ne sont pas imputables à cette suppression brusque de la défense que constitue le travail.

Le médecin peut avancer que les divers troubles pour lesquels on le consulte ne sont pas psychosomatiques puisqu'il n'y a pas trace de traumatisme émotionnel. Il n'en reste pas moins que le symptôme qu'il observe peut résulter d'une accumulation de tension. La surveillance périodique de la tension peut aider à comprendre et à prévenir bien des maladies. Une hypertension constante peut indiquer, entre autres, un déséquilibre hormonal et les maladies qui s'ensuivent. Plusieurs malades qui souffraient d'hypothyroïdie, ont observé un changement de leur état à la suite de la thérapie primale. Cessant de prendre leurs remèdes, ils n'éprouvaient plus aucun des effets qu'ils avaient ressentis auparavant lorsqu'ils avaient arrêté les médicaments.

Je crois qu'il faut considérer la névrose comme un facteur intervenant dans presque toutes les maladies. Tout sujet qui bloque un sentiment, réprime un aspect de sa physiologie. Je n'ai pas souvent vu de névrosés jouissant d'une pleine santé physique. Par exemple, des études récentes ont permis de constater que plus un individu est anxieux, plus il est exposé aux virus. Je crois que le temps n'est pas loin où il n'y aura plus de scission entre la médecine du corps et celle de l'esprit. C'est cette scission qui a conduit la médecine à traiter les symptômes physiques tandis que la psychiatrie s'attache aux symptômes mentaux sans que l'on comprenne complètement que ces symptômes sont les manifestations du conflit qui se joue au sein du système psychobiologique. En termes primals, il n'y a guère de différence entre un symptôme mental, tel qu'une phobie, et un symptôme physique, tel qu'un mal de tête. Le symptôme n'est que la façon idiosyncrasique dont le malade résout son conflit. Se spécialiser dans le traitement des symptômes revient à ne soigner que des fragments d'individu. Il ne faut jamais oublier qu'un symptôme est toujours imbriqué dans tout un système. Vouloir soigner un ulcère ou une dépression indépendamment de ce système, c'est négliger les origines de la maladie. Cela ne veut pas dire qu'il ne faut pas traiter les symptômes, mais simplement que le soulagement qu'on apporte ainsi n'est qu'un expédient provisoire.

Disparition des symptômes

La thérapie primale n'est certes pas la seule méthode qui fait disparaître des symptômes (tics, ulcères, frigidité, migraines, perversions sexuelles, etc.). Mais il faut noter une différence importante : en thérapie primale, ce sont habituellement les symptômes qui disparaissent en dernier. Cela contraste avec mon expérience en thérapie conventionnelle où j'étais parfois capable d'éliminer les symptômes assez rapidement.

C'est sans doute parce qu'en aidant le patient à vivre et à s'occuper pleinement, le praticien conventionnel offre assez d'issues à l'excès de tension du malade pour que ses symptômes diminuent. En thérapie primale, tout exutoire étant supprimé, il est très possible que les symptômes commencent par s'aggraver car la démarche thérapeutique prive le malade de beaucoup de ses défenses mineures. Tant que le moi irréel n'a pas totalement disparu et que subsiste le clivage du moi, le symptôme demeure. Sa disparition survient à peu près au moment où le patient termine le traitement.

Cette persistance du symptôme s'explique fort bien. D'abord ce symptôme — prenons par exemple la boulimie — est généralement depuis des années le centre de la vie du malade et l'exutoire principal de la tension névrotique. Si le symptôme est souvent l'élément qui disparaît le dernier, c'est qu'il s'est, dans la plupart des cas, manifesté très tôt. Les tics et les allergies apparaissent souvent avant cinq ans et le bégaiement peut apparaître dès l'acquisition du langage, vers deux ou trois ans. Le symptôme est la façon dont le petit enfant résout le clivage du moi.

Il ne faut pas prendre les symptômes physiques tels que la constipation, le bégaiement et les tics comme de simples mauvaises habitudes dont il faudrait libérer l'organisme. Ce sont des réactions involontaires au clivage (où le sentiment est déconnecté de la pensée) qui exerce sur le corps une pression indépendante de toute volonté et de toute conscience. Le symptôme naît de cette pression. Le refoulement d'une pensée réelle (pendant mental de la sensation physique) peut donner naissance à un symptôme d'ordre mental (une idée irréelle ou, sous une forme plus grave, une phobie). La répression du phénomène physique qui correspond à la pensée réelle (la douloureuse pensée primale) peut produire des symptômes physiques (flatulence, qui tôt ou tard peut devenir ulcère ou colite).

Il est essentiel de bien comprendre que les symptômes s'aggravent en fonction de la force et de la persistance de la pression. Au départ, la pression mentale provoque des idées irréelles ou des phobies. Peu à peu, elle peut provoquer des hallucinations plus ou moins graves. C'est l'aboutissement du développement d'idées irréelles datant de la petite enfance. Au fur et à mesure que les sentiments réprimés se multiplient, ils exercent une pression plus forte et obligent l'esprit à se tortiller dans des contorsions de plus en plus complexes. En même temps, ils pèsent de plus en plus lourdement sur les organes vulnérables qui aident à drainer une partie de la tension. Si un organe cède finalement, la tension aura tendance à être canalisée vers lui. Si cela ne suffit pas à la réduire, d'autres systèmes organiques seront affectés. C'est ainsi que l'on peut rencontrer (c'est le cas d'un de mes malades), d'abord un écoulement dans le pharynx, puis de graves allergies, ensuite de l'asthme, des ulcères, etc.

Je voudrais mettre l'accent sur l'unité de tous les symptômes névrotiques, qu'ils soient physiques ou psychologiques. Un sentiment bloqué peut produire une accumulation de tension qui s'attaquera finalement à la paroi gastrique ou bien ce même sentiment peut être déjoué de façon masochiste ce qui aboutira à une manifestation de cette même souffrance. Dans les deux cas, la souffrance est exprimée de façon concrète et une fois qu'elle est réelle, on peut y remédier.

Contre les douleurs on prend des cachets; quant au comportement masochiste, il a un commencement et une fin. Dans les deux cas, on assiste à une localisation nouvelle de la souffrance qui devient quelque chose de concret, quelque chose qu'on peut contrôler. Les douleurs physiques sont des symptômes involontaires de la souffrance, tandis que le comportement masochiste est un symptôme volontaire. Ce sont des phénomènes qui paraissent différents mais ce ne sont, en réalité, que des expressions différentes de sentiments bloqués.

Le sadisme est une autre variété du même phénomène dans laquelle le malade, pour ne pas ressentir sa souffrance, l'inflige à un tiers. Le sujet battra sa femme alors qu'en réalité il voudrait battre sa mère, et, à un niveau plus profond, il voudrait battre sa mère parce qu'il souffre d'avoir manqué d'amour.

Toute une dynamique très complexe préside à la détermination des manifestations symptomatiques. (Les symptômes psychosomatiques représentent le comportement irréel.) Elles découlent, soit des circonstances de la vie, soit de la constitution du sujet. Mais on ne comprendra aucun symptôme (masochisme ou troubles psychosomatiques) sans partir du principe que c'est un comportement « relocalisé ». C'est le point de convergence où le sujet tente de situer les sources apparentes de la souffrance.

« Mon mari est méchant », dit une patiente, « s'il ne buvait pas ou s'il ne me battait pas, notre vie serait différente »; ou bien : « Si seulement j'arrivais à me débarrasser de ces maux de tête, je me porterais très bien... » En général, aucune de ces affirmations ne correspond à la réalité. La vie ne serait pas différente. Ces comportements s'inscrivent dans le mode d'existence des sujets, ils servent un but : ils tiennent à distance la souffrance.

Parce qu'ils tiennent à l'écart la souffrance, les symptômes sont des défenses. La raison pour laquelle en thérapie primale, les symptômes disparaissent souvent en dernier lieu, réside dans le fait que le système de défenses qui s'est constitué à la suite de la scène primale majeure est une entité stable qui fonctionne sur le principe du tout ou rien. Si le patient ressent toujours des souffrances aiguës, même vers la fin de la thérapie, il est fréquent de le voir manifester d'abord ses symptômes les plus anciens. Lorsque finalement, il ressent pleinement ce qui a provoqué le clivage, il y a toutes chances pour que les symptômes ne réapparaissent plus jamais. On comprendra mieux ce processus en observant son déroulement en sens inverse. Lorsqu'un jeune enfant subit le clivage lors de la scène primale majeure, l'excès de tension non résolue trouve un exutoire — le symptôme. Ce dernier « prend en main » le sentiment et résout le conflit de façon irréelle. Si l'on ne soigne que les symptômes, on ne soigne que l'irréalité : qu'il s'agisse de symptômes physiques ou mentaux, c'est une tâche qui n'a pas de fin. C'est pourquoi la psychanalyse des symptômes dure si longtemps.

Barker et ses collaborateurs ont effectué des recherches sur la formation du symptôme (1). Au départ, ils avaient remarqué que des symptômes tels que l'asthme, les ulcères et l'hypertension s'aggravaient au cours des examens sous amytal. (L'amytal est un barbiturique que l'on utilise comme sédatif ou comme hypnotique.) Sous amytal, le malade parle plus facilement, on dirait que cette drogue réduit quelque peu les inhibitions acquises (la façade irréelle). La question posée implicitement par l'étude de Barker était la suivante : « Pourquoi l'état s'aggraverait-il (renforcement des symptômes) quand le sujet est moins inhibé ? » Dans le cours de leurs recherches sur les crises

---

(1) W. Barker et S. Wolf, « Experimental Production of Grand Mal Seizure During the Hypnoidal State Induced by Sodium Amytal », *American Journal of Medical Science,* vol. 214 (1947), p. 600.

et l'épilepsie chez des malades sous amytal, Barker et ses collaborateurs décrivent la scène suivante (1) :

Le patient (qui a déjà eu des crises d'épilepsie) est assis dans un fauteuil à demi incliné, les électrodes de l'électro-encéphalographe sont placées sur son crâne. La semaine a été « dure », dit-il, marquée par de nombreuses discussions avec sa femme et sa mère. On lui donne de l'amytal à raison de 9,72 cg à la minute pendant trois minutes. Au début de l'injection, on observe un stade transitoire de relaxation. Ensuite, il montre une tension accrue. A la question : « Que se passe-t-il ? », il répond : « M-m-ma-mère... ». Il grimace, grogne et parle de sa mère de façon plutôt décousue. Il a l'air tantôt d'être en colère, tantôt de souffrir. Les remarques concernant sa mère sont entrecoupées de « Oh... Oh... Oh ! » gémissants. A la question : « Pourquoi est-ce que votre mère vous embête ? », il répond : « Je voudrais l'empoigner. Je la t-t-tuerais... Elle est méchante... Elle m'embête tout le temps, tout le temps, tout le temps. » Il donne l'impression de réprimer à peine une grande fureur.

« C'est ma mère qui a tué mon père, poursuit-il, un jour, je la tuerai. Elle me rend fou. » Il ferme les poings, les porte à son front; il ne semble plus capable ni de maîtriser sa colère, *ni de l'exprimer* (c'est moi qui souligne). Tout à coup, il devient pâle et pousse un cri bref, étranglé. Ensuite, pris d'une violente crispation des muscles, il se raidit, il grimace, il a le dos courbé, les bras fermement croisés sur la poitrine, les jambes tendues et raides. A la suite de ce spasme, il passe par une série de contractions et de relaxations caractéristiques des convulsions graves. Au cours des deux minutes que dure la crise, l'électro-encéphalogramme traduit de graves convulsions. — *Une crise d'épilepsie avait fait avorter le réveil par l'hypnose de ses réactions à l'égard de sa mère* (c'est moi qui souligne).

Les observateurs étaient d'autant plus étonnés que l'amytal est connu pour ses propriétés *anticonvulsives.* Ils en ont conclu que la crise avait été provoquée par le conflit entre la colère incoercible et les interdits de la conscience.

Je citerai encore Barker, car ce qu'il dit est en accord avec le principe primal : « Cela vient confirmer la formulation de Freud... Vue sous cet angle, une crise convulsive abaisse le niveau de décharge qui, d'une manifestation

(1) W. Barker, *Brain Storms* (New York, Grove Press, 1968), pp. 105-106.

significative, passe à une activité neuromusculaire sans signification et sans rapport personnel. »

En fait, cela revient à dire que les sentiments bloqués produisent un solide édifice de tension qui s'effondre au cours d'un accès convulsif — la crise d'épilepsie. S'il ne décrivait pas une attaque précise, j'aurais cru qu'il parlait de ce qui se passe en thérapie primale. Il est évident qu'un seul sentiment bloqué dans la vie de quelqu'un ne suffit pas à produire le syndrome de l'épilepsie, pas plus qu'il ne produit des ulcères, le bégaiement ou de l'asthme. Mais quand des sentiments ont été réprimés pendant des années, il en résulte une accumulation de tension qui excède ce que l'organisme est en mesure de supporter.

Ce sont les organes ou les régions les plus vulnérables qui seront touchés. Chez un sujet enclin aux allergies, l'accumulation de tension peut se traduire par de l'asthme; chez un sujet porté aux troubles mentaux, ce sera par des crises d'épilepsie. Que se serait-il passé si l'on avait pressé le malade de crier ce qu'il ressentait ? Je pense que l'expression de son sentiment aurait coupé court à la naissance d'un symptôme (la résolution du conflit). Le blocage du sentiment donne naissance à une activité neuromusculaire diffuse — la tension.

Toutefois, il devrait être évident que le fait d'exprimer ses sentiments une fois, n'aurait évité que cette crise particulière; le sujet serait néanmoins resté épileptique et, si la pression était assez forte, il aurait eu de nouveau des symptômes. Ce n'est qu'après avoir éliminé tous ses refoulements antérieurs que l'on pourrait dire qu'il est prédisposé à l'épilepsie, mais non épileptique. C'est exactement comme être porté aux allergies sans en avoir.

Barker poursuit :

« Avec le docteur Herbert S. Ripley, j'ai examiné un autre patient. Au début de l'hypnose, le malade se mit à revivre spontanément une série d'événements particulièrement traumatisants (chargés de pulsions d'agressivité, de sentiments de culpabilité ou d'impuissance); il passait d'un épisode à l'autre en remontant le cours du temps. On aurait dit qu'il déployait dans le temps, à notre seule intention, tout un ensemble complexe d'expériences lourdes de signification et reliées entre elles. La façon abréactive de toute cette série d'expériences semblait communiquer ce qu'habituellement il ne pouvait exprimer que par des convulsions. »

Ici, Barker énonce presque mot pour mot l'hypothèse de la thérapie primale.

En fait, ce malade a fait une expérience primale à la

163

suite d'une hypnose qui anéantit le contrôle de la conscience. A propos de ce cas, Barker indique que le fait de revivre des situations au contenu fortement émotionnel a évité une crise d'épilepsie. Cela revient à dire qu'inversement, des sentiments intenses restés inexprimés provoquent des crises. De nombreux sujets accumulent la tension, certains finissent par avoir des ulcères, d'autres des crises d'épilepsie. Le problème réside dans la tension et non dans la manière dont elle se libère. Des descriptions de Barker, je conclus que l'hypnose et l'amytal affaiblissent le moi irréel et son système de défenses, de sorte que les sentiments primals, jusque-là retenus par la façade, surgissent. Un hypnotiseur de métier peut modifier cette façade et transformer l'individu en quelque chose ou quelqu'un d'autre, mais dans ses expériences, Barker s'est contenté de faire une brèche dans la façade. Cela montre une fois de plus comment la détente — vacances, retraite ou courte maladie — peut être dangereuse pour certains névrosés, une menace pour tout leur système physique. Cela explique également pourquoi tant de névrosés n'osent pas se détendre : pour eux, se détendre revient à se laisser submerger et à risquer la mort.

Mais les travaux de Barker disent autre chose encore : les symptômes sont nécessaires à l'économie psychique et physique de l'individu. Ils résolvent le conflit. *Eliminer les symptômes sans en éliminer la cause, c'est exposer les patients à des effets pires provenant de la tension accumulée.*

Barker rend compte ensuite de l'examen d'un enfant de dix ans. Ce garçon avait été persuadé par sa mère d'éviter à tout prix de se battre. On lui demande au cours d'un électro-encéphalogramme : « Que ressentais-tu quand il te fallait tendre l'autre joue, alors que cela signifiait être rossé ou prendre la fuite ? » « Je ne voulais pas qu'ils me prennent pour un lâche, mais ma mère aurait été très mécontente et m'aurait donné mauvaise conscience si je m'étais battu... » Barker décrit ensuite l'état de tension de l'enfant qui poursuit : « Je ne pouvais pas me mettre en colère contre ma mère. C'est ma mère, c'est elle qui m'a né. »

L'électro-encéphalogramme reflétait un état de tension qui ressemblait fort à celui que l'on enregistre au cours d'une faible crise d'épilepsie. Barker en conclut : « Sans l'électro-encéphalogramme on n'aurait probablement pas soupçonné une composante épileptique dans cette erreur de langage apparemment banale. Cela établit qu'il y a un lien entre toutes les crises *épileptiques ou non épileptiques* (c'est moi qui souligne). Bref, les sentiments bloqués peuvent provoquer des convulsions (au moins au niveau du cerveau). Cela signifie que sous l'effet d'un bouleversement, le cerveau peut avoir des convulsions qui ne se manifestent pas au niveau du corps. Elles peuvent donner naissance à un comportement névrotique et à des symptômes qui ont la même origine que les crises d'épilepsie (d'après Barker, même la flatulence peut être une crise). Etant donné que beaucoup de bouleversements ont pour suite des convulsions au niveau du cerveau, on peut se demander si un symptôme tel que le bégaiement ne serait pas un équivalent de l'épilepsie. Le bégaiement ne serait-il pas l'épilepsie de la bouche ? »

Barker démontre que les troubles du langage et les sentiments qui en sont la cause, créent une tension qui se transmet au cerveau. On peut se demander quels effets peut avoir ce phénomène s'il se poursuit des années durant. Il est important de noter à propos de l'étude de Barker que, si l'on se contentait d'examiner les seuls électro-encéphalogrammes, on en déduirait que des symptômes d'épilepsie ou de bégaiement, par exemple, sont causés par des irrégularités des ondes du cerveau. Mais si l'on approfondit la recherche, on s'aperçoit que ces irrégularités proviennent de l'accumulation de sentiments bloqués. Il faut toujours faire attention de ne pas confondre la cause d'une maladie et les phénomènes que nous mesurons.

Ainsi, si l'on découvre des anomalies dans la composition chimique du sang et de l'urine des schizophrènes, il ne faut pas nécessairement en déduire que ces anomalies provoquent la schizophrénie.

Dans son remarquable ouvrage, Barker montre que beaucoup de troubles du comportement vont de pair avec les troubles de fonctionnement du cerveau et que ces deux types de phénomènes proviennent peut-être du refoulement des sentiments et de la tension qui en découle. Ce « fardeau » « embarrasse » (pour reprendre son propre terme) le cerveau et excède les capacités de son fonctionnement normal. En termes primals, cela signifie que le fonctionnement du cerveau se dérègle dès l'instant où il arrive quelque chose qui dépasse nos capacités d'assimilation — c'est le cas lors des scènes primales.

On peut résumer tout cela en disant que si l'on se trouve placé dans une situation où l'on ne peut être soi-même, on n'échappe pas à cette situation et l'on se trouve pris dans un processus qui n'a pas de fin. Elle s'intériorise sous forme de tension qui pénètre au cerveau dont le fonctionnement se trouve perturbé. Cela peut se traduire par des troubles intellectuels, des troubles d'élocution, des crises d'épilepsie, ou simplement par un quelconque comportement symbolique, tel que l'hyperactivité.

Le symptôme névrotique est la solution idiosyncrasique de la lutte intérieure. Dans ce sens, le style, c'est l'homme. C'est pourquoi le symptôme ne peut pas revêtir une signification universelle, il n'a de signification qu'en fonction d'un individu donné. Ainsi, « grincer des dents » peut avoir une multitude de significations différentes. Pour une de mes malades, c'était une manière de se rattacher à la vie « de justesse » (expression qui se dit en anglais « par la peau de mes dents »). Pour un autre, c'était l'expression d'une colère refoulée. En revanche, un symptôme donné ne peut avoir chez un malade donné qu'une seule signification — celle qu'il a pour lui et pour lui seul. Il est par conséquent impossible de dire s'il y a un type de sujets qui grincent des dents et que le fait de grincer des dents est signe de passivité, de manque d'indépendance, d'agressivité ou de quelqu'autre sentiment latent. De même, il est impossible d'établir des définitions universelles, seul le patient est en mesure d'expliquer le sens de son symptôme.

Il est des symptômes de névrose que l'on n'a pas l'habitude de considérer comme tels — par exemple, le fait d'être petit. En règle générale, il ne vient pas à l'idée de quelqu'un d'aller voir un psychologue parce qu'il se trouve trop petit. Cependant, on découvre après la thérapie que le malade était retardé, non seulement dans son développement mental, mais aussi physiquement. On constate qu'il a grandi et on peut en inférer que sa petite taille était en effet un symptôme, la solution idiosyncrasique des contradictions intérieures qui le torturaient.

Au cours de ces deux dernières années, je n'ai pas eu connaissance de la réapparition du moindre symptôme chez les malades qui avaient suivi une thérapie primale complète. Je ne pourrais pas en dire autant de mes années d'activité en tant que psychothérapeute conventionnel. Pourquoi ? A mon avis, parce que c'est la tension qui provoque les symptômes. Ils ne réapparaissent pas parce qu'il n'y a plus de souffrance primale qui produise de la tension. Il n'y a plus de clivage entre corps et esprit. Bref, il n'y a plus rien qui reste enfoui et qui exerce une pression sur l'organisme.

Je pourrais faire une liste interminable de tous les symptômes que la thérapeutique primale a éliminés, des douleurs menstruelles à l'asthme. Mais cela tendrait à la faire passer pour une panacée et à la déconsidérer en tant que méthode sérieuse. Comme me l'a dit un collègue : « Si au moins vous me parliez de vos échecs, de quelques symptômes qui n'ont jamais disparu, j'aurais moins de difficultés à accepter vos prétentions exorbitantes. » Pourtant, si le principe selon lequel tous les symptômes découlent de la souffrance primale est exact, il est normal que la thérapie primale en vienne toujours à bout.

Il se peut que le patient qui sort d'une thérapie primale, débarrassé de toute tension et de tout symptôme, apparaisse un peu comme le surhomme. Mais en réalité, c'est le névrosé qui tente d'être un surhomme en mangeant deux fois trop, en travaillant deux fois trop et en employant deux fois trop d'énergie pour souffrir deux fois trop.

Récapitulation

Tout homme porte en lui-même sa vérité. Pour le névrosé, ces vérités sont les souffrances primales. Un mensonge de l'esprit signifie une souffrance pour le corps. L'esprit du névrosé a beau affirmer que tout va bien, son corps dit la vérité. Les troubles psychosomatiques sont la vérité du corps.

Avec le temps, il nous faudra probablement modifier l'idée que nous nous faisons du fonctionnement normal. Une malade qui est infirmière a enregistré au sein d'un groupe la tension et le rythme cardiaque des autres membres du groupe : ces données restaient toujours inférieures à la moyenne. De nombreux patients ont noté une baisse permanente de leur température. Pour certains, elle se situait toujours aux alentours de 36°. En général, après le traitement, les sujets sont en excellente santé, ce que je ne saurais expliquer que par l'absence d'une tension chronique.

En effet, quand le névrosé n'est pas victime d'une véritable maladie résultant de sa tension chronique, il risque de céder à l'expédient qui lui sert d'exutoire : tabac, boulimie, calmants et alcool réclament tous leur tribut. Même avec l'aide de telles habitudes, destinées à relâcher la tension, le névrosé n'arrive pas toujours à éviter les troubles psychosomatiques. Le système névrotique est comme un immense vaisseau débordant de symptômes. C'est à nous qu'il incombe de les réduire autant que nous le pouvons. Mais il est évident que c'est d'abord la tension qu'il faut éliminer. Nous ne sommes en mesure de le faire que si nous comprenons bien que la tension névrotique n'est pas normale et n'a pas sa place dans un organisme en bonne santé. Les symptômes résultent de la lutte de l'organisme contre le moi, du conflit entre le moi irréel et le moi réel. Le rétablissement durable de la santé physique et mentale suppose l'élimination de toute tension.

CHAPITRE 11

QU'EST-CE QU'ETRE NORMAL ?

Le but de la thérapie primale est de faire du malade une personne réelle. Les êtres normaux sont, par définition, réels. A la suite de la thérapie primale, les malades le deviennent. Mais il leur reste des cicatrices. Ils ont été maintes fois blessés et nul ne peut effacer leur souvenirs; on peut tout au plus les désamorcer de sorte qu'ils n'ont plus la force qui a contraint le névrosé à adopter un comportement symbolique. Etant donné les frustations dont souffre le névrosé, il ne faut pas s'attendre à ce que la thérapie primale fasse de lui un individu complètement satisfait. Névrosé, il luttait pour atteindre cette plénitude future. La thérapie le rend apte à satisfaire les besoins qu'il ressent dans le présent.

Par « individu normal », j'entends un individu exempt de toute défense, de toute tension et de toute lutte intérieure. Ma conception de ce qui est normal n'a rien à voir avec les normes statiques, les moyennes, le degré d'adaptation sociale, la conformité ou la non-conformité. Pour l'individu lui-même, il y a des comportements d'une variété aussi infinie qu'il y a d'hommes sur la terre. L'individu normal est lui-même. Le rôle de la thérapie primale est de permettre au malade non de devenir « quelqu'un », mais de devenir lui-même.

J'exposerai ma conception de l'état normal par opposition à l'état de névrose. Puis, je tracerai un portrait du malade après le traitement : ses sentiments, ses activités et le type de relations qu'il noue.

L'individu normal est détendu parce qu'il est satisfait.

Le névrosé, dont les besoins ne sont pas satisfaits, doit chercher des raisons apparentes à son insatisfaction. Cela l'empêche d'en voir les raisons réelles. Ainsi il rêve de changer de métier, de passer de nouveaux examens, de déménager ou de changer de maîtresse. En se concentrant sur les côtés désagréables de son travail ou sur sa mésentente avec sa femme, il espère éliminer son malaise fondamental.

J'ai le souvenir d'un patient qui était arrivé un jour en maugréant contre le tour que prenaient les événements politiques dans le pays. Il était obsédé par le désir d'émigrer. Ce qu'il disait de l'atmosphère politique correspondait assez bien à la réalité. Toutefois, la découverte des origines réelles de son mécontentement, sans changer son opinion sur la situation politique, mit un terme à son obsession. Son sentiment était : « Pour moi, il n'y a pas de vrai foyer. » Il n'en avait jamais eu. Mauvais foyer, mauvaise patrie; il rêvait d'aller ailleurs pour trouver ce foyer.

Comme il n'est pas réellement là où il est, le névrosé ne peut jamais être durablement heureux. Il utilise le présent pour dominer le passé. C'est ainsi qu'il achète une maison et l'aménage et quand c'est fait, il en désirera une autre. Ou bien, il prendra une nouvelle maîtresse pour l'abandonner après l'avoir « conquise ».

Pour le névrosé, c'est la lutte et non son issue qui est essentielle. Aussi est-il fréquent qu'il n'achève pas ce qu'il a entrepris. Il justifie les tâches inachevées par le fait qu'il est très occupé. En réalité, il est très occupé parce qu'il ne termine jamais rien. Il est douloureux de finir quelque chose et de se retrouver quand même insatisfait ! C'est pourquoi les derniers mois de travail avant un examen supérieur sont souvent si pénibles. C'est aussi la raison pour laquelle certains individus ne peuvent pas se contenter d'avoir de l'argent sur leur compte en banque. Dès qu'ils se sont acquittés d'une dette, ils empruntent à nouveau pour poursuivre la lutte. C'est qu'il leur serait intolérable de se dire : « Je suis arrivé, j'ai de l'argent à la banque et je suis toujours malheureux. » La lutte permet d'éluder cette constatation. Parmi les femmes névrosées, rares sont celles qui se lèvent de bonne heure et viennent à bout du travail de ménage. Si elles y parvenaient, elles seraient obligées de faire face au vide de leur existence. Pour l'éviter, elles gardent toujours une ou deux pièces en désordre : c'est une manière de maintenir la lutte. Elles peuvent ainsi envisager avec plaisir le moment où la maison sera installée ou nettoyée, et cela les empêche de se demander : « Et maintenant ? » une fois que toutes les petites besognes sont accomplies.

L'individu normal, qui n'a pas besoin de lutter et qui n'a pas besoin d'obstacles sur son chemin l'obligeant à continuer la lutte, peut s'attaquer à des tâches. Le névrosé, en remettant à plus tard le moment de ressentir sa souffrance, remet aussi à plus tard une grande partie du reste de sa vie. En effet, son existence commence véritablement quand il sent cette souffrance.

Jusque-là, il doit se dérober pour échapper, non seulement à sa souffrance, mais à tout ce qui est désagréable. Cette fuite constante devant son moi réel explique sa tendance à l'instabilité — sinon physique, du moins mentale. Il ne peut tenir en place, son esprit est perpétuellement occupé de ce qu'il va faire. Cette agitation le poursuit jusque dans son sommeil : il se débat et transpire; cela va quelquefois jusqu'à l'empêcher totalement de dormir quand il est obsédé par des soucis et des affaires non réglées.

L'individu normal est entièrement présent, il n'a pas mis de côté, en réserve, une partie de lui-même, et c'est pourquoi il peut accorder tout son intérêt. Trop souvent, le névrosé est un tourbillon de distractions, ses yeux semblent, comme son esprit, passer constamment d'un objet à l'autre, incapables de se fixer longuement sur quoi que ce soit.

Evidemment, l'individu normal ne connaît pas de clivage. Autrement dit, il ne vous serre pas la main en regardant ailleurs. Il est capable d'écouter, ce qui est rare dans une société névrotique. Le névrosé n'entend vraiment que ce qu'il veut entendre; la plupart du temps, il est en train de réfléchir à ce qu'il va dire. En règle générale, ce qu'il entend n'aura de valeur que dans la mesure où cela se rapporte à lui d'une manière ou d'une autre. Il est incapable d'objectivité et ne saurait apprécier ce qui est en dehors de lui (y compris ses propres enfants). Les sujets de conversation du névrosé sortent rarement du cadre de ses expériences personnelles (« J'ai dit que... », « Il m'a répondu que... ») parce qu'il centre tout son intérêt sur son moi et que ce moi est frustré.

L'individu normal s'intéresse à lui-même d'une manière différente. Il n'est pas nécessaire que tout au monde se rapporte à lui, mais il est capable de se situer par rapport au monde. Il n'utilise pas l'univers qui l'entoure pour dissimuler celui qu'il porte en lui.

L'individu normal ne se sent pas solitaire, il se sent seul

et ce sentiment-là n'a rien à voir avec ce que ressent le névrosé. C'est un sentiment isolé, exempt de peur et de panique. Chez le névrosé, le sentiment de solitude est le refus d'être seul, le besoin d'être avec les autres pour échapper à l'atroce sentiment primal d'être rejeté et réellement seul presque tout au long de sa vie. Les inventeurs de l'auto-radio ont bien compris la solitude du névrosé en créant des remèdes contre la souffrance, des défenses offertes gratuitement qui évitent au névrosé de ressentir son isolement. Pour l'individu normal, ces appareils constituent souvent une intrusion dans son domaine privé.

L'individu normal est réel et on le sent dans sa façon de réagir. Au contraire, le névrosé ne connaît pas de juste milieu, il réagit trop fort ou pas assez; depuis qu'il a découvert que ses réactions réelles n'étaient pas acceptables, il a été forcé de réagir d'une façon artificielle ou de prétendre qu'il ne réagit pas du tout. Par exemple : une malade qui avait invité une amie, elle-même névrosée, pour lui montrer son nouvel appartement, lui demande ses impressions. « Oh, je voudrais que mon tapis fasse aussi bien que le tien. » Elle ne voyait la pièce qu'en fonction de ses propres besoins et sa réponse était caractéristique du comportement névrotique. Il arrive aussi que devant une plaisanterie, le névrosé, au lieu d'en percevoir l'humour et d'en rire, ne sache que surenchérir.

Chaque fois qu'un individu doit « identifier » au lieu de ressentir, nous assistons à ce type de réactions inadéquates. L'individu normal ne réagit pas de façon appropriée parce qu'il essaie de produire un certain effet ou parce qu'il a appris un certain nombre de règles, mais parce qu'il sent ce qui est approprié. Autrement dit, pour être un bon père ou une bonne mère, il n'a pas besoin de se plonger sans cesse dans des manuels à l'usage des parents. Il a un comportement naturel qui permet à ses enfants d'être naturels.

Parce que l'individu normal ne doit pas dissimuler le sentiment d'être inimportant, il n'a pas besoin de lutter pour être traité comme quelqu'un de spécial par les garçons de restaurant ou le personnel hôtelier, alors que le névrosé y passe souvent le plus clair de son temps. Le besoin du névrosé consiste en partie à s'entourer de gens pour ne pas se sentir seul ou à devenir membre de clubs pour dissimuler le sentiment de n'avoir jamais appartenu à une vraie famille. Pour l'individu normal, toute cette lutte incessante n'existe pas.

En parlant de la lutte du névrosé, je repense à une

réclame de whisky qui disait : « C'est une petite récompense pour vous dédommager de toute les années que vous avez passées à lutter pour accéder à votre situation actuelle. »

La lutte du névrosé est une lutte artificielle. C'est ainsi qu'une femme passera des années à faire les magasins en quête de bonnes affaires sans être jamais tout à fait contente de ce qu'elle achète. Elle n'a probablement pas tort. Si elle avait obtenu sans lutte l'affection de ses parents, les bonnes affaires n'auraient peut-être pas tant d'importance. Cette course aux soldes est la névrose américaine par excellence. C'est un peu comme les remèdes amaigrissants : cela vous fait obtenir quelque chose de merveilleux sans grand effort, exactement comme le whisky. Ce qui fait tout le charme des bonnes affaires, c'est la lutte. Plus elle est serrée, plus on en apprécie le prix, sauf que ce n'est pas là le prix que l'individu désire obtenir par la grande lutte de toute sa vie. Ce n'est qu'un piètre substitut, parce que des années de lutte dont l'enjeu était l'amour des parents, ont été vaines. La course aux soldes est semblable à la vie du névrosé auprès de ses parents, à la différence que dans le premier cas, il finit par obtenir quelque chose que souvent il n'a pas désiré.

Il est difficile à bien des névrosés d'entrer dans un magasin et de payer le prix normal, parce que cela revient à n'être pas un cas « particulier ». N'importe qui peut payer le prix normal, et si c'est votre cas, vous ressemblez à tout le monde. L'individu normal ne s'acharne pas à poursuivre les bonnes affaires : il fait tout ce qu'il peut pour se faciliter la vie, non pour la rendre compliquée.

Le comportement névrotique à l'égard de l'argent est assez semblable au précédent. Un malade m'expliquait qu'avant la thérapie, il était incapable de garder de l'argent sur son compte en banque, parce que cela aurait signifié qu'il était au terme de sa lutte. Cet homme cherchait perpétuellement à échapper à un sentiment de non-valeur qu'il tenait de l'enfance. Il avait espéré (inconsciemment) que l'argent lui donnerait un sentiment de valeur. Mais, bien entendu, il n'arrivait jamais à avoir assez d'argent pour cela. Quand il en avait, sa vie ne devenait pas plus supportable car il se sentait toujours sans valeur et il éprouvait donc le besoin d'en accumuler toujours davantage.

L'individu normal n'utilise pas son argent à titre symbolique, pour satisfaire des besoins passés. Il a conscience de sa valeur, parce qu'il a eu des parents normaux qui l'appréciaient tel qu'il était. Il est tout naturel que l'argent soit la préoccupation essentielle de beaucoup de névrosés; en effet ils se sentent par définition sans valeur, ils n'ont jamais été estimés pour ce qu'ils étaient. N'étant pas capables de ressentir leurs besoins réels, ils cherchent toujours à avoir plus qu'il ne leur faut.

D'autres névrosés ne peuvent pas dépenser l'argent. Leur lutte a probablement pour but de se sentir à l'abri et en sécurité. Mais ni dans ce cas ni dans le précédent, ce n'est l'argent qui peut donner à un individu non sécurisé un sentiment de sécurité. Cette catégorie de névrosés remet toujours la vie au lendemain. « Un jour, quand tout ira bien, je prendrai des vacances. » Il ne vit jamais, il se cramponne à un fantasme qui lui suggère qu' « un jour » la vie sera différente. Ce fantasme est en liaison étroite avec la souffrance et c'est ce qui explique que tant d'individus ont tendance, dans bien des domaines, à vivre au futur. L'individu normal, par contre, vit dans le réel et dans le présent. Il n'a pas de vieilles souffrances qui le tirent en arrière et qui l'obligent à atermoyer. Il ne connaît pas le besoin de fantasmes parce qu'il a des sentiments réels.

L'individu normal est stable. Il est content d'être là où il est et n'éprouve pas le besoin d'imaginer que la vie réelle serait « ailleurs ». Une patiente s'expliquait ainsi : « Je me regardais dans le miroir et j'étais terrifiée à la vue de mes rides. J'allais d'esthéticien en esthéticien, j'essayais des lotions spéciales et comme cela n'avait aucun effet, je me fis faire un lifting. Je fuyais éperdument devant le sentiment que ma jeunesse était finie et que je n'aurais jamais l'occasion d'obtenir ce dont la petite fille au fond de moi avait besoin. La vue de mes rides et de mes quelques cheveux blancs m'interdisait à jamais d'espérer que je pourrais redevenir petite et ma fuite n'en finissait pas. J'allais à des soirées, je sortais sans cesse. Je m'efforçais d'être attrayante, d'être "in". La fuite était comme une seconde nature; je ne pouvais m'arrêter. »

L'individu normal peut accepter son âge parce qu'il vit dans le présent et a consciemment vécu sa jeunesse. Il n'essaie pas quotidiennement de récupérer quelque chose qu'il a perdu des dizaines d'années auparavant. Il n'est ni excessivement préoccupé de l'avenir, ni continuellement tourné vers le passé, parce qu'il ne vit pas un moment qui n'existe pas.

Pour reprendre la formule de McLuhan, chez le névrosé, « la personnalité est le message ». La personnalité du névrosé est déformée par le sens du message qu'il doit transmettre. C'est ainsi que le laconisme d'un individu peut vouloir dire : « Papa, parle-moi, délie-moi la langue »; l'individu maladroit, mal organisé dit : « Maman, je suis perdu, dirige-moi »; l'air chagrin veut dire : « Maman, demande-moi ce qui me fait mal », et le dépressif demande peut-être : « Ne me donnez pas de coups de pied quand je suis à terre. »

La personnalité de l'individu normal n'est pas déformée parce qu'il n'essaie pas de dire quoi que ce soit de façon *indirecte*. Sans de vieux besoins, les gens sont simplement ce qu'ils sont. Je ne saurais expliquer cela autrement qu'en disant que l'individu normal sans façade psychologique vit et laisse vivre. J'ai déjà fait remarquer que le corps fait partie de la personnalité entière, de sorte que le névrosé a souvent « l'air névrosé » : il aura les lèvres fines, serrées, qui font barrage à tous les mots inaccepables, des yeux rétrécis « incapables de voir tout ce qui se passe », comme me le disait un malade, des lèvres aux commissures tombantes à force de regrets non résolus et inexprimés, ou des mâchoires serrées dans une colère perpétuelle. Par tout son organisme, le névrosé exprime le message de l'inconscient. Chez l'individu normal, qui, lui, n'a pas de message à transmettre, on peut s'attendre, toutes choses égales d'ailleurs, à trouver un corps bien proportionné. Les transformations physiques que j'ai pu observer chez certains patients à la suite de la thérapie primale, me font penser que bien des choses que nous croyons congénitales sont en fait des effets de la névrose.

L'individu normal sait s'amuser. Le nombre de névrosés susceptibles d'en faire autant sans l'aide de stimulants artificiels, tels que l'alcool, est étonnamment petit. Comme le disait un patient : « L'amusement mine l'espoir. Je m'arrangeais toujours pour voir le mauvais côté des choses. Quand toute la journée se passait bien, je piquais tout à coup une crise de mauvaise humeur et je déclenchais une dispute. Je ne pouvais supporter une suite ininterrompue de jours agréables, cela me plongeait dans l'inquiétude comme si j'avais toujours une épée de Damoclès suspendue au-dessus de la tête. Rétrospectivement, je me rends compte que si j'avais accepté d'être heureux, j'aurais renoncé à la lutte pour avoir de bons parents. Si j'avais accepté le bonheur de tout cœur, et si j'avais réellement joui de la vie, j'aurais dû renoncer à voir mes malheurs reconnus. » Le névrosé ne cherche pas le bonheur dans le présent, il veut qu'il le compense pour ce qui a été. On peut en dire autant de l'affection. L'individu normal en jouit sans réserves. Mais pour le névrosé, cela reviendrait à dire à ses parents : « Je n'ai plus besoin de vous. J'ai trouvé quelqu'un qui m'aime. » Or, le névrosé a beaucoup de difficultés à admettre qu'il ne sera jamais le petit garçon ou la petite fille qui va recevoir de ses parents tout ce qui lui manquait.

L'attitude d'un patient qui est venu me voir après Noël illustre bien ce qui distingue la réaction de l'individu normal de celle du névrosé. Il arriva en me disant qu'il avait eu « des cadeaux par milliers ». Pour remplir le grand vide de toute sa vie, il éprouvait le besoin de s'exprimer avec une exagération abusive.

On lit partout qu'il faut confier certaines petites tâches ou certains travaux aux enfants pour leur apprendre le sens des responsabilités. On pousse ainsi l'enfant à gagner de l'argent même quand ce n'est pas une nécessité. Quand un enfant est invité par son petit voisin à aller jouer, la première question qui vient à la bouche des parents c'est : « Est-ce que tu as fini tout ce que tu avais à faire ? » On dirait que les parents ont peur que s'ils laissent leurs enfants faire ce qu'ils veulent, ces derniers ne fassent jamais ce qu'ils « doivent ». En conséquence, ils mettent obstacle à tous les désirs de l'enfant jusqu'à ce que l'enfant commence à avoir peur de ses désirs et les évite peu à peu. Plus tard, cela donne un adulte qui ne peut jamais agir spontanément sans être harcelé par la question : « Qu'est-ce que je devrais faire avant ? » Un patient m'a dit : « Quand je m'amusais un soir quelque part, et qu'on m'invitait pour le lendemain, ma mère mettait immédiatement le holà sous prétexte que c'était " trop à la fois ! " — elle voulait dire trop de divertissement. Elle avait sans doute peur que j'épuise mon lot de plaisirs sans payer mon tribut de devoirs ! »

A cet égard, la vie de l'individu normal est beaucoup moins difficile. Il ne se retient pas de profiter du moment qui passe, et ne place pas ses enfants dans une situation de lutte, de sorte qu'ils n'ont aucun sentiment de culpabilité quand ils agissent librement et spontanément.

Pour le névrosé, rien n'est jamais tout à fait comme il faut, parce que aux yeux de ses parents, il n'était jamais comme il faut. C'est tout un art de ne jamais dire un mot d'approbation à un enfant, une phrase qui lui signifie qu'il est bien tel qu'il est, et pourtant un patient après l'autre rapporte qu'il ne se souvient pas d'avoir jamais entendu pareil mot. Bien au contraire, les parents névrosés expriment à tout instant leur souffrance, parce que cette souffrance est constamment présente.

Le fait d'avoir été critiqué toute sa vie peut avoir des conséquences diverses. Par exemple, il est des névrosés à qui l'on ne peut offrir un cadeau sans qu'ils y trouvent quelque chose à redire ou qui voient toujours le mauvais côté des choses, parce qu'on a jamais vu en eux que leurs défauts. Quand le névrosé lit le journal, il lit les mauvaises nouvelles : ce qui a mal tourné, qui d'autre est malheureux ou qui a fait quelque chose de mal. Dans une société névrotique, où chacun projette son malheur à l'extérieur pour se rendre la vie supportable, nouvelles est synonyme de mauvaises nouvelles. L'individu normal ne se délecte pas du malheur des autres. Il le ressent et désire faire quelque chose pour y remédier.

Quand on essaie de combler le vide d'un névrosé, il faut se souvenir que c'est un gouffre sans fond. Le névrosé peut avoir besoin de cadeaux fort coûteux pour compenser des années de vide et de manque d'amour. Mais aucun cadeau n'y pourrait suffire, quel que soit son prix; toutes les fourrures de la terre ne pourraient réchauffer un être qui a toujours eu froid.

Même quand le névrosé atteint un objectif qu'il a longtemps poursuivi, il n'est pas satisfait. Un de mes patients obtint finalement un doctorat de philosophie et sombra à ce moment-là dans une dépression profonde. Il avait cru qu'après huit ans de travail acharné, ce doctorat lui apporterait quelque chose, mais il n'avait toujours pas le sentiment d'être aimé ou considéré. Il m'expliqua que l'obtention de ce doctorat était en quelque sorte l'ultime miracle, or, il ne ressentait rien. L'individu normal n'espère rien des événements extérieurs, c'est pourquoi il peut laisser les choses telles qu'elles sont.

Pour le névrosé, la déception est le corollaire de l'espoir. En dissimulant la réalité, l'espoir condamne souvent le sujet à souffrir de son attente irréaliste. Par exemple, en allant au réveillon de Noël, le névrosé court à une véritable déception, s'il s'attend au cours de cette soirée à se sentir désiré et aimé.

L'individu normal est en bonne santé. Il n'a pas besoin de courir d'un médecin à l'autre pour dire qu'il « a mal » parce qu'il n'avait jamais pu le dire à ses parents. Comme rien ne le pousse à être irréel, comme nul système symbolique ne le contraint à un état d'agitation et de fatigue, il est non seulement plus sain mais beaucoup plus énergique. Il emploie cette énergie à l'accomplissement des tâches réelles et non à lutter pour obtenir l'impossible. Enfin, l'individu normal sait quand il se sent bien. Un patient m'a dit : « Je n'ai même jamais su si je me sentais bien, tant j'étais étranger à mes sentiments. Quand on me demandait comment j'allais et que je ne me sentais pas mal, il me fallait en déduire que je devais me sentir bien — puisque telle était l'alternative. »

L'individu normal ne place pas les autres en situation de lutte. Il comprend qu'un enfant doit être aimé sans avoir à mériter cet amour. *Par conséquent, il ne contraint pas ses enfants à lutter pour quoi que ce soit.* Paradoxalement, il semble que ces enfants réussissent très bien, contrairement au principe selon lequel la rencontre précoce des difficultés « forme le caractère » et arme un enfant pour l'existence. Certains névrosés ne se rendent jamais compte qu'ils n'auraient rien dû avoir à faire pour être aimés de leurs parents. Ils ont lutté si longtemps pour être aimés qu'ils ne peuvent imaginer qu'on les aime tout simplement parce qu'ils existent. Le conditionnement qui apprend à l'enfant qu'il doit faire quelque chose pour être apprécié, commence presque dès la naissance. On chatouille le bébé pour en obtenir un sourire (il faut avoir l'air heureux !). Un peu plus tard, on lui demande de faire « au revoir » de la main, de danser devant ses grands-parents ou de dire tel ou tel mot, le tout sans se soucier de son humeur à ce moment-là. Presque tout ce que fait le petit enfant est destiné à satisfaire la volonté de quelqu'un d'autre. Le besoin qu'éprouvent les parents et les grands-parents d'obtenir constamment une réaction qui leur soit destinée, semble être une conséquence du peu de réactions qu'ils ont pu obtenir de leurs propres parents.

Si l'on compare le portrait de l'individu normal et celui du névrosé, on s'étonne que ce dernier puisse vivre si longtemps.

S'il existait un principe clé du comportement réel, il pourrait s'énoncer comme suit : *la réalité s'entoure de réalité de la même manière que l'irréalité recherche l'irréalité.* Les individus réels ou normaux ne nouent pas de relations durables avec les névrosés, et l'inverse est également vrai. L'individu normal ne supporte pas le manque d'authenticité. Il ne se résout pas à flatter le névrosé et à le dorloter ou à se prêter à ses caprices pour l'apaiser. De même, il ne se laissera ni charmer, ni tromper, ni gouverner par le névrosé de sorte que les relations seront difficiles, sauf si quelqu'un est assez direct. L'individu normal ne se laisse pas prendre dans une lutte qui n'est pas la sienne. Un patient rapportait qu'il avait l'habitude de finir les phrases de sa femme. Elle commençait sa phrase tout en lui lançant un regard suppliant, et il intervenait immédiatement pour finir à sa place. C'était une réaction automatique et inconsciente.

Quant au névrosé, il ne poursuit habituellement pas les relations qui ne servent pas les besoins de sa névrose. Il a des exigences spéciales. Il a tendance à rechercher les individus qui partagent son genre d'idées et d'attitudes irréelles. C'est pourquoi on observe souvent une parfaite homogénéité de pensée entre le névrosé et ses amis à propos de la politique, d'économie, de personnes ou de phénomènes sociaux en général. Ce que je voudrais montrer, c'est que le comportement irréel est tout un ensemble. Le névrosé doit éviter la réalité jusqu'à ce qu'il soit prêt à faire face à la sienne. Jusque-là, il se crée un cocon confortable mais irréel, avec le travail qu'il fait, les journaux qu'il lit et les amis qu'il a.

Sur le plan social, le degré d'irréalité du névrosé dépend jusqu'à un certain point de la mesure dans laquelle il doit se renier. Un homme qui n'a jamais été aimé par son père aura peut-être des idées homosexuelles. Certains reconnaissent ces idées et les acceptent; d'autres peuvent les nier et éventuellement, ils n'admettront même pas qu'elles existent dans leurs rêves diurnes ou nocturnes. Chez ces derniers, la frustation est plus profonde. Ils en arriveront à être dégoûtés par la seule vue d'homosexuels, et demanderont des lois contre eux. Dans la société, ils demanderont l'abrogation de tout droit pour les homosexuels — le tout parce qu'ils voudraient un père et ne peuvent le dire. Il se peut que ces mêmes hommes aient si peur de leur « faiblessse » qu'ils en viennent à la mépriser. Non contents de toujours chercher à agir de façon énergique et indépendante, ils demanderont que soient votées des lois contre les « tire-au-flanc de la société » ou tout autre groupe d'individus incapables de « se faire à la force du poignet ». Autrement dit, la répression de ses propres besoins est souvent synonyme du refus de reconnaître les besoins des autres.

Pour modifier la philosophie sociale de certains névrosés, c'est tout leur système psychique et physique qu'il faudrait modifier. Les névrosés croient ce qu'ils sont obligés de croire pour rendre la vie supportable. Les dissuader de leurs croyances fondamentales reviendrait à les faire renoncer à leur constitution même.

L'individu normal n'a pas d'intérêt à exploiter les autres.

Rien de ce qu'il attend des hommes n'est irréaliste. Le névrosé, qui est sans défense devant sa souffrance, éprouve souvent le besoin d'exploiter les autres pour ressentir une importance qu'il est incapable de ressentir autrement. Il se comporte ainsi pour se mettre à couvert. Il a besoin des autres pour s'entendre dire du bien de lui-même, de ses enfants, de sa maison ou de ses vêtements.

L'individu qui n'est pas normal ne peut rien donner de lui-même puisque son moi est enfermé en lui-même. Le névrosé peut feindre de s'intéresser aux autres et se convaincre qu'il le fait, mais tant que son moi n'est pas arrivé à ressentir et à s'exprimer entièrement, il ne peut pas se préoccuper réellement de quoi que ce soit. Tant que le moi réel est étouffé par la peur et la tension, tant qu'il a des besoins inassouvis et désespérés, il ne peut rien donner.

L'individu normal ne s'entoure pas d'une foule d'amis pour ne pas se sentir seul au monde. Ses amis ne sont ni ses trophées, ni sa propriété. Après le traitement primal, les malades rapportent qu'ils s'entendent avec d'autres personnes réelles, quelle que soit leur personnalité. Ils affirment que les êtres réels sont ouverts, honnêtes, peu exigants, que les idiosyncrasies ne semblent pas constituer une menace.

L'individu normal n'éprouve pas le besoin d'avoir, sur son carnet de rendez-vous, tous les samedis soirs pris des mois à l'avance, pour sentir qu'il est apprécié des autres. Un médecin normal n'a pas besoin d'avoir une salle d'attente comble pour se sentir nécessaire. Dans ce dernier cas, l'argument est à double sens. En effet, un névrosé peut devenir angoissé s'il est le seul patient dans la salle d'attente d'un docteur et peut passer immédiatement. Comme il n'aura pas lutté pendant qu'anxieux, il attendait, il se dira que son médecin est moins bon que celui chez qui il y a toujours une heure d'attente.

L'individu normal qui agit de façon réaliste, est en général à l'heure, parce qu'il vit dans le temps présent et non dans une sorte de temps provenant du passé. Cela veut dire qu'il ne prend pas le temps pour un symbole qui lui permettrait de ressentir quelque chose qu'il ne peut pas ressentir autrement. Ainsi, il ne sera pas en retard pour se donner de l'importance et ne pas se sentir rejeté, comme c'est le cas chez le névrosé.

Le fait d'être en retard peut, par exemple, être une manière de garder vivant un espoir irréel. C'est une autre façon qu'a le névrosé de tricher avec l'existence. Il arrive à faire en sorte que son affairement ne lui laisse jamais le temps de sentir; il est toujours en mouvement, sous l'effet d'une pression qu'il croit extérieure et qui, en réalité, vient du fond de lui-même. Nombreux sont les névrosés qui organisent leur vie de manière à n'avoir jamais de loisirs. Ils font des projets à l'infini (pour tuer le temps) afin de n'avoir jamais un instant pour ressentir ou pour réfléchir. En un rien de temps, ils ont plus d'occupations que la journée ne compte d'heures, de sorte qu'ils finissent toujours par être en retard.

Ainsi que nous l'avons déjà signalé, il existe des pseudo-sentiments que l'homme normal ne connaît pas. Je veux dire que l'individu normal ne saurait être ni jaloux, ni accablé de sentiments de culpabilité. Il se contente de ce qu'il est, n'envie pas les autres, ne désire pas ce qu'ils désirent et ne cherche pas à avoir ce qu'ils ont. C'est une autre manière de dire qu'il laisse les autres — femmes, enfants et amis — être eux-mêmes. Il ne vit pas à travers leurs succès. Il ne s'empresse pas d'effacer toutes les marques de bonheur qu'ils donnent. L'individu normal ne se sent pas aliéné, car seule la souffrance produit l'aliénation d'une partie du moi; (c'est peut-être l'aliénation du moi qui permet aux dirigeants de parler si facilement de tuer. Coupés de leur propre humanité, ils ne doivent pas être capables de comprendre celle des autres. Il est évident que pour celui qui ne ressent pas réellement la vie, la mort n'est pas un bien grand drame. En ce sens, la mort intérieure rend la mort effective des autres moins réelle et moins horrible.)

L'individu normal semble percevoir le rythme de la vie des autres. Il use de tact, non par hypocrisie profonde, mais parce qu'il perçoit la souffrance des autres. Il ressent quel degré de réalité les autres sont capables de ressentir.

L'individu normal est sensible au vrai sens du terme. Non seulement il est mentalement ouvert aux besoins et aux pulsions des autres, il a aussi une sensibilité de tout l'organisme qui fait que son corps et son esprit sont directement touchés par des stimuli. Je tiens à faire la distinction entre la sensibilité mentale du névrosé et la sensibilité ouverte de l'individu normal. J'insiste sur ce point car il y a beaucoup de névrosés qui ont une perception aiguë et percent bien à jour les personnes de leur entourage. Mais je crois qu'ils ne peuvent pas *sentir* les situations dans lesquelles ils se trouvent parce qu'en même temps, leur comportement est le déjouement de sentiments *frustrés*. C'est ainsi qu'un homme brillant se lancera dans un exposé philosophique au cours d'un dîner, profondément conscient de la nature de ses auditeurs, mais ne se rendant absolument pas compte qu'il accapare toute la conversation. Il est trop occupé à extérioriser son besoin d'attirer l'attention et de se sentir important. Voilà pourquoi il est essentiel pour un thérapeute, non seulement de savoir pénétrer la personnalité des autres, mais d'être lui-même normal. S'il ne l'est pas, il satisfera dans son rapport avec ses malades un de ses propres besoins (par exemple, le besoin de se sentir nécessaire), contrebalançant ainsi tout le bien que sa compréhension pourrait apporter.

L'individu normal renonce à « se réjouir par avance », pour combler le vide du présent. Un patient a raconté : « Je faisais toujours le même raisonnement : je me disais que je ne voudrais pas être riche parce que les riches sont certainement malheureux. Ils peuvent avoir tout ce qu'ils veulent et, par conséquent, ils n'espèrent plus rien. Maintenant, je me rends compte que si l'on peut se réjouir de tout ce que l'on a à chaque moment, on n'a plus besoin de vivre dans l'attente. »

L'individu normal ne confond pas espoir et projets. Il peut avoir des plans d'avenir mais il ne les « grossit » pas au point de n'avoir plus de présent. On dirait que certains névrosés repoussent tout dans le futur, si bien qu'ils ne peuvent plus jamais éprouver un vrai plaisir dans le présent. Selon moi, cela vient de la petite enfance; à cette époque de sa vie, l'enfant comprend que, s'il avait fait exactement ce qu'il désirait et mené sa vie comme il l'entendait, il aurait été rejeté et peut-être abandonné par ses parents qui entendaient que les choses soient faites selon leur façon à eux. L'enfant a dû remettre ses désirs à plus tard, espérant qu'il pourrait être heureux « après ». Cela explique en grande partie l'idée que se font beaucoup d'enfants : « Je serai heureux quand je serai grand. » On dirait que certains névrosés conservent ce schéma de raisonnement jusque dans l'âge adulte. L'individu normal qui a renoncé à l'espoir irréel et à sa lutte pour plaire, peut vivre comme il lui plaît.

Le névrosé « désire », tandis que l'individu normal « a besoin ». Si le névrosé désire ce dont il a réellement besoin, il souffre; pour éviter cette souffrance, il est obligé de désirer des substituts — quelque chose d'accessible. L'individu normal a des besoins simples, parce qu'il désire ce dont il a besoin et non des substituts symboliques. Le névrosé désirera une cigarette, un verre de whisky, du prestige, de la puissance, des diplômes ou une voiture de course. Le tout pour recouvrir sa souffrance et ne pas ressentir le vide de son existence, sa non-valeur, son impuissance, etc. L'individu normal n'a rien à recouvrir, nul vide à combler.

La vie semble conspirer contre le névrosé. Il désire tout parce qu'il a reçu si peu. Mais comme il a dû déformer sa personnalité d'étranges façons pour obtenir d'infimes satisfactions, il devient le genre de personne dont les autres se détournent. Ses exigences exagérées, son manque d'indépendance et son narcissisme deviennent insupportables pour les autres. L'individu normal, en revanche, qui ne cherche pas dans tout rapport social la compensation d'années d'indifférence est souvent recherché et pris comme exemple.

Le névrosé « prend » toujours. On a beau faire beaucoup pour lui, c'est insuffisant parce que ses besoins doivent être satisfaits toujours et encore jusqu'à ce qu'ils soient proprement connectés et résolus, ce que d'habitude, seule la thérapie primale est capable de faire.

L'individu normal agit selon les « tu dois » et non selon les « tu devrais ». La théorie primale comprend le comportement du névrosé comme l'abdication des besoins personnels par déférence aux besoins et aux désirs des parents. Ceux-ci deviennent les « tu devrais » pour l'enfant. Un « mauvais » enfant est un enfant qui n'accomplit pas ses « devrais ». Le petit enfant qui essaie d'être gentil pour se faire aimer, essaie de répondre à ce que ses parents attendent de lui. Il le fait avec l'espoir implicite qu'ils finiront par répondre à ses besoins — par exemple : qu'ils le prendront dans leurs bras. Mais quelque effort qu'il fasse, l'enfant ne peut *jamais* satisfaire les besoins de ses parents. Ainsi, nous arrivons à la situation où l'enfant essaie sans arrêt de satisfaire ses parents, de les rendre heureux et contents. Mais il ne fera jamais assez, aucun enfant ne peut compenser le malheur de ses parents.

Les « devrais » de l'enfant correspondent aux besoins des parents; s'il ne s'y conforme pas, il doit renoncer à l'espoir d'obtenir l'amour des parents. L'enfant névrosé devient si profondément prisonnier de ses « devrais » — être sage, poli, et serviable — qu'il perd de vue ses propres besoins. En conséquence, il se met à désirer ce dont il n'a pas besoin.

Souvent, c'est d'une manière très subtile que les parents dérobent ses besoins à leur enfant. On voit des parents névrotiques répéter à leurs enfants : « Tu devrais être content; cesse de te plaindre, regarde tout ce que nous faisons pour toi. Nous t'avons tout donné. » Souvent l'enfant se laisse convaincre. Il regarde autour de lui et voit qu'il est entouré de biens matériels. Il en déduit qu'il a ce qu'il souhaite, et il ne sait même plus qu'il a désespérément besoin d'autre chose — d'être aimé.

Ce qu'il y a de tragique dans ces « devrais », c'est qu'en s'y conformant, l'enfant imagine que s'il fait exactement ce que veulent ses parents, ces derniers finiront un jour par déverser sur lui toute une pluie d'amour. Mais comme de leur côté, les parents ont besoin de quelque chose qu'il ne pourra jamais leur apporter, ce jour ne vient jamais.

L'enfant qui agit en fonction de ses « devrais » n'agit pas en fonction de ses sentiments. De sorte que s'il met de l'espoir dans ce comportement, il y met aussi de la colère — la colère d'avoir à faire quelque chose qu'il ne ressent pas. Ayant passé toute sa vie à faire ce qu'il n'avait pas envie de faire, le névrosé éprouve parfois des difficultés à faire ce qu'il doit faire. Au contraire, l'individu normal fait ce qu'il doit faire parce qu'il agit en fonction de la réalité.

Le névrosé vit souvent dans l'indécision parce qu'il est partagé entre ses besoins réprimés et ses « devrais ». L'individu normal décide par lui-même; il ressent son moi et sait ce qui lui convient.

Le névrosé laisse aux autres le soin de déterminer ses « devrais ». « Que devrais-je choisir au menu ? » demande-t-il. C'est ainsi qu'il organise sa vie de manière à ce que les autres lui fournissent continuellement des « devrais »; il ne se permet jamais d'agir en fonction de ses sentiments. Cette simple question : « Que devrais-je choisir ? » est souvent le signe de la torpeur du névrosé. C'est une manière de dire : « Je n'ai aucun désir, aucun sentiment : je ne vis pas, vivez ma vie à ma place. »

L'individu normal ne cherche pas le sens de la vie, car la signification de toute chose dépend du sentiment. Plus on ressent profondément sa vie — la vie à l'intérieur de soi — plus elle a de sens. Le névrosé qui a dû se fermer dès un très jeune âge à une réalité catastrophique, poursuit consciemment ou inconsciemment cette recherche. Il cherchera le sens de la vie dans le travail ou dans le voyage, et si son système de défenses fonctionne bien, il imaginera que sa vie a un sens. D'autres névrosés ont le sentiment que quelque chose leur manque et se mettent en quête d'un sens. On les verra rejoindre un guru, se mettre à étudier la philosophie, se plonger dans la religion ou des cultes, le tout dans le seul but de découvrir un sens qui est à portée de la main.

Le névrosé doit poursuivre cette quête parce que le sens réel signifie la souffrance qui doit être évitée. C'est alors que la quête elle-même devient le sens de sa vie; puisque le névrosé ne peut pas ressentir pleinement sa propre vie, il doit trouver son sens à travers d'autres hommes ou des choses qui lui sont extérieures. Il le trouvera quelquefois dans le talent et les succès de ses enfants ou de ses petits-enfants, dans un poste important ou dans des transactions de grande envergure. C'est quand ces éléments extérieurs lui sont enlevés que le névrosé souffre. C'est alors qu'il commencera à se demander : « A quoi bon ? Après tout, qu'est-ce que cela signifie... »

L'individu normal vit en lui-même et n'a pas le sentiment que quelque chose lui manque, il est entier. Le névrosé souffre dès qu'il interrompt sa lutte, car il lui manque en effet une part de lui-même. Un patient l'exprimait de la façon suivante : « J'ai un travail fascinant, malheureusement, il ne m'intéresse pas. » Pour lui, ce travail n'avait pas de sens.

Incapable de ressentir la pleine signification de son existence, le névrosé se voit souvent contraint d'inventer une vie au superlatif ou une vie future — un endroit où se déroulerait la vie réelle. Il est obligé d'imaginer que le véritable sens et le but de l'existence doivent se trouver quelque part. Il se figure que les savants pourront trouver ce secret pour lui, alors que lui seul en est capable. L'individu normal découvre son propre corps et n'éprouve pas le besoin d'imaginer un endroit particulier où la vraie vie a lieu. Si le névrosé s'adresse à la psychothérapie, c'est parce qu'il espère implicitement qu'elle l'aidera à trouver une vie plus chargée de sens. Cela aussi devient une longue quête. L'individu normal a fait une découverte simple : le sens de la vie n'est pas quelque chose qu'on découvre, mais qu'on ressent. Il ne passe donc pas ses dimanches à courir de séminaire en séminaire pour apprendre l'art de vivre, de trouver le bonheur, etc.

On trouve une bonne illustration de la quête du névrosé dans le comportement d'un malade qui avait été étudiant en philosophie : « J'aimais la philo parce que je n'étais jamais obligé d'être sûr de quelque chose. Je ne me suis jamais rendu compte combien je désirais cet état d'incertitude. De toute façon, je n'étais pas capable de ressentir ce qui était vrai dans la vie, de sorte que l'incertitude me convenait parfaitement. Je cherchais dans les cieux et dans les brumes de l'intellect une sorte de supersignification — le tout pour ne pas avoir à faire face à l'idée que toutes les années que j'avais consacrées aux disputes familiales n'avaient pas de sens. C'était absurde. Trouver un sens chez Descartes et Spinoza était un palliatif agréable. »

L'individu normal ne cherche pas à donner un sens particulier aux occasions spéciales comme Noël et le Jour de l'An (la saison primale, comme disait un patient). Le névrosé est souvent déprimé pendant les fêtes, parce que les réunions de famille ne lui donnent pas le sentiment d'être aimé ou de posséder une vraie et chaleureuse famille.

L'individu normal n'éprouve pas le besoin de faire de la vie ce qu'elle n'est pas. Il n'a pas besoin des grandes quêtes philosophiques. Il sait qu'il est vivant, un point c'est tout.

Je pourrais consacrer toute la fin du présent ouvrage à décrire le comportement normal. Ce qui est normal, c'est tout simplement ce que font habituellement les gens normaux — ce n'est pas passer sa vie à creuser des gouffres insondables pour s'efforcer ensuite d'en sortir.

CHAPITRE 12

LE PATIENT APRES LA THERAPIE PRIMALE

Le malade qui suit la thérapie primale n'est pas d'un type particulier. Il a en général entre vingt et un et cinquante ans, et le plus souvent, aux alentours de vingt-cinq ans. Les professions de ces patients vont de l'ancien moine aux professions libérales de toutes sortes, y compris beaucoup de psychologues et d'artistes. Alors que la thérapeutique conventionnelle réussit mieux chez les sujets ayant fait au moins des études secondaires, la thérapeutique primale réussit tout aussi bien chez les sujets qui n'ont rien d'intellectuel. Les malades ont des substrats religieux différents, viennent de toutes les régions des Etats-Unis et du monde et ont des fonds de civilisation différents.

La majeure partie de mes malades ont déjà été soignés par la psychanalyse, la thérapie rationnelle, la Gestalt-thérapie, l'analyse existentielle ou la thérapie d'inspiration Reichienne. A l'exception des méthodes de Reich, toutes ces écoles utilisent des techniques centrées sur l'utilisation de l'introspection.

La plupart des patients sont célibataires, mais un certain nombre d'entre eux sont mariés ou divorcés. Cet élément joue un rôle important. Les patients qui ont une famille et ne sont plus très jeunes sont plus difficiles à soigner. En effet, ils sont dans la plupart des cas déjà enracinés dans l'irréel, soit qu'ils aient choisi une épouse, elle-même névrotique, soit qu'ils aient pris un travail irréel ou choisi des amis irréels. Bref, c'est un type de patient qui doit abandonner beaucoup de choses afin de devenir réel. Peu de gens sont prêts à cela quand ils ont atteint quarante ou cinquante ans. Quand une personne d'un certain âge, mariée depuis dix ou vingt ans avec un névrosé, devient réelle, son partenaire qui ne suit pas la thérapie risque de vouloir saboter cette tentative, ce qui rend le traitement pénible et difficile pour le patient. Le malade idéal pour une thérapie primale est peut-être le célibataire relativement jeune qui n'a pas d'intérêt à se maintenir dans l'irréalité. Toutefois, nombreux sont les patients d'âge moyen, mais d'esprit ouvert, chez qui la thérapie a très bien réussi. Il est significatif que fort peu de patients aient une idée de ce qui va leur arriver; c'est pourquoi il semble que nos résultats soient moins modifiés par des opinions préconçues. Bien que les techniques d'approche de la thérapie primale soient révolutionnaires, elles ne désorientent presque jamais le patient. De quelque milieu qu'il soit issu, il semble qu'il en ait une compréhension immédiate.

Observons le patient au sortir de la thérapie. Comment est-il ? Il vit d'une façon différente. Cela signifie souvent qu'il change de métier. Beaucoup de sujets se trouvent physiquement incapables de poursuivre des tâches irréelles : par exemple, ils ne peuvent pas retrouver le baratin du représentant de commerce ou s'occuper de toute la paperasserie inutile qu'imposent certains métiers. Deux hommes chargés des prisonniers en liberté surveillée, découvrirent qu'il leur était impossible de continuer à exercer cette surveillance au lieu de leur apporter l'aide dont ils avaient réellement besoin pour ne pas récidiver. En attendant d'être formés à la pratique de la thérapie primale, deux psychologues préférèrent prendre un travail subalterne plutôt que de poursuivre des études dans un domaine de la psychologie qu'ils tenaient pour irréel. L'un d'eux avait été conseiller conjugal et se refusa à reprendre son métier où il ne traitait que le comportement superficiel de ses clients. Un producteur de films de télévision abandonna son travail pour écrire enfin une œuvre personnelle. Un ouvrier décida de faire des études, considérant qu'une « carte d'étudiant rapporte davantage qu'une carte de travail ». Pourtant, il n'avait aucune illusion sur ce qu'il allait entreprendre en faculté. Une enseignante dut changer d'établissement parce qu'elle ne supportait plus de travailler avec un proviseur névrosé.

Pour les autres écoles de psychothérapie, l'un des critères habituels de normalité est le « fonctionnement ». On considère comme normal l'individu efficace et productif. La conception primale est différente. Après le traitement primal, le sujet n'est plus disposé à ne s'accorder aucun répit. En termes de thérapie primale, le névrosé stimule son moi sans arrêt afin de se sentir utile, accepté ou aimé. On exige de ceux qui veulent pratiquer la thérapie primale qu'ils subissent d'abord le traitement. Après, ils ne sont plus disposés à faire trente à quarante heures de séances. Ils ont compris que trop souvent, le névrosé tire son « identité » de ses fonctions, non de ses sentiments. C'est ainsi qu'un sujet pourra être président directeur général et avoir de multiples titres et d'excellentes qualités de travail et d'organisation, tout en étant bien malade. Au sortir de la thérapie, une malade s'expliquait comme suit : « Moi-même et tout autour de moi devait être bien organisé pour que je ne ressente pas le désordre profond qui régnait en moi. Si je n'avais pas été continuellement en train d'agir ou d'échafauder des projets, je me serais effondrée. » Elle avait pris ses fonctions pour sa vie réelle.

Il n'est pas rare que des malades se rendent compte, après la thérapie, que beaucoup de ce qu'ils croyaient avoir à faire, n'était pas aussi urgent que cela. Ainsi le dimanche devient le jour où ils jouent avec les enfants au lieu de le passer à nettoyer le garage. Une malade s'exprimait ainsi : « Maintenant que je sais que je ne possède rien d'autre au monde que moi-même, je ne passe plus ma vie à me tracasser "pour eux". J'ai l'intention d'être gentille avec moi-même et de me détendre. »

Après le traitement, le patient, étant moins poussé (à trouver de l'appréciation et de l'amour), agit moins en fonction de sa lutte. Il peut se consacrer davantage à la satisfaction de son moi et devient ainsi capable d'apporter un amour réel à sa femme et à ses enfants.

Après la thérapie, le sujet est généralement moins actif mais il ne s'applique qu'à des tâches réelles, de sorte qu'il apporte à la société une contribution bénéfique. Les enseignants, par exemple, exigent beaucoup moins de leurs élèves tout en leur apportant beaucoup plus. Ils laissent leurs élèves s'exprimer et s'efforcent de leur apprendre les choses qui sont importantes pour leur vie réelle (dans la mesure où le système d'éducation actuel le permet).

Ces patients ne vendent plus aux gens des choses dont ils n'ont pas besoin. Un malade, décorateur de théâtre, conserva son métier parce que son travail — construire quelque chose — était quelque chose de réel pour lui. Mais il s'arrêta dans la mesure du possible de faire des heures supplémentaires, afin d'être avec sa famille. Il n'était plus poussé par l'envie d'acheter toujours plus de gadgets et il s'arrêta de jouer de sorte qu'il pouvait employer son argent plus judicieusement. Il me rapporta que l'argent qu'il économisait sur la bière suffisait à lui seul à assurer des vacances tous les ans.

Ce problème de la motivation est un problème essentiel, parce que les motivations névrotiques tiennent une place incroyable en ce monde. Un malade disait que si l'on pouvait utiliser l'énergie que renferme le névrosé, on pourrait faire marcher des trains.

J'ai le souvenir d'un patient qui, après l'un de ses derniers primals, resta couché sur le sol près d'une heure sans pouvoir seulement soulever la tête. Il était nettoyeur de piscines et avait travaillé dur toute sa vie (il avait coutume de saluer ses amis en disant « toujours au boulot ? » ce qui est typiquement névrotique). Toutes ses motivations névrotiques étant détruites, il était incapable de faire le moindre mouvement. Il prit de longues vacances au sortir de la thérapie et découvrit à son retour qu'il ne pouvait plus nettoyer seize piscines par jour comme dans le passé. Il trouvait miraculeux qu'il en eût jamais été capable. Sa névrose lui avait toujours dissimulé son degré réel de fatigue. Il prit un aide, gagna moins d'argent, mais mena une vie plus heureuse.

Trop de névrosés produisent afin de se sentir importants, au lieu de faire ce qui leur importe personnellement. Après le traitement, un psychologue cessa de passer sa vie à faire des séries de conférences pour des sociétés savantes. Il reconnut qu'il ne déployait pas une telle activité dans le but de rester en contact avec ses collègues, mais pour avoir un plus grand prestige.

Mais ce sont sans doute les modifications d'ordre physique qui sont les plus spectaculaires. C'est que la thérapie primale n'est pas une simple approche introspective, mais une thérapie psychophysique. Par exemple, un tiers des femmes qui avaient une poitrine relativement petite constatèrent que leurs seins s'étaient développés : elles s'étonnèrent de devoir acheter des soutiens-gorge d'une taille plus grande. Le mari d'une malade qui était venue de loin pour se faire soigner, crut, quand elle retourna chez elle après quelques semaines, qu'elle s'était fait faire des piqûres d'hormones. Le phénomène que rapportaient ces malades a, dans tous les cas, été vérifié par les mesures effectuées par leur médecin habituel.

Les malades constatèrent d'autres phénomènes correspondant aux manifestations physiologiques normales de l'adulte. Deux garçons d'une vingtaine d'années virent pousser leur barbe pour la première fois de leur vie. Plusieurs autres rapportèrent que leur transpiration avait pour la première fois une odeur. Plusieurs malades notèrent un développement de leurs mains et de leurs pieds. Ces phénomènes ne relèvent pas de la suggestion car le malade ne reçoit aucune indication quant aux résultats auxquels il peut s'attendre.

On peut citer le cas d'une malade qui ne remarqua le développement de ses mains qu'au moment où elle essaya une nouvelle paire de gants et où elle s'aperçut qu'il lui fallait une taille supérieure.

Tant que des recherches physiologiques n'ont pas été faites, on ne peut qu'émettre des hypothèses pour tenter d'expliquer ces phénomènes. L'un de mes collègues, biochimiste, déclare que ces manifestations peuvent, en grande partie, être imputées à des modifications des sécrétions hormonales, qui auraient à leur tour des répercussions sur les mécanismes du codage génétique dans les cellules. Il pose comme hypothèse que la répression du système et l'altération précoce de la sécrétion hormonale auraient empêché le déroulement d'un des phénomènes génétiques habituels, de sorte que la poussée de la barbe, par exemple, ne se serait pas produite à l'âge où elle aurait dû normalement se produire.

D'après ce biochimiste, la thérapie primale entraînerait une modification de l'*interaction* des divers facteurs qui interviennent dans le système hormonal dans son ensemble, alors que de simples injections d'hormones ne pourraient suffire à produire ces changements.

Les primals réactivent, sans doute, le processus de croissance. Mais il faut attendre les résultats des recherches physiologiques pour avoir une explication exacte des phénomènes que nous avons observés.

Il convient toutefois de signaler à propos des modifications que toutes les femmes qui souffraient de douleurs prémenstruelles ou avaient des règles irrégulières, ont vu leur problème résolu par la thérapie primale.

Des femmes auparavant frigides et pour qui les rapports sexuels étaient douloureux, constatèrent que la lubrification de leur vagin s'effectuait bien, parfois même sans provocation sexuelle évidente. Une malade fut même troublée par ce qu'elle appelait son perpétuel appétit sexuel. C'était la première fois de sa vie qu'elle connaissait le désir sexuel; jusque-là, elle considérait les rapports sexuels comme un devoir, quelque chose que seul son mari désirait.

Les malades observèrent les modifications les plus diverses — sur le plan de l'équilibre, par exemple. Un malade décrivait ce qui lui arrivait auparavant de la façon suivante : « Auparavant, chaque pas que je faisais était soigneusement prévu et contrôlé... alors qu'aujourd'hui quand j'avance un pied, je ne sais absolument pas ni où ni comment il va atterrir. Le trottoir est resté le même, mais j'ai l'impression de faire une expérience totalement nouvelle. Je me sens relâché et j'ai conscience à tout instant du moindre mouvement de mon corps, je ne suis plus un robot. »

Certains malades observent un bouleversement complet de la coordination de leurs mouvements — que ce soit pour courir, attraper un ballon ou le lancer. Un joueur de tennis qui faisait des tournois, découvrit qu'il triomphait d'adversaires qui l'avaient toujours battu à plates coutures. Cela peut en partie s'expliquer par la disparition de toute tension — l'élimination du clivage intérieur qui empêchait certaines parties de son corps de fonctionner en coordination avec son système respiratoire. C'est au cours d'un primal qu'il sentit enfin sa respiration se mettre au diapason du rythme de tout son corps.

Les primals ne donnent pas de sensations plus intenses, ils produisent des sensations réelles qui *semblent* plus intenses du fait du processus d'engourdissement qui les a précédées (de même toute sensation qui est « plus » que réelle, est nécessairement irréelle). La tension engourdit l'appareil sensoriel de sorte que la névrose atteint non seulement le comportement du sujet mais aussi son goût et son odorat. C'est ainsi que certains névrosés mettent beaucoup d'épices dans leurs aliments afin de leur trouver du goût.

Un malade rendait compte de cette évolution de la façon suivante : « Je ne mangeais jamais parce que j'avais faim, et je n'ai jamais réellement senti le goût de ce que je mangeais. L'autre soir, j'ai mangé un steak grillé et j'ai découvert que le goût du charbon de bois m'était insupportable. Il y a des années que j'en mangeais, mais je n'en avais jamais perçu le goût. » Quand les processus vitaux sont engourdis, la vie elle-même devient fade.

Les primals ne produisent pas de nouvelles sensations d'un type particulier, ils permettent seulement au sujet de ressentir pleinement ses facultés sensorielles latentes. Plusieurs patients qui portaient des lunettes, découvrirent après le traitement qu'ils n'en avaient plus besoin. Cet accroissement du niveau sensoriel rend le sujet particulièrement alerte. Il perçoit avec un sens aigu la moindre variation d'une voix ou d'une mélodie.

Une patiente décrivait sa thérapie primale de la manière suivante : « Toute ma vie avait été pour ainsi dire " décentrée ". Les primals furent l'instrument qui me permit de lui redonner un centre. Maintenant, tout est bien clair. Je suis sensible à des odeurs dont je ne soupçonnais même pas l'existence. Je me suis rendu compte que mon mari a une odeur corporelle qui m'est fort désagréable. Jusque-là ma vie était simplement grise. Maintenant, les couleurs se sont éveillées pour moi. »

Souvent, on observe également des changements de température . Une patiente s'exprimait ainsi : « C'est comme si j'avais eu froid toute ma vie sans me rendre compte que c'était ma vie qui était glaciale. » Effectivement, quand elle ressentit à quel point le cadre de son enfance avait été vide et froid, elle fut secouée pendant une demi-heure de tremblements convulsifs et se sentit pour la première fois « réchauffée », parce qu'elle ressentait. Il ne faut pas prendre cela uniquement au sens figuré; de nombreuses expériences ont montré que les vaisseaux sanguins ont tendance à se contracter à l'approche de la douleur, ce qui laisse penser qu'ils se contractent aussi pour se défendre de la souffrance primale.

Alors que beaucoup de patients éprouvent cette sensation de froid (et sont froids au toucher) juste avant de ressentir une souffrance primale, des névrosés particulièrement vulnérables sur le plan vasculaire peuvent opposer à la souffrance une réaction différente. Leur dynamique interne leur procure une perpétuelle sensation de chaleur. Comme le disait un patient : « J'étais toujours en ébullition. Je veux dire que j'étais furieux. J'étais toujours bouillant de rage. » Il réagissait par la colère, non par la peur.

Dans l'optique de la thérapie primale, le fait que beaucoup de névrosés soient constamment recroquevillés contre le froid est un processus symbolique, à la fois dans la manière dont ils se défendent du froid et dans la méthode qu'ils emploient pour se donner chaud. Inversement, le fait de n'avoir jamais besoin de s'habiller chaudement peut n'être qu'une sorte de démonstration : « Je n'ai pas besoin de chaleur, je n'ai besoin de rien et de personne. » Dans ce dernier cas, on est en présence des sujets les plus durs et les plus indépendants qui agissent en niant absolument leurs besoins; les reconnaître serait à leurs yeux une marque de faiblesse.

Après la thérapie, le malade est dans l'impossibilité physiologique de se maintenir dans l'irréalité. Il ne peut plus se couvrir de tricots, si la température ne l'exige pas, parce que son organisme lui ferait vite savoir qu'il est surchauffé. L'irréalité affecte tout le système.

La façon dont on réagit, par la peur ou par la colère, se révèle dans les réactions chimiques du corps. Par exemple : en séparant dans deux groupes de malades, ceux qui laissent libre cours à leur colère et ceux qui la retiennent, on a découvert des différences dans le taux et la qualité des hormones qu'ils sécrétaient. Ceux qui refusaient leur colère avaient une plus forte tendance à sécréter une hormone appelée noradrénaline, produite par la médullo-surrénale, tandis que les autres sécrétaient simplement l'adrénaline. (Ce n'est pas pour rien que les biochimistes appellent parfois la noradrénaline, l'hormone incomplète [1].)

Considérons maintenant le sujet à la lumière de phénomènes non physiques.

Lorsque j'ai demandé à l'un de mes malades, qui était étudiant, quels changements il avait notés, il me répondit : « Je me fiche royalement de savoir si les Twins du Minnesota gagneront la coupe cette année. » Ce n'était pas une remarque en l'air. Avant la thérapie, il avait été, comme il le disait lui-même, un « fana du baseball ». Il savait le nom de presque tous les joueurs de la ligue, leur portée moyenne de tir, quel joueur avait été cédé à quelle équipe, etc. Chez lui, cet intérêt passionné était un comportement symbolique. Il n'avait jamais fait partie de quoi que ce soit, mais en sachant par cœur les noms et les moyennes, il pouvait avoir l'illusion de participer. De plus, il s'identifiait aux Twins et nourrissait l'espoir inconscient de devenir un vainqueur par leur intermédiaire, pour se dissimuler que tout au long de sa vie, il avait toujours perdu. Une fois qu'il eut résolu ses problèmes personnels d'une manière réelle, il n'eut plus besoin d'exutoire symbolique. Il y a une différence entre s'intéresser à une équipe et vivre littéralement à travers elle.

Un autre malade était passionné de football. Après ses primals, il prit exactement conscience de la lutte qui se jouait sur le terrain et dès qu'il eut éliminé sa propre lutte intérieure, il s'intéressa beaucoup moins au football.

Un autre patient qui auparavant aimait l'opéra devint fanatique de rock and roll : « Ça a du nerf, ça fait vibrer tout le corps, disait-il, maintenant que je me sens vivant,

(1) Je renvoie le lecteur aux ouvrages de Hans Selge sur les hormones et le stress, en particulier *The Stress of Life* (New York, McGraw-Hill, 1950).

je ne peux plus supporter ces agonies de l'art lyrique !
Pour moi, le rock est la célébration de la vie. »

On note également à la suite de la thérapie, des modifications considérables des capacités intellectuelles du malade. Un patient disait : « Si j'avais été malin quand j'étais petit, j'aurais compris qu'ils me haïssaient, et j'en serais mort. Il me fallait être stupide pour survivre. Je débranchais tout simplement une partie de mon cerveau. J'ai remarqué que beaucoup de jeunes enfants ont un regard brillant et vif, puis il se passe quelque chose qui les change. Selon moi, ils reçoivent le message primal et ils se refusent à l'entendre. »

Pour les malades dont nous parlons, les études deviennent tout à coup plus faciles; ils ont compris qu'elles comportent une part de jeu, des exercices obligatoires auxquels ils se soumettent sans la moindre anxiété.

Ils peuvent s'exprimer clairement parce qu'ils ont enfin formulé ce qu'ils n'ont pas osé dire de toute leur vie. Ils ont une compréhension aiguë — « super-droite », disent-ils. Cela se traduit aussi physiquement : ils se tiennent droit au lieu de marcher voûtés.

Les remarques des malades que nous allons citer montrent bien qu'il n'y a pas une forme unique de comportement normal. La première expliquait : « Maintenant je peux faire des visites sans avoir peur. Pour la première fois de ma vie, j'ai plaisir à être sociable. » L'autre, en revanche, disait : « Maintenant, je peux rester à la maison et lire. Auparavant, j'étais toujours en train de courir, je ne pouvais rester une minute en place. Aujourd'hui j'aime rester seule. »

Après la thérapie, le malade prend plaisir à ses moindres activités. Il se réjouit de faire ce qu'il fait à l'instant où il le fait.

Que devient la créativité de ces patients ? Est-ce qu'elle se perd en même temps que la névrose ? Non. Personne ne perd la faculté de peindre ou de composer de la musique. Ce qui change, c'est la nature de l'œuvre d'art créée. Il ne faut pas oublier que l'imagination du névrosé s'attache à la représentation symbolique de ce qui est inconscient. Autrement dit, le névrosé révèle ce qu'il est par des moyens indirects, abstraits. Le contenu de son art correspond à l'amalgame particulier de sentiments et de pensées qui se forme en lui pour éviter la souffrance. De toute évidence, si le blocage par la souffrance n'existe plus, ce contenu va changer. Chez le névrosé, la création artistique est un moyen d'éviter de reconnaître ses sentiments, ou plutôt de les ressentir. La perspective artistique se modifie après la thérapie : il voit et entend de manière différente. La névrose n'est pas une condition de la créativité.

Qu'en est-il des rapports du malade avec les autres ? A la fin de la thérapie, une femme alla dîner au restaurant avec son mari, qui n'avait pas suivi le traitement. Le moment venu de commander, elle ne le laissa pas choisir à sa place. Pire ! Elle refusa le vin qu'il avait choisi et commanda le cru qu'elle aimait. Furieux, il quitta la table, il y eut une scène où il l'accusa de le « châtrer ». Il criait : « Tu ne me laisses plus jouer mon rôle d'homme. Tu essaies de m'enlever ma virilité. » Mais tout ce qu'elle avait fait, c'était d'abandonner le rôle de sycophante dont son mari avait besoin afin de se sentir viril, pour reprendre son existence d'individu doté de ses propres droits.

Il est bon de noter que les couples mariés dont les deux partenaires ont suivi la thérapie, ont tendance à rester unis. Ils n'éprouvent plus le désir névrotique de quelqu'un d'autre, parce qu'ils ont reconnu leurs véritables besoins. Ils n'ont tout simplement aucune raison de ne pas s'entendre. Ils n'ont plus l'un pour l'autre d'exigences irréelles parce qu'ils ont retrouvé leur personnalité réelle. Chacun d'eux devient un être apte à la vie, heureux de vivre et de laisser vivre.

Après la thérapie, les malades ne tolèrent plus le comportement irréel, de sorte qu'ils évitent beaucoup de leurs anciens amis. Ils se réunissent entre eux et les mariages à l'intérieur du groupe ne sont pas rares. Ils nouent des amitiés qui ne sont pas possessives et évoluent dans une atmosphère de détente. Cette détente se manifeste sur leur visage. Ils n'ont plus les yeux apeurés ou les lèvres crispées, plus rien du masque qui leur servait à dissimuler leurs sentiments. Leur visage n'est plus une simple façade et ainsi ils ont l'air naturel. Ils découvrent qu'ils n'ont pas besoin d'autant d'argent qu'auparavant. Ils mangent moins, sortent moins et mènent une vie plus raisonnable. Les passionnés de lecture, en particulier ceux qui dévoraient des romans, lisent beaucoup moins. Une malade expliquait que son goût pour la fiction littéraire provenait du fait qu'elle y trouvait une sorte d'existence par personne interposée; c'est un besoin qu'après la thérapie elle ne ressentait plus.

Ces sujets mènent après la thérapie une vie moins strictement réglementée : ils mangent quand ils ont faim, achètent des vêtements quand ils en ont réellement besoin, ont des rapports sexuels, non parce qu'ils sont tendus, mais parce qu'ils en ont réellement envie; c'est-à-dire qu'ils en ont peut-être moins souvent mais qu'ils en retirent une plus grande jouissance.

Presque tous les anciens malades écoutent de la musique plus souvent qu'ils ne le faisaient avant la thérapie. Quand j'ai demandé à quelques-uns de ces anciens malades ce qu'ils faisaient la plupart du temps, ils m'ont répondu : « On est ensemble, on se détend et l'on écoute de la musique. » Pour beaucoup d'entre eux, le seul fait de pouvoir rester ensemble sans faire des projets pour savoir où aller après, constituait un événement.

Peut-on dire que leur vie soit devenue monotone ? D'après les critères de la névrose, oui. Mais il ne faut pas oublier que ce que le névrosé juge excitant, c'est l'excitation qui vient de la *tension*. Autrement dit, le névrosé est dans un perpétuel état d'excitation et il organise souvent sa vie en conséquence. Il est incapable de rester tranquille, de sorte qu'il échafaude des plans qui ont l'air excitant et ne sont en réalité que les exutoires de sa tension. En fait, le névrosé se contraint à une activité toujours plus fébrile pour arriver finalement à ressentir quelque chose. Il fait du vol à voile ou de la plongée sous-marine, entreprend des voyages, sort beaucoup et se sent « en forme » dans le moment où il est actif, mais dès que son activité cesse, il est repris par son état de tension. L'activité ne l'intéresse que dans la mesure où elle lui permet de trouver un exutoire à la tension, ce que le névrosé considère souvent comme le plaisir suprême.

En un sens, après la thérapie primale, le malade est un autre homme. Par exemple, il n'est jamais de mauvaise humeur. Les humeurs sont des degrés de la tension, de vieux sentiments étiquetés, non conceptualisés. Au sortir de la thérapie, le malade n'est ni trop exalté, ni exagérément déprimé. Il éprouve simplement des sentiments et en a pleinement conscience. Toute sa personne semble dire : « Je suis ce que je suis et vous pouvez être ce que vous êtes. » On a beaucoup de peine à regarder dans les yeux une personne irréelle, on a l'impression de s'adresser à quelqu'un qui n'est pas là. Au contraire, on n'a pas la moindre difficulté à communiquer avec les sujets qui ont suivi la thérapie primale, parce qu'on sent qu'on s'adresse à une personne réelle.

Après la thérapie, le malade a de sa solitude un sentiment nouveau. Un ancien malade dont le traitement est fini depuis deux ans, s'exprime ainsi : « Seul ? Je le suis depuis toujours, mais cela ne me dérange plus. Avant la thérapie, j'étais réellement seul. Il n'y avait que mon fantôme

(Dieu) et moi. Maintenant, lui a disparu, mais je m'ai moi-même. Dans ce sens, j'ai de la compagnie — une compagnie réelle et je suppose que personne d'entre nous ne peut espérer plus. Bien sûr, ma femme et mes amis existent, mais ils font partie du monde extérieur et leur existence ne saurait avoir à mes yeux le même degré de réalité que la mienne. »

Après la thérapie, le sujet n'a plus besoin d'alcool pour être sociable et s'amuser avec les autres (comme c'est le cas de beaucoup de névrosés). C'est un individu conscient qui n'a pas de raison de chercher à étouffer cette conscience; les choses sont bien, telles qu'elle sont.

Il est profondément soulagé d'être libéré de ses anciennes contraintes. Il est ravi de ne plus avoir d'allergies, de maux de tête, de douleurs dans le dos ou d'autres symptômes du même type. Il est vraiment maître de sa vie.

J'ai déjà évoqué les problèmes de travail. Il est vrai que beaucoup de malades changent de métier au sortir de la thérapie. Un patient s'expliquait ainsi : « J'avais pris l'habitude de vivre pour mon travail, maintenant, je vis pour moi. » En général, ils cherchent un travail qui leur plaise, sans se préoccuper des perspectives de carrière qu'il offre. Un de mes malades aurait préféré être cordonnier plutôt que de gravir l'échelle hiérarchique d'une compagnie d'assurances. Il aimait travailler de ses mains, mais comme il avait hérité de son milieu familial des aspirations de petit bureaucrate, il ne pouvait se résoudre à un métier manuel. Pendant qu'il était à la recherche d'un travail, il me dit que pour la première fois de sa vie, il trouvait très détendant d'être sans emploi.

Après la thérapie, le sujet renonce aux excès de travail et aux aspirations intellectuelles irréalistes. On peut interpréter cela comme une réaction contre notre société où l'on exalte le sacrifice de soi. Cependant, toutes les professions ne sont pas abandonnées. Un étudiant poursuivit des études de dentiste, et certains enseignants reprirent leur activité, alors que d'autres y renoncèrent. Tout dépend du rôle que les motivations du névrosé ont initialement joué dans le choix de la carrière en question.

Cette absence de zèle excessif par rapport aux problèmes de travail et de carrière peut être imputée à un autre facteur encore : pendant des années, parfois même des décennies, le névrosé a été physiquement et intellectuellement harcelé par ses problèmes. Il lui faut du temps pour se reprendre. Il a besoin d'une période de convalescence pour se remettre, non seulement de sa névrose, mais aussi de la thérapie qui est une expérience difficile. Le fait de devenir tout à coup normal, après avoir vécu des années dans un état irréel, constitue un bouleversement total. Il faut du temps pour en jouir pleinement.

Rapports avec les parents

Ce que la thérapie primale modifie pratiquement toujours, c'est le rapport du sujet avec ses parents. Dès l'instant où leur fils ou leur fille, quel que soit son âge, cesse de lutter pour obtenir leur amour, les parents commencent à lutter pour obtenir le sien. Plus le comportement de leur rejeton est normal, plus les parents se désespèrent. Il ne faut pas oublier que l'enfant névrosé *est* une défense pour ses parents. Il servait à apaiser leur souffrance. Il était le repoussoir qui leur donnait le sentiment qu'on se souciait d'eux. C'est lui qu'ils dénigraient pour se donner une supériorité. C'était elle, la fille attentionnée, qui s'occupait de sa mère. Quand les parents n'ont plus de coups de téléphone, de visites ou de lettres à attendre de leurs enfants, ils commencent à ressentir leur propre souffrance, le vide de leur vie et leur propre insatisfaction. Alors ils entreprennent une lutte pour que leur enfant redevienne ce qu'il était initialement. Car en réalité, c'est le père ou la mère névrotique qui est le petit enfant ayant besoin de conseils, de tendresse et de tout ce qu'il n'a pas obtenu de ses propres parents.

Comment se fait-il que l'enfant devienne le symptôme névrotique de ses parents ? Pourquoi les parents ne s'en prennent-ils pas à d'autres ? Comme l'enfant est le plus dénué de défenses, les parents ont moins besoin d'utiliser leur propre système de défenses à son égard. Autrement dit, le père ou la mère est davantage enclin à décharger ses vieux sentiments réprimés sur un enfant qui n'a aucun pouvoir, et ne peut en aucune manière le menacer. Je crois que le meilleur moyen de connaître un individu est de regarder quels rapports il entretient avec ses enfants. Ceux qui ont souffert dans leur enfance, parce qu'on leur donnait le sentiment d'être sans valeur et d'avoir presque toujours tort, tenteront tous les jours de leur vie de parents de se donner l'impression qu'ils ont raison — en donnant tort à leur enfant — et de se donner de l'importance — en faisant sentir à leur enfant son manque d'importance. Ou bien, ils adopteront une attitude différente, mais tout aussi malencontreuse, en poussant l'enfant à se donner de l'importance de manière à se sentir eux-mêmes importants. Que ce soit par d'acerbes critiques ou par de fermes conseils, les parents essaient d'utiliser un enfant sans défense pour satisfaire leurs propres besoins frustrés. Ce processus aboutit à ce que l'enfant perde de vue — soit coupé de — ses propres besoins dans le désir pressant de satisfaire ceux de ses parents.

Les parents de malades ayant suivi la thérapie primale vivent souvent des périodes dramatiques. La plupart du temps ils se fâchent, font une dépression ou tombent malades. La mère d'une jeune femme d'une vingtaine d'années tomba gravement malade et dut être hospitalisée pour un mal dont on ne put jamais trouver le diagnostic. Ce mal disparut de lui-même dès que sa fille fut à son chevet. La mère d'un jeune homme qui, avant la thérapie, était plutôt efféminé, s'irrita de son agressivité et lui demanda tout haut : « Mais qu'est-il donc arrivé à mon gentil garçon ? » La mère d'une autre malade fit une grave dépression parce que sa fille décida de ne plus lui rendre visite toutes les semaines et d'aller faire ses études ailleurs. Cette mère avait toujours vécu à travers sa fille et l'idée de se retrouver seule au monde lui était insupportable.

Après la thérapie, le sujet a beaucoup de difficultés à tolérer l'irréalité de ses parents et dans la majorité des cas, il a tendance à s'éloigner d'eux pour éviter un conflit iné-luctable. Les parents névrotiques ne se préoccupent pas de savoir ce que sont réellement leurs enfants; ils leur attri-buent une personnalité en fonction de ce dont ils ont besoin pour apaiser leur propre souffrance. Un patient m'a déclaré : « J'étais un orphelin avec parents. C'étaient les parents d'un moi artificiel qu'ils avaient inventé, et per-sonne ne se souciait de mon moi réel. »

Les difficultés commencent au cours du primal, quand le malade découvre ses désirs réels, qui en général ne cor-respondent malheureusement pas aux désirs de ses parents. C'est une période dramatique et difficile aussi bien pour le malade que pour ses parents. Le malade ne devient pas délibérément cruel. Il ne cherche pas à mettre ses parents devant leurs fautes. Cela signifierait qu'il espère encore les voir reconnaître leurs torts et devenir des parents affectueux; or, il ne faut pas s'y attendre. Le malade ne cherche plus à changer ce qu'ils sont. Il va avoir une vie indépendante, et personne d'entre nous ne peut espérer davantage. J'ai le souvenir d'une malade qui avait toujours servi d'intermédiaire entre son père et sa mère qui se que-rellaient constamment. Lorsqu'elle abandonna cette charge de médiateur, elle constata qu'ils s'entendaient pour la première fois.

Il peut arriver que l'enfant soit valorisé aux yeux de ses parents du fait qu'ils ont à lutter pour obtenir son affection. Tant que l'enfant était considéré comme allant de soi, on ne lui accordait aucune valeur. Mais quand, à la suite de la thérapie, il devient une personne réelle et indépendante, il voit ses parents se mettre à lui téléphoner ou à lui rendre visite plus souvent. Les parents ne se rendent pas compte que c'est en les laissant vivre leur propre vie, bonne ou mauvaise, que leur enfant, qui a peut-être déjà atteint la quarantaine, leur accorde un amour véritable. Avant la thérapie, les parents mesuraient l'amour filial quantitativement : combien d'invitations, combien de coups de téléphone, combien de cadeaux et quel en était le prix ? Quand l'enfant ne s'occupe plus de quantité, mais offre la qualité du sentiment, les parents névrotiques ne savent pas comment réagir, parce que les sentiments de leur enfant n'ont jamais compté pour eux.

S'il le désire, le malade est en mesure après la thérapie, de nouer avec ses parents une relation de lutte. Une fois qu'il peut s'accepter lui-même, il peut accepter ses parents. Il se rend compte que le fait d'être obligé à un comportement névrotique est une condamnation à vie et que personne ne le choisit volontairement. Il a une compréhension profonde de la souffrance de ses parents à cause de sa propre expérience. Il sait qu'eux aussi ont été des victimes.

Le rôle de parents est un rôle difficile. Les parents doivent former l'enfant en fonction de lui-même et non en fonction de leurs propres besoins. Ce sont les besoins insatisfaits du père ou de la mère qui détermineront s'ils seront capables d'être des parents créatifs. Peu importe qu'ils soient psychologues ou psychiatres, s'ils cachent encore au fond d'eux-mêmes ces besoins insatisfaits, l'enfant souffrira. Plus son père ou sa mère auront dû faire d'efforts pour étouffer leur personnalité afin de se concilier leurs propres parents, plus l'enfant souffrira. Ce que les parents voient dans leur enfant, ce sont leurs propres besoins et l'espoir de les satisfaire. L'enfant n'est pas pris en considération pour ce qu'il est. Ce phénomène débute avec le prénom qui est donné à la naissance : appeler un enfant « Perceval », c'est placer en lui certains espoirs.

Il arrive aussi que les parents soient des gens fort bienveillants qui s'efforcent de leur mieux, mais qui, malgré tout, ne peuvent s'empêcher du fait de leurs besoins anciens, d'être perpétuellement sur le dos de leurs enfants.

Une malade fit un primal de ce genre et s'écria à l'adresse de sa mère : « Cesse de parler ! Je veux avoir l'esprit en repos et penser par moi-même. » Elle avait une mère qui parlait tant qu'elle ne la laissait pas avoir ses propres pensées. Dès qu'il y avait un instant de silence, si court fût-il, et que l'enfant avait l'air pensif, la mère lui demandait à quoi elle pensait.

Etant donné que le père ou la mère névrotique reporte ses propres besoins sur son enfant, l'enfant qui souffrira le plus sera celui dont les parents ont les besoins les plus importants. Le père (ou la mère) qui a l'action la plus destructive n'est pas l'excentrique « cinglé », mais celui (celle) qui a des ambitions pour son enfant. En effet, ces aspirations empêcheront l'enfant d'être lui-même et il sera pleinement occupé à satisfaire les besoins de ses parents. Les parents qui détruisent l'enfant sont ceux avec qui il doit « marchander » : « Je ferai ceci si tu fais cela. » C'est un amour sous condition, et la condition de l'amour est que l'enfant devienne névrosé.

Après la thérapie, le malade souffrira encore, surtout de la violence et du mal qu'il voit tout autour de lui, mais il ne sera plus névrotique. Il sera affecté par tout ce qui lui arrive sans que, pour autant, ses expériences provoquent en lui un clivage. Bref, au lieu de réagir par la tension, il réagira par le sentiment. Ce sera un être humain vulnérable et directement affecté par tous les stimuli qu'il rencontre mais il ne se laissera jamais submerger par eux, parce qu'il disposera toujours de son moi réel. Je crois qu'il va construire un monde nouveau — un monde réel qui apporte des solutions aux problèmes réels de ses habitants.

GARY

Nous exposons en détail le cas de Gary pour montrer la thérapie primale à l'œuvre. Néanmoins, le texte de son journal a dû être écourté pour des questions de place.

Au début du traitement, Gary avait une nette tendance à la paranoïa. Au cours de la première séance de groupe, il eut une dispute avec un autre membre du groupe : il était persuadé que celui-ci et moi-même avions conspiré contre lui pour qu'il se sente exclu. Il dissimula cette impression d'exclusion par la colère. En mettant fin à cette colère, nous le conduisîmes à sa souffrance réelle, le détournant ainsi de la paranoïa. J'appelais Gary le « bagarreur des rues » parce qu'il avait passé la majeure partie de son adolescence à se battre sur le pavé. Maintenant « il ne peut plus se mettre en colère ». Ce changement se reflète sur son visage et dans sa manière de parler. La première fois que je l'ai vu, il avait l'air d'un « dur ». Aujourd'hui son apparence et sa façon de parler sont caractérisées par la douceur. Avant la thérapie, il avait les épaules voûtées, ce qui entraînait un problème de colonne vertébrale. Aujourd'hui ce problème a disparu, et il se tient droit.

25 février

Aujourd'hui, j'ai explosé, pour la première fois. J'ai eu l'impression que ma poitrine s'allégeait d'un énorme poids et que je n'étais que débordement. Tout s'échappait de moi en vagues, jets et torrents... et je ne me souviens pas d'avoir à quelque moment que ce soit, éprouvé l'envie consciente de retenir tout cela. Je ne suis pas sûr de me sentir purgé — de toute façon ce n'est probablement pas le mot qui convient — mais je me sens plus léger, un peu moins accablé, un peu moins mal à l'aise. Après, je me suis senti vidé, privé de toute énergie, moins hostile. Sans colère envers qui que ce soit.

Il me semble que ce débordement s'est déclenché de lui-même; en tout cas, je ne me souviens pas de ce que j'ai pu faire ou de ce que Janov a fait pour l'amorcer. Mais je suis sûr que ce truc maudit voulait se déclencher depuis dix-huit ans et que je l'ai toujours réprimé. Et aujourd'hui, j'étais pris dans ce flot, emporté comme on l'est par un orgasme, pressurant au maximum chaque instant que je remplissais de cris de colère, de lamentations, de gémissements, de sanglots, d'injures et de hurlements. Je vomissais des choses que je croyais avoir acceptées une fois pour toutes et éloignées de mon esprit depuis bien longtemps; maintenant je sais que je n'avais fait que les emmagasiner au fond de mes entrailles et que tout au long de ces années, elles m'avaient rongé intérieurement. J'ai dit des choses que j'avais eu envie de dire des milliers de fois auparavant, mais que chaque fois, j'avais refoulées violemment.

Ce soir, je ressens quelque peu cette solitude et cette souffrance que j'avais essayé d'écarter. Maintenant j'ai compris que la souffrance est un phénomène physique et que lorsque l'on est contraint de la mettre au jour, on s'étrangle parce que c'est tellement écœurant de la revivre. Au bout de tant d'années, la souffrance que j'ai accumulée en moi doit être pourrie, putréfiée et venimeuse, mais je sais qu'il faut que je l'extirpe de moi si je veux avoir une chance de mener, pour changer, une existence convenable.

J'éprouve toujours des difficultés à être seul avec moi-même. Aujourd'hui, j'ai somnolé de midi à une heure, puis je suis resté seul avec moi-même jusqu'au dîner. Je ne peux toujours pas arriver à ressentir vraiment les choses : je me retrouve toujours en train de me creuser la tête pour trouver de quoi occuper mon esprit, un fragment de poème ou un refrain de chanson. Je crois que je continue à lutter contre moi-même pour éviter de ressentir des sentiments. Le plus difficile est de rester seul, je crois que je suis en train de comprendre que ma compagnie est fort ennuyeuse.

La fin de l'après-midi n'a pas été trop pénible. Je suis resté presque tout le temps allongé sur le dos; j'essayais de revivre tout ce que j'ai vécu aujourd'hui, mais je n'y arrivais pas. J'ai rejoint le groupe dans la soirée, je suis arrivé avec dix minutes de retard et Janov m'a enguirlandé en disant : « Je ne parle pas de l'heure telle que l'entend le névrosé. » Je n'y avais jamais pensé de cette façon-là. Avec le groupe, c'était autre chose; maintenant je sais à quel point je suis malade parce que j'ai vu tous ces gens qui n'avaient ni peur ni honte de s'allonger par terre et de faire leur truc. Un type a fini par me nouer les tripes et je me sentais lutter péniblement au fond de mes entrailles, mais je ne pouvais rien sortir. En même temps, je ne suis pas sûr que quelqu'un là-bas ait fait monter quelque chose en moi. J'ai de plus en plus conscience que je lutte contre moi-même pour ne rien ressentir — je sens mes entrailles nouées, et c'en est une preuve suffisante. De retour à l'hôtel, j'ai essayé d'avoir tout seul un primal. Je n'ai pas pu, j'ai versé quelques larmes, c'est tout. J'ai essayé de recréer les conditions qui m'auraient permis d'en avoir un — je n'y suis pas arrivé. Je savais que je souffrais à cause du terrible nœud que je sentais dans mon ventre, un véritable nœud cette fois. J'ai essayé le truc qui consiste à crier : « Papa » — rien. Finalement, un peu plus tard, je me suis masturbé et je me suis senti mieux. A tel point que j'ai refait la même chose environ une heure après. Puis j'ai encore essayé un primal mais sans y arriver, je me sentais toujours noué, mais moins fort. Tout cela a duré de 10 heures environ à minuit et demi.

C'est la troisième nuit que je dors mal, je ne rêve pas mais je me tourne et me retourne dans mon lit. Je me suis réveillé un certain nombre de fois : à 2 heures, à 6 h 45 et à 8 h 15, sans réveille-matin. Je me suis levé à 8 h 30. Un petit déjeuner léger, écouté « Boléro » une fois, tapé ce journal, et je vais rester seul avec moi-même, jusqu'à la séance d'aujourd'hui qui est fixée à midi.

Aujourd'hui le primal a été épouvantable. J'ai été stupéfait de voir combien de souffrance j'avais accumulé en moi. C'est ce qu'il y a d'extraordinaire dans cette méthode : vous n'en revenez pas de la quantité de poison que vous avez pu emmagasiner dans votre corps. Pour ma part, je crois que ce que je fais actuellement consiste à crier : « Allez vous faire foutre » à un tas de gens, de toutes mes forces et le plus méchamment possible. Je ne pouvais pas faire ça dans mon enfance, parce que j'étais sans défense. Une autre qualité de la thérapie primale c'est qu'elle fait découvrir que les sentiments, la souffrance, sont des phénomènes physiques : ils sont là, dans vos tripes où ils vous déchirent, entre vos omoplates, dans votre poitrine. Quand vous ouvrez la bouche pour respirer, vous avez des haut-le-cœur, la souffrance donne la nausée. Je ne pouvais m'arrêter de pester contre mon vieux ou contre ma stupide vieille. Puis contre les gosses; je suis content — soulagé — de leur avoir crié tout ce que je leur ai crié. Je suis tellement malade que cela me dégoûte. Je suis réellement un malade mental. Il faut que je m'en sorte.

Après un léger repas de midi, j'ai pris la voiture pour aller au bord de la mer. J'ai dû aller à la plage des centaines de fois, mais aujourd'hui, il y avait juste moi et la plage, ensemble et seuls. J'ai fait trois ou quatre kilomètres à pied, fouillant parmi les coquillages et les morceaux de bois échoués là, enfonçant les pieds dans les mottes froides du sable humide. Le plus formidable était le vent, un vent dont les rafales traversaient mon manteau et ma peau, jusqu'aux os. C'était épatant de respirer cet air qui me durcissait les joues. Je ne saurais dire pourquoi, mais aujourd'hui, sur cette plage, je me sentais réellement vivant, comme cela ne m'était pas arrivé depuis bien longtemps. Je me sentais pleinement vivant.

Le côté solitaire de l'expérience n'est plus aussi pénible. Je découvre que je peux rester assis seul plus longtemps, sans m'énerver, et je peux passer davantage de temps à m'intéresser à ce qui se passe dans mon corps. Je n'ai plus besoin de béquilles comme la radio ou les livres. Mais je n'arrive toujours pas à passer des heures et des heures ainsi. Ce soir, je vais encore rester seul. J'espère que je vais pouvoir dormir, mais en fait, il vaut peut-être mieux que ce soit encore une nuit gâchée; c'est le seul moyen que j'aie de m'assurer pour la suite de bonnes nuits.

Je viens de me rendre compte que mon vocabulaire devient obscène quand je m'emporte, mais ce n'est pas cela qui est intéressant, ce qui vaut la peine d'être noté, c'est que je me mets à parler l'anglais des faubourgs que je parlais autrefois, les interjections bizarres, les fragments de questions-réponses et les mots d'argot. Tout se passe comme si je choisissais délibérément le langage dont je sais qu'ils le comprendront. Je crois aussi que je parle un langage véritablement réel — pas besoin de chercher le terme propre, le mot qui est prêt à sortir de mes entrailles doit être le mot juste.

Je viens de penser à quelque chose qui me paraît significatif : quand je fais un primal où mon vieux ou ma vieille joue un rôle, je donne des coups de poing en l'air et je les dirige directement contre leur visage; mais aujourd'hui, où il s'agissait de mes frères, je ne me souviens pas de l'avoir fait. J'ai donné des coups de poing dans le divan tant que j'ai pu, mais je pense qu'il est significatif que je ne les ai pas dirigés vers eux. De même, si je me souviens bien, je ne leur ai pas lancé d'insultes. Il y a autre chose qui me tracasse : quand je veux expliquer clairement quelque chose à l'intention du vieux, j'ai tendance à me donner des coups nombreux et violents. Je ne me fais pas mal, mais cela m'ennuie en quelque sorte de voir que je me bats, et pourquoi donc ? C'est sans doute parce que je me sens coupable; j'ai un tel sentiment de culpabilité que je me suis vu cherchant des excuses pour mes parents, essayant d'expliquer ce qu'ils sont. Mais quoi qu'ils soient ou aient été, Janov a raison de dire qu'ils m'ont fait mal, et cette réalité est suffisante. Je le sais parce que je porte en moi la souffrance.

27 février

La nuit dernière n'a pas été mauvaise du tout. J'ai dormi d'un bon et profond sommeil. Je ne sais pas si c'est bon ou mauvais pour la thérapie. J'ai été seul pendant un peu plus de quatre heures d'affilée et elles sont passées relativement facilement. J'ai essayé à plusieurs reprises d'avoir un primal, mais je n'ai rien pu sortir que des larmes. A mon avis, la séance d'aujourd'hui s'est bien passée. Je n'ai pas été aussi violent que ces trois derniers jours. Mais j'ai tout de même crié, donné des coups de poing en l'air et gesticulé dans tous les sens. Il semble que depuis deux jours j'arrive mieux à faire des connexions. Je ne sais pas si je suis censé le faire, mais j'ai remarqué que je parviens, ayant compris une chose quelconque, à la relier à tout ce qui s'y rapporte. Pas de crises de larmes aujourd'hui; mes sentiments ne me portaient pas à pleurer. Quand je dis « sentiments », je veux parler de la pression physique qui « vit » en moi. Je dis « vit », parce que si je me laisse aller à cette pression et la laisse s'emparer de moi, elle s'échappe de moi comme un torrent jaillissant immédiatement dans un rythme rapide. Jamais plus je ne mettrai en doute ou en question le fait que les *sentiments* sont des phénomènes physiques réels qui se produisent en moi et se manifestent à l'extérieur si je me permets de les ressentir et si je les laisse sortir. Fait étrange : quand j'ai ressenti un sentiment un certain nombre de fois, il m'abandonne en quelque sorte. Par exemple, aujourd'hui je n'ai pas éprouvé le besoin de pleurer de solitude, alors que ces deux derniers jours ce sentiment-là déchaînait des crises de larmes. Aujourd'hui, je me suis contenté d'en parler. Je ne sais trop comment interpréter cela. On peut envisager deux significations : ou bien 1) je bloquais ce sentiment, ce dont je doute, parce que Janov s'en serait aperçu; ou bien 2) le sentiment et moi nous pouvons vivre ensemble sans que j'aie à en pleurer, si cela veut dire quelque chose. Je veux dire la chose suivante : prenez par exemple une femme qui doit assumer le sentiment de perdre un sein parce qu'elle a un cancer, elle en pleure sans fin, en éprouve un désespoir profond, puis subit l'opération; mais elle peut vivre avec la douleur de la perte dès qu'elle a compris ou ressenti la douleur. Je crois que cela tient debout.

Ce qu'il y a eu de moche aujourd'hui, c'est qu'il m'a fallu avouer que j'avais menti à Janov. J'ai ressenti une douleur à l'arrière du crâne et derrière les oreilles. Janov m'a dit que c'était une pensée « non ressentie ». Nom de Dieu, c'était vrai; la pensée en question était la conscience d'avoir menti et de le cacher et la douleur provenant du fait que je ne ressentais pas le sentiment, bref j'étais malade. Je finis par avouer — que j'avais dormi chez moi au lieu de dormir à l'hôtel — et la douleur disparut presque immédiatement (deux ou trois minutes après avoir dit la vérité). Bien sûr, par là j'ai rendu ma thérapie plus difficile.

Je l'ai fait à cause de l'argent — pour économiser — comme mon père. Mais s'il s'avère qu'en dépit de tous mes efforts désespérés pour ne pas ressembler à mon père je lui ressemble par d'autres traits encore que ceux que je connais déjà, je vais vraiment être en rogne contre moi-même pour m'être laissé gagner par le mal à ce point-là. Ce qu'il y a d'extraordinaire en thérapie primale, c'est que l'on ne peut pas mentir au thérapeute; plus exactement, on peut lui mentir, mais ensuite on se torture jusqu'à lui avouer la vérité. On finit par ne plus avoir envie de mentir. Cela sera vraiment une bonne chose pour moi car j'ai presque toute ma vie été un menteur habile et je voudrais vraiment que cela cesse.

Aujourd'hui, je suis resté seul de 1 h 45 à 5 h 30 et de 6 heures à minuit. Ça n'a pas été trop pénible, mais peut-être aussi ne fais-je pas assez d'efforts, parce qu'il me semble que la thérapie devrait comporter davantage de douleurs et de souffrances. Mais c'est peut-être justement ce qui ne va pas chez moi, j'ai sans doute l'impression que je devrais me punir de quelque chose.

1er mars

Samedi matin, j'ai été plutôt irrité et susceptible à la séance de groupe. Le premier type qui a fait un primal a fait naître en moi beaucoup d'anxiété — j'ai eu brusquement l'estomac serré, la gorge sèche et tout mon corps cherchait la détente. Quand Janov m'a fait signe, j'ai pris mon tour avec plus de soulagement que de peur. J'ai fait du mieux que j'ai pu, mais je ne sais pas ce que cela valait. C'était une expérience fantastique ! Je veux dire que c'était la première fois de ma vie que j'entendais tant de gémissements, de hurlements et de lamentations, et rien de tout cela ne m'a terrifié. Je semblais en faire partie, j'en étais, un point c'est tout. Les cris d'une personne déclenchaient ceux d'une autre, et dès que tout semblait se calmer un peu, quelqu'un d'autre s'y mettait et tout recommençait. Finalement tout se calma sans qu'un signal ait été donné, cela semblait trouver une conclusion *naturelle*. C'est encore un trait unique de la thérapie primale : le thérapeute ne s'effondre pas au moindre cri ou au moindre gémissement de son malade, au contraire, il les encourage. On voit Janov passer délicatement par-dessus ces corps prostrés, s'adressant gentiment à l'un, puis à l'autre, tandis qu'autour de lui les malades pleurent et crient leur souffrance. Je ne sais

208

pas ce qui m'a retenu d'éclater de rire devant un pareil spectacle — c'était simplement trop irréel ! C'est alors qu'il m'est venu à l'esprit que c'était ma vie — ma vie conditionnée — qui m'avait fait considérer ce genre de choses comme irréelles. En fait il n'y a rien de plus réel que ces manifestations de la souffrance humaine profonde. Il n'y avait que toute mon éducation stupide qui disait « non, on ne pleure pas quand on souffre, on dissimule sa souffrance comme un bon petit crétin ». Ainsi, c'était réel. Après, je me sentis purgé, propre et fatigué. Je n'étais pas parmi ceux qui avaient pleuré le plus, mais j'avais pleuré davantage que d'autres — mais même cela n'a guère d'importance.

Je suis allé à la plage et comme je voulais me faire plaisir, j'ai acheté des palourdes et des coquilles Saint-Jacques. Le type qui les vendait parlait comme un moulin à paroles et n'en finissait pas. Du moins, j'ai eu l'impression qu'il n'en finissait pas, mais cela n'a peut-être duré que quelques minutes. Toujours est-il que je me sentais devenir impatient et nerveux, je me sentais impuissant, j'avais la gorge serrée et mal au ventre. Tout ce que je voulais, c'était sortir et retourner sur le sable au bord de l'eau, pour sentir l'odeur de la marée et regarder les vagues me caresser les orteils. J'ai même envisagé un moment de le planter là, au beau milieu d'une phrase en lui laissant les coquillages bien enveloppés, que je n'avais pas encore payés. Mais je ne l'ai pas fait. J'avais envie — réellement — de m'offrir à moi et à Susan, ma femme, quelque chose de bon pour changer. Après le dîner, je suis allé dans le salon pour quelques heures, il ne s'est pas passé grand-chose, mais je me sentais assez détendu. J'ai regardé *Les Fraises Sauvages* et j'ai pleuré. Je n'étais pas préparé à cela, ça me venait comme ça. Je crois que c'est le rapport de l'homme avec son père (le médecin) qui a déclenché quelque chose en moi et le médecin lui-même, incapable de ressentir et étouffant le sentiment chez son fils, a également réveillé des sentiments en moi. Je me suis couché à 2 heures, après être resté dans le salon un certain temps.

3 mars

Début de la deuxième semaine de thérapie individuelle. Les cinq dernières nuits (excepté la nuit de vendredi à samedi), j'ai dormi d'un sommeil que rien n'a troublé. Cependant, il y a quelque chose de changé. Avant le début de la thérapie et très longtemps avant (cela me paraît des années), j'avais en quelque sorte un sommeil de drogué : c'est-à-dire que je dormais non seulement comme une souche, mais qu'il était aussi dur de me réveiller qu'une souche. Je crois que j'utilisais le sommeil pour fuir ma souffrance et mes problèmes. C'est surtout au cours des derniers six mois que le sommeil m'a servi de refuge. Mais maintenant, j'ai un sommeil sain, qui me repose vraiment et je suis vite éveillé et le fait de sortir du lit ne me paraît pas une torture.

Autre chose : admettons que je vive encore une trentaine d'années et que je continue à fumer, au rythme où je le fais actuellement (un paquet et demi par jour), j'aurai dépensé environ 6 000 dollars (24 000 à 30 000 francs). Même si le traitement me coûte quelques milliers de dollars, j'aurai économisé mon argent et ma santé parce que j'aurai appris à m'arrêter de fumer. Je me suis d'ailleurs déjà arrêté et il se peut même que je vive encore plus d'une trentaine d'années.

La séance d'aujourd'hui a été assez bien. Je dirais presque « agréable », mais ce que je veux dire, c'est je sais que je fais quelque chose qui doit m'aider à retrouver ma santé mentale. Il y a quelque chose d'étrange à propos de ma famille : j'oscille à leur égard entre la haine et la tristesse, puis la pitié, le mépris et la colère, puis je me mets à les défendre, puis à les haïr de nouveau, etc. Cela était et est toujours très troublant. Maintenant je sais qu'ils sont ce qu'ils sont et ce qu'ils ont toujours été. On ne pourra jamais rien y changer. Rien ne pourra jamais effacer la souffrance et la peine qu'ils m'ont causées. A ce sujet, j'ai découvert quelque chose de nouveau : moi aussi je leur ai fait du mal, peut-être pas d'une façon aussi profonde et aussi néfaste, mais je leur en ai fait aussi. Mais, pour moi, c'était à l'origine une attitude défensive qui n'est devenue offensive que par la suite. C'est eux qui ont commencé à m'infliger la souffrance, l'oppression, la solitude. Et ce qu'il en résulte aujourd'hui, c'est simplement la tristesse, un grand gâchis, une tragédie. Maintenant je ressens la tragédie terriblement triste des êtres qui vivent ensemble dans un espace restreint et qui se font réciproquement si mal qu'il en reste des cicatrices. Maintenant, je sens à quel point tout cela est profondément triste. Je veux dire que j'en pleure de grosses larmes qui ne sont pas des larmes d'amertume mais de simples larmes de pure tristesse. Ce n'est plus ma jeunesse perdue ou ce qui aurait pu — ou dû — être que je pleure, comme je le faisais la semaine dernière. Je pleure simplement parce que je ressens la terrible tragédie humaine, le gâchis et la douleur.

Aujourd'hui, j'ai téléphoné à mes parents. Au début, quand mon père a répondu je n'avais plus de voix. J'ai fini par pouvoir parler et je suis un peu étonné d'avoir pu m'entretenir avec cet homme avec autant de facilité. Avec ma mère, ce n'était pas tout à fait pareil. Je lui ai dit dans le courant de la conversation que j'avais une dépression. Elle ne m'entendait pas, c'est-à-dire qu'elle a appris à ne pas m'entendre et qu'elle ne voulait pas entendre ça. Je ne sais pas ce qui se passe dans sa tête, c'est quelque chose du style « mon petit enfant ne peut pas s'effondrer... ». Puis je lui ai clairement expliqué que je m'étais effondré aussi bien physiquement que mentalement, à ce moment-là elle montra ce qu'on pourrait appeler de l'intérêt, sans toutefois s'alarmer. Elle reprit ses éternelles expressions de bonne femme du genre « tu ne peux pas continuer à en faire toujours plus que ton corps n'en peut supporter », « je dis toujours arrivera ce qui arrivera », ou bien « il te faut prendre soin de toi ». D'une façon générale, on ne peut dire que ça ait été très satisfaisant.

J'ai passé la fin de l'après-midi seul, à me détendre. Susan ne se sentait pas très bien ce matin de sorte que j'avais décidé de faire le dîner. J'ai préparé du riz au curry, des coquillages et de la salade. Les palourdes étaient excellentes; je commençais à les préparer juste quand elle arrivait, de sorte qu'on a pu les regarder ensemble s'ouvrir à la vapeur. J'ai fait un tas de plaisanteries idiotes, imaginant que les coquillages étaient de véritables personnes, qu'elles étaient horribles, etc. J'ai fait le fou un bon moment, et pour la première fois depuis bien longtemps, je me suis senti insouciant et l'esprit folâtre. J'ai passé la fin de la soirée seul.

4 mars

Au cours de la séance d'aujourd'hui, j'ai été très troublé en cherchant ce que je ressentais réellement à l'égard de mes parents. Je ressens la douleur de la souffrance, la souffrance de la souffrance, et la souffrance de la tristesse. Maintenant je peux sentir à quel point le drame humain, tout ce gâchis, est triste — réellement triste. Je crois qu'hier j'aurais voulu que ma mère manifeste un intérêt pour moi. Je sais que si mon fils m'avait téléphoné en me disant qu'il avait eu une crise de dépression, j'aurais été prêt à faire n'importe quoi, tout ce qu'il aurait voulu. C'est à ce moment-là que j'ai ressenti quelque chose pour ma mère, quelque chose qui me disait qu'elle ne savait plus avoir de sentiments ni comment réagir. En partie, je me faisais des reproches à ce sujet, me disant que dans le passé, bien souvent, j'avais repoussé son affection, que ses conseils ne me semblaient pas d'un grand poids, et que la plupart du temps ils me paraissaient ridicules. J'étais troublé, je ne savais plus à qui parler et en quels termes. Tout ce que je ressentais, c'était l'immense tristesse de tout ce désordre.

J'ai oublié de mentionner qu'après avoir téléphoné à ma mère, hier, j'avais appelé mon frère, Ted. Avec lui la conversation ressembla pendant une ou deux minutes à un dialogue de fous. Je racontais à Ted ce qu'il en était de la thérapie et où je voulais en arriver. Il fut étonné. Il me demanda en particulier pourquoi j'y allais. Je lui expliquai combien j'étais malheureux et à quel point je me sentais un raté. Il ne me comprenait pas. Je lui dis de se souvenir de mon attitude à Brooklyn, quand je le battais, que je les persécutais, lui, Bill et tous les autres, et que j'étais cruel, irritable, entêté, méchant. Sa réponse me stupéfia. Il dit : « Mais tous les frères font ça. Tous les jeunes y passent. » Il était incapable de comprendre le problème important — ce que ça signifie d'avoir à vivre avec toute cette souffrance non ressentie, l'effet que cela a sur le corps et l'esprit d'un homme. Je le lui fis remarquer. Il me répondit que chaque fois qu'il se sentait merdeux, il pensait toujours qu'il avait de la chance de ne pas se trouver dans une situation encore pire. Je suppose qu'ainsi il croit faire disparaître ses problèmes, mais j'ai de gros doutes. Il est probable qu'il avale sa souffrance comme tant d'autres et qu'il continue à vivre avec cette souffrance non ressentie. Il poursuivit en me faisant remarquer que nous avions tous deux, ainsi que tous les membres de notre famille, de la chance de ne pas être dans une situation encore pire; il me dit que nous avions la chance de n'avoir pas perdu nos parents dans un incendie ou dans un accident de voiture. Pendant un moment, il me fit vraiment penser que j'étais en train de m'apitoyer sur moi-même. Mais ensuite, je me rendis compte de ceci : ce qui est réel, est réel, et la souffrance qui résulte du fait qu'on a été blessé est réelle et le processus qui consiste à s'en défendre mentalement ou à se protéger contre toute souffrance supplémentaire, en ne ressentant rien, est aussi réel. Et c'est cette réalité que j'étais précisément en train de combattre. Par conséquent, il ne m'est d'aucune utilité de penser que je suis heureux en comparant mon malheur à un malheur théorique et abstrait. Cela n'aide pas à ressentir. Penser — non pas ressentir — que les choses pourraient être pires, n'est rien de plus qu'un jeu de l'esprit. Autrement dit, ce que fait mon frère — ou ce qu'il dit qu'il fait — revient à une sorte d'anesthésie : pour ne pas ressentir sa souffrance, il invente quelque chose à quoi il peut réfléchir. Si tous ceux qui souffrent pouvaient tout simplement alléger leur souffrance en imaginant que les choses pourraient être pires, ce serait fantastique, mais ça ne marche pas comme ça. Pour éliminer la souffrance de son organisme, il faut la ressentir, la revivre ou éventuellement la vivre pour la première fois.

En tout cas, au cours de la séance j'ai parlé de cette conversation à Janov. En ce moment même, j'ai toujours cette terrible confusion dans mon esprit. J'ai commencé à éprouver la douleur, cette même douleur que j'ai peut-être déjà ressentie des milliers de fois. C'est quelque chose qui vibre en moi et qui me harcèle. En général, elle se manifeste quand je suis en état de perturbation, d'irritabilité, de mauvaise humeur ou d'indécision. Autrement dit, c'est quand quelque chose me tracasse ou que j'ai une décision à prendre et que je ne peux apparemment pas faire le nécessaire. A ce moment-là, je ressens cette douleur dans ma tête et ce n'est pas la douleur elle-même, mais l'idée que j'en ai provoqué la manifestation, qui me plonge dans un état d'agitation profonde, au point que j'en viens à crier, à vouloir à tout prix me faire entendre, à taper sur quelque chose, etc. En général, je m'en débarrasse en laissant exploser mon malaise, puis je m'allonge pour me détendre et récupérer. Aujourd'hui, quand j'ai ressenti la douleur, je suis devenu irrité, maussade, énervé; l'agitation a gagné tout mon corps — je me suis mis à trembler spasmodiquement. Disons que je me sentais comme pris dans une sorte de cocon élastique et que j'usais de mes bras, de mes poings, et de tout mon corps pour tenter d'en sortir. Je voulais voir clair ou prendre une décision au sujet de cet état de confusion à l'égard de mes parents. Mon agitation croissait, et quand Janov me demanda de désigner le sentiment que je ressentais, je dis « nervosité », parce que je pensais, je sentais, que c'était le mot qui convenait le mieux pour désigner à la fois irritabilité, mauvaise humeur, panique légère, frustration, souffrance et douleur. Il dit alors « torture ». Et ce foutu mot était bien le plus adéquat. J'étais torturé par moi-même, par mes pensées, par mes sentiments et par la douleur. Au bout d'une minute tout au plus, la douleur disparut de ma tête.

L'après-midi, je suis allé voir Ted. Il est sans travail, il se sent perdu, il est effectivement perdu. C'est tout ce que je peux dire. Je l'aime beaucoup mais actuellement, je ne peux pratiquement rien pour lui. Ce dont il aurait besoin, c'est d'un subside pour sa famille, mais je ne peux pas le lui donner. Je suis resté presque tout le temps à l'écouter et c'est lui qui a parlé presque tout le temps. Il était complètement dans le cirage, ne sachant pas comment s'y prendre, cherchant un travail dans une station service : « Parce que c'est le seul boulot que je sache faire. » Je ne comprends pas ce qu'il lui arrive pour qu'il ait des visées si courtes. Est-ce qu'il n'a aucune ambition ? Je crois qu'il est complètement foutu. On ne peut en éprouver que du chagrin.

Dans la soirée, j'ai réfléchi au fait que j'ai l'impression de ne pas faire de progrès. Je veux dire que j'ai arrêté ces hurlements fous furieux; maintenant il me semble que ça ne progresse pas assez vite. Janov m'a dit à nouveau que c'était là ma maladie, de toujours vouloir faire les choses bien, d'essayer toujours d'exceller, de bien faire absolument tout ce que je fais. Mais que diable, qu'est-ce que j'ai à prouver ?

5 mars

Aujourd'hui cela a vraiment été trop terrifiant, trop terrible. J'ai commencé par parler de fantasmes homosexuels, de la visite que j'ai faite à mon frère hier. Nom de Dieu, qu'est-ce qui cloche chez moi ? Je ne suis pas son père et je n'ai aucune raison d'agir comme si je l'étais — c'est morbide. De toute façon, je voulais en venir à ces histoires d'homosexualité parce que je soupçonnais (je savais, je sentais) que j'étais victime de cette chose insensée, comme beaucoup d'autres Américains. Je voulais savoir exactement, au fond de mes tripes, où j'en étais, une fois pour toutes. C'est de la foutaise de dire que tout homme est né d'un homme et d'une femme et que par conséquent, il porte fatalement en lui une part de « féminité » qui lui est héréditairement transmise. C'est ce « fatalement » qui est de la foutaise, ça n'a rien à voir avec le problème. J'en suis sûr.

Terrifiant, il n'y a pas d'autre mot. Si l'on m'avait demandé ce que je pensais de ma première séance de thérapie primale, j'aurais dit qu'elle m'avait « terrifié ». Mais après ce qui s'est passé aujourd'hui, le premier jour me paraît à peine effrayant, parce qu'aujourd'hui, j'ai vu et senti la terreur. Donc, je me suis lancé sur ce sujet, et cela m'a conduit à un état d'agitation et quand Janov m'a dit de nommer mon sentiment, j'ai dit : « Il dit peur ». C'est littéralement ainsi que ça s'est passé, je veux dire que ce n'est pas moi qui ai dit « peur », c'est la PEUR qui a dit « peur ». Est-ce que ça paraît fou ? Ce ne l'est pas. En thérapie primale, le sentiment réel semble se nommer lui-même, vous ne faites que mettre les lèvres dans la position voulue et vous laissez le mot venir du fond de vos entrailles, à travers les cordes vocales, et il sort par la bouche. Le sentiment se nomme lui-même, il est ce que je dis. Le mot, qui est le sentiment lui-même, jaillit des entrailles (à la condition qu'on ne l'en empêche pas) et se désigne lui-même. C'est réellement ainsi. En d'autres termes, il est impossible en thérapie primale, de mentir sans le savoir. Bien sûr, on peut mentir si l'on veut, mais on sent que l'on a menti et il faudra que cela vienne à la surface. Hier j'ai fait exactement la même expérience avec le mot /chose/souffrance « haine ». HAINE a jailli de ma bouche.

Bon. J'ai continué. Au bout d'un moment, j'ai dit : « Peur je suis un pédé. » C'était incroyable car ce ne sont que des mots, mais je ne savais pas moi-même exactement ce que j'avais voulu dire. Cela pouvait être : 1) Peur ? Je suis un pédé, comme si je m'adressais en quelque sorte à la peur elle-même. Ou cela pouvait être : 2) Peur d'être un pédé, où j'omettais le très important « j'ai ».

Puis Janov m'a ordonné de dire à mon père que j'étais un pédé. Mais à peu près à ce moment-là, tout ça m'a échappé. Je parie que j'avais une telle frousse que je fuyais tous les sentiments que je sentais se former dans mes tripes. J'ai passé la demi-heure suivante à me torturer. Je pleurais et criais et c'était en effet réel. Mais ce qui est étonnant c'est que après chaque primal, j'avais en quelque sorte la gueule de bois, la conscience et le sentiment que ce que j'avais fait n'était pas ce que j'aurais dû faire. C'était absolument fantastique. Mon moi me disait que je ne venais pas d'avoir un véritable primal, et que la grande épreuve que je devais affronter était encore à venir. A un moment donné, j'ai eu l'impression d'en être très proche, si proche que j'ai eu un haut-le-cœur et que j'ai cru que j'allais vomir. Je crois que j'ai fait trois faux primals avant que mon corps ne me fasse clairement parvenir le message que tout cela était de la frime et que je ne descendais pas jusqu'au niveau réel, là où ça se passait réellement. Alors j'ai été pris de panique. J'ai pensé, tout au moins dit, que je devenais fou. Mais maintenant, je sais pourquoi je l'ai dit : c'est parce que je n'arrivais pas à combattre le moi qui me disait qu'il y avait encore quelque chose qui attendait que je l'affronte. En d'autres termes, je ne pouvais échapper à ce que me disait mon moi et cela me rendait de plus en plus agité. Janov ne cessait de me dire : « Abandonnez la lutte. » Je suppose qu'il voulait dire que je devais renoncer à combattre ce que je savais devoir ressentir. Mais je ne voulais, ou ne pouvais pas abandonner la lutte. J'étais vraiment terrifié.

Ce qui me terrifiait — pour autant que je puisse en donner une approximation — c'était l'idée tapie en moi que j'étais un homosexuel. Dans mon esprit, je me voyais dans les bras de mon père et je m'y plaisais. Puis je levais la tête, je voyais un visage d'homme et j'étais écœuré. Ce sont les mots « honte », « dégoût », « répulsion » qui me venaient aux lèvres. Je ne sais ce qui m'a si complètement démonté. Il se peut que ce soit la conscience de jouir du contact d'un corps mâle, ou le fait d'en éprouver du plaisir. Cela aurait pu être le sentiment dans mes tripes qui ressemblait au désir urgent d'éjaculer, car je ressentais encore dans ma bite l'envie désespérée de pisser. Janov a dit que je ne devais pas, parce que c'est une manière de me débarrasser de mes sentiments, par la pisse; comme je veux lui faire confiance, je me suis retenu et cela m'a rendu très agité. Cela aurait pu être le sentiment — l'ébauche d'un sentiment — d'être comme un objet sexuel, impuissant et pareil à une femme. Je crois que cela est très proche de ce que je ressentais : je commençais à sentir que j'éprouvais du plaisir à me sentir comme un objet sexuel féminin tout en haïssant ce sentiment à cause du dégoût, de la honte et de la haine; je ne supportais pas l'idée outrageante d'être utilisé de la sorte. Je relis à l'instant la phrase précédente car j'ai éprouvé une sorte de répulsion en la tapant, au point que je n'ai plus su ce que je tapais. Et maintenant je vois que j'étais agité en écrivant.

Bon, je sais au moins ce qui m'attend. « C'est là que nous allons », a dit Janov. « Vers ce qui est vraiment terrifiant. »

Mais il s'est passé quelque chose d'extraordinaire. A un moment donné aujourd'hui, alors que j'étais sous l'emprise de la peur ou de l'angoisse ou de l'effroi, j'ai commencé à sentir le fonctionnement interne de mon organisme, surtout dans la région du cœur, de l'estomac, du ventre et du bas ventre. Vraiment fantastique. Je sentais des sécrétions, je sentais les à-coups d'une sorte de machine à pistons, je percevais aussi les mouvements de haut en bas d'autre chose. Je sentais du rythme, du mouvement, du calme. Mais ce qui est vraiment exceptionnel, c'est que je ressentais ces choses comme si elles se passaient sur différents plans à l'intérieur de mon organisme; à Janov j'ai parlé de « couches », mais maintenant je comprends que je sentais le fonctionnement d'un appareil situé au-dessus d'un autre qui lui-même faisait autre chose. Je ne saurais désigner les organes que je ressentais, mais je sentais nettement le mouvement, le rythme et une sorte de coordination harmonieuse en moi. Les niveaux ou « couches », dont je parle, seraient en gros disposés ainsi : l'une verticale et plaquée à mon dos, l'autre verticale et au centre de mon corps, la troisième, parallèle aux deux autres et juste sous ma peau : c'est par conséquent la première. Prodigieux.

La deuxième chose aujourd'hui était que j'ai réellement perdu les pédales; j'ai hurlé que j'étais en train de devenir une fille, une « mijaurée ». Par la suite, je suis tombé dans un état léthargique, comme s'il n'y avait plus de « lutte » en moi.

6 mars

J'ai passé toute la nuit dernière debout, j'ai mis le réveil à sonner toutes les demi-heures, afin de ne pas dormir plus d'une demi-heure si je m'endormais. Il devait être environ 6 h 30 quand je me suis endormi. J'ai rêvé que je flirtais ou que j'avais des rapports amoureux avec une femme qui ressemblait plus à une traînée ou à une prostituée qu'à tout autre chose. Elle avait un con gigantesque que je tenais entre mes mains et que je manipulais et pressais. J'avais l'impression de tenir une grosse éponge. Puis je la tenais contre le bout de ma verge et la frottais probablement contre moi; à ce moment-là, je me suis éveillé ou à demi éveillé; j'avais éjaculé dans mon pantalon et je me sentais, comme toujours, sens dessus dessous.

Aujourd'hui, j'ai parlé de ce rêve à Janov, il m'a demandé si mon attitude envers les femmes était telle que je les considérais toutes comme un tas de cons. J'ai dit non, mais dans la suite de la conversation, j'ai parlé de ma mère comme d'une connasse et je me suis souvenu que j'employais volontiers ce terme à propos de Susan ou de sa mère, et que la veille, je l'avais employé dans mon journal. Cela doit bien vouloir dire quelque chose. La séance

d'aujourd'hui n'a pas été aussi terrifiante que je le pré-
voyais. C'était comme si je ne pouvais pas descendre profondément en moi — aujourd'hui je ne pouvais pas crier.
Juste quelques larmes. Cela m'a troublé car je pensais que
cela signifiait que je ne progressais pas. J'ai dit à Janov
que je ne fumais plus et que je n'en éprouvais plus le
besoin (peut-être encore un tout petit peu quelquefois),
que je n'ai plus l'estomac retourné quand ma femme fait
quelque chose qui m'irrite ou me désole. Je ne me suis plus
immédiatement prêt à intervenir et à me bagarrer avec
Susan pour n'importe quelle foutaise. Je vois maintenant
notre rapport d'une façon différente. Quant à la famille,
j'arrive à rester avec eux et à les écouter sans être impatient ou intolérant; je n'ai plus envie de me disputer; c'est
comme si mes membres étaient incapables de se raidir et
de devenir agressifs. Il est naturellement ridicule de dire
que je ne fais aucun progrès. J'ai cessé de faire des choses
que j'ai faites pendant des années; il a suffi de neuf séances
pour obtenir ce résultat. De plus, il faut noter toutes les
petites modifications, les réévaluations mineures et les
changements qui s'amorcent en moi dans de multiples
domaines. Je serais fou de ne pas croire que je m'achemine vers la guérison. Cela me conduit à penser que le
« malade » se complaît à croire qu'il est toujours malade,
même quand il est en train de devenir « réel » et de guérir,
parce qu'il désire penser qu'il est toujours malade.

7 mars

La séance d'aujourd'hui a été formidable, tout simplement formidable. Je ne me souviens plus comment j'ai
atteint le sentiment réel, mais je sais que j'ai d'abord passé
près d'une heure à des choses qui ne semblaient rien produire en moi. J'ai fini par accéder au sentiment de solitude,
d'isolement. Il m'est venu à l'esprit que les philosophes, les
existentialistes et tous les autres ne savaient pas de quoi ils
parlaient quand ils essayaient de décrire la solitude. Nul
besoin de tous les mots polysyllabiques dont ils se servent.
En dernière analyse, c'est de la foutaise. J'ai donc
commencé à approfondir ce sentiment. J'avais les yeux
fermés et c'est alors qu'il s'est produit quelque chose de
vraiment formidable.
Je me suis vu, petit garçon de cinq ou six ans, près de la
coiffeuse de ma mère, je levais les yeux vers elle tandis
qu'elle regardait dans le miroir; elle portait un soutien-

gorge d'où débordaient ses seins et serrait les lacets de son corset. Je ne pouvais la quitter des yeux. Puis je grandissais. Ce processus ressemblait beaucoup à la technique dont se servait Walt Disney pour montrer comment pousse une fleur : l'accéléré. Autrement dit, je me voyais grandir physiquement, c'est-à-dire avoir en un tournemain la taille d'un adolescent. Puis je mettais ma main à ma hanche droite et je semblais l'espace d'une minute dire des choses insolentes à ma mère. Ensuite, je m'attaquais à ses nichons. Non tellement pour les sucer, je frottais plutôt mon visage contre eux, les passais sur tout mon visage, mais surtout sur mes yeux. C'était ahurissant; Janov me dit de demander au garçon ce qu'il faisait. Je n'obtins pas de réponse. Je lui criai : « Mais qu'est-ce que tu fais donc ? » d'un ton incrédule. Qu'on imagine donc : se frotter les yeux avec des nichons ! Il ne répondit pas et continua encore quelques minutes. Je me mis à parler d'autre chose, mais de temps à autre, je jetais un coup d'œil au garçon pour voir ce qu'il faisait. Autant dire que pratiquement il « existait » dans un coin de la pièce et qu'il y faisait ce qu'il faisait. Mais pour moi, il était terriblement loin, et je jetais des coups d'œil de derrière mes paupières closes pour voir ce qu'il faisait (je le voyais évidemment avec les yeux de l'esprit). Ensuite, le jeune garçon se « rétrécit » de nouveau pour retrouver sa taille d'enfant. Il était assis en tailleur, le dos rond, ses petites mains devant son visage, alors que jaillissaient de lui des flots ou des torrents de larmes. Il versait littéralement des torrents et des années de larmes.

Alors, j'ai parlé à Janov de quelque chose qui s'est produit des centaines de fois au cours de mon existence. Quand j'avais sommeil, je voyais apparaître dans mon esprit des mots dénués de sens que je pouvais lire dans ma tête. Mais comme ils étaient inintelligibles et difficiles à dire, je ne pouvais pas les prononcer. J'avais essayé une fois de raconter cela par écrit dans *The Bald Muckybullyfoo* et d'expliquer combien c'était amusant. Il pouvait y avoir des mots comme *smlplgh, oxwyong,* ou *hmply.* Janov me demanda quels mots je voyais. Je lui répondis qu'ils étaient derrière une sorte d'écran ou de rideau comme les rideaux de théâtre. Il me dit d'écarter ce rideau et de décrire ce que je voyais. Je me souviens d'avoir eu des appréhensions et des difficultés à le faire. Je finis par voir quelques « mots » et j'essayai de les prononcer. Puis je vis une légende apparaître au-dessus du petit garçon accroupi, un peu comme on en voyait aux premiers temps du cinéma muet où une femme faisait fonctionner des rouleaux imprimés indiquant au public ce qui se passait sur l'écran. L'inscription pour le garçon disait : « Je n-n'ai r-rien. » C'était ce qu'il me répondit quand je lui demandai ce qu'il avait, pourquoi il pleurait si fort. « Je n-n'ai ri-rien », voilà tout ce qu'il pouvait bégayer — dire — sangloter. Bébégayerdire. Bébégayerdire. Bébégayersangloter. Bébégayersangloter.

Tout au long de cette expérience, j'avais l'impression d'être dans un état « de clairvoyance et de sensibilité aiguës ». Je veux dire que tout en sachant que je me trouvais dans le cabinet de Janov, je voyais et entendais tout ce qui se passait derrière mes paupières, dans le théâtre de mon imagination. C'était une scène très symbolique mais je la comprenais vraiment. Pendant un moment, je décrivais ce qui se passait — l'enfant qui versait des torrents de larmes. A ce moment, je pleurai moi aussi, « complètement ». Puis Janov me demanda : « Que voyez-vous d'autre ? » Et ce fut remarquable. Je voyais ma vieille Nightingale Street bourrée de monde, mais je voyais les gens comme les aurait vus une caméra, à partir de la taille seulement. C'était comme si je voyais un film de ma rue pleine de monde, ils avançaient au coude à coude par rangées de douze. Tous étaient silencieux, imperturbables, sombres et fatigués; aucun d'eux ne faisait attention aux autres. Alors je compris pourquoi le petit garçon n'avait jamais rien. Il n'avait jamais reçu d'amour — c'est ce que je ressentais. Il n'avais jamais reçu d'amour parce que personne — ni son père, ni sa mère — n'avait le temps. Les gens marchaient tous côte à côte et s'ignoraient mutuellement, le monde allait trop vite et le petit garçon n'obtenait jamais rien. Janov me dit de l'expliquer au petit garçon pour le consoler. J'étendis mon bras droit pour lui donner de petites tapes sur le dos, les épaules et la tête en lui disant qu'il fallait prendre les choses telles qu'elles sont, qu'il ne fallait pas qu'il essaie de comprendre pourquoi il ne recevait pas d'amour — il n'en recevait pas, un point c'est tout. Il fallait tâcher de faire quelque chose de bien de son existence; aimer une fille et vivre avec elle cet amour, et des choses de ce genre. Pendant une ou deux minutes, je parlais d'autre chose à Janov. Puis tout à coup, l'enfant se mit debout et courut vers moi, furieux. Pour courir, il courait. Il semblait courir à travers les années. Je fus pris de peur — je ne sais pas pourquoi. Je me mis à hurler : « Ne t'approche pas, ne t'approche pas de moi, ne t'approche pas. » Je donnais des coups de pieds en l'air et mettais les mains en avant pour tenter de le repousser.

Mais il s'approchait. Je me souviens que Janov me disait : « Abandonnez la lutte, abandonnez la lutte. » Je m'obstinais à dire non. J'étais en panique — et il était sur moi. Tout à coup, il disparut. Il était presque sur moi, il rentrait en moi et puis il avait disparu. J'ouvris les yeux et demandai au comble de la surprise : « Où est-il ? Il a disparu. » Janov me dit de le chercher. Je le fis, je parcourais toute la pièce du regard. Je lui dis où je l'avais vu pour la dernière fois. Janov me répondit que l'enfant était en moi. Au fond de mes tripes, je le savais, mais je ne voulais pas le croire. Je fermais les yeux et j'essayais de reconstituer toute la scène et de revoir l'enfant. J'essayais de toutes mes forces, mais, bien entendu, je n'y arrivais pas. Je savais où était passé l'enfant et je savais qui il était. Alors je me mis à pleurer de tout mon cœur.

J'avais vu ma vie étalée sous mes yeux, peut-être de façon symbolique, mais néanmoins c'était ma vie, cela ne faisait aucun doute. J'étais allongé, je me sentais vide et même un peu heureux. Purgé et heureux. J'acceptais tout ce qui était arrivé — il ne me restait rien d'autre à faire — parce que c'était réel. Je crois que ce primal était un pas dans la direction que je devrais prendre avec tous mes primals. C'était une torture; mais il devait en être ainsi. Je restais avec une impression d'allégement et de détente. C'est comme si je m'étais déchargé d'un fardeau terriblement lourd et douloureux, et maintenant, je me sens un peu plus léger, plus libre.

Pourtant, aujourd'hui je suis encore rongé par le doute, car je pense que je n'ai pas encore affronté les choses terribles que j'ai abordées mercredi et jeudi. Tout cela tourne autour de la peur de l'homosexualité et j'ai en quelque sorte l'impression que j'ai évité d'aller au fond des choses.

J'ai passé ensuite un certain temps à la plage, j'ai fait une ou deux courses et je suis rentré à la maison. Susan ne me parlait pas, ce qui m'a pas troublé. Je vois de plus en plus clairement qu'elle est malade. Ce qui me perturbe le plus, c'est l'égoïsme avec lequel elle me tourmente alors qu'elle sait pertinemment que toute cette histoire de thérapie primale est terriblement importante pour moi. Malgré cela, elle fait tout ce qu'elle peut pour me contrarier.

10 mars

La séance d'aujourd'hui a été très importante. J'ai eu, une fois de plus, ce que Janov appelle d'une expression extraordinairement juste « un coma conscient ». Vendredi je parlais d'« état », de « transe », de « clairvoyance et de sensibilité aiguës », ou de « théâtre de l'esprit ». Mais, bien entendu « coma conscient » est le terme qui convient le mieux. J'ai commencé par vouloir raconter tout ce qui s'était passé hier. J'avais de la peine à faire jaillir des sentiments réels. Je commençais à être affligé de ce sentiment d'irritation et de mauvaise humeur crispante. Je ne pouvais rien exprimer. C'était un perpétuel échec. Je gardai ensuite le silence pendant un long moment. Ensuite, je commençai à percevoir le sens de ce qui se passait.

D'abord, je savais que la colère cachait une souffrance que je ne voulais pas ressentir. La colère et le déjouement sont des tactiques de diversion, que nous employons pour empêcher que n'apparaisse la sensation réelle de la souffrance profonde. En d'autres termes, les gens se préoccupent tellement de combattre leur colère ou leur acting-out qu'ils échappent à la contrainte d'éprouver leur souffrance réelle. C'est quelque chose que l'on apprend au cours de la thérapie primale, car on en fait l'expérience sur le divan et si l'on veut vraiment guérir, il ne faut pas chercher à fuir le sentiment/souffrance. Je savais donc que j'avais bloqué un sentiment. Je ne savais ni pourquoi ni comment. J'étais étendu. Et tout à coup je compris pourquoi et comment.

J'eus besoin de pisser. C'est alors que je compris la vérité. Je n'éprouvais le besoin de pisser que comme moyen d'éviter ce que je ressentais. Etant donné la quantité de liquide que j'avais bu au cours des douze dernières heures, je ne pouvais pas avoir réellement besoin de pisser, d'ailleurs j'avais déjà pissé au moins cinq fois. Je ne faisais naître en moi le besoin de pisser que pour échapper à une souffrance non ressentie qui me nouait les tripes. Je voulais faire sortir cette souffrance par mon pénis, en d'autres termes au lieu de la faire monter, je la poussais vers le bas pour m'en débarrasser. C'était tellement facile à comprendre que j'étais étonné de ne pas l'avoir compris plus tôt. En même temps je commençais à comprendre un certain nombre d'autres choses : le fait que beaucoup de gens, témoignant ainsi de l'intérêt pour ma santé, m'avaient demandé tout au long de ma vie pourquoi j'urinais si souvent; d'autres m'avaient félicité du bon fonctionnement de ma vessie. Foutaise, tout ça ! En pissant, je chassais toutes les souffrances et les peines de mon existence.

En même temps, il se passa autre chose. Quand j'essayais, la bouche grande ouverte, de faire monter le sentiment, en respirant profondément, je m'étouffais puis je « fabriquais » une petite toux de bronchite. Pourtant je savais pertinemment que je n'avais pas de raison de tousser ainsi, puisque je n'avais pas fumé une bouffée depuis quinze jours. Cette maudite toux bronchitique était par conséquent encore une tactique de diversion, que mon organisme pratiquait pour détourner mon attention de la nécessité de sentir ma souffrance.

J'étais complètement ahuri. Étendu là, tranquille, j'avais découvert tout cela et je commençais maintenant à établir des liens entre toutes ces choses significatives. 1) Il y a la souffrance. 2) Je veux éviter de la ressentir. 3) Car ressentir est synonyme de douleur. 4) Mon corps crée de toutes pièces le besoin de pisser en tant que tactique de diversion. 5) Ainsi je concentre toutes mes forces à retenir mon urine. 6) Maintenant, je suis incapable d'employer mes forces pour m'aider à ressentir mon sentiment réel car elles sont mobilisées par la rétention de l'urine qui serait prête à couler de mon pénis si je relâchais mes forces; et après tout je ne peux pas pisser sur le divan de Janov. 7) Je « fabrique » une petite toux, juste pour être sûr que toutes mes forces sont détournées. 8) Maintenant, il faut que je me concentre pour me retenir de pisser et de tousser et je n'ai plus de force pour ressentir mon sentiment, car il faudrait que je relâche ma vessie et je ne peux pas faire cela. Par conséquent, je me suis protégé de mon sentiment en faisant un piège de mon corps. Je restais étendu là, sidéré par cette découverte.

Je me souviens alors d'avoir eu, cinq minutes auparavant, ce sentiment d'irritation et de mauvaise humeur. Maintenant, je me souviens de m'être étiré pour me libérer de l'emprise de l'irritation, mais en réalité, je ne faisais que m'établir en elle, faisant le calme en moi. Il y a des années, des ANNÉES que je me leurre ainsi. Bien entendu, chaque fois que je faisais ça, je regagnais mon calme. Mais aujourd'hui, je savais que ce calme n'était pas dû au fait que j'avais ressenti la souffrance, mais que je m'étais en quelque sorte anesthésié pour ne pas la ressentir. J'étais toujours étendu et je n'en revenais pas d'avoir fait une telle découverte sur moi-même. Je passai un long moment dans cet état — une vingtaine de minutes peut-être — puis le sentiment réel réapparut peu à peu et cette fois, je m'y laissai aller.

Ce sentiment disait « solitude ». « Dites-le à maman », demandait Janov. Je le fis, mais elle semblait incapable d'y changer quoi que ce soit. Elle se tenait là, l'air triste et la tête baissée, les bras pendant le long du corps. Dans mon coma conscient, je la voyais. Cela dura une minute ou deux. Puis elle commença à s'éloigner lentement. Je la suivis pour voir ce qui allait arriver, et je lui criai : « Attends, ne pars pas. Arrête, reviens. » Je m'aperçus que je tendais les mains en suppliant. Mais elle continua de s'éloigner et de disparaître lentement, puis je ne la vis plus. Ensuite, tout aussi lentement, commença à s'approcher de moi une autre silhouette, mais avec une terrible lenteur. Je finis par distinguer qu'elle ressemblait à Susan et à sa mère, puis seulement à Susan. Je pris peur et je hurlai : « N'approche pas ! » Elle vint tout droit sur moi et ma mère fut également là. Je respirai très fort pendant une minute pour retrouver mon calme après la peur que m'avait causé la vue de ma femme surgissant de l'endroit où ma mère avait disparu.

Je devrais signaler ici que dès que le sentiment eut émergé, environ cinq minutes auparavant, j'avais explosé et crié ces mots qui semblaient sortir du plus profond de moi : « Pas l'amour ! — un besoin morbide — j'ai épousé ma mère. » Je répétai ces mots un certain nombre de fois, ensuite je n'eus évidemment pas de peine à saisir la signification de ce que je voyais. Le théâtre de mon esprit extériorisait pour moi le fait que j'avais épousé ma mère sous les traits d'une autre femme. C'était bien entendu quelque chose de terrifiant. Mais je ne me débarrasserais pas de ce sentiment en pissant. D'ailleurs, une fois que vous êtes entré dans cet état de coma conscient, tout ce que vous souhaitez c'est d'en faire pleinement l'expérience; en effet, vous n'en avez plus rien à craindre, puisque vous y êtes d'ores et déjà entré. Ce qui est dur, c'est justement d'y ENTRER.

Bon, je me retrouve donc avec ma femme et ma mère côte à côte, me disant pour mon bien ou se disant l'une à l'autre pour leur bien, combien chacune d'elles est merveilleuse et combien elles ont de l'affection pour moi.

14 mars

Aujourd'hui vendredi, tout a été simplement incroyable. Je ne sais pas moi-même dans quelle mesure je crois réellement à ce qui s'est passé, mais il faut au moins que j'en rende compte sur le papier. Tout d'abord, j'ai parlé à Janov de l'après-midi et de la soirée d'hier. Cela avait été parfait, car j'ai passé environ sept heures à écouter de la musique classique — des rhapsodies tziganes, roumaines et hongroises, des sonates d'Enesco, des concertos et des symphonies. Je me perdais entièrement dans chacun des morceaux. De temps en temps, je me levais pour me mettre à danser ou faire le tour de la pièce en cadence, quelquefois, j'imitais aussi la musique — je me faisais orchestre. Je vivais des instants incomparables, enfermé dans la dimension du son et de la musique. Il n'y avait plus rien d'autre. De temps en temps, je pleurais : quand je me rendis compte que la thérapie primale individuelle s'achèverait vendredi, ou quand je commençai à me sentir vraiment seul dans cette pièce, rien qu'avec la musique pour compagnie ou encore quand je ressentis le désir d'appeler quelqu'un tout en sachant qu'il n'y avait strictement personne à qui j'aurais voulu téléphoner. Je me sentais léger, presque en extase. Puis Susan rentra, elle apportait avec elle une atmosphère morne et triste. Là-dessus, j'oscillai entre des sentiments contradictoires : colère, mépris, solitude, irritation, isolement, humour, égoïsme et cafard. Je ressentais son arrivée comme une intrusion hostile; avec elle dans la maison, les choses n'étaient tout simplement plus les mêmes. Quand elle fut couchée, je restai seul avec moi-même, dans l'obscurité, je réfléchis à « Century City », finalement je regardai à la télévision une émission de Joey Bishop et Johnny Carson, puis une partie du *Gangster,* un film de 1947 environ, avec Barry Sullivan comme vedette. C'était un film inhabituel en ce sens qu'il montrait la détérioration d'un individu — c'est-à-dire un individu détruit par le crime (le mal). Oui, c'était bien.

J'eus une nuit très agitée. J'ai eu de plus en plus de comas symboliques et maintenant j'ai des rêves du même type. Celui-là était fantastique. J'étais dans une immense salle, quelque chose comme une salle de bal où se déroulait une soirée. C'était un truc à dimensions multiples : il y en avait au moins cinq, sur trois ou quatre plans différents. Les gens étaient à la fois à l'intérieur, à l'extérieur, perpendiculaires, parallèles, les uns avec, sur, contre les autres, en grand nombre. C'était complètement dingue ! Il n'y a pas de mots pour décrire une chose pareille et ceux que j'ai choisis semblent détruire la scène que j'ai voulu dépeindre. Les êtres dans cette salle étaient étrangers. Il y avait un nombre infini d'êtres portant des costumes bizarres (ou peut-être ils étaient vraiment faits comme ça). Une personne était une cible ambulante, avec un centre entouré de cercles noirs et blancs, une autre représentait un lapin avec une queue qui pendait mollement, une autre un personnage de télévision; il y avait aussi quelque chose qui ressemblait à un bloc de béton (une « tête carrée »), un type décharné et boutonneux à l'air pervers, une fille qui était défigurée parce qu'elle avait reçu de l'acide sur le visage, et ainsi de suite. Je voyais un monde absolument délirant. J'y avais pensé au cours de la nuit de mercredi. Je m'étais demandé à quel point il allait être difficile de retourner dans un univers de maladie et d'absurdité, un monde de bouffonneries. Ce n'est pas eux que je considérais comme des non-adaptés, mais moi-même, parce que j'étais plus réel qu'eux. D'ailleurs cette salle était remplie de toutes les extravagances de la télévision, du cinéma, des annonces publicitaires (comme cette fille avec une petite jupe courte dans laquelle elle avait fait un trou à la hauteur du sexe; les hommes allaient vers elle, y mettaient des pailles et y buvaient).

Me voilà donc au beau milieu de tout ce délire — qui est plus que symbolique. Je suis couché dans/sur/à l'intérieur d'un lit bizarre et un homme habillé en nabab ou en prince indien est couché à mes côtés. Il porte un habit précieux couvert de bijoux et un turban scintillant de joyaux. Quelque chose roule sur moi, une forme; je me tourne vers le gars et lui demande : « Qui est-ce ? », il répond : « C'est... » Je ne sais plus s'il a dit un nom précis, mais j'ai eu l'impression que c'était un nom féminin. Pour en être sûr, je tendis les mains vers l'endroit où devaient se trouver les seins, et rencontrai effectivement un téton ferme et charnu. J'assaillis alors cette créature qui me rappelait l'une des lourdes femmes de Brueghel, une femme vêtue d'une espèce de pyjama de flanelle jaune. Elle/la chose était comme un grand ours en peluche femelle. Je pris son con entre mes mains et le frottai contre mon pénis, puis je m'éveillai en sursaut, encore en train d'éjaculer. Je sortis du lit pensant que je m'étais réveillé trop tard et que j'avais manqué le rendez-vous avec Janov, mais il n'était que 6 h 20 du matin.

Quand j'ai raconté tout cela à Janov, il a essayé de me faire ressentir quelque chose, de me faire revenir sur ce thème de l'abandon et de la solitude. Je m'efforçais tant que je pouvais de ressentir le moindre sentiment, mais je n'aboutissais à rien. Je sais par expérience que j'étais en train de lutter contre moi-même; cependant mon système de défense est si perfectionné et si subtil qu'il m'est toujours difficile de m'en rendre compte. Mais voilà que ça y était — je veux dire que j'entrevis la vérité. Je criai : « Arrête de tousser, arrête de tousser », je continuai ainsi à m'exhorter à ne plus utiliser cette maudite toux comme moyen d'échapper au sentiment. Cela fit son effet; et j'eus accès à un peu de réalité. Cette histoire de solitude était toujours là, je la ruminais en quelque sorte dans mon esprit. Du plus profond de mon organisme, je commençai à percevoir de lointains signaux qui me prouvaient qu'il y avait quelque chose à ressentir — quelque chose d'énorme — et qu'une fois de plus, j'usais d'un subterfuge pour m'en défendre. Cela dura un moment, je me tordais dans tous les sens, je me perdais en lutte et gémissements. Je finis par me laisser balayer ou « submerger » par le sentiment comme le suggérait Janov. Je préfère cette expression à « s'y plonger », parce qu'elle est plus imagée et qu'elle laisse libre cours à mon imagination de sorte que je me sens réellement « submergé ». Je ressentis une douleur aiguë au cœur, dans la tête et dans la mastoïde gauche. Ces douleurs alternèrent pendant presque toute la séance. En même temps, j'avais mal au ventre. J'essayais de faire monter un sentiment et je crus que j'allais vomir sur tout le divan et le plancher. Maintenant je savais vraiment qu'il s'agissait d'un sentiment mauvais.

Je parlais de sexe parce que tous les signes et tous les mots qui se présentaient à mes yeux semblaient axés sur le thème sexuel. Je parlais de Sylvia : comme ça avait été bien et comme ça avait mal tourné pour moi; et je parlais de mon passé sexuel en général, disant que je faisais pas bien l'amour ou pas assez bien. Je parlais du fait que je donnais à ma femme une expérience sexuelle naturelle, puis je vis apparaître les mots « adore... moi... adorer » ou quelque chose de ce genre. Je n'arrivais pas à faire de connexions. J'étais sûr d'aborder quelque chose d'important et je commençais à m'acharner mais je n'arrivais pas à faire les rapprochements et les connexions; j'essayais en vain, je ne faisais que des digressions. Je me souvenais de tous les couples mariés que j'avais connus et je voyais dans mon esprit tous ceux où la femme était la plus forte et dominait son pauvre mari. Je m'étendis un peu sur ce sujet général, puis je passai au couple de mes parents et, à ce propos, je dis que dans leur union mon père était toujours le chef. Je le voyais dans le rôle qu'adoptent beaucoup de cyniques ; avoir tout le temps une femme enceinte qu'on laisse pieds nus. En d'autres termes, une femme est de la merde. Je parlai ensuite de ma propre attitude à l'égard des femmes. Mais je continuai à avoir les pires difficultés à établir un lien entre les choses.

Janov m'amena donc à parler à ma mère parce que

j'évoquais ma vie avec elle. Je comprenais qu'en un sens, elle m'avait asexué ou plus exactement dévirilisé en me traitant comme une petite fille, en disant que j'étais si joli que j'aurais dû être une fille, en m'emmenant dans les toilettes des femmes dans les grands magasins, etc. Janov dit : « Dites-le-lui. » Je m'adressai à elle, lui demandant pourquoi elle m'avait traité ainsi et elle me répondit tout à coup qu'elle voulait son père (ce fut sa propre réponse). Elle s'assit, les jambes croisées, la tête baissée, se donnant des coups de poing dans le ventre et elle pleurait en répétant : « Je veux mon papa, je veux mon papa. » J'étais si agité que je finis par crier : « Il est mort... » et quelques autres remarques acerbes. Elle commença alors à s'éloigner. Je lui criai de revenir. Ensuite elle « rencontra » mon père à une certaine distance de là. Elle appelait encore son père, croyant que c'était lui, tandis que mon père commençait à la déshabiller; puis il la coucha et la prit. Ce spectacle me retournait l'estomac, je ne voulais pas regarder; j'avais eu l'impression d'entendre jusqu'au bruit de leurs organes, c'était comme le bruit d'un piston qui se serait enfoncé dans de la farine humide. Cela dura en tout cas un certain temps et je le relatais à Janov. (En d'autres termes, le vieux avait sauté ma mère bien avant de l'épouser — peut-être des années auparavant. Elle avait presque trente ans quand elle l'épousa. Cela semble indiquer qu'elle devait être une mocheté guettée par le célibat et que sa seule chance de se faire épouser, c'était de se faire engrosser. C'est ce que je suppose.)

A ce moment-là, il arriva quelque chose d'étonnant. Je me vis dans son ventre pendant la conception. Autrement dit, ainsi que je le hurlais à Janov, on était en train de me fabriquer. Je me remettais de cette image, lorsque je vis mes vieux descendant Barbary Avenue, et des gens qui les saluaient, des messieurs, qui soulevaient leur chapeau à l'intention de ma mère. Ensuite je vis ma mère disant « je ne le veux pas... ». Elle parlait du bébé qu'elle portait. Le vieux dit qu'ils se marieraient. Je les vois se marier dans un appartement. Je le raconte à Janov. A la scène suivante, elle est dans un hôpital, elle accouche. Seulement, ce maudit bébé, c'est moi. Je suis époustouflé, ahuri. C'est absolument incroyable. Encore maintenant, je ne sais pas si j'étais perdu dans des fantasmes, des hallucinations ou si j'étais dans un coma conscient. J'espère que c'est la dernière hypothèse qui est la bonne. Elle crie, elle hurle. Le médecin me tient en l'air. Comment est-ce que je sais que c'est moi ? D'abord, c'est le vagin de ma mère et ses cuisses charnues et je viens juste de sortir d'elle. Ensuite je suis né avec le cordon ombilical autour du cou. Maman hurle : « Meurs... je ne le veux pas... qu'il meure... » dans une sorte de crise d'hystérie. Le médecin crie : « Il s'étrangle... c'est un bébé bleu... » ou des conneries de ce genre. Tout cela est effectivement vrai !

A ce point je constate à ma stupéfaction qu'aujourd'hui je suis en fait retourné au jour un. Dans ce qui s'est passé aujourd'hui, je ne saurais dire exactement ce qui relevait du fantasme, d'une imagination surexcitée ou du coma conscient. Tout ce que je peux dire, c'est que d'après les autres expériences de coma conscient que j'ai pu faire, je crois qu'aujourd'hui, j'en ai fait un. A une ou deux reprises, j'ai eu conscience pendant un moment de l'intrusion d'une « autre réalité ». Je dis « une autre réalité » parce que le coma conscient représente l'état de la réalité dans laquelle je me trouve à ce moment-là. Pratiquement, j'y suis réel. Cependant il suffit d'un « Ça va, Gary » sévère et impérieux pour me faire revenir dans « l'autre réalité ». J'ai commencé à sentir l'intrusion de cette autre réalité, quand, sur le divan, je commençai à lutter pour ma vie; quelque chose me disait alors que c'était le divan du cabinet du docteur Janov. J'ai fait des digressions ici parce que ce que j'ai vécu aujourd'hui m'a beaucoup troublé. S'il est vrai que l'esprit peut se souvenir de lui-même avant même la vie consciente, nous avons découvert quelque chose de formidable.

En tout cas, je me mis à lutter frénétiquement pour vivre. Je me souviens que je tendais les bras vers le plafond. J'émettais des sons comme un nouveau-né : « waa-aa-aa... maaaaa... ghaaa-haaa ». Des cris de ce genre. Je criai à Janov que je m'étranglais, j'avais toutes les peines du monde à former sur mes lèvres tous les mots que j'aurais voulu dire aux médecins pour leur prouver que j'étais bien vivant. Enfin j'étais né, je respirais. Oh ! je me souviens aussi qu'on me tenait par les chevilles, la tête en bas. Puis le calme m'enveloppa et je ris en disant : « J'y suis arrivé, j'y suis arrivé..., je suis vivant. » J'avais de la peine à respirer puis je me calmai. J'essayai ensuite de connecter tous ces éléments. Je me voyais clairement comme un enfant désiré/non désiré et comme le fils/père de ma mère. Puis je vis des images de mon enfance à ses côtés. Je dois dire que ces images, je m'en souviens maintenant que j'écris, sont de véritables photographies de ma mère et de moi, que ma mère a encore. Je me vis grandir dans une seule direction. Précédemment, au cours d'un autre coma conscient, je m'étais vu grandir « verticalement », mais aujourd'hui, je poussais à l'horizontale. Je me voyais passer d'un moïse à un petit berceau, puis à un petit lit pour finir dans un lit immense (hollywoodien). Etonnant ! En tout cas, dans une des scènes, ma mère jouait avec mon pénis; elle le manipulait exactement comme un petit jouet. Je hurlais en demandant pourquoi elle me prenait pour un jouet. Et cela me conduisit à reconnaître que c'est effectivement ainsi qu'elle me considérait.

Dans une autre scène, je suis dans mon lit et j'entends des femmes parler et rire en jouant aux cartes dans une autre pièce. Je vais même jusqu'à me montrer à moi-même cette pièce du doigt tout en parlant. Elles parlent de leurs fils, comment elles les traitent et jouent avec eux. De là elles en viennent, je ne sais comment, à des plaisanteries affriolantes sur la manière dont elles jouent avec leur quéquette, puis elles établissent un lien entre cette petite plaisanterie et leur mari. Elles prennent vraiment plaisir à être « osées ». J'entends des bribes de phrase comme : « Toi aussi, Bella ?... mon Sam... mon Solly... » L'une d'elles — c'est ma mère, je m'en rends compte maintenant — lance aussi une plaisanterie, disant qu'elle « le » fait également, mais que c'est trop petit ou quelque chose comme ça. Elle fait allusion à moi mais à l'instant je ne saurais retrouver son expression exacte. Quelque chose comme elle le ferait si elle pouvait « le » trouver... En tout cas cela me fait revenir à l'esprit une image de « Jeux de Nuit », ce film où une mère humilie son enfant en l'excitant au point qu'il est en érection et commence à se masturber sous les draps; c'est à ce moment-là qu'elle le découvre, le montre à tout le monde, le traite de tous les noms, le frappe sur les mains et l'abandonne. Ensuite, je me souviens de la même scène entre ma mère et moi : elle me frappe sur les poignets en disant : « Ne fais pas ça, Gary », sur ce ton qui est spécial aux femmes juives — un accent guttural, mi-réprobateur, mi-plaintif. Je suis incapable de me rappeler si cette scène a vraiment eu lieu entre nous : si ce n'est pas le cas, je ne comprends pas comment j'ai pu la voir dans mon coma conscient.

C'est à peu près à ce moment-là que je sortis un peu de ce coma et restais en quelque sorte stupéfait de tout ce qui venait de se passer, sans parler de l'épuisement que je ressentais. Il y avait encore des tas d'éléments isolés. J'en conclus qu'il me faudrait descendre encore plus loin et dire ses quatre vérités à ma mère, si je voulais arriver à la puissance sexuelle. Mais je ne sais pas, je crois qu'il n'y a jamais eu d'hommes autour de moi qui auraient pu provoquer en moi une émulation positive; il n'y avait que le vieux qui m'apprenait bien assez de conneries pour me démolir et un tas de pauvres types dans le voisinage, esclaves du boulot qui étaient loin de me donner l'exemple. Je repense tout à coup, bien que cela n'ait pas sa place ici, que tout à fait au début de la séance d'aujourd'hui, j'avais parlé de mes préoccupations avec les femmes et de ces rêves que je faisais souvent au sujet de ma tante. Je rêvais qu'elle avait un con immense et que j'y étais englouti la tête la première et que ses énormes cuisses me tenaient prisonnier, je rêvais que je voyais son con monté sur une paire de jambes, et me courir après ! Ou bien je rêvais que je me précipitais dans son con recouvert d'une culotte rose et que je me frottais le visage contre son sexe... Assez !

Voilà, c'était tout. Je restai avec un goût fade dans la bouche et la gorge sèche — tout cela était écœurant et il en restait encore beaucoup là d'où ça venait.

CHOIX DE QUELQUES CONNEXIONS ETABLIES EN THERAPIE PRIMALE

15 mai

Le 7 et le 8 mai, aux alentours de 10 heures du soir, je me suis senti vivant. J'ai senti mon existence entière. Je l'ai sentie trop brièvement, cinq secondes environ. Pour rendre compte approximativement de l'expérience en question, il faudrait dire que c'était à la fois stimulant, savoureux, épuisant et électrisant. Je ne suis même pas sûr que notre langage comporte le vocabulaire qu'il faudrait; en effet, on se demande comment une société d'individus qui ne ressentent rien réellement — par rapport à ce que nous appelons ressentir — pourrait élaborer un vocabulaire qui s'applique adéquatement à ce qu'elle ne connaît pas. Je sentais au moment même où je décrivais mon expérience, qu'elle ne pouvait être exprimée en termes appropriés. A ce propos, il me vient à l'esprit un certain nombre de réflexions : est-ce que le problème réside dans le fait que nous n'avons pas encore le langage pour exprimer nos sentiments, ou est-ce qu'il n'y a pas de problème du tout, puisqu'il est tout à fait possible que le sentiment constitue un domaine indépendant que de simples mots ne pourraient suffire à traduire, défiant les mots créés par l'homme ?

Pour moi, l'expérience de me sentir moi-même n'a pas été uniquement intérieure. Elle a été totale, l'être total. J'étais allongé par terre et j'avais eu quelques sensations préliminaires de la descente en moi-même quand je me rendis compte brusquement que ma colonne vertébrale me donnait une impression nouvelle. Je m'appliquai à bien saisir ce que je ressentais jusqu'à pouvoir dire que je la sentais en quelque sorte verticale. « Mais qu'est-ce que c'est ? » me demanda Janov. « Je me sens droit », répondis-je. Puis je fondis en larmes. Je pleurais d'émerveillement de m'être senti droit (bien d'une seule pièce) pour la deuxième fois de ma vie. Car je commençais à faire une connexion et je me souvenais que je m'étais senti droit ou bien entier une seule fois et c'était très exactement au moment de ma naissance. Rien d'étonnant à ce que je n'aie pas connu de mots pour exprimer ce que je ressentais — je n'avais ressenti cela qu'une seule fois et il y avait quelque vingt-sept ans de cela. Il m'a suffi d'un bref paragraphe pour décrire ce sentiment de conscience entière, mais il m'a fallu deux mois de thérapie pour y accéder. Il m'a fallu des heures et des heures de confrontation angoissante avec moi-même, de déjouement, de folie, de larmes et de mal aux tripes.

En tout cas, pour moi ce sentiment d'être entier revenait à sentir exactement où était ma place dans l'univers. J'ouvris toutes les vannes. Par exemple, je pris immédiatement conscience de la solidité et de la force de mon pelvis. Autrement dit, je sentais mon corps, mon moi. Je sentais encore ma colonne vertébrale bien droite. Voilà ce que je veux dire quand je dis que le fait de sentir est une expérience complète. Je suis convaincu à présent que la véritable santé est l'union complète de ce qui est mental, physique et émotionnel. Le moi qui ressent permet de tout ressentir. Il est vraisemblable que l'homme qui sent tout, pourrait développer un septième sens de lui-même. Imaginez un peu quelles seraient les possibilités de cette nouvelle espèce d'être dotés de ce sens et capables de diagnostiquer leurs propres maladies. Si j'étais en pleine santé, je n'aurais plus les moindres troubles psychosomatiques ou psychonévrotiques. Je serais en mesure de sentir le développement d'une tumeur, par exemple, dans mes viscères ou dans mon cerveau. Je pourrais probablement sentir la détérioration de ma paroi stomacale avant que ne se déclare l'ulcère. D'un autre côté, ces maladies n'auraient peut-être aucune prise sur moi, si j'étais en bonne santé et bien entier.

On pourrait spéculer à l'infini. Ce qui est lamentable

c'est de constater que mes parents ont bousillé toutes mes chances de jamais appartenir à cette espèce d'individus, comme leurs parents en avaient fait autant pour eux et ainsi de suite en remontant dans le passé. Victimes de l'ignorance, nous faisons à notre tour, par ignorance, des victimes. Pour sentir le véritable drame de la condition humaine, il faut d'abord sentir son propre moi, le potentiel gâché de son être, il faut sentir la douleur de sa propre insignifiance et prendre conscience de ce que nous autres hommes aurions pu être.

Ce même soir, mon existence entière m'a transporté dans un état où j'ai eu un instant la vision de ce que pourrait être l'espèce si nous étions tous sains. L'exaltation de ce sentiment n'était pas moins surprenant pour mon système entier que le sentiment de me sentir droit. En jetant un regard sur cette page, je constate que le vocabulaire en est plutôt recherché et élaboré. Ce n'est pas que je choisisse mes mots, j'en suis en fait incapable. Ce qui m'arrive, c'est que je ressens juste à l'instant l'excitation stimulante et exaltante de me sentir moi-moi-moi.

J'ai vu que l'espérance de vie s'étendrait peut-être jusqu'à cent cinquante ans. J'ai vu la disparition de la maladie et l'espèce humaine concentrant tous ses efforts scientifiques sur l'élimination des maladies de l'environnement et des maladies qui en découlent. Je me suis vu libéré de tout le bordel que j'ai dans la tête, et faisant de mon cerveau ce à quoi il est destiné. Sans la pression des pensées non ressenties, sans l'encombrement du passé, mon esprit pouvait se développer. La vision de cette grandeur humaine, confrontée au sentiment de mon propre néant — mon drame — m'a fait pleurer. L'intellectualisme est la malédiction de l'humanité. J'ai senti que ma propre poursuite acharnée de la « connaissance » pendant tant d'années, m'avait conduit paradoxalement à m'en éloigner. Car aujourd'hui, je sais qu'il n'est qu'une sorte de connaissance : la connaissance de soi : savoir où j'en suis : entier : droit. Dans les quelques secondes où je me suis senti moi-même, j'ai senti ma beauté, ma quasi-majesté, mon être, ma grandeur. C'est sans nul doute, l'amour de moi. Ce n'est qu'après avoir eu ce sentiment d'être entier, de plénitude absolue, que l'on peut en venir à l'amour de l'autre. Après j'aurai de l'amour à donner. Dès que je me possède entièrement, que je peux m'aimer entièrement, je peux aimer une femme et des enfants. Pour moi, l'amour c'est donner et avoir la grâce de recevoir, non pas désirer et prendre. Prendre, c'est pour moi maintenant tendre les bras pour dérober. Recevoir, c'est la simple aptitude à recevoir, sans désir névrotique. Ainsi, recevoir de l'amour mettrait immédiatement fin à un amour sous condition, à toute contrainte qui oblige les enfants à distraire leurs parents et à se produire pour eux. Recevoir, c'est simplement accepter des autres ce qu'ils sont en mesure de donner, sans évaluation ni jugement ni comparaison. Autrement dit, on en aurait fini avec la déception de ne pas recevoir assez. Chacun saurait où il en est et laisserait les autres être ce qu'ils sont, en prenant soin d'éviter ceux qui pourraient lui faire du tort. C'est vrai; il faut que l'individu sain évite les personnes malades parce que les malades peuvent le démolir par leurs besoins morbides. Déçu de ne pas obtenir l'amour de son père, un chef d'entreprise mettra à la porte un ouvrier en bonne santé, un proche parent fera du mal à un être sain parce que ce dernier n'aura pas voulu se plier à ses caprices de malade. Ce n'est pas tout. Une connexion très importante pour moi m'a permis d'établir un rapport entre moi et mes parents, le mucus, la morve, la respiration, la vie, la pisse, la toux, les étouffements, les maladies aussi bien mentales que physiques. Au cours des deux derniers mois, mes primals se rapportaient à ces éléments qui étaient tantôt isolés, tantôt réunis à plusieurs. Et cette nuit, je suis arriver à rassembler tout ça. Cette connexion, à la fois complexe et pourtant d'une étonnante simplicité, s'est faite quand j'ai ressenti tout ce qui en faisait partie; j'ai alors compris ce que signifiait la connexion. Je toussais et faisais remonter une salive épaisse qui m'étouffait. J'avais aussi l'impression que je devrais me moucher jusqu'à balayer mon foutu nez, tellement il me semblait bouché. En fait, mon nez était complètement dégagé, et ce que je sentais, c'était le conduit nasal aboutissant à ma tête qui était obstrué et c'était ma tête qui était bourrée de saloperies. Ce n'est qu'en me laissant aller entièrement à un sentiment d'étouffement et d'étranglement qui me secouait toute la poitrine que je pus arriver à nommer le sentiment. « Maman ! », c'était ce mot qui sortait de ma bouche. Je crachais en toussant tout le tas de merde qui m'avait suffoqué ma vie entière. C'est de la merde que je crachais. Pour moi, ce mot « merde » représente le fait d'avoir toujours été rejeté, ignoré, brutalisé, engueulé, désorienté, battu, lacéré par les discours de mes parents ! Tout cela a un goût horrible et laisse un sentiment écœurant. La merde de ma mère était concentrée dans mes tripes. Je pouvais ressentir maintenant la signification du fait que j'avais toujours souffert de la toux.

Toute ma vie, j'avais été étouffé par cette merde qui voulait remonter. En venant au monde, j'avais besoin d'amour; on m'avait donné de la merde telle que je l'ai définie et cela avait duré presque toute ma vie. Aujourd'hui, je sentais toute cette merde à l'intérieur de moi. Il faut aussi signaler que cette nuit, j'ai commencé dès le début par me laisser aller. C'est très important. Jusque-là j'avais tenu mon corps sous la contrainte — autrement dit rigide, raide, c'est-à-dire non ressentant. Maintenant, je libérais mon corps, je relâchais mon contrôle sur mon pénis, mon ventre, ma poitrine. Je n'avais jamais pris exactement conscience du contrôle que j'exerçais sur moi-même. Une fois en mesure de descendre au plus profond de ce que je ressentais, je m'y laissais aller. La raison principale pour laquelle toute ma vie je me suis tenu raide et figé, est la volonté de ne rien laisser échapper de mes ouvertures secrètes. Ce « rien » était tous les sentiments transformés en déchets. Maintenant que je m'étais laissé aller et que rien ne sortait de moi, je sentais simplement toute cette merde accumulée en moi. Le petit toussotement que j'avais pratiqué depuis des années, était le moyen de ravaler la merde qui me remontait à la gorge. Maintenant je sentais tout mon système de contrôle : toussotement, reniflement et raideur. J'avais mis au point tout ce système perfectionné destiné à me rendre imperméable et rigide, pour éviter de souffrir et de sentir. Cette nuit pour la première fois de ma vie — en réalité, la seconde — tout se débloquait en moi, tout s'ouvrait. Comme je n'usais plus toute mon énergie et ma force à rester rigide, j'arrivais à ressentir toute la merde qui était en moi. C'était, bien entendu, une véritable torture.

16 mai

Il me devient de plus en plus évident qu'au fur et à mesure que les jours passent et que je me sens approcher de la santé, les autres ont de plus en plus tendance à penser qu'il y a chez moi quelque chose qui ne va pas. Le style et les couleurs de mes vêtements ne me ressemblent plus, dit ma femme. « Ce n'est pas le Gary que je connais », dit-elle. La même chose m'est arrivée à la fin d'un primal particulièrement bouleversant; la tension et la contrainte des sentiments non éprouvés avaient disparu de mon visage, et comme ma peau s'était détendue, j'avais rajeuni ! Dès le lendemain, les gens ont commencé à me demander si quelque chose n'allait pas, si j'étais malade. Ce qui me paraît le plus évident, c'est que les gens ont un besoin obsessionnel de toujours savoir exactement où en sont les autres — c'est du moins ce qu'ils aiment croire. C'est ce qui rend aisées les relations inter-personnelles — en admettant qu'il y en ait dans notre société. Les gens ont l'air de pouvoir s'entendre parce qu'ils assemblent des bribes d'information sur le caractère, les faits et gestes d'une personne, de manière à s'en faire une sorte d'image. Mais que la personne en question se mette à faire quelque chose qui n'entre pas dans le cadre de ce qu'ils ont prévu, et elle passe pour « avoir changé » ! En fait, elle s'est contentée de laisser transparaître un peu son moi réel.

17 mai

Des connexions ont commencé à s'établir. La première chose que j'ai ressentie, c'est une forte douleur aux tripes. Un cri voulait naître en moi (Gary le bébé, le Gary réel voulait venir au monde) mais apparemment je ne pouvais pas arriver à rassembler toutes les parties de moi-même pour pousser ce cri à faire trembler toute la terre. Tout ce que j'arrivais à produire, c'était une sorte de vagissement. Sentant à la fois toute la force que déployait le système, et la puissance du cri qui voulait monter, mais que je n'avais pas l'immense énergie de pousser, je sentis la connexion et je compris que c'était moi qui choisissais d'être malade. Il suffisait d'un grand cri puissant qui irait chercher la vie au fond de mes poumons pour que je devienne réellement vivant, pour que je naisse. Je me débattis avec cela pendant un temps qui me parut très long. Je finis par me lever et par aller dans la pièce voisine pour être seul. Ce désir d'être seul, de ne pas être dérangé, était l'une des raisons qui me poussaient à me lever. L'autre raison était que j'avais l'impression d'entendre la conversation des autres avec une clarté nouvelle, presque cristalline.

Je ne faisais encore remonter rien que des filets de salive épaisse et de matière muqueuse. J'en étais plein, j'en avais plein la tête, plein le nez, plein les tripes. C'était la merde familière que je m'étais habitué à ressentir la semaine dernière. Une connexion semblait indiquer qu'il me fallait me débarrasser de cette énorme masse de merde avant de pouvoir naître. Il me fallait la sentir avant de pouvoir la faire remonter de mes tripes à ma gorge et à ma bouche. Ressentir le poids de cette merde, c'était ressentir le désir de mon père et de ma mère. Or, le désir de son père et de sa mère signifie être malade. La maladie que je pouvais ressentir maintenant, n'était pas seulement d'être fou, mais aussi le sentiment physique d'être malade dans tout mon corps, et d'être capable de sentir au fond de ma gorge quelque chose qui avait un goût répugnant — morbide.

Tout à coup j'ai senti mon moi tout entier rassembler toute son énergie pour se changer en un gigantesque cri qui semblait se former en mon centre de gravité, au creux de l'estomac. Mon corps semblait se contracter pour rassembler ses forces, et lorsque le cri m'ébranla, mon corps fut plié en deux. Je poussais ainsi plusieurs cris de suite, qui faisaient tous remonter le désir maladif de mon père et de ma mère sous la forme d'une salive (d'un mucus) épaisse et gluante. La douleur dans tout mon corps était violente et l'avait été depuis longtemps. Je continuai ainsi à appeler mon père et ma mère du plus profond de moi-même, et chaque fois que j'arrivais à faire monter un de ces cris, je ressentais la même maladie répugnante ; ce sentiment d'être rejeté qui rend malade, ce désir sans espoir et inutile qui rend malade, le fait de n'être jamais remarqué, écouté ou regardé qui rend malade, ce désespoir qui rend malade. Autant de choses que je n'aurais jamais pu ressentir sinon elles m'auraient rendu fou à tout jamais. Un peu plus tard, je sentis en moi la formation d'un autre cri. Il rassemblait de la force et de la puissance dans mon ventre, mais quand je le laissai me secouer, j'eus l'impression que tout ne sortait pas; je n'arrivais pas à faire remonter entièrement cet appel de Gary. La même matière muqueuse remontait, mais cette fois, elle donnait l'impression d'être limpide, propre. Puis au moment où je sentis le liquide dans mes mains, je sentis que le cri retombait au fond de moi. J'avais l'impression que ce cri était comme un œuf, ou plutôt comme un jaune d'œuf isolé. J'essayais désespérément de faire jaillir ce cri parce que j'eus l'idée que c'était la vie même. Sans espoir à ce moment-là, car j'étais complètement exténué.

J'ai dormi environ trois heures puis je suis allé à la séance de groupe. J'étais vanné, mais il y avait toujours ce cri qui se reformait à petits intervalles et voulait sortir. Chaque fois que je descendais en moi-même et que je criais, je ressentais un soupçon de soulagement dans mes entrailles. En outre, la terrible force du cri avait complètement libéré tous les passages obstrués dans mes oreilles et dans mon nez. De toute façon, il s'agit pour moi maintenant d'aller à la recherche de moi-même, de naître et de lutter pour ma propre vie. Tout ce que j'ai ressenti depuis la nuit dernière montre combien je suis malade. Les primals détachent bribe par bribe la maladie incrustée.

Dans la nuit de vendredi et dans la matinée de samedi, j'ai réellement senti l'abîme de ma stupidité et de ma maladie. Il ne me restait plus qu'un cri à franchir pour avancer d'un pas vers la guérison et je n'arrivais pas à le pousser. La grande maladie qui m'a fait pleurer après, c'était le drame de savoir qu'il était en mon pouvoir de guérir et qu'au lieu de cela, je préférais rester malade. Maintenant, je vais mettre le paquet ! Mon instinct et mon désir de guérir sont devenus plus aigus depuis ma dernière expérience. Quelqu'un qui serait en bonne santé prendrait plaisir à venir à ces séances du mardi et du samedi, mais moi, je voudrais en sortir, bon Dieu de bon Dieu, le plus tôt possible.

20 mai

La séance de groupe de mardi soir a été excellente pour moi parce qu'elle a été particulièrement douloureuse. C'était la suite de ce que je n'avais pas terminé samedi matin et qui depuis s'était accumulé en moi. Le cri appelant ma mère a jailli de ma gorge tout au long de la séance. J'ai ressenti dans mes tripes une amère déception et le vide que ma mère n'avait jamais rempli par ce dont j'avais besoin. Je sais que je suis né avec des besoins totaux et quand j'ai été rejeté pour la première fois, j'ai été démoli pour la vie.

La nuit dernière, mes cris et mes pleurs ont atteint une profondeur nouvelle. Je veux dire que j'ai senti le cri monter du fond de mes tripes torturées, du centre de moi-même. Mon cri avait aussi un son différent, c'était la voix d'un petit garçon — évidemment. Ce sentiment m'a fait verser des pleurs de moins en moins contrôlés : je prenais conscience que je n'étais qu'un petit garçon, un véritable enfant. Tout cela fait mal — réellement très mal — et il semble qu'il n'y ait rien d'autre à faire que de le ressentir. Mais j'ai été content d'avoir atteint ce niveau plus profond, parce que cela m'a permis de sentir réellement la torture de ce désir morbide.

24 mai

Cette journée a été très importante parce que j'ai pu approfondir encore mon cri. Aujourd'hui les cris étaient incontrôlables, ils venaient du centre de moi-même et me secouaient entièrement. Je crois que c'est vraiment la première fois que je me laisse aller à ressentir l'immense désir de l'amour paternel et le douloureux vide qui résulte de son manque. J'ai parcouru mardi le même chemin quand je désirais l'amour de ma mère et que je ne l'obtenais jamais. Les cris étaient plus profonds qu'ils ne l'avaient jamais été. Parce que la merde de mon père est concentrée dans ma tête, mon nez s'est vidé tout seul, comme un geyser. Toutes les larmes qui m'avaient été interdites, toutes les larmes que j'avais fait rentrer dans ma tête en reniflant durant toutes ces années, étaient débusquées, délogées et autorisées à couler. Pour ma mère, le mal se situe dans mes tripes, de sorte que, quand je le ressens, je suis pris d'une toux violente qui fait remonter toutes les glaires et toute la bile que j'ai toujours ravalées afin de ne pas laisser monter ce sentiment.

Mais mes larmes d'aujourd'hui !... C'était comme si je n'avais jamais réellement pleuré de toute ma vie. De temps en temps, j'ai remarqué que je pleurais aujourd'hui comme je pleurais souvent lorsque j'étais enfant. J'entendais mon chagrin réel, la vraie profondeur de l'amertune d'avoir été privé et le désespoir du vide. C'était pour mon père que je versais ces larmes, ces pleurs qui suppliaient et qui avouaient que j'ai besoin de lui. Finalement, après avoir retrouvé un certain degré de calme et de paix, j'ai été capable de rester étendu et de laisser les choses se remettre en place d'elles-mêmes.

Vendredi dernier, j'ai réellement été projeté dans une phase nouvelle du sentiment et de l'expérience. La phase deux est une phase où l'intensité est plus grande, la conscience plus claire, la douleur et la souffrance plus aiguës, le sens ou l'instinct poussant à la guérison plus prononcé, la perception de sa propre maladie plus fine, la fatigue plus générale, le souci de ne pas se laisser prendre à la folie des autres plus vigilant, enfin, le plaisir de rester seul plus marqué. Je crois que la phase deux n'est que la reprise de ce qui s'est passé jusque-là, avec une profondeur, une dimension, une ampleur accrues. Tous ces facteurs conjugués font que l'on se sent plus mal que jamais.

1er juin

Cette histoire de désirer une cigarette est un bon truc : cela me suffit pour savoir qu'il y a des sentiments que je cherche à réprimer. Maintenant, je me mets en colère, j'ai envie de briser quelque chose — encore une de ces simagrées qui servent à ne pas sentir. En fait, ce qu'il y a réellement en cet instant, c'est un cri gigantesque. Il est aussi grand que mon corps et aussi fort qu'il m'est possible de le faire. Ce cri, c'est moi, et les larmes qui voudraient couler sont les larmes que j'ai accumulées pendant des années et des années. La raison précise pour laquelle je voudrais crier ou pleurer en cet instant, je ne saurais la dire. Mais j'ai un sentiment ou une sensation de faiblesse, d'impuissance, de faillibilité.

Au cours de ces derniers quinze jours, j'ai fait des rêves bizarres. Non seulement ce sont des rêves qu'il est difficile de se rappeler ou de reconstruire, mais je ne suis même pas sûr qu'il s'y soit passé quelque chose. En fait, durant cette quinzaine, tout mon sommeil a eu quelque chose d'inquiétant. C'était comme si j'étais à la fois éveillé et conscient de dormir tout en étant endormi et sachant que j'étais endormi. C'est complètement dingue. Une ou deux fois, je me suis éveillé, je crois, en demandant « suis-je éveillé ? ». C'est dans cette dimension de l'expérience que j'ai dormi. Maintenant, je pleure parce que je me sens encore plus dingue en écrivant cela. Mais réellement, on dirait que le sommeil est pour moi une expérience dimensionnelle dans laquelle un nouveau sens, quelque chose comme un indéfinissable septième sens, est à l'œuvre. Il se passe à l'intérieur de ce sens des choses bien étranges. La mémoire ne retient rien.

Par deux fois, j'ai fait l'expérience d'avoir conscience d'être endormi. Autrement dit, je crois que quelque chose dans le cerveau — peut-être encore cet indéfinissable septième sens — est en action pendant le sommeil. Je ne rêvais pas que j'étais endormi. *J'étais* endormi et c'était comme si j'étais éveillé à l'intérieur de moi tandis que le moi extérieur dormait dans son lit.

2 juin

Aujourd'hui je me suis senti pris dans un mouvement, le mouvement et le rythme d'un sentiment que je ne pouvais pas désigner. Enfin, au bout de trente à quarante minutes, il a fait surface. C'était quelque chose comme un désir, non pas un désir particulier, juste le fait de désirer. J'avais l'impression qu'il était entièrement concentré dans ma bouche. Finalement, ce désir céda la place à un appel. J'ai brusquement senti le besoin immédiat d'appeler mes parents et d'appeler sans arrêt. Cet appel était quelque chose de puissant comme si ma vie même dépendait du fait que je sois entendu. Je sentais mes cris monter du plus profond de moi-même — et pourtant, pas la moindre satisfaction. Dans cette fraction de seconde du néant, en même temps que je vivais ce sentiment de néant, j'eus pleinement conscience que *j'étais entendu*. En fait, il semblait que dans cette fraction de seconde mon corps avait déjà ressenti le vide tandis que mon esprit devait passer par trois hypothèses pour faire une connexion. 1) Ou bien je ne pouvais pas être entendu, 2) ou bien je n'avais pas été entendu, 3) ou encore, j'avais été entendu. Cette troisième hypothèse produisit immédiatement la connexion. *J'avais été entendu,* mais ils ne voulaient pas m'écouter parce que je leur importais trop peu. Je dis « leur », parce qu'à ce stade du primal, le désir semblait être tourné aussi bien vers mon père que vers ma mère. L'impact de cette prise de conscience entière — sentiment total que je ressentais au fond de mes tripes et connexion mentale — provoqua en moi une crise de larmes désespérées. Les larmes coulaient d'elles-mêmes et simultanément, mon nez se dégageait et je pouvais respirer. A un moment donné, je m'entendis hurler. Pour moi, c'est la seule façon de pleurer réellement : quand c'est tout mon être qui pleure.

Mes lèvres, ou plus exactement ma bouche, semblaient se mettre en mouvement d'elles-mêmes. Je sentais un besoin urgent de sucer, sucer réellement. Cela m'était très difficile parce qu'il me semblait que ma conscience intervenait ou s'interposait pour émettre un doute : « Etait-ce vraiment ce besoin-là que je ressentais ? » Exhorté par Janov, je commençai à sucer, je laissai ma bouche faire ce qu'elle avait envie de faire. Au fond de mes tripes, je me sentais mal à l'aise. C'est tout simplement ma mère que je voulais, ou plus exactement ses seins. Et la douleur dans mon ventre était la douleur habituelle que j'éprouve chaque fois que je me permets de ressentir ce besoin, ce désir d'elle — le vide. Cela me faisait pleurer. Ensuite, ma bouche formula une question : « Pourquoi est-ce que tu ne t'occupais pas de moi ? » J'avais déjà ressenti cette vertigineuse impression d'abandon, elle ne s'occupait pas de moi, c'est-à-dire qu'elle ne me donnait pas le sein, qu'elle ne me prenait pas assez souvent dans ses bras, qu'elle ne me tenait pas assez souvent contre sa poitrine ! C'est là la partie essentielle et la signification principale de l'expérience : *assez souvent,* je suis sûr que ma mère s'occupait de moi, selon son tempérament, mais non selon la totalité de mes besoins de petit enfant. Et ce soir, je me suis laissé aller à sentir un autre aspect de ce fait d'être rejeté — elle ne se souciait pas de mes pleurs, autrement dit, elle ne voulait pas m'entendre pleurer. Cette question se formait en silence dans ma bouche et j'ouvrais la bouche de toutes mes forces. Je ne pouvais ni voir ni comprendre. je criais en silence : « Pourquoi est-ce que tu ne t'es pas occupée de moi ? », me rendant compte, à présent, que le désir qui, une heure auparavant, allait indifféremment à mon père ou à ma mère, était maintenant axé sur elle. C'était tout simplement le bout de son sein rebondi que je voulais pouvoir presser entre mes lèvres avides et entre mes gencives encore sans dents. Ce soir, et c'était sans doute la deuxième fois seulement de ma vie, je ressentis ce désir affamé. (Je l'avais ressenti pour la première fois il y a vingt-six ans, lorsque je le réprimai.) Tous les éléments d'une prise de conscience parfaite me permettant de savoir exactement où j'en étais, s'assemblaient en quelque sorte à ce moment-là. La signification de mon primal m'a frappé dans le dos. C'était littéralement comme si elle jaillissait de mes tripes, venait frapper l'arrière de mon crâne et me sortait par la bouche; j'ai crié : « Je ne peux pas parler. » De toute évidence, mon désir s'était exprimé en silence parce qu'il datait d'un âge où je ne pouvais pas encore l'exprimer par le langage, où je n'avais pas encore appris à parler. Plus tard, alors que je savais parler, j'avais déjà réprimé ce sentiment et j'étais si déboussolé en ce qui concernait l'amour que je ne pouvais pas le demander. Il me fallut sentir l'horreur d'avoir crié en silence en tant que nourrisson pour demander de l'amour, avant de pouvoir trouver un sens à mon propre désir. C'est ce qui a fait tout sauter.

J'ai senti ce soir ce que je n'avais jamais pu me permettre de ressentir en tant que nourrisson : le vide dévastateur qui était la seule réponse à toutes mes plaintes, à mes vagissements, à mes larmes et à mon authentique chagrin de nourrisson. A cela est venu s'ajouter le fait que j'avais conscience qu'ils m'entendaient mais qu'ils ne se souciaient pas assez de moi pour m'offrir l'amour que je demandais, en particulier celui de ma mère dont je ressentais le manque si cruellement ce soir.

Peu après, alors que j'étais encore étendu là, je me rendis compte à quel point ma vie aurait pu être différente si mes besoins de nourrisson avaient été satisfaits. Si elle m'avait tenu contre sa poitrine et si elle m'avait serré dans ses bras chaque fois que mon corps avait besoin d'eux...

J'ai laissé tout mon corps se mobiliser dans ses parties les plus éloignées afin qu'il se réunisse en un seul cri tonitruant, un hurlement, des pleurs. J'avais déjà fait cela bien des fois, mais bien sûr, je n'avais jamais été entendu. Si je le faisais une nouvelle fois samedi, c'était pour ne laisser subsister aucun doute quant au fait que j'avais crié assez fort pour être entendu. C'est pourquoi j'ai crié si longtemps, si profondément. Le fait d'être obligé de reconnaître que j'étais entendu mais qu'ils ne se souciaient pas de moi m'aurait forcé à me sentir SEUL; or c'est ce sentiment que j'essayais d'éviter. De même, le fait de sentir que je pouvais abandonner la lutte pour recevoir quelque chose, simplement arrêter la lutte aurait signifié que j'avais à prendre conscience du fait catastrophique que j'étais toujours très seul et qu'il n'y avait jamais rien eu que j'eusse pu obtenir. Si je renonçais à lutter pour obtenir l'amour de mes parents, je me sentais seul, je reconnaissais sans réserve qu'il n'y avait absolument rien à obtenir, qu'il n'y avait jamais rien eu et que je m'étais laissé leurrer à me décarcasser toute la vie pour obtenir quelque chose que tout simplement ils n'avaient pas — de l'amour.

Mais j'essayais néanmoins. D'abord dans une douloureuse supplication auprès de ma mère puis auprès de mon père. Rien. Avec ma mère, j'ai cru un moment que j'allais me mettre à pisser quelques gouttes. Puis il me vint à l'esprit que ce serait peut-être du sperme et c'était l'évidence même. Encore une fois j'avais ressenti le désir que j'avais d'elle avec mon corps d'homme de vingt-six ans et ce besoin s'était développé en même temps que mes instincts sexuels. Voilà pourquoi je suis impuissant, mon pénis est esclave de ma mère : dans mon désir insensé d'obtenir son amour, j'ai tout engagé dans la lutte, y compris mon sexe.

Depuis deux heures, je vis quelque chose d'extrêmement étrange. Je sais que j'ai pris froid, mais je ne *ressens* pas la maladie. Autrement dit, je me sens plein de vitalité et d'entrain et pas du tout affaibli. C'est comme s'il y avait un autre moi qui avait pris froid et le moi réel était là, prenant plaisir à écouter de la musique et à taper son journal. Cela ne m'était jamais arrivé, sauf très passagèrement, hier. Tout se passe comme si je n'avais plus aucune raison de mettre un accent particulier sur ma maladie, parce qu'il n'y a pas de maman pour se pencher sur moi. Par conséquent, je peux aussi bien me borner à être malade uniquement dans la mesure où mon corps se sent affaibli. Mon esprit, pour ainsi dire mon moi vivant, n'a pas besoin d'être malade uniquement parce que mon corps souffre d'un léger refroidissement. Bien sûr, je suis encore malade; mais je dois dire que les deux fois où j'ai eu un primal, ma température a accusé une chute assez spectaculaire (je suis passé la première fois de 38°6 à 37° et la deuxième fois de 37°7 à 37°). Je suis convaincu que tous ces refroidissements, ces grippes, ces virus de toutes sortes que j'ai toujours attrapés, n'auraient pas été si graves si j'avais été aimé à ma naissance...

Je me rends compte qu'on ne peut pas être en bonne santé « à moitié ». On se porte bien ou on est encore marqué de traces de névrose. Quant aux défenses, je pensais, moi aussi, qu'il me fallait en avoir quelques-unes. Maintenant cela n'a aucune importance. Personne ne peut me blesser sauf physiquement. Je n'ai donc pas besoin de défenses. Apparemment, certaines gens trouvent les hommes en général oppressants. Ce n'est pas tout à fait mon sentiment. Je trouve beaucoup de choses que les gens font, intolérables, mais aussi très tristes. Peut-être que le petit nombre de gens qui disent cela sont en bien meilleure santé que moi, et je penserai peut-être comme eux quand j'en arriverai au stade où ils en sont; mais pour l'instant, je m'en tire bien dans la rue. J'en ai fini avec la vie sociale à outrance : depuis le début de ma thérapie, ma vie sociale s'est limitée à aller six fois au cinéma, une fois au théâtre, une fois au restaurant, trois fois chez de vieux amis et trois fois chez mes parents. J'ai des contacts de moins en moins fréquents. Notre note de téléphone n'est même plus que la moitié, peut-être le tiers de ce qu'elle a été.

La nouveauté, c'est que je n'ai plus tellement besoin des autres. En même temps, je n'éprouve plus de difficulté à être simplement gentil et détendu. Cela ne m'était jamais arrivé de ma vie. Extérieurement, j'étais le dur, le gars qui ne s'en laisse pas conter, etc. Maintenant je souris tout naturellement aux gens que je connais, j'arrive sans peine à dire des choses simples, comme bonjour... J'ai eu un aperçu du drame de l'existence, du drame de ma propre famille, où nous vivons physiquement proches les uns des autres, mais si immensément éloignés par les émotions, séparés les uns des autres par l'absence de tout sentiment. Cette tristesse profonde s'est transformée en moi en une sorte de douceur. J'aime être tendre.

De toute façon, pour moi, tel que je me vois aujourd'hui, il n'y a pas de retour. Les gens peuvent dire ce qu'ils voudront, que la passion de la santé totale est aussi ridicule que la folie totale; moi, je veux voir par moi-même. Je me suis donné moi-même mes propres ulcères en étant complètement fou; si la bonne santé s'accompagne aussi d'ulcères, j'aurai également les miens propres. Il n'y a pas de retour vers le passé pour moi, car je ne veux pas redevenir le tricheur morose, capricieux, indécis, instable, sombre, hypocrite, agressif, simulateur, peureux, superficiel et creux que j'ai été. Et avec ça les cigarettes, les troubles psychonévrotiques, excès de sommeil, excès de poids. Au diable la folie; je ne veux pas m'arrêter. *Au diable les « défenses »*.

14 juin

Aujourd'hui s'achève ma seizième semaine de thérapie primale. Je ne sais pas ce que cela veut dire exactement, mais je constate combien je suis détendu et combien ce sentiment a été inhabituel tout au long de ma vie.

Mardi soir, je ne suis arrivé à rien. Et maintenant, en y repensant à la lumière de l'expérience d'aujourd'hui, je crois que ce soir-là, j'essayais de refaire un ancien primal, n'importe lequel, juste pour avoir un primal. En dépit des troubles physiques dus à mon refroidissement, j'ai passé une très bonne semaine. Mon moi mental/émotionnel ne reconnaît pas le refroidissement, il n'y a que le moi malade, irréel, qui en ait souffert. Donc la majeure partie de la semaine dernière et de cette semaine-ci a été bonne.

15 juin

Comme le jour de la fête des mères le mois dernier, la fête des pères m'a fait ressentir la même douleur déchirante quant à ma tragédie et à celle de ma famille. J'ai simplement laissé passer inaperçue la fête des mères et je fais la même chose pour la fête des pères. Cela ne signifie rien. Si je cherchais toujours à prendre ma revanche, je pourrais croire que j'agis au nom de la justice idéale : ils m'ont dupé dès le début, et maintenant, je leur règle leur compte. Mais cela est complètement cinglé, « leur régler leur compte » ou « leur rendre la monnaie de la pièce », cela n'existe pas. Il n'y a tout simplement rien, c'est ce que je ressens et c'est ce qui me fait mal.

Ce qui rend le drame encore plus aigu, c'est de voir que

les vieux font tout ce qu'ils peuvent pour me retenir. Depuis que je suis marié, ils n'ont pas cessé de me prodiguer de plus en plus de cadeaux pour que je ne leur échappe pas, comme un papillon fixé à une planche par des épingles. D'abord, il y avait la formule de ma mère : «N'oublie jamais que tu as toujours un foyer ici. » Puis c'est l'obligation qu'ils se sont faite de m'écrire toutes les semaines pendant la période où j'étais dans le Peace Corps, alors qu'ils ne m'avaient jamais écrit le moindre mot de tout le temps où j'étais parti camper ou parti dans un autre Etat ou en Europe. Puis, il y a eu les cadeaux, 10 dollars pour mon anniversaire, autant pour l'anniversaire de Susan, puis pour l'anniversaire de notre mariage, enfin 50 dollars pour pendre la crémaillère. Merde ! Dans leur esprit, tout cela n'est qu'une manière de me montrer l'amour et l'intérêt qu'à leur avis ils m'ont toujours témoignés toute leur vie. C'est pourquoi ils ne peuvent comprendre que depuis trois mois je ne leur ai pas téléphoné, ni rendu visite. Ils voudraient sans doute que je me sente coupable.

Mais il est trop tard pour ça, comme pour beaucoup d'autres choses. Il m'est impossible de me sentir coupable maintenant que j'ai lutté avec ces vieilles histoires dans le cabinet de Janov pendant des heures et pendant de nombreuses autres heures déchirantes dans le secret de mon esprit malade. Ce que je ressens, ce que j'ai dû ressentir si je veux guérir, c'est le vide qui était la récompense de tout mon désir désespéré d'obtenir l'amour de mes parents. Maintenant, j'ai assez progressé pour comprendre ce que je suis et ce que sont mes sentiments. Pour comprendre, il suffit de ressentir et de faire des connexions.

Ainsi, quand il s'agit d'un jour comme celui d'aujourd'hui, où tous les enfants, jeunes et vieux, « honorent » leurs parents, je dois reconnaître que cela n'a aucun sens. Pour moi, cela reviendrait à persister d'une manière absurde dans mon besoin névrotique de l'amour de mon père et de ma mère. Ce serait recommencer la lutte pour l'obtenir. C'est inutile. Je ne peux ni honorer ni respecter mes parents. Je les prends pour ce qu'ils ont toujours été : sans affection et indifférents. Mais je comprends aussi que ce qu'ils ont vécu dans leur enfance a fait d'eux des victimes exactement comme ils en ont faite une de moi. Ils étaient inconscients, stupides, dénués de toute clairvoyance. Je ne peux donc pas leur en vouloir. Je ne peux pas les haïr. Après tout, je ne peux pas les blâmer pour ce qui s'est passé depuis le jour où j'ai eu cette vraie prise de conscience car depuis, c'est moi qui ai la responsabilité de ma santé. Mais des jours comme celui-ci sont tristes parce qu'ils me rappellent le grand mensonge que l'on m'a fait, à moi, à mes frères et sœurs et à toute l'humanité. Il n'y a tout simplement rien, rien du tout. Je suis heureux d'avoir la liberté de sentir ce néant. Car si j'étais encore profondément malade, je lutterais pour découvrir un sens, je lutterais pour obtenir de l'approbation pour ma piété filiale qui apporte des cadeaux; je lutterais pour obtenir l'amour qui n'a jamais existé pour moi, je lutterais pour rester malade. N'avoir jamais obtenu de l'amour n'est pas très agréable. Un point c'est tout.

12 juillet

Aujourd'hui s'achève la vingtième semaine de thérapie. Je ne suis pas d'humeur à tirer des conclusions sur moi-même ou à écrire quelque chose qui pourrait ressembler à une auto-apologie, mais il y a un certain nombre de choses importantes que je voudrais dire à propos de moi-même. Il y a vingt semaines, j'étais à un moment de ma vie où je me sentais foutu. J'ai dit au début de ce journal en quoi consistaient mes difficultés et ma folie. Aujourd'hui, si je m'observe et ressens où j'en suis, j'arrive au bilan suivant :

1. Je me suis presque complètement débarrassé de tout comportement compulsif. Je ne fume plus. Ma tendance à manger à l'excès s'est considérablement atténuée et je ne mange plus entre les repas. Je ne me suis jamais rongé les ongles et je n'ai jamais bu trop d'alcool de sorte que de ce côté-là, il n'y a pas eu de problème. Toutefois, j'ai supprimé le vin de mes repas et maintenant que je pourrais boire en toute liberté, je ne le fais pas. Auparavant, je me plaisais à penser que j'étais raffiné ou quelque chose comme ça, parce que je buvais du vin aux repas.

2. Je suis rarement agressif. Auparavant, j'étais agressif envers tous ceux avec qui j'entrais en contact : que ce soient les agents de la circulation, les enseignants, les médecins, les gardiens de parking, les pompistes, les serveuses de restaurant, etc. A dix-neuf ans, les rixes étaient à l'ordre du jour et elles ont continué épisodiquement pendant un ou deux ans. Je m'appliquais à regarder tout le monde avec mépris et à employer un langage de charretier pour lancer n'importe quoi à la tête de n'importe qui, à la moindre provocation. Maintenant — et ce résultat a été

atteint au bout de deux semaines de thérapie déjà — je suis la douceur même. Je n'ai même pas honte d'employer ce terme pour parler de moi. Je suis tout simplement affable. Mon travail me met en contact avec des adultes qui se battent toujours avec d'autres et qui prennent plaisir à employer un langage grossier ou provocant, et cela ne m'atteint pas. Pour moi, c'est très beau. Je reste totalement extérieur aux disputes.

3. Je ne suis que très rarement de mauvaise humeur, uniquement quand je refoule ce que je ressens. Je le suis si rarement que je ne me souviens plus quand je l'ai été pour la dernière fois. *Alors que, par le passé,* je l'étais continuellement. Au lever, j'étais déjà sombre et emmerdé : la plupart du temps, je restais morose toute la journée. Exceptionnellement, il m'arrivait de passer une journée sereine. Maintenant je suis la plupart du temps équilibré et en général serein. Ce n'est pas quelque chose de fabriqué ou de réfléchi — c'est ainsi, un point c'est tout. D'habitude, je m'éveille sans réveille-matin et je *souris* spontanément à ma femme. Je dis bonjour aux gens que je connais et je souris même à certains. Pour les autres, c'est peut-être quelque chose de naturel, mais pour ma femme et moi, c'est nouveau et merveilleux.

4. Dans mes activités quotidiennes, je suis extrêmement efficace et productif, non pas « rentable », qui ne s'applique qu'aux machines. Autrement dit, comme je n'ai plus dans la tête et dans les tripes ce poids qui m'obligeait à être fou, je peux aller travailler et faire le boulot d'une journée de huit heures en cinq heures et demie ou en six heures et demie. Je me lève plus tard si j'en ai envie ou je rentre chez moi plus tôt si cela me chante. J'occupe un poste important, et dans ce domaine, je suis le seul de toute la région à pouvoir faire le travail que je fais. Ce qu'il y a de particulier, c'est que quasiment personne ne comprend ce que je fais. Mais j'ai perdu la manie névrotique de courir partout pour expliquer aux gens (aux parents) ce que je fais afin d'obtenir leur approbation. Qu'ils comprennent ou pas, c'est leur affaire. Ma compétence s'étend aussi à d'autres domaines, je suis devenu plus habile à faire de petites réparations à droite et à gauche, à donner un avis précis quand on me le demande, à « arranger les choses » en quelque sorte.

5. Ma vie est bien ordonnée, équilibrée (c'est le contraire de « bien organisée »). Cela peut sembler être le contraire de la vie, mais il n'en est rien, « bien ordonnée », cela me garantit une vie dont je peux jouir et le temps nécessaire

pour le faire. Il y avait toujours dans mes affaires, une proportion extraordinaire de gâchis, je ne faisais que des bêtises : je ne m'occupais pas des choses, de régler les factures, de payer les contraventions, etc. Maintenant, je perds *moins* de temps et d'énergie en m'occupant tout simplement de tout ce dont il faut que je m'occupe. C'est vraiment une sorte de conservation de moi-même, parce que je vaux quelque chose à mes propres yeux, et parce que je suis en vie et que je suis heureux de l'être, je suis heureux de prendre soin de moi, ce qui revient à chercher à faire tout ce qu'il faut avec un minimum d'efforts et de sueur.

6. J'ai bien souvent des réactions « plus naturellement » intelligentes. Cela peut paraître vaniteux; pourtant alors que dans le temps j'avais « pensé » que j'étais malin, maintenant et depuis deux mois, je *suis* mon intelligence. Par conséquent, je n'ai plus besoin de me remplir la tête d'informations sur un sujet particulier sauf s'il m'intéresse, ce qui en général n'est pas le cas. Je parle de l'intelligence en tant que faculté de savoir ce qui se passe en moi, où j'en suis. Quand je sens cela, je possède une sorte d'intelligence naturelle. En fait, mes lectures se sont réduites à trois livres au cours des vingt dernières semaines — trois romans, très agréables. Auparavant, j'étais connu pour la voracité avec laquelle je dévorais les bouquins. Il n'était pas rare que j'avale trois à quatre livres dans la semaine. J'ai la faculté, naturelle ou acquise, de lire bien et vite, tout en comprenant parfaitement ce que je lis. Maintenant, je ne lis plus.

7. Sur le plan social, je n'ai aucune activité, j'aime être seul avec moi-même. J'avais l'habitude de m'arranger toujours pour avoir quelque chose à faire et je considérais le fait d'être seul comme la marque d'un pauvre type. Maintenant, c'est exactement l'inverse. Seul, je le suis, je l'ai toujours été, je le serai toujours et le sentiment que je suis libre d'être seul est merveilleux. Au fur et à mesure que je poursuis la thérapie, ma solitude devient de plus en plus pure. Je veux dire qu'il y a deux mois, j'entendais par être seul, lire un livre seul, être couché seul sur un divan ou me promener seul. Maintenant, c'est devenu être purement et simplement seul, autrement dit, ne faire absolument rien, seul. Cela signifie pouvoir rester allongé seul sur un divan sans faire marcher le tourne-disque. Seul veut dire seul, et c'est exquis.

8. Je jouis d'une santé physique parfaite parce que je suis relativement exempt de tension. Les troubles physiques et les maladies faisaient toujours partie de moi-même. Je

comptais avoir — et j'avais effectivement — cinq ou six refroidissements ou bronchites par an. Depuis janvier, je n'ai eu qu'un refroidissement. Depuis des années, j'avais cinq à six violents maux de tête par semaine. Maintenant, depuis le début de la thérapie, j'ai peut-être eu mal à la tête une fois toutes les trois semaines, et alors il suffit que je m'étende et que je ressente ce que c'est pour que le mal disparaisse immédiatement sans laisser nulle trace. Je souffrais également de constantes aigreurs d'estomac — vraiment constantes. Je n'en ai pratiquement plus, à l'exception de très légères brûlures quand je bois un jus d'orange ou de tomate, etc. Je ne prends plus de pastilles pour aider la digestion alors que j'en consommais un demi-tube par jour.

9. En général, j'ai l'esprit vif, je vois les choses de manière beaucoup plus claire. Cela pourrait être une conséquence de ce que j'ai dit au paragraphe 6. Je veux dire que j'ai, la plupart du temps une conscience aiguë de ce qui se déroule autour de moi. Je pressens les dangers et les conversations d'autrui, etc. Car, quand je me sens moi-même, je suis capable de prévoir, presque comme un voyant. Cela ne signifie pas que je passe mon temps à des machinations ou à imaginer des choses du genre : « Aha ! je sais ce qu'il va dire... donc moi je dirai ça et ça... » Ça veut simplement dire que je sais — que je sens — ce qui se passe.

10. Je suis un homme sensible et (par opposition au « dur » que j'étais) j'aime les choses délicates. Je n'ai jamais été comme ça, rien ne m'avait jamais paru délicat. Maintenant, je prends réellement plaisir à soigner les fleurs, à les regarder pousser, j'aime entendre les rires d'enfants dans les rues. J'aime caresser les chiens. Je n'avais pratiquement jamais rien éprouvé qui ressemble à du respect pour la vie, en dehors de la vie humaine. Jusqu'à l'âge de vingt-cinq ans, par exemple, je n'avais jamais tenu un petit chat dans mes bras. J'ai perdu beaucoup de choses faisant partie du moi irréel qui avait été brutalisé et je permets au moi réel d'émerger.

11. La vie n'est pas une lutte. Jamais auparavant, je n'avais pu ressentir cette vérité. Pour moi, la vie ou vivre n'est pas gagner un combat une bataille, c'est renoncer à combattre, arrêter la lutte. Dès que je commence à lutter (pour ne pas vouloir être le bébé), j'ai de nouvelles difficultés. Tout ce que je dois faire, c'est être et, en dépit de ses hauts et de ses bas, la vie pourrait être éternellement belle.

Voilà à peu près ce que je voulais écrire. Il se peut que

j'aie écrit des choses qui mériteraient plus ample approfondissement. Tout ce que je sais, c'est que je le comprends entièrement. Je me suis permis d'écrire sans complexe, je me suis tout simplement couché nu sur ces pages : si je pue, je pue. Si je suis moche, je suis moche... Cette manière de se déshabiller n'a toutefois été qu'une première étape et si j'ai encore l'air quelque peu irréel, c'est que je le suis sans doute encore un peu. Mais s'il me reste encore un certain degré d'irréalité, il y a maintenant dans ma vie un sentiment nouveau, le sentiment inéluctable que la fin de toute irréalité sera atteinte. Il n'y a aucun moyen de réfuter mon affirmation que la thérapie primale m'a sauvé la vie, mais je n'ai pas non plus le moyen de le prouver aux autres. De toute façon, la question des preuves est sans importance. Il me suffit de savoir que ma vie a changé pour le mieux, car elle est devenue et devient de jour en jour plus réelle — lentement mais sûrement. Et je sais qu'elle est plus réelle parce que plus je prends conscience de ce qu'il y a de mauvais, de pourri, de laid et de désespéré, plus je me sens bon, pur, en accord avec moi-même, et beau et aimant. Nulle part ailleurs que dans cette thérapeutique, on ne peut parler plus à propos de dialectique.

CHAPITRE 13

LA THEORIE PRIMALE
ET LES AUTRES APPROCHES THERAPEUTIQUES

La théorie primale est une structure conceptuelle élaborée pour expliquer un phénomène qui s'est produit dans mon cabinet. A mon avis, c'est une théorie spécifique et non une simple prolongation ou variante d'une théorie déjà existante. Cependant, certains aspects de la thérapie primale se retrouvent dans d'autres formes d'approches psychologiques. Je me propose, dans le présent chapitre, de comparer la thérapie primale à certaines de ces autres techniques. Mon but n'est pas de présenter une étude complète des autres méthodes, mais d'examiner certains points théoriques et certaines techniques d'un usage courant. J'accorderai une place particulière aux concepts d'insight et de transfert qui jouent un rôle important dans un grand nombre de thérapies.

Les écoles freudiennes ou psychanalytiques

Sur certains points, la thérapie primale rejoint les premières théories de Freud. C'est Freud qui, le premier, a souligné l'importance qu'ont les expériences de la petite enfance pour la formation de la névrose et il fut également le premier à établir la relation entre le refoulement des sentiments et le désordre mental. C'est encore Freud qui mit systématiquement l'accent sur l'introspection et sur l'influence des processus internes quant au comportement extérieur. Son explication des systèmes de défenses a apporté une contribution essentielle à la psychologie.

253

Malheureusement, en voulant améliorer les découvertes de Freud, les néo-Freudiens ont déplacé l'accent de la petite enfance au fonctionnement du moi dans le présent. En fait, ce que les néo-Freudiens ont considéré comme un progrès représente aux yeux de la thérapie primale une régression.

Tout au long de ses exposés, Freud a souligné que l'analyse s'attachait aux manifestations dérivées de l'inconscient, y compris la libre association, et l'analyse des rêves. Je pense que l'on peut atteindre l'inconscient directement, sans l'intermédiaire de matériaux dérivés. En fait, il semble que l'examen de ces manifestations dérivées ne fasse que prolonger inutilement le traitement. En thérapie primale, l'approche est directe, ce qui permet de réduire considérablement la durée du traitement. Lorsque l'analyste pousse le patient à analyser ses associations mentales ou ses rêves pendant qu'il est étendu sur le divan, il fait exactement ce qui l'empêche d'entrer en confrontation directe avec ses sentiments. Un rêve peut par exemple révéler que le patient nourrit une hostilité inconsciente à l'encontre de sa mère ou de la peur envers son père. Ces sentiments sont mis en évidence par le thérapeute. Mais ce que le thérapeute *ne fait pas,* à mon avis, c'est permettre au patient de se laisser submerger par sa colère et de la crier sans retenue. Dans le schéma freudien, cela serait considéré comme un comportement conduisant à une désintégration. Je pense au contraire que c'est une conduite qui mène à l'intégration, permettant aux sentiments inconscients de réintégrer le système de la conscience.

Je ne crois pas que l'analyse — sous quelque forme qu'elle soit pratiquée — soit une méthode valable. « Etre " analysé ", m'a expliqué un patient, c'est " être agi ". Toute ma vie, j'ai été agi, ce qu'il me faut, c'est faire l'expérience *par moi-même.* »

Je voudrais préciser clairement ce que j'entends par analyse freudienne de manifestations dérivées. Reprenons le paradigme de la thérapie primale. Il y a un besoin ou un sentiment que le sujet ne peut pas ou qu'il n'ose pas ressentir. Ce sentiment, ou ce besoin, est bloqué et ce qui émerge est quelque chose de symbolique — une pensée ou un comportement de substitution. L'analyse des matériaux dérivés est l'analyse de ce domaine symbolique; il est inévitable qu'elle s'égare dans un dédale interminable de symboles : rêves, hallucinations, fausses valeurs, illusions, etc. Graphiquement, on pourrait représenter cela ainsi :

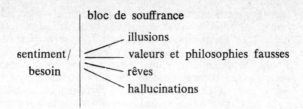

bloc de souffrance

sentiment / besoin

- illusions
- valeurs et philosophies fausses
- rêves
- hallucinations

Essayons de transposer cela en termes simples. Nous avons tout à coup une faim terrible; le symbole qui apparaît au niveau de la conscience est la pensée d'une nourriture — quelque chose susceptible de satisfaire ce besoin. L'esprit présente automatiquement à l'organisme des symboles adéquats de sorte que les besoins peuvent être satisfaits directement et que la survie soit assurée. Mais supposons qu'il soit interdit de penser « nourriture ». Le sujet doit alors, mû par la peur ou la douleur, substituer une autre pensée — une pensée symbolique. Il doit faire arriver au niveau de la conscience un substitut *irréel* parce que son besoin réel est toujours là, mais bloqué.

Il en est de même du besoin d'amour. L'enfant a besoin qu'on le tienne et qu'on lui parle, mais il apprend vite qu'il ne sera pas aimé. Le besoin est en lui et doit être satisfait d'une manière ou d'une autre. L'enfant a par conséquent recours à des substituts. Or, tout substitut est nécessairement symbolique puisqu'il n'est pas réel. Le besoin qui est bloqué apparaîtra sous forme symbolique dans les rêves, les illusions, les hallucinations, les pulsions de domination, etc. Toutes ces manifestations symboliques sont dérivées du sentiment du besoin. Dans certains cas, quand toutes les autres voies lui sont interdites, le sujet essaie de tuer ce sentiment à coup d'alcool ou de drogue. Mais, même l'usage de l'alcool ou de la drogue n'est qu'un comportement symbolique provenant du besoin. S'attaquer à l'alcoolisme ou à la toxicomanie sans tenir compte de ce besoin, c'est comme s'occuper des rêves sans s'occuper des besoins de l'organisme.

Je prétends qu'il est inutile de s'attacher à ces manifestations symboliques dérivées et que c'est cette démarche qui fait que la psychanalyse est un traitement aussi interminable et douloureux. Il est temps de plonger à travers les symboles, d'arriver au besoin, de réduire la durée de la thérapie (parfois de plusieurs années) et de guérir.

Ce qui implique essentiellement que les tests projectifs (tel que le Rorschach, les tests de personnalité, etc.) devraient être superflus sauf dans quelques rares cas. Les tests projectifs sont des tests de projections symboliques. L'interprétation que fait le psychologue de la projection, dépend de ses positions théoriques. Il y verra des choses différentes, selon qu'il sera de l'école de Jung, de celle de Freud, ou de celle de Adler. Tout cela est un jeu de devinettes même si nous essayons pendant des années de vérifier la justesse de nos tests; car on cherche à en déduire les sentiments d'un autre être humain alors que le patient seul est en mesure de les connaître.

L'une des différences essentielles qui séparent la thérapie freudienne de la thérapie primale est la conception du système de défenses. Dans l'optique de l'analyse freudienne, l'existence du système de défenses est nécessaire et saine. On ne verra donc jamais un psychanalyste freudien chercher à pénétrer les structures de défense pour les faire éclater et libérer *totalement* les sentiments inconscients. Au lieu de cela, les quelques sentiments qui se manifestent, sont incorporés, expliqués et finalement compris dans le cadre de la théorie freudienne. De cette façon *la signification* du sentiment est extraite d'un élément entièrement personnel, pour être transposée sur le plan abstrait en une donnée conceptuelle. C'est pourquoi il n'y a pas d'interprétation en théorie primale. Le sentiment qui émerge contient sa propre signification.

La thérapie primale affirme qu'un système de défenses, sain n'existe pas. Les systèmes de défenses constituent la maladie. Cela ne veut pas dire que la psychanalyse n'est pas à la recherche des sentiments. Mais en général, ce ne sont pas des sentiments primals, ceux qui peuvent mettre le patient dans un état convulsif. Si un malade présentait en psychanalyse freudienne ce genre « d'hystérie », ce phénomène serait considéré comme un effondrement de son système de défenses et l'on prendrait immédiatement toutes les mesures nécessaires à la reconstitution de ce système au lieu de pousser le sujet encore plus profondément dans son « hystérie ». Les Freudiens pensent qu'il y a en nous des instincts de destruction et d'agressivité qu'il convient de freiner et de contrebalancer si l'on veut que le sujet « fonctionne » dans la vie sociale. Pour un thérapeute freudien qui travaille dans le cadre de ces principes, il serait impensable de lâcher la bride à ces forces de « destruction ». Au contraire, le thérapeute primal évoque ces sentiments *justement pour que* le système de défenses s'effondre. A cet égard, la théorie freudienne et la théorie primale sont antithétiques. Les Freudiens aident le malade à garder un certain contrôle de manière à ce que le moi défensif (irréel) soit préservé, alors que le thérapeute primal veut détruire ce moi irréel pour libérer le moi réel, dépourvu de défenses.

J. Michaels résume ainsi le point de vue psychanalytique : « La médecine abandonne peu à peu le mythe de l'individu normal... nous sommes tous plus ou moins névrosés. La doctrine fondamentale de la psychanalyse affirme que le conflit est l'essence de la vie et la renonciation au monde des instincts, le prix de l'homme civilisé (1). »

J. Michaels paraphrase ensuite Alexandre Pope en disant : « Etre névrosé, c'est être humain. » De son côté, Levine estime que « la normalité... n'existe pas » (2). Pour la thérapie primale, l'état normal est l'état naturel et l'état anormal est une perversion et une distorsion de cet état naturel où le sujet est libre de toute tension et de toute anxiété. Nous sommes là au cœur de la différence. La psychanalyse requiert l'existence d'un système de défenses parce qu'elle pose *a priori* une anxiété fondamentale contre laquelle il faut se défendre. Mais la théorie primale ne reconnaissant pas l'existence de cette anxiété fondamentale (ou d'instincts de destruction qu'il faudrait réprimer), elle ne reconnaît pas la nécessité d'un système de défenses.

Wilhelm Reich

Reich écrivait en 1942 : « La névrose n'est en aucune manière uniquement l'expression d'un équilibre psychique perturbé, elle est l'expression d'une perturbation chronique de l'équilibre végétatif et de la mobilité naturelle (3). »

Reich explique qu'une contraction musculaire n'est pas une simple conséquence de la répression, mais qu'elle constitue l'essentiel du processus de répression : « Tous les patients sans exception rapportent qu'ils ont connu des périodes dans leur enfance où ils ont appris à réprimer leurs sentiments de haine, d'anxiété ou d'amour par certaines pratiques (retenir leur souffle, contracter les muscles abdominaux, etc.) qui ont influencé le fonctionnement de leur système végétatif. » Reich souligne ainsi que la névrose

(1) Joseph J. Michaels, « Character Structure and Character Disorders », dans Silviano Arieti, éd., *American Handbook of Psychiatry* (New York, Basic Books, 1959).
(2) Maurice Levine, *Psychotherapy in Medical Practice* (New York, Macmillan, 1942).
(3) Reich, *op. cit.*, pp. 266-267.

n'est pas simplement un phénomène psychique mais aussi un phénomène biophysique.

Ce qu'il faut noter dans sa conception, c'est qu'il pensait qu'il pouvait y avoir une approche physique de cette structure biophysique. « (On peut) éviter l'approche détournée des troubles par le biais des manifestations psychiques et les atteindre directement à partir de l'attitude physique. Si l'on procède ainsi, le sentiment refoulé réapparaît avant le souvenir correspondant. » C'est ainsi que beaucoup de disciples de Reich procèdent surtout à certaines manipulations physiques pour soulager la tension physique. Un patient, qui avait été traité ainsi, reconnaissait que ces exercices soulageaient souvent la tension, mais comme ils n'étaient pas accompagnés d'une connexion mentale, ils ne semblaient pas avoir un effet durable.

Il reste que la théorie de Reich a apporté des éléments essentiels quant aux aspects physiques de la névrose. Plus tard, Reich a repris une grande partie de sa théorie pour en faire un schéma sexuel quelque peu extravagant qui l'a discrédité auprès de certains milieux scientifiques. Mais ce penchant pour la sexualité mis à part, Reich est très proche des conceptions primales. On pense à la perte de la spontanéité chez l'enfant, premier symptôme et symptôme essentiel de la répression sexuelle définitive; le phénomène se produit à l'âge de quatre ou cinq ans. Cette perte de la spontanéité est toujours ressentie d'abord comme une impression de « mourir » ou d'être « emmuré ». Plus tard ce sentiment « d'être mort » sera caché en partie par un comportement psychique de compensation, telles une hilarité superficielle ou une sociabilité sans contact véritable. Je pense que Reich évoque en ces termes le début de la névrose. Le sentiment de « mourir », le comportement qui le dissimule par une défense, etc., c'est ce que j'impute à la scène primale. Même l'âge où intervient ce début est identique.

Par la suite, Reich s'est concentré principalement sur la tension abdominale : « Le traitement de la tension abdominale a revêtu une telle importance dans nos travaux, qu'il me paraît aujourd'hui incompréhensible que l'on ait pu obtenir la guérison — ne serait-ce que partielle — de certains cas de névrose, sans connaître la symptomatologie du plexus solaire. » Il explique plus loin comment la contraction de l'abdomen provoque la respiration courte et comment, lorsqu'on a peur, on retient son souffle à l'aide de l'étau des muscles abdominaux.

Pour Reich, la réduction de l'amplitude respiratoire

entraîne une réduction de l'absorption d'oxygène, une réduction de l'énergie de l'organisme et par conséquent, disait-il, un abaissement de la tension. Je ne suis pas tout à fait sûr que les choses se passent ainsi, mais je crois malgré tout que nous ne devrions pas ignorer les observations pertinentes et essentielles que Reich a faites sur la relation entre la respiration et la névrose. La première fois que je vois un patient, j'essaie automatiquement de déterminer comment est posée sa voix et comment il respire.

Si je cite Reich, c'est que je pense qu'avec le temps, la psychothérapie a eu tendance à négliger le corps et son rôle dans la névrose. Parce que la névrose est souvent un phénomène « désincarné » (une rupture avec le corps) nous l'avons traitée comme si elle n'était en effet qu'un processus mental. C'est ainsi qu'en thérapie de conditionnement, on met l'accent sur l'association d'*idées* et en thérapie rationnelle sur le raisonnement par substitution. Je crois cependant que les Reichiens d'aujourd'hui se trompent dans le sens inverse en négligeant les phénomènes mentaux à force de vouloir éliminer la tension physique. Dans l'optique primale, l'organisme est considéré comme une unité psychophysique. Toute approche qui se veut durable et vraiment efficace doit tenir compte de cette unité.

Je ferai par conséquent à l'encontre des différentes techniques telles que les thérapies du mouvement (qui font appel à la nage, à la danse et au toucher) destinées à « libérer » l'organisme, les mêmes objections qu'à la thérapie de Reich. Je dirais pour ma part que toute approche exclusivement physique ne fait qu'entretenir le processus névrotique dans la mesure où c'est une technique « désincarnée » qui néglige des connexions mentales, ou du moins ne les met pas en évidence, et qui traite le corps comme une entité indépendante de l'esprit. Je ne crois pas qu'il soit possible de libérer réellement et définitivement l'organisme tant qu'il reste des souffrances primales profondément enfouies qui provoquent une tension constante, aussi bien physique que mentale. Je considérerais même une telle tentative comme un comportement symbolique. On comprendra ce que j'entends par « symbolique » si je rapporte un exemple cité ailleurs, dans lequel on place le sujet au centre d'un cercle formé de personnes qui se donnent le bras, en lui demandant de se « libérer ».

Je pense que l'on ne peut pas libérer l'esprit de souvenirs douloureux qui sont présents dans tout le système, en faisant des exercices destinés à rendre le corps plus souple et plus harmonieux. Ces souvenirs, qui sont actifs à un niveau subconscient, continuent à envoyer des impulsions à tout l'organisme, pour le prévenir du « danger »; d'après moi ce « danger » subsistera tant qu'il n'a pas été ressenti et résolu. C'est alors qu'une véritable détente sera instaurée et les exercices physiques peuvent à ce moment être utiles et d'une efficacité durable. Je ferai exactement les mêmes objections aux approches qui espèrent libérer l'esprit en le dirigeant vers les pensées « saines ». On peut ignorer les souvenirs primals et les remplacer par des pensées « heureuses », mais cela ne supprime pas la souffrance. Dans le schéma primal, la connexion est non seulement souhaitable, mais essentielle.

Dans l'étude de la névrose, il faut toujours avoir à l'esprit son étiologie : qu'est-ce qui fait qu'un individu est tendu, année après année, sans rémission : l'habitude ? une réaction conditionnée au monde qui l'entoure ?... Peut-être, mais je crois que le problème est beaucoup plus complexe. La tension indique l'activité d'un système qui cherche à satisfaire les besoins de l'organisme. Ce système est à tout le moins inefficace, puisqu'il emploie toujours des moyens inadéquats, sans jamais comprendre complètement qu'ils ne pourront jamais satisfaire les besoins. C'est un réseau complexe qu'il faut traiter tout entier et non par éléments isolés comme on le fait pour les bras et les jambes dans la thérapeutique par la danse, pour le langage dans les thérapeutiques par la parole, ou pour un nez pris, dans les thérapeutiques antiallergiques. Une tête « prise » par exemple n'est souvent que le résultat de la concentration, dans une région particulière, de la pression qui pèse sur tout l'organisme. C'est par conséquent cette pression qu'il faut traiter si l'on ne veut pas que le sujet soit condamné à se moucher constamment toute sa vie pour alléger la pression à l'intérieur de sa tête.

Ecole behavioriste ou « du conditionnement »

Les techniques de conditionnement sont de plus en plus appréciées chez les thérapeutes, surtout dans les hôpitaux psychiatriques et dans l'enseignement de la psychiatrie. Sans entrer dans l'immense domaine des ouvrages qui ont été écrits à ce sujet, je voudrais examiner ici quelques-unes des affirmations fondamentales sur lesquelles repose cette approche. L'un des principes fondamentaux consiste à dire que les problèmes psychiques résultent des mauvaises conditions dans lesquelles s'est faite l'éducation. La névrose viendrait des défauts de l'éducation. Ainsi, pour des raisons de récompense ou de punition, le névrosé a appris un certain nombre d'habitudes ou de réactions mal adaptées ou inappropriées. Ces habitudes subsistent et avec le temps, elles ont tendance à se durcir. Dans son livre *Condition Reflex Therapy,* Andrew Salter écrit : « L'inadaptation résulte d'un mauvais conditionnement et la psychothérapie est un reconditionnement. Les problèmes de l'individu sont le résultat de ses expériences sociales et en changeant la forme de ses relations sociales, nous changeons sa personnalité. Notre rôle n'est pas de donner au sujet une reconnaissance structurée de son passé par la méthode de l'interrogatoire mais bien plutôt de lui fournir une " connaissance réflexe " de son avenir par ses habitudes. »

La position que Salter définit ici correspond apparemment à l'optique générale de beaucoup d'écoles ayant adopté cette méthode, bien qu'elles diffèrent entre elles à de nombreux égards. Leur thèse principale est que le sujet apprend à être heureux en prenant des habitudes psychiques, de même qu'il a *appris* à être malheureux. Cette approche ne s'attache qu'au comportement dans l'ensemble. Un comportement bien adapté, efficace et productif est considéré comme un critère de santé psychique. J'ai déjà parlé du comportement et je répéterai ici qu'il ne dit pas grand-chose de ce que le sujet ressent ou s'il ressent quelque chose. Des patients qui ont eu un comportement efficace pour ce qui est de leur statut social et professionnel ou de leurs revenus, rapportent qu'ils ont toujours eu l'impression d'être « morts » et que tout ce qu'ils faisaient leur paraissait dénué de sens, une simple routine. Il se peut que leur comportement ait été mécanisé au tout début de leur vie par deux machines spécialisées dans le conditionnement (les parents), qui récompensaient le comportement névrotique et punissaient le « bon » comportement; mais la souffrance qui en a résulté, ne peut pas, à mon avis, être supprimée en modifiant l'orientation des symptômes ou le comportement extérieur. Elle ne disparaîtra pas si l'on change simplement l'exutoire.

On trouve dans les ouvrages beaucoup d'exemples de thérapie du conditionnement. On a fait par exemple, dans un hôpital psychiatrique, l'expérience suivante sur des alcooliques : on installe un bar, et chaque fois qu'un malade boit une gorgée d'alcool, il reçoit une décharge électrique qui, sans être dangereuse, est douloureuse... L'intensité du courant augmente jusqu'à ce que le malade crache l'alcool dans un bassin disposé là à cet effet; à ce moment-là, le courant est coupé. C'est ce qu'on appelle le conditionnement instrumental. Le principe consiste à associer un « mauvais comportement », que l'on veut éliminer, à un stimulus désagréable, de sorte que l'on chasse cette habitude indésirable en la rendant désagréable.

Une autre variante de conditionnement négatif consiste à montrer une série de cartes à un groupe d'homosexuels; certaines de ces cartes représentent des nus masculins. Chaque fois qu'une de ces cartes apparaît, le sujet reçoit une décharge. On espère que la vue de ces nus prendra alors un caractère assez douloureux et désagréable pour détourner le sujet de l'homosexualité. Une expérience de conditionnement positif a été faite en Angleterre sur des pédérastes. On les faisait se masturber jusqu'à l'éjaculation; à ce moment, on appuyait sur un bouton qui faisait apparaître une photo de femme nue. Là encore on espère obtenir que le plaisir sexuel soit associé à la femme et éliminer ainsi les tendances homosexuelles antérieures.

Ces expériences reposent sur l'hypothèse selon laquelle on peut apprendre de nouvelles habitudes grâce à des associations agréables ou désagréables. Alors qu'il paraît assez raisonnable de penser que les sujets auront tendance à choisir les comportements assortis d'une récompense et à éliminer ceux qui ne le sont pas, on oublie le dynamisme inhérent à une habitude névrotique. Dans le cas de l'homosexualité, par exemple, ce traitement néglige complètement le terrible manque d'amour et le grand besoin d'être tenu et caressé; au lieu de cela, il force le patient, à coup de punitions, à renoncer à son besoin. Autrement dit, *l'expression* de ce besoin est enfoncée encore plus profondément dans le subconscient, ce qui entraîne une aggravation de la névrose... On ne peut pas éliminer un besoin par le conditionnement parce que c'est le besoin qui est réel, et je crois qu'il trouvera toujours de nouveaux exutoires quand les anciens seront fermés. Je crois que les techniques de conditionnement auront pour résultat un surcroît de tension et l'apparition, par la suite, d'autres symptômes, qui peuvent être plus graves encore.

Je ne pense pas qu'on soigne la maladie en guérissant les symptômes. Pour soigner la névrose, il faut s'attaquer aux besoins; les techniques de conditionnement ne soignent généralement pas la tension en tant que telle.

La thérapie primale est aussi éloignée des méthodes de conditionnement que de presque toutes les autres approches. En thérapie primale, on ne considère pas les peurs du sujet comme des entités, on considère que c'est *lui* qui les crée.

La thérapie primale s'attache aux phénomènes internes tandis que les techniques de conditionnement s'attachent au comportement extérieur. En conséquence, une peur qu'éprouve le malade dans le présent ne sera pas examinée en thérapie primale comme un phénomène en soi mais comme le résultat de tout un processus historique. Dans le traitement d'une phobie, la théorie primale considère que le sentiment (dans l'exemple choisi : la peur) est toujours réel mais que le contexte est symbolique. Par exemple, dans le vertige, ce n'est pas vraiment du vide que le sujet a peur, mais de quelque chose d'autre, qu'il ne comprend pas. En thérapie du conditionnement, on examinerait le symptôme : la peur des précipices dans son ensemble et l'on tenterait d'obtenir que le sujet soit plus détendu dans les situations de ce genre. La thérapie primale cherche à établir la bonne connexion avec la peur. Je crois que c'est cette connexion qui élimine la peur en général et le besoin de se concentrer sur des substituts.

Le principe implicite de certaines techniques de conditionnement est le suivant : on considère que l'individu est plus ou moins une machine dont le comportement peut être déterminé positivement ou négativement par des interventions extérieures sans que la conscience intervienne. Il semble que ce soit de cette philosophie que découlent l'enchaînement militaire et les méthodes d'éducation autoritaire. On affirme que la névrose peut être modifiée durablement, même quand l'individu n'a pas la moindre idée de ce qui lui a fait adopter un comportement irrationnel ou de ce qui pourrait le lui faire abandonner. Mis à part mon désaccord pour des raisons psychologiques, je m'inquiète de la prolifération et de l'acceptation générale des techniques de conditionnement actuelles. Cette manière de voir les individus comme des unités que l'on peut manœuvrer à sa guise fait partie d'un certain esprit du temps (*Zeitgeist*), partie de la déshumanisation de l'homme dans laquelle ses sentiments, ses buts et son intellect ne sont que des considérations secondaires dans la tentative de produire et d'obtenir des résultats. Je crois que le traitement mécanique des êtres humains fait partie des maux du siècle et que ce phénomène n'a pas été pour rien dans la naissance de la névrose. Je crains que la psychologie ne soit absorbée ou englobée dans cette tendance générale de la société à la mécanisation où les effets symptomatiques — qu'ils soient sociaux (contestation étudiante par exemple) ou individuels — sont éliminés par des techniques punitives sans que personne pose jamais la question décisive de leur « pourquoi ».

Pour comprendre les symptômes, il faut en examiner les causes. Il ne faut jamais oublier que tout être humain a une histoire.

La difficulté vient peut-être du fait que les techniques de conditionnement ont été utilisées avec succès sur les animaux et qu'on a extrapolé sur les hommes. Mais les hommes ne sont pas des animaux.

Je crois que la théorie du conditionnement a joué un rôle important dans l'histoire de l'éducation et de la psychologie, notamment dans le domaine de l'apprentissage et de l'éducation. Il est certain qu'il existe des conditions particulières qui favorisent ou entravent l'acquisition du savoir et une théorie à ce sujet peut être utile; la façon dont les gens apprennent, dans quelles conditions et à quel âge sont des domaines dignes d'exploration. Mais je ne crois pas qu'on puisse venir à bout de la complexité du processus névrotique à l'aide du modèle de l'apprentissage. Les besoins sont aussi bien physiques que mentaux et je ne vois pas comment on peut prétendre soigner la névrose en négligeant les besoins. Pour moi, la névrose est un processus entièrement psychophysique alors que l'apprentissage est un processus avant tout mental. Or il n'est pas possible qu'une intervention au seul niveau mental suffise à modifier qualitativement le système psychophysique.

L'école rationnelle (the Rational School)

C'est à Albert Ellis que nous devons la théorie récente de l'approche rationnelle. On ne classe généralement pas cette thérapie parmi les théories behavioristes, pourtant, certaines de ses techniques sont similaires. Par exemple, un thérapeute de l'école rationnelle pourra conseiller à un homosexuel d'essayer de parvenir à un comportement hétérosexuel en se répétant un certain nombre de formules du style : « J'aime les femmes, je n'en ai pas peur, j'aime le sexe... » Ici encore, c'est le comportement qui compte et l'on espère qu'en associant le comportement « souhaitable » aux associations mentales correspondantes, on changera les habitudes. L'école rationnelle considère essentiellement que le névrosé se dit des choses erronées. C'est-à-dire qu'il se répète inconsciemment des phrases qui le conduisent à un comportement inadapté ou irrationnel. On croit que quand le malade prend conscience de ces formules erronées et en adopte de plus rationnelles, son comportement se modifie en conséquence. Albert Ellis écrivait récemment dans une brochure :

« Les méthodes de l'Institut Rationnel reposent sur la conviction que l'individu peut apprendre à vivre rationnellement en prenant conscience du fait que son comportement et ses émotions autodestructeurs proviennent de ses propres conceptions illogiques. Il fait l'acquisition de ces idées par un processus " biosocial ", les intériorise et ne cesse par la suite de se les répéter. Le thérapeute aide le patient à mettre en doute ces idées autodestructrices en employant des techniques modifiant le comportement. »

D'après moi, ce n'est pas parce qu'ils ont des conceptions illogiques que les gens mènent une vie irrationnelle. Ils ont un comportement irrationnel parce qu'il leur a été interdit au tout début de leur vie d'avoir un comportement rationnel, en accord avec leurs sentiments. Je considère l'homme comme un être foncièrement rationnel. S'il crée des conceptions illogiques, c'est pour expliquer ou pour « rationaliser » son comportement névrotique. En niant sa propre vérité, l'individu se contraint à bâtir tout un réseau de non-vérités. Agir selon ses véritables sentiments est, paraît-il, une entreprise essentiellement rationnelle et quand les patients, après la thérapie primale, arrivent enfin à sentir la vérité, ils sont capables d'adopter des vues rationnelles dans bien des domaines de l'existence, sans grandes discussions intellectuelles. Pourquoi n'ont-ils pas compris auparavant ? Parce que la répression des sentiments signifie la répression de la perception et de la compréhension. C'est le refoulement qui rend nécessaires des croyances qui ne sont que des substituts et donc fausses.

Ellis parle d'émotions « autodestructrices »; c'est une notion que l'on retrouve dans de nombreuses théories. Je ne crois pas qu'il existe des émotions qui détruisent le moi. C'est plutôt le refoulement de ces sentiments du moi qui est destructeur. Les sentiments ne peuvent pas détruire le moi, ils en font partie. Ce que l'on considère souvent comme une émotion destructrice — la colère — est le résultat d'une souffrance refoulée. C'est l'absence de sentiments qui détruit le moi, et c'est l'absence de sentiments qui permet la destruction des autres et de leur moi.

S'il est exact que le névrosé adopte un comportement irrationnel parce qu'il se répète des maximes erronées, comment se fait-il alors que beaucoup d'entre nous se répètent des maximes justes sans changer pour autant ? Le fumeur se dit bien que 70 % des fumeurs meurent d'un cancer des poumons mais il continue à fumer un paquet de cigarettes par jour. L'alcoolique peut se répéter tous les jours que l'alcool détruit le foie et néanmoins boire son litre. L'homosexuel se dira qu'en réalité il aime les femmes mais il continuera à avoir des rapports sexuels avec des hommes. S'il hait les femmes, il les hait. Cette haine n'a rien de rationnel ; c'est la généralisation d'un vieux sentiment primal profondément enfoui et qui ne pourra changer avant qu'il ne soit ressenti et résolu. La haine qu'éprouve un homosexuel pour les femmes peut découler des relations détestables que pendant des années il a eues avec sa mère. Placée dans son contexte, cette haine était peut-être rationnelle. Pousser un homosexuel qui a éprouvé une haine fondamentale pour sa mère à se dire qu'il aime les femmes encouragerait, selon moi, sa simulation et par conséquent perpétuerait la névrose.

Une de mes malades qui avait suivi une thérapie rationnelle, disait : « Je me rappelle qu'un jour, j'ai dit au médecin que j'étais bouleversée parce que mon ami m'avait quittée. Il m'a répondu que mon attitude était irrationnelle et qu'il me fallait me dire que je pouvais très bien vivre sans lui et que je n'avais pas besoin d'amour pour continuer à vivre. Cela avait un certain relent de " Christian Science ". Il me fallait prétendre ressentir ce que je ne ressentais pas. Peu importe ce que je me disais, je ne pouvais pas me convaincre vraiment que j'étais capable de vivre sans mon ami. Maintenant, je sais pourquoi. J'ai ressenti ce que j'avais toujours cherché en cet ami — un père attentif. »

Je crois que la thérapie primale et la thérapie rationnelle se distinguent essentiellement par le rôle que l'on impute à la philosophie du malade dans la névrose. Pour Ellis, l'individu agit en fonction d'une philosophie profonde mais inconsciente qu'il faut rendre consciente. La théorie primale affirme que l'on adopte des philosophies en fonction de l'attitude qu'on a à l'égard de sa souffrance. Autrement dit, une personne qui est franche avec elle-même aura tendance à adopter des idées, des attitudes et une philosophie franches.

Le reproche fondamental que j'adresse à toutes les thérapeutiques axées sur le présent concerne le fait qu'elles négligent l'histoire du patient. Elles ne veulent même pas savoir que le comportement névrotique a une histoire. La *Reality therapy* est très répandue de nos jours pour deux raisons. La première c'est qu'elle est simpliste et qu'elle attire en conséquence tous ceux qui ne veulent pas s'embarasser d'investigations approfondies.

La seconde — plus importante — c'est qu'elle s'insère parfaitement dans la culture à la mode — ce fameux *Zeitgeist* (esprit du temps) qui, selon moi, produit les névroses — et qui prône les concepts de l'action et de la responsabilité. C'est le genre « reprenons-nous et faisons quelque chose » — sans se soucier de ce que l'on éprouve. Ce que l'on souligne, c'est la nécessité d'agir en homme responsable. Mais cette responsabilité semble toujours s'exercer envers quelqu'un ou quelque chose d'autre, jamais envers soi-même. A mon avis la *Reality therapy* évite la réalité — celle du malade. Elle veut que le patient approche un univers qui n'est pas le sien et, dans la plupart des cas, ne peut pas l'être — tant qu'il ne ressent pas les raisons qui lui font adopter un certain comportement.

Je rapporte ici le récit d'une patiente qui fait clairement ressortir la différence entre la thérapie primale et la *Reality therapy*.

« Il y a trois ans et demi, comme j'étais au bord d'une dépression nerveuse, j'entrepris de me soigner par la *Reality therapy*. J'avais lu *Reality therapy* et j'en avais tiré la conclusion que la névrose s'installe quand des besoins fondamentaux de l'individu demeurent insatisfaits. D'après l'auteur, ces besoins sont : aimer, être aimé et sentir que nous avons de la valeur pour nous et pour les autres. Pour avoir de la valeur, disait-il, il faut avoir un niveau de comportement satisfaisant. Nous y arrivons en agissant avec droiture, avec réalisme et en toute responsabilité. Cela me convenait car j'avais toujours agi en fonction de ces trois critères et j'en concluais que je pourrais facilement me rétablir. A vingt-deux ans, j'étais professeur d'anglais dans un lycée et j'avais une situation sociale que tout le monde considérait comme très convenable. Mais où m'étais-je fourvoyée, pourquoi étais-je en train de " me disloquer " ? Je pensais que la *Reality therapy* m'aiderait à découvrir mes erreurs.

« Au cours des séances, je parlais des relations déplorables que j'avais aussi bien avec mon ami qu'avec mes parents et, plus généralement, de mon dégoût de l'existence. Mon thérapeute, assis dans un grand fauteuil de cuir, derrière son imposant bureau et toujours la cigarette à la bouche, m'accordait toute son attention. Mes problèmes semblaient simples à résoudre : il suffisait que je trouve quelqu'un qui s'intéresse à moi et me donne le sentiment de ma valeur. Dans tout cela, il était implicite que le sentiment de ma valeur devait venir non pas de moi-même, mais de l'extérieur.

« A la fin de chaque séance, le médecin me demandait : " Bon, maintenant qu'allez-vous faire pour améliorer votre état ? " Je donnais timidement les réponses que je croyais être les bonnes : je tâcherais de ne plus voir mon ami, je serais plus gentille avec mes parents, je m'efforcerais de m'intéresser davantage à mon travail... Rétrospectivement, je me rends compte que je ne faisais que parfaire ce vernis demandé par la société que j'avais entretenu toute ma vie et qui dissimulait un moi très malheureux. Je savais ce qu'on attendait que je réponde et je jouais le jeu des rapports thérapeute-malade avec une apparente impassibilité. J'avais toujours été une excellente élève et la thérapie n'était qu'un exercice de plus que " j'apprenais " à bien faire.

« En dépit des bonnes " notes " que j'obtenais en thérapie — j'avais les félicitations du thérapeute — je découvrais qu'il était beaucoup plus difficile de changer réellement que d'en prendre la résolution. Incapable de tenir les " bonnes résolutions " hebdomadaires de Nouvel An, je conclus que je ne faisais pas de progrès et j'arrêtai le traitement. Deux mois plus tard, j'épousai mon ami; après six mois, qui furent une amère déception pour tous deux, nous nous séparâmes. Je retournai alors chez mon thérapeute, pensant que si j'en étais arrivée à ce désastre, c'est que je n'avais pas suivi ses conseils. Nous décidâmes que je quitterais définitivement mon mari, que je prendrais un nouveau travail et commencerais une vie nouvelle en quête de quelqu'un qui m'aimerait réellement. Effectivement, je changeai de travail et fus momentanément distraite de mes problèmes. Cependant, au bout de trois semaines, j'avais rejoint mon mari. Alors, j'ai commencé à le traîner à mes séances de thérapie (j'en avais fait une condition de notre réconciliation) et nous passions toute l'heure à nous engueuler. Cette attitude qui consistait à réduire mutuellement notre tension, convainquit le thérapeute que nous devrions suivre chacun un traitement individuel. Ainsi fut fait et peu après, nous réussîmes à établir entre nous une atmosphère semblable au calme qui règne juste avant ou juste après une grande tempête.

« Pour ce qui est de la désaffection entre mes parents et moi, je finis par convaincre ma mère de venir avec moi en thérapie. Ce fut notre seule et unique séance commune : elle passa l'heure entière à vociférer et à se plaindre que je n'avais pas la moindre reconnaissance, que j'avais été une " gentille petite fille ", qu'elle souffrait et se sentait " rejetée ". Le thérapeute proposa d'oublier le passé et d'améliorer le présent. Bien que mes parents aient continué à ne pas me comprendre, à me critiquer, et à rester distants, nous établîmes sur le plan social des rapports offrant une " façade convenable ". Je dis au thérapeute que j'avais rétabli des relations avec mes parents : mission accomplie.

« A ce stade-là, dans l'optique de la *Reality therapy*, mes besoins fondamentaux étaient satisfaits. J'arrivais à me convaincre que mes parents et mon mari m'aimaient, en dépit de l'impression de vide et de désespoir qui me torturait toujours. Je croyais ou plutôt je " savais " maintenant que j'avais de la valeur parce que j'avais un travail et que mon mari avait également un poste important. Nous agissions tous deux " avec droiture, réalisme et en toute responsabilité ". Cependant, il n'y avait pas de bonheur réel, pas de satisfaction authentique et pas de paix. Nous avions uniquement réussi à mettre un couvercle hermétique sur le désordre qui faisait rage en chacun de nous. A la fin de la cure, nous étions capables de nous débrouiller et de " fonctionner ".

« Un an après, je passai à la suite de mon mari en thérapie primale. Cela avait été une année de querelles violentes, d'amertume et de désespoir et j'avais à plusieurs reprises envisagé de me suicider. La *Reality therapy* m'avait simplement " appris " à modifier mon comportement, mais je ne m'étais en aucune façon débarrassée de la source de mes misères. De toute évidence, cette thérapie n'avait fait que retarder la confrontation inévitable entre moi et mon mal profond. Aujourd'hui, je ressens mes anciennes souffrances, je m'achemine vers la guérison, non vers un soulagement purement passager.

« Les différences qui séparent ces deux formes de thérapie m'apparaissent très clairement. Tandis qu'en *Reality therapy*, je passais une heure à faire de l'intellectualisme et du verbiage — bref, de la foutaise — en thérapie primale, je passe tout le temps qu'il me faut à ressentir ma souffrance. Plus je ressens de souffrance, moins il en reste en moi. Je comprends maintenant que je n'ai pas besoin de conseils extérieurs mais que c'est le fait de ressentir ma souffrance qui m'aidera. Les conseils extérieurs me forcent simplement à me conformer à un modèle de comportement, qui m'est imposé sans tenir compte de ce que je suis et de ce que je ressens. C'est le modèle d'une société névrotique, et malheureusement en *Reality therapy,* le but est de s'y conformer, bref, d'agir "avec droiture, réalisme et en toute responsabilité". Par conséquent, comble d'ironie, la *Reality therapy* me maintenait dans l'irréalité, puisque j'étais complice du processus qui m'y plongeait. Au contraire, en thérapie primale, j'enlève avec violence les couches du moi irréel, la façade, le masque d'impassibilité. On ne cherche pas à vous rendre capable de vous "débrouiller" ou de "fonctionner", il y a juste la démolition du moi irréel jusqu'à ce que je devienne un être humain qui ressent pleinement.

« La *Reality therapy* prétend que les besoins humains fondamentaux peuvent être satisfaits par n'importe quelle personne ou personnes. Cela m'aurait maintenue dans une névrose éternelle puisque c'était m'encourager à chercher quelque chose d'introuvable, étant donné que c'était l'amour de mes parents dont j'avais besoin. La thérapie primale va au cœur du problème : seuls mes parents auraient pu satisfaire ces besoins de petit enfant. Désormais, je n'attends plus de mon mari qu'il comble les vides que mon père a laissés en moi. Quand je serai guérie, j'aurai acquis la liberté de laisser mon mari être lui-même et je saurai l'aimer pour ce qu'il est sans chercher en lui un substitut de mon père.

« Quand j'étais en *Reality therapy,* ma névrose se trouvait aggravée parce que le thérapeute devenait le substitut de mon père. Il était gentil, bon, attentif, et il m'écoutait comme mon père ne l'a jamais fait. En fin de compte, je dépendais du thérapeute au lieu de dépendre de moi-même. De cette façon, la thérapie aurait pu se prolonger à l'infini sans accomplir jamais le moindre progrès. Je ne trouve pas juste le principe de la *Reality therapy,* selon lequel le patient, s'il a le sentiment de sa valeur en face du thérapeute, aura également ce sentiment dans le cadre des autres relations humaines. En thérapie primale, j'ai gardé mes distances avec mon thérapeute : je ne sens que moi, ma solitude et la certitude que personne ne peut me prendre en charge, sauf moi-même.

« La thérapie primale m'oblige à affronter ce qui m'a rendue malade, elle ne se préoccupe pas de m'apprendre à restructurer mon comportement névrotique. La *Reality therapy* me demandait de me détacher de mon passé et de le considérer comme n'ayant aucune importance pour le présent. Au contraire, la théorie primale reconnaît qu'on ne peut éliminer le passé par un oubli intellectuel. Il faut évoquer le passé, s'en souvenir, et, ce qui est essentiel pour le traitement, le ressentir pour être libre d'avoir un présent. Pour la première fois de ma vie, j'espère que le vide en moi va être comblé et que l'épaisse couche de souffrance qui m'enveloppe, sera enlevée. »

La méditation transcendantale

Lancée par les yogis indiens comme Maharishi Maheshi Yogi, la méditation transcendantale connaît une grande vogue chez les étudiants et les artistes. La méditation consiste à répéter un mantram (une formule du sanskrit qui exprime une relation spécifique entre l'individu et son dieu; par exemple : « Dieu, aie pitié de moi ») en concentrant toute son attention sur l'image du dieu et en faisant abstraction de toute autre préoccupation intérieure ou extérieure. Cette méthode comporte aussi des exercices respiratoires, de sorte qu'en général, au sommet de la « transcendance », la respiration du sujet est à peine perceptible. Le tout se déroule parmi les fleurs, les draperies et les parfums d'encens. Le but est d'arriver à ne faire qu'un avec le dieu, d'atteindre la relaxation complète qui est une forme de béatitude. La méditation a pour but la transcendance du moi temporel afin d'atteindre le moi spirituel et par-là la réalisation complète du moi.

Vivekananda, fondateur de l'ordre de Ramakrishna, décrit les objectifs de la méditation de la façon suivante :

« La méditation est le meilleur moyen d'arriver à la vie spirituelle. C'est par la méditation que nous nous dépouillons de toutes les données matérielles et que nous sentons notre nature divine. Moins nous pensons à notre corps, mieux cela vaut. Car c'est le corps qui nous tire vers le bas. C'est l'attachement, l'identification qui nous rend malheureux. Je vous donne le secret : " Il faut penser que nous sommes l'Esprit et non le corps et que tout l'univers, avec tout ce qui s'y passe, avec tout le bien et tout le mal, n'est qu'une suite de tableaux, de scènes peintes sur une toile dont nous sommes témoins " (1). »

(1) Swami Vivekananda, *Works* (Advaita Ashrama, 1946), vol. 27, p. 37.

La seule façon dont je puisse caractériser la méditation, est de l'appeler un antiprimal. La méditation exige le détachement au lieu de la connexion, l'abnégation de soi plutôt que le sentiment du moi, et elle croit que le clivage du corps et de l'esprit est nécessaire. C'est une forme de solipsisme puisque rien n'existe réellement sauf sous forme d'une peinture sur toile.

Cela ne veut pas dire que les gens ne puissent faire usage de la méditation en tant que moyen de détente. L'un de mes patients, qui avait longtemps été moine Vedanta, rapportait qu'il avait répété son mantram et pratiqué la méditation transcendantale pendant douze ans et qu'il avait souvent atteint un état de béatitude. Mais le résultat final de toute cette béatitude fut une dépression complète qui nécessitait un traitement. Cela mérite sans doute quelque explication. Je crois que l'état de béatitude provient du fait qu'on supprime totalement son moi, qu'on s'abandonne à un phantasme (divinité) qu'on crée soi-même, qu'on se confond avec ce produit de l'imagination et qu'on perd toute réalité. C'est un état de totale irréalité, un peu comme une psychose que l'on aurait institutionnalisée dans la société. Si par exemple un patient venait nous dire qu'il s'est uni à Dieu, que Dieu et lui ne font qu'un, nous le soupçonnerions de déraisonner. Mais quand toute une théologie spécifique vient sanctionner un processus de ce type, on a tendance à perdre de vue son caractère irrationnel.

Il ne faut pas oublier que l'on peut méditer tous les jours sans que le besoin de méditer diminue. D'une manière quelconque, le démon de la tension surgit à nouveau chaque jour et doit être chassé par la méditation. Il semblerait que les rites, les fleurs et les draperies soient les signes extérieurs élaborés de la relaxation car il n'est pas besoin de rites pour se détendre. En fait, ils sont bien souvent une indication que l'individu doit lutter pour se relaxer, alors qu'il suffit d'être soi-même. Je ne crois pas que par des signes extérieurs, on arrive à être soi-même : on est soumême, c'est tout.

L'existentialisme

Un autre courant de la psychologie moderne est l'existentialisme. C'est une approche qui cherche à diminuer quelque peu l'importance que les Freudiens attribuent aux expériences de la petite enfance, tout en offrant une structure plus dynamique que les thérapeutiques de condition-nement. Les psychologues existentialistes mettent l'accent sur le « ici et maintenant ». La psychologie existentialiste se préoccupe de l'Etre. On ne peut pas vraiment parler de l'existentialisme comme d'une véritable thérapeutique, car peu d'hypothèses vérifiables ont été émises et il n'y a pas non plus une tentative méthodologique visant à mettre au point une approche bien organisée. L'existentia-lisme est plutôt une doctrine à caractère très philosophique qui tire sa force des écrits de Sartre, de Binswanger et de Heidegger.

Actuellement, c'est Abraham Maslow qui est un des chefs de la file du mouvement. Il joue avec Carl Rogers un rôle considérable dans la pensée contemporaine en psycholo-gie (1). Tous deux croient à l'existence d'une pulsion vers la santé psychique qu'ils appellent « réalisation du moi » (self actualisation). Pour Maslow, cet instinct est indéfinis-sable et seules les observations permettent de conclure qu'il existe.

Maslow voit la névrose en termes de déficience; pour lui, le névrosé est l'individu qui n'a pas tout ce qu'il lui fau-drait pour se réaliser :

« Il y a en chaque homme deux systèmes de forces contradictoires. L'un s'attache à la sécurité et à des atti-tudes défensives nées de la peur, il tend vers la régression, il a peur de grandir, peur de l'indépendance, de la liberté et de l'isolement. L'autre système de forces pousse l'homme vers l'intégrité du moi, vers l'assurance face au monde extérieur et, simultanément, vers l'acceptation du moi inconscient, le plus réel et le plus profond (2). »

De mon côté, je vois l'intégrité du moi comme quelque chose qui nous est inné mais je suis d'accord avec Maslow pour reconnaître qu'il y a en nous un besoin d'être entier ou réel — c'est-à-dire d'être ce que nous sommes. En revanche, je ne crois pas qu'il y ait en nous quelque chose comme une force fondamentale de régression et de névrose — une telle force n'apparaît que quand il nous est interdit d'être nous-mêmes. Je ne crois pas que la peur, en parti-culier la peur de grandir, soit une composante fondamen-tale de l'être humain.

Pour Maslow, la névrose est le conflit fondamental entre

(1) C. R. Rogers, *A Therapist's View of Personal Gifts* (Wallingford, Pa., Pendle Hill, 1960); *On Becoming a Person* (Boston, Houghton Mifflin, 1961).
(2) Abraham Maslow, *Toward a Psychology of Being* (Princeton, Van Nostrand, 1962), pp. 150-167.

les forces défensives et les forces de développement. Il voit les tendances de croissance comme « existentielles et ancrées dans la nature la plus profonde de l'être humain ». Dans leur besoin d'analyser l'homme en termes de lutte, beaucoup de théories postulent que son comportement est une perpétuelle dialectique entre éléments positifs et négatifs. C'est ainsi que Maslow voit le besoin de sécurité comme « un besoin prépondérant, plus fondamentalement indispensable que la réalisation du moi ». Avant que l'individu prennent des risques et s'exprime, il faut qu'il satisfasse ses besoins de sécurité les plus puissants. La situation conflictuelle devient le paradigme du développement. Pour ma part, je ne vois pas le conflit comme quelque chose de fondamental et d'intérieur. Je penserais plutôt que la névrose résulte des pressions exercées de l'extérieur contre les tendances naturelles de développement de l'organisme. Il ne me semble pas que l'on puisse prouver l'existence d'un besoin de sécurité ou d'une peur fondamentale de l'indépendance et de la liberté. Ce sont des traits que l'on retrouve dans la conduite de beaucoup de névrosés, mais il faut être prudent avant d'imputer ces comportements à quelque facteur génétique ou constitutionnel.

Sur certains points, la position de Maslow est semblable à celle de Freud, car tous deux pensent qu'il y a une anxiété fondamentale dont il faut venir à bout. Maslow appelle le besoin de vaincre l'anxiété un besoin de sécurité. Mais ce n'est pas en plaçant de telles étiquettes qu'il rend sa conception de l'homme moins « démonologique ». Cela provient peut-être du fait que les théories psychologiques se bâtissent sur l'observation des névrosés dont on sait qu'ils ne sont jamais à court de démons à abattre.

Ce ne sont pas des besoins de déficience qui font que nous restons immatures et névrotiques, mais le manque de satisfaction de nos besoins réels. De toute façon, je ne vois pas comment il pourrait y avoir des besoins spéciaux qui ne nous occupent que partiellement. Tout besoin est total. Si nos besoins ne sont pas satisfaits, c'est nous qui sommes déficients.

Le patient de Maslow qui réalise son moi connaît l'expérience des sommets — une de ces expériences hors du temps et de l'espace où le moi est transcendé et où le sujet atteint presque le Nirvana. Les ouvrages de psychologie existentialiste foisonnent de considérations sur ce genre d'expériences : ce sont des phénomènes assez tentants. Beaucoup d'entre nous aimeraient transcender la médiocrité et la tristesse de notre existence quotidienne. Mais ce que Maslow n'explique pas clairement, c'est comment on peut accéder à une telle expérience et en quoi elle consiste exactement. C'est plutôt une expérience mystique. Comme les exemples précis manquent dans l'œuvre de Maslow, je m'appuie sur les descriptions que m'ont faites deux de mes patients qui avaient été en thérapie de groupe d'inspiration existentialiste. Le premier était dans un état de dépression depuis plusieurs jours; en fin de semaine, un ami était venu l'inviter à une excursion en montagne. Après une rude escalade, le malade en question s'était senti exulter. C'est ce qu'il appelait — sans vouloir faire de jeu de mots — une « expérience des sommets ». Que s'était-il passé? Il s'était débarrassé de sa dépression! Il avait fait appel à une défense. Mais je doute qu'il ait transcendé les sentiments réels impliqués dans sa dépression. Il les avait simplement mis à l'écart pour un temps.

Pour le second, l'expérience s'était produite au cours d'un marathon nu. Il passait de mains en mains, et tous les membres du groupe le câlinaient et le caressaient. Tout à coup, il avait senti tout son corps envahi de chaleur. C'est ce qu'il appelait « un instant de communion avec l'humanité ». Qu'était-ce en réalité? Il recevait enfin ce dont il avait besoin : un peu de chaleur humaine et des caresses. Mais ce n'était qu'une expérience passagère, non connectée avec la profonde souffrance née du besoin qu'il avait éprouvé toute sa vie. Ces attouchements de groupe apaisaient la douleur de sa tension et lui permettaient ainsi de transcender le réel. Mais son Nirvana était irréel. A mon avis, les névrosés sont coutumiers de ce phénomène de transcendance; ils ne font jamais rien d'autre que transcender le moi réel qui ressent. Quelque Nirvana qu'ils croient atteindre, ce ne peut être qu'un état irréel car c'est d'une *descente* dans le moi réel qui ressent, qu'ils ont besoin.

Il semble que la quête de ces expériences des sommets ne soit bien souvent qu'une nouvelle forme de lutte que le sujet entreprend pour découvrir quelque chose d'exceptionnel dans une existence par ailleurs monotone et morne. Cela fait partie de ses espoirs irréels.

Quand il est donné à un moi réel de s'épanouir, quand les parents l'ont accepté dès le début, je ne vois pas pourquoi on chercherait à le transcender. Un patient qui termine la thérapie primale n'évoque jamais des expériences du type de celles dont parle Maslow. Tous les sommets ont été aplanis car sa névrose ne le pousse plus, ni à entrer en euphorie, ni à sombrer dans les gouffres du désespoir.

Le seul fait d'être totalement soi-même est un sentiment impressionnant.

Les psychologues existentialistes essaient de laisser de côté les pulsions fondamentales de l'anxiété et les forces instinctuelles et de se concentrer sur les processus de la réalisation du moi — ces pulsions qui nous conduisent vers la santé. Rollo May et ses associés expliquent en partie cette position existentialiste en disant : « Ce qui caractérise le névrosé, c'est que son existence est assombrie, couverte de nuages... qu'elle ne donne pas d'assise à ses actes. La psychologie existentialiste veut que le patient fasse l'expérience que son existence est réelle (1). » La thérapie primale n'a pas d'autre objectif. Mais le langage existentialiste même obscurcit la réalité dont il s'agit. Qu'est-ce qu'on entend exactement par « existence » ? Qu'est-ce qu'une existence « assombrie » ?

Pour l'existentialiste, l'engagement est un facteur essentiel. L'objectif du thérapeute est d'aider le patient à s'extirper du vide existentiel pour s'engager dans quelque chose de positif, qui aille de l'avant. La psychologie existentialiste affirme que l'on tire de l'engagement le sens du moi. Mais pour pouvoir engager son moi, il faut que ce moi existe. Le névrosé est coupé de la plupart de ses actes, par conséquent il va de soi qu'il ne peut pas s'engager entièrement dans quoi que ce soit. Un homme d'affaires entièrement engagé dans son travail fait en général agir son moi irréel et, s'il sentait ce qu'il est en train de faire, il ne serait selon toute vraisemblance pas aussi entièrement engagé dans son affaire !

Sur le plan clinique, la position existentialiste ressemble à la position rationaliste. Un homosexuel est censé venir à l'hétérosexualité en s'engageant dans un comportement hétérosexuel. Mais je ne crois pas que la névrose se cantonne au niveau des actes; c'est au niveau de ce qu'est l'individu qu'elle se situe. Un sujet peut avoir de multiples relations hétérosexuelles et rester homosexuel parce qu'il ressent toujours le besoin de l'amour d'un individu de son sexe. Aucun *acte* ne peut effacer ce besoin. C'est là où se trompe l'homosexuel « latent » qui essaie de chasser ses tendances homosexuelles (jusqu'à nier son besoin de l'amour parental) en passant d'une relation hétérosexuelle à l'autre — le tout en vain. On peut n'avoir jamais de rapports homosexuels et se sentir tout à fait homosexuel

(1) Rollo May, Ernest Angel et Henri Ellenberger, *Existence* (New York, Basic Books, 1960).

(voir chap. 17). Le névrosé peut toujours adopter une nouvelle façon d'agir, mais cela ne modifiera guère sa névrose.

Les psychologues existentialistes s'attachent surtout aux engagements de l'individu, à son comportement actuel et à sa philosophie. Je ne crois pas que l'on puisse changer son « Etre » par des discussions. Pour moi, « Etre » signifie « Ressentir ». Chez les névrosés, la discussion est souvent quelque chose qui se situe au-dessus des sentiments. Elle retient le sujet au niveau mental de sorte qu'il n'est pas en mesure de ressentir son « Etre » véritable.

En sociologie, on appelle « rapprochement » l'effort de certaines théories pour s'unir à d'autres afin de consolider leur position. C'est ainsi que l'on voit des théoriciens freudiens faire entrer leurs principes dans le cadre d'une théorie de l'apprentissage pour donner plus de poids à la leur. On rencontre également le phénomène inverse : les théoriciens de l'apprentissage s'efforcent de conférer à leur approche un caractère plus « dynamique » en insérant les concepts plus dynamiques de Freud dans leur schéma de l'apprentissage. Cependant, cette réconciliation de théories est en général plus apparente que réelle et conduit à l'établissement de vérités « statistiques » plutôt que biologiques. Je veux dire qu'en expliquant Freud par d'autres théories, ou en expliquant les théories de l'apprentissage par des principes dynamiques, on ne fait que répéter toujours les mêmes choses en les présentant sous un jour plus agréable. Je ne crois pas qu'il soit utile de parler de la peur de la castration en termes d'attrait/répulsion, si cette peur n'existe pas.

Si l'on examine l'évolution de la psychologie depuis le début du siècle, on constate que l'accent a d'abord été mis sur la petite enfance et sur l'introspection. Les behavioristes ou théoriciens de l'apprentissage ont au contraire évité l'introspection et la petite enfance pour s'attacher au comportement. Il y a eu ensuite les tentatives des néo-Freudiens qui ont voulu mettre la théorie de Freud au goût du jour en mettant l'accent sur l'analyse du moi, se concentrant sur les manœuvres défensives du patient dans le présent.

Malgré toutes les modifications des théories de Freud qui semblent si progressistes, on dirait que c'est encore le Freud des débuts qui est le plus proche de la théorie primale, car il concentre toute son attention sur le passé et élucide les problèmes présents grâce à l'exploration de la petite enfance.

La théorie primale est très éloignée du behaviorisme. Le

behaviorisme cherche à isoler le symptôme et à tenter de conditionner ou de déconditionner un comportement irréel. Cette méthode s'attache à des manifestations irréelles plutôt qu'à des causes; par conséquent, elle ne peut pas provoquer de modifications réelles.

La théorie primale ne considère l'homme ni comme une compilation d'habitudes, ni comme un amoncellement de défenses contre les instincts et les démons intérieurs. Quand le sujet peut faire l'expérience de ses désirs et de ses besoins primals sans crainte de perdre l'amour qu'on lui porte, il peut faire l'expérience de son « Etre ». S'il n'en a pas la possibilité, il est, pour utiliser le concept existentialiste, un « non-Etre ». Je ne crois pas qu'aucune sorte d'effort, la sublimation ou la compensation, puissent transformer un « non-Etre » névrotique en un être qui ressent. Afin d'être ce qu'il est, il faut que le névrosé retourne en arrière et ressente ce qu'il était avant de cesser d' « Etre ». Comme le disait un patient, « pour être ce que l'on est, il faut être ce que l'on n'était pas ».

Le contentement ou le bonheur, qui sont souvent le but de la psychothérapie, ne sont pas le résultat d'une accumulation d'éclairs introspectifs, ce ne sont pas non plus des mélopées qu'on chante ou des mantrams qu'on répète, pas plus qu'ils ne résultent de l'acquisition d'habitudes « positives ». Je crois que si le traitement doit conduire le patient à se sentir heureux, ce sentiment ne peut être obtenu que si le patient découvre enfin son moi réel. Le bonheur atteint par le moi irréel ne pourra jamais être qu'irréel. Le bonheur réel signifie donc que le malheur passé a été résolu et éliminé.

Un certain nombre de thérapeutes m'ont rapporté avoir assisté occasionnellement à des primals, particulièrement au cours de séances de groupe marathon (séances qui durent toute la nuit). En général ils ont été considérés comme des manifestations d'hystérie et l'on s'est précipité pour apaiser et calmer le sentiment au lieu de l'aider à s'épanouir. S'ils avaient eu connaissance de la thérapie primale pour se guider, ces crises d'hystérie se seraient révélées chargées de signification. Le but des séances marathon est en général constructif et, chose curieuse, bien des thérapeutes « oublient » leurs théories quand ils participent à de telles séances. Dans la plupart des cas, ils essaient de fatiguer le système de défenses du malade et ils y réussissent quelquefois. Mais s'ils n'ont aucune notion de ce qui s'y passe, le marathon tourne souvent à un exercice d'épuisement où les malades explosent, s'effondrent, pleurent, deviennent familiers et intimes mais n'établissent pas ces connexions primales fondamentales qui pourraient faire du marathon une expérience durable.

L'une des variantes de la séance marathon qui se répand rapidement, est le marathon nu. Aujourd'hui, beaucoup d'organisations professionnelles de psychologues ont, lorsqu'elles tiennent des séminaires, un spécialiste de ces techniques. Le marathon nu est une séance de groupe normale où tous les participants sont nus. Il met l'accent sur le côté sensuel et se déroule souvent en partie dans une piscine où les participants peuvent se livrer à des attouchements et à des caresses, de sorte que chacun peut avoir la sensation de « communiquer avec l'autre ». L'objectif visé est d'aider les gens à se débarrasser de tous les éléments artificiels qui les séparent, d'éliminer toute honte du corps et de rapprocher les individus. Cette méthode fait partie de la conception plus générale selon laquelle, à travers certaines pratiques, on peut apprendre à sentir, à être sensible et sensuel, et à accepter son corps. Il est possible que ces pratiques constituent des interludes agréables au cours d'une vie monotone, mais je ne crois pas qu'elles puissent augmenter la « capacité de sentir » de l'individu. Ce n'est pas parce que c'est une expérience sensuelle que c'est un traitement thérapeutique.

Je voudrais souligner une fois de plus que l'on n'acquiert pas le sentiment des autres. On apprend d'abord à se sentir soi-même, puis on sent que l'on sent les autres. Ainsi, un individu dont les sentiments sont bloqués pourra toucher et ressentir un autre à longueur de journée sans jamais faire l'expérience de ressentir. Etre sensuel veut dire qu'on est ouvert à ses propres sens. S'il en était autrement, les femmes frigides qui se livrent constamment à des attouchements et à des caresses finiraient pas être comblées. Mais il n'est que trop fréquent qu'elles rendent compte d'un besoin continuel de caresses et d'une inaptitude aussi continuelle à ressentir quoi que ce soit. Il convient d'établir clairement la différence qu'il y a entre adopter des pratiques et faire une expérience intérieure; pour rapprocher les gens les uns des autres, il faut d'abord les rapprocher d'eux-mêmes, de leur moi qui ressent. C'est en détruisant les barrières intérieures qui font obstacle au sentiment que l'on vient à bout des barrières entre les individus.

On prétend que le fait de dépouiller les gens de leurs vêtements diminue en quelque sorte leurs défenses à l'égard des autres. Mais répétons : les défenses à l'égard des autres sont avant tout des défenses à l'égard du moi, de sorte que les vêtements, qu'on les porte ou qu'on les quitte, n'ont pas grand rôle à jouer. Je ne vois pas comment des processus intérieurs qui se sont développés tout au long d'une vie pourraient être modifiés par un simple changement de costume. On dirait que pour certains, il se produit un phénomène magique et que si l'on se livre à certaines pratiques sans pantalon ou sans robe, les barrières intérieures qui ont persisté pendant des années s'écrouleront.

Je me suis attardé sur cette question afin de bien faire la distinction entre une expérience intérieure et une expérience extérieure. Si l'on n'établit pas cette distinction, on peut imaginer des individus couchés par terre, se tordant dans tous les sens en hurlant et qui ont l'illusion d'avoir un primal. Il ne faut jamais oublier que seuls les comportements qui découlent directement des sentiments éprouvés peuvent entraîner des modifications fondamentales de l'individu. Le courant doit aller de l'intérieur vers l'extérieur, sinon le sujet peut se livrer à toutes sortes de manifestations, mener une lutte terrible, et pourtant ne pas changer d'un iota le sentiment qui est à la base. On peut se montrer nu tout en se sentant protégé et se montrer habillé en se sentant totalement dépouillé de défenses. Une fois que la barrière qui fait obstacle aux sentiments est anéantie, les stimuli extérieurs pénètrent tout le système. A ce moment-là, les exercices destinés à cultiver l'expansion de la perception, qui consistent à faire marcher les gens sur de l'herbe fraîche afin d'élargir l'expérience de leur sensualité, peuvent prendre une signification véritable. Une signification *réelle* — qu'il fait bon marcher sur de l'herbe fraîche — et non quelque supra-signification mystique.

Le psychodrame

Le psychodrame est une technique très utilisée en thérapie de groupe par les thérapeutes des tendances les plus diverses. Pour caractériser le psychodrame je dirais que c'est un jeu de « comme si ». Le patient prend le rôle que lui attribue le thérapeute et fait « comme si » il était quelqu'un d'autre, ou lui-même, dans une situation particulière, par exemple, en train de répondre à son chef. Le patient peut aussi prendre le rôle de sa mère, celui de son père, de son frère ou de son professeur. Mais, bien entendu, il n'est aucune de ces personnes, de sorte qu'il doit jouer un rôle et essayer d'avoir les sentiments de quelqu'un d'autre alors que souvent il n'est même pas encore capable de se rendre compte de ses propres sentiments.

Le psychodrame a une certaine utilité limitée, par exemple, en thérapie traditionnelle, quand on veut détendre un groupe; mais, en général, ce n'est qu'une manière d'offrir à un sujet qui joue son propre rôle depuis des années, un rôle irréel de plus. Dans ce cas, le jeu est mis en scène par le thérapeute. Pour ma part, j'estime que le névrosé n'a que trop souvent été contraint de jouer un rôle et de noyer ses sentiments dans une sorte de pièce d'épouvante, écrite, mise en scène et piètrement réalisée par ses parents.

Le psychodrame repose sur le principe magique et fallacieux selon lequel, si le sujet arrive à parler librement à un personnage de mère au cours d'un jeu, il sera aussi capable de le faire dans la vie réelle. On suppose que le rôle adopté se perpétuera et que l'individu sera définitivement plus agressif, plus capable de s'exprimer, etc. Mais le sujet qui joue ce rôle n'est pas réel; comment pourrait-il alors apporter de réels changements à sa personnalité et à son existence ? Tout ce qu'il peut faire, c'est apprendre à être plus névrotique en affinant ses talents d'acteur, de sorte qu'il joue en fonction d'un rôle et non d'un sentiment.

Il arrive qu'un patient se laisse prendre par son rôle au sein du psychodrame et à perdre le contrôle de lui-même. Mais en général on l'interrompt de sorte que l'expérience du sentiment est avortée. Je n'ai jamais vu dans un psychodrame un malade autorisé à se rouler par terre et à perdre, dans son « rôle », tout contrôle de lui-même. En général les patients ont conscience de jouer un rôle. Ils sont encore des adultes en train de faire « comme si »... En thérapie primale, le malade ne joue pas un rôle. Il *est* le petit enfant ayant perdu tout contrôle.

Tout cela pour dire que le névrosé *est* sa névrose. Ce n'est pas en modifiant la façade, en remaniant les symptômes, en offrant des diversions symboliques, aussi bien physiques que mentales et en enseignant des rôles artificiels dans des situations artificielles qu'on s'attaque à l'origine des difficultés. Le regroupement des défenses peut continuer indéfiniment et ne s'arrêtera pas tant que le malade ne se sent pas lui-même. Tant qu'il n'a pas le sentiment de sa souffrance, on pourra essayer tout ce qu'on voudra, rien ne sera efficace — pas plus le psychodrame, que l'analyse des rêves, les techniques d'expansion de la perception, la méditation ou la psychanalyse.

Il n'est pas possible de passer en revue toutes les écoles

de psychologie, de même qu'il est impossible de répondre à toutes les questions que soulève la thérapie primale. On peut, par exemple, se demander si c'est une forme d'hypnose. En fait, c'est tout le contraire bien que l'on puisse trouver des points communs entre la névrose et l'hypnose. La névrose apparaît quand les parents demandent à l'enfant de renier son moi et ses sentiments, pour devenir la personnalité qui répond à leurs besoins. De même, dans l'hypnose, une autorité forte et rassurante endort le moi réel, qui ressent, pour inculquer au sujet une autre « identité ». Le sujet hypnotisé abandonne son moi à cette autorité exactement comme l'enfant l'abandonne à ses parents pour devenir ce qu'ils souhaitent. L'hypnose agit sur la façade irréelle du moi. C'est ainsi qu'un sujet qui ne ressent pas et joue dans la vie le rôle de professeur pourra être transformé sur la scène en Fernandel. L'hypnose peut réussir à cause du clivage interne qui existe à l'origine chez le patient. A partir du moment où un individu ne ressent pas, on peut en faire à peu près n'importe quoi. Inversement je ne crois pas qu'une fois qu'un individu est totalement lui-même, il puisse être transformé en qui que ce soit d'autre, qu'on puisse lui laver le cerveau, ou l'hypnotiser.

Ce n'est pas par hasard que quand on atteint les niveaux plus profonds de l'hypnose, on ne ressent plus une piqûre d'épingle. C'est un test que l'on fait souvent pour voir si le sujet est réellement hypnotisé. Pour moi, cela vient corroborer le principe de la thérapie primale, selon lequel, dans l'hypnose comme dans la névrose, le moi réel, qui ressent, a été endormi. La névrose n'est donc qu'une forme universelle d'hypnose de longue durée. Sinon, comment pourrait-on expliquer le fait que le névrosé est ravagé de souffrances dont il reste inconscient ? Dans certains cas l'hypnose provoque probablement un état quasi psychotique. Quelle différence y a-t-il entre le sujet qui devient Fernandel, sans même savoir qu'il est Fernandel et sans avoir quelque autre forme de conscience que ce soit, et le sujet qui, dans un hôpital psychiatrique, se prend pour Napoléon ? Dans la névrose, la psychose et l'hypnose, nous avons affaire au clivage qui se produit par rapport au sentiment et au fait qu'une identité irréelle est imposée au sujet. Les parents névrosés imposent à leurs enfants ce genre d'identités ou de rôles, inconsciemment, alors que l'hypnotiseur le fait délibérément. Il peut le faire parce que certains individus sont désireux et même anxieux de s'abandonner à un autre afin d'être un enfant ou un « sujet » apprécié. C'est ce besoin d'être un sujet loyal qui a contribué à faire des nazis — des individus prêts à tuer pour la patrie.

La thérapie primale est l'inverse de l'hypnose car elle cherche à enraciner l'individu dans ses propres sentiments sans plus se préoccuper de ce que les autres attendent qu'il soit. Quand l'individu est totalement pris dans son présent, il est peu vraisemblable qu'on puisse l'endormir en partie et entraîner ce qui reste dans un « échange d'identités ». Un individu réel ne pourrait pas être transformé en nazi; pas plus qu'il ne pourrait devenir Napoléon ou Fernandel. Un individu réel ne peut être que lui-même.

Beaucoup de névrosés expliquent, quand ils ont fini la thérapie, qu'ils étaient auparavant dans une sorte de transe. Comme dominés par leur passé, ils se rendaient à peine compte de ce qui se passait dans leur vie. Une malade décrivait cet état comme un perpétuel état d'engourdissement. Elle était ce qu'elle pensait que les autres voulaient qu'elle soit, juste pour arriver à vivre. N'est-ce pas aussi le cas du sujet placé sous hypnose ? « Je serai ce que tu veux que je sois (papa). »

Laura

La différence entre la thérapie primale et d'autres thérapies est mise en évidence par Laura, qui en a essayé plusieurs. Laura, dont j'évoque brièvement le cas par ailleurs, a donné une description excellente et particulièrement vivante d'un primal, qui montre bien comment tout le système psychophysiologique y est engagé.

J'ai commencé la thérapie primale quatre semaines avant mon trentième anniversaire et la poursuis depuis maintenant dix semaines. Pour moi, la valeur de cette méthode ne fait pas le moindre doute.

Je suis l'exemple vivant de l'échec des thérapies conventionnelles, puisque au bout de sept années de traitements plus ou moins réguliers par des méthodes thérapeutiques de base et trois psychiatres différents, je suis arrivée en thérapie primale incapable même de ressentir. Autrement dit, sept années de traitement n'avaient même pas détruit la première barrière qui m'empêchait de guérir (c'est-à-dire à faire de moi une personne réelle capable de ressentir). Nous perdrions beaucoup de temps si je voulais m'attarder ici sur ma colère à l'idée du temps perdu (pour les médecins et pour moi-même) et de l'argent gaspillé (pour moi seule) au cours de ces sept ans. L'année dernière, avec mon dernier thérapeute (adepte de l'école existentialiste), je suis arrivée à la seule conclusion valable de ces sept années : j'ai senti que j'étais au bord d'une expérience essentielle mais que je ne pouvais pas la ressentir. J'ai cru que j'allais devenir folle et que j'allais faire sur moi-même des découvertes épouvantables. Maintenant, je comprends que ce que j'étais sur le point de sentir, était le fait de sentir !

Je ne saurais faire ici la liste de toutes les différences qui séparent la thérapie primale des thérapies que j'ai connues par le passé. La thérapie primale est efficace. Ce n'est pas en vous permettant de vous « sentir mieux » ou de « fonctionner » mieux, qu'elle vous aide. Il est très facile de bien fonctionner, mais cela ne signifie pas nécessairement qu'on se sent ou qu'on se porte bien. Je sais que la plupart des gens ne sont pas d'accord avec ce jugement. Mais pour moi, et pour bien d'autres dont je sais qu'ils fonctionnent parfaitement, je peux affirmer honnêtement que le fait de fonctionner n'est pas un signe de santé. Dans mon cas, cela indiquait seulement : 1) que j'avais appris très tôt que j'étais censée jouer un rôle pour obtenir qu'on m'aime, 2) que j'y croyais (si j'arrivais seulement à me comporter comme il fallait, je serais aimée), 3) que j'avais un besoin suffisamment profond d'être aimée pour continuer à jouer ce rôle même quand j'en étais épuisée et que je n'en avais pas envie, et 4) que j'avais trouvé une excellente manière de me leurrer (par ex. « si j'arrive à fonctionner si bien, c'est que je ne suis pas tellement malade »). Il y a environ trois ans, j'ai pris quatre-vingt-dix cachets de somnifères pour me suicider. Avant de les prendre, j'avais fait le ménage dans toute la maison, changé les draps de lit, pris une douche et je m'étais lavé les cheveux. J'avais parfaitement fait mon travail et j'étais une femme d'intérieur accomplie jusqu'au moment même où mon esprit était complètement coupé de mes sentiments, où j'étais le plus profondément malade.

Il y a encore autre chose qui m'a toujours gênée — et je ne suis pas la seule — dans les thérapeutiques qui aident le patient à se sentir mieux et à fonctionner mieux. Si effectivement mes parents ne m'ont pas aimée, et c'est le cas, si je suis réellement seule, ce qui est encore vrai, et si le monde n'est qu'un univers de famines et de combats, ce qui est évident, on se demande pourquoi il faudrait que moi, je me sente mieux ? Prenons par exemple la *Rational therapy*. J'ai vu un jour le docteur K (qui pratiquait cette forme de psychothérapie) pour une séance privée. A ce moment-là je le croyais très brillant surtout parce qu'il était dur avec moi. Je me souviens d'une partie de notre conversation. Je disais : « Je n'y tiens plus. Je voudrais que mon ami vienne me voir sans que j'aie besoin de le lui demander. » Le docteur K me répondit : « N'est-ce pas là un sentiment bien ridicule et irrationnel ? Qui vous croyez-vous pour estimer qu'il devrait vous appeler ? Si vous voulez le voir, pourquoi ne lui téléphonez-vous pas vous-même ? » Apparemment il n'y a rien d'illogique dans sa remarque. Mais, ce qui est irréel, c'est son opinion selon laquelle en changeant ses pensées, on modifie ses sentiments.

En thérapie primale, c'est uniquement par la voie du sentiment (et non par la réflexion intellectuelle) que j'ai appris que le fond de tout mon problème était le besoin d'être aimée par ma mère et par mon père, besoin resté inassouvi. Le besoin de leur amour est le besoin fondamental. S'ils m'avaient aimée, ils m'auraient laissée être ce que je suis et ils m'auraient donné ce dont j'avais besoin. Comme ils étaient tous deux de véritables gosses et malades eux-mêmes, ils ne pouvaient me donner que ce qu'ils souhaitaient donner et non ce dont j'avais besoin. Et comme ils n'étaient pas entièrement eux-mêmes, ils exigeaient de moi que je joue un rôle pour eux, au lieu d'être tout simplement moi-même. Vers cinq ans, j'ai cessé d'être une personne réelle avec des sentiments réels. Il devenait évident que je ne pourrais obtenir ce dont j'avais besoin en étant simplement moi-même ; je cessai donc de ressentir et commençai à jouer un rôle. C'est là qu'a débuté ma maladie. A partir de ce moment-là, tout ce que j'ai fait a toujours été de plus en plus éloigné de ce que j'étais réellement et de ce dont j'avais réellement besoin. Plus je m'éloignais de mes sentiments réels, plus je devenais malade. J'ai appris à jouer un rôle afin de survivre, afin de ne pas ressentir la souffrance que me causait le fait de ne pas recevoir ce dont j'avais besoin — leur amour.

Ce n'est pas en modifiant les symptômes ou les manifestations de ce besoin que l'on guérit. Le docteur K aurait aimé que j'agisse bien et en accord avec la réalité, mais il ne semblait pas comprendre que cela ne faisait pas de moi une personne réelle et saine. C'est pourquoi, en m'interdisant ce que je ressentais dans le moment, il me privait de toute chance de guérison. Il pouvait bien alors me demander comment je comptais me débarrasser de ce désir « irrationnel » d'être appelée par mon ami. Dès que j'ai ressenti le besoin *réel*, non pas une fois, mais aussi profondément et autant de fois que nécessaire pour qu'il disparaisse, le comportement névrotique s'est effacé, puisqu'il ne faisait que masquer le besoin réel. Cela peut paraître miraculeux et moi-même j'ai eu cette impression, mais en fait, c'est très réel. Peu à peu, au fur et à mesure que je ressens davantage, je déjoue de moins en moins mes sentiments. Plus je me permets au cours des séances de ressentir en moi le bébé qui a besoin de l'amour de ses parents, plus je me libère de ce besoin, plus je deviens libre d'être adulte, solitaire, indépendante, libre de prendre plaisir à la compagnie des autres en les laissant être ce qu'ils sont, libre de savoir que je n'obtiendrai jamais de mes parents ce dont j'avais besoin et que personne ne pourra remplir ce vide.

Bien d'autres différences séparent la thérapie primale de la plupart des thérapies pratiquées à l'heure actuelle. Il y a bien entendu les différences de méthode. Une autre différence importante qui a de toute évidence joué un grand rôle pour moi, est celle qui existe entre les divers thérapeutes. Le transfert qui se fait du père et/ou de la mère sur le thérapeute, se fait de lui-même, puisque le besoin de la mère ou du père n'a jamais été satisfait. Le thérapeute n'a donc pas besoin de se comporter comme un père ou comme une mère pour mener le patient à ces sentiments-là. Au contraire, agir comme un bon père ou comme une bonne mère, comme un mauvais père ou comme une mauvaise mère, au lieu d'être une personne réelle, revient à infliger au patient le même faux-semblant qu'il a toujours obtenu de ses parents. Par conséquent, le thérapeute doit être réel à l'égard de son patient. C'est dans ce cas seulement qu'il n'acceptera pas les faux-semblants et les mensonges du patient.

Mon premier psychiatre était une femme très gentille et très compréhensive. Elle essayait de me faire comprendre ce que mon comportement avait de « négatif ». Elle voulait m'aider à trouver un sens à une vie familiale qui n'en avait aucun. J'avais seize ans, je n'allais à l'école qu'un jour sur deux, mes parents étaient divorcés, mon père essayait de me faire rafistoler son mariage, ma mère vivait avec une femme, et ma sœur et moi vivions chez ma mère. Moi, je trouvais cela absurde et je suis heureuse de dire aujourd'hui que j'avais raison. Mon plus grand réconfort est de savoir que la lutte que j'ai menée contre l'insanité de tout ce qui m'entourait est la seule chose qui m'ait fait conserver ma raison (c'est la seule chose qui maintenait un lien partiel avec mes sentiments réels). Mais tous ces thérapeutes m'auraient conduite au massacre comme un agneau docile, et chacun d'eux, comme ma famille, aggravait mon manque de confiance dans mes sentiments véritables, (les seuls qui auraient pu me sauver), aggravant ainsi mon profond désarroi. Je sentais que tous ceux qui m'entouraient étaient fous, et les autres prétendaient que c'était moi qui étais folle. Ils disaient que j'étais une « méchante fille » et qu'il me fallait, comme j'étais une enfant, me soumettre et accepter tous les faux-semblants dont ils m'abreuvaient et dont ils voulaient faire ma réalité. C'était le fait du moment, mais ce n'était pas la réalité. Par chance, le noyau de réalité qu'il y avait en moi — mes sentiments et mes besoins réels — ne disparut pas. La petite fille qui n'avait pas encore cinq ans — une petite fille réelle qui connaissait sa propre vérité et aspirait à la vérité et à des sentiments réels autour d'elle — n'avait pas été anéantie. Cette thérapeute ne se doutait pas le moins du monde que si seulement elle avait atteint en moi cette petite fille, elle serait arrivée à un résultat.

Mon second thérapeute me fit passer plus de deux ans à parler de mon mari. Il essayait souvent de me faire parler de moi-même, mais sans aucun succès. Je n'ai jamais vraiment pleuré devant un de mes thérapeutes. J'arrivais souvent en retard aux séances. Les trois thérapeutes successifs savaient tous que c'était la manifestation symbolique de quelque chose de plus profond, mais, se considérant comme des substituts de mes parents, ils se contentaient de me le reprocher et d'en discuter. Pendant sept ans, régulièrement, j'arrivais en retard aux séances. En thérapie primale, je suis arrivée en retard une seule fois. Arthur Janov me dit qu'il ne m'accorderait pas une séance de plus si j'arrivais encore une fois en retard. En se comportant ainsi, ce n'est pas le rôle du « bon père » que Janov voulait prendre, bien que je souhaite que mon père ait agi de la sorte. Il n'employait pas simplement une bonne méthode, quoique ce fût la bonne puisqu'elle était efficace. Il était réel à mon égard. Et ce qu'il y avait de plus important, il ne me donnait pas ce que je voulais (son approbation), mais, ce qui est bien plus essentiel : il me donnait ce dont j'avais besoin.

Il est honteux qu'aucun de mes thérapeutes précédents n'ait perçu ce besoin pourtant simple. Au contraire, ils me laissaient, jusque dans leur cabinet, continuer à adopter des comportements symboliques, à jouer un rôle, à dire et à faire tout ce qui me servait à dissimuler mes besoins réels. Ils faisaient ce que je voulais. Ils me laissaient parler à bâtons rompus de choses insignifiantes, alors que j'avais besoin d'eux afin d'être calme, réelle, sans rôle à jouer. Ils m'aidaient à dissimuler mes sentiments, à les cacher dans le rôle que je jouais vis-à-vis d'eux, mes mère et père.

Si, en parlant de la thérapie primale, j'insiste sur ce qui la distingue des autres, c'est qu'en tant que malade, c'est la chose qui m'a le plus frappée. J'ai été stupéfaite qu'après tant de confusion, les choses puissent devenir aussi simples en quelques semaines de thérapie primale. Il semble qu'aujourd'hui beaucoup de psychiatres se rendent compte que leurs patients ne guérissent pas et il y a une multitude d'idées et d'approches nouvelles. Dans la thérapie existentialiste, très en vogue actuellement, dans les séances de groupe et les groupes marathon, les malades sont encouragés à s'exprimer plus librement qu'ils ne l'ont jamais fait. Sur le moment, ils en tirent une impression de grand soulagement. C'est peut-être la première fois qu'ils se mettent à pleurer en public, qu'ils expriment librement leurs pensées secrètes. Ils manifestent leur peur, leur colère, leur souffrance, leur peine, leur joie, etc. Je parle ici en connaissance de cause car j'ai participé à une séance marathon qui a duré tout un week-end et à laquelle prenaient part seize malades et deux thérapeutes. A cette époque-là, j'en étais à mon troisième psychiatre et c'est alors que j'ai senti que j'étais proche d'une expérience essentielle. C'est pourquoi j'ai connu un immense soulagement au cours de ce marathon, et je l'ai considéré comme une expérience très valable; cependant, il n'y avait là personne qui sût nous diriger vers le cœur même de nos sentiments, personne pour nous faire remonter au besoin dont découlent toutes ces peurs, toutes ces colères, toutes ces joies et toutes ces peines que nous ressentions.

Il faut signaler un autre aspect dangereux de ces nouvelles techniques : l'accent y est mis sur l'affection entre les membres du groupe, leur interaction, leur interdépendance et le fait qu'ils se réconfortent mutuellement. Tout ce réconfort contribue seulement à dissimuler le besoin réel, et aussi longtemps que la consolation qu'offrent les autres se substitue au besoin réel, on ne ressent pas ce besoin. Souvent, ces marathons apportent leur soutien aux comportements symboliques les plus flagrants qui prennent la place du sentiment (au sein du mariage, de l'amitié, du travail, de la famille, etc.). En thérapie primale, dès mon premier primal, j'ai su que je ressentais la vérité, que j'étais seule, et que rien de ce que j'obtiendrais des autres ne pourrait satisfaire mon besoin fondamental.

Une fois que j'ai ressenti le besoin réel, plus aucun substitut ne fait l'affaire.

Le primal est un sentiment profond qui exprime nos besoins les plus profonds. Je n'ai jamais rien éprouvé de semblable auparavant, sinon peut-être l'orgasme. Beaucoup de femmes pleurent après l'orgasme; cela m'arrivait souvent. Je comprends aujourd'hui pourquoi. C'est au moment de l'orgasme que j'étais le plus proche du sentiment de mon besoin réel. Après un primal, je constate que j'ai eu des sécrétions vaginales importantes bien que je ne ressente pas de contractions du vagin au cours du primal. En fait, jusqu'ici, ce sont toutes les sécrétions de mon corps qui s'accentuent au cours de mes primals. On dirait que toute ma souffrance s'écoule. J'ai les yeux qui pleurent, le nez qui coule, de ma bouche ouverte coule de la salive, je sue par tous les pores de ma peau et j'ai des sécrétions vaginales. Certains primals sont plus libérateurs que d'autres. Mon corps semble savoir ce que je peux supporter et dose la souffrance qu'il laisse sortir. Si je ne suis pas prête à ressentir le sentiment qui se présente, je lutte contre lui et il sort peu de chose; il arrive que je pleure et en général je crie à haute voix ce que je crois ressentir. Mais le plus grand soulagement se produit lorsque tous les contrôles s'évanouissent; à ce moment-là, on ne pense plus à rien. Je me demande encore comment cela peut arriver, car ce n'est pas moi qui le provoque. Et après coup, je suis incapable d'expliquer comment cela s'est passé, mais je suis toujours heureuse que ce soit arrivé. Je ne sens plus la moindre lutte, c'est le plus grand soulagement que j'aie jamais éprouvé, les mots, les sanglots et les bruits s'échappent de moi sans que j'aie le moindre contrôle sur eux. Il n'y a pas la moindre pensée, rien que le sentiment. Tout ce qui jaillit de moi me surprend dans la mesure où je ne suis pas maîtresse de la direction que va prendre le primal, et pourtant cela ne me surprend pas dans la mesure où je sens que c'est la vérité, le besoin réel, la réponse réelle à tout le désordre que j'ai accumulé par-dessus ce besoin.

Il est triste de penser que j'ai passé une si grande partie de ma vie à lutter contre le sentiment, alors que la lutte est une torture et le sentiment un soulagement. Mais c'est aussi une souffrance. C'est un soulagement d'abandonner la lutte — au bout de vingt-cinq ans — mais c'est une souffrance de sentir, de comprendre que le besoin ne pourra jamais être satisfait, seulement ressenti. La lutte m'a empêchée de ressentir cette souffrance, la souffrance de savoir que je suis seule et que je ne peux pas faire de mes parents des personnes réelles ou qui m'aiment — je ne peux que ressentir mon besoin.

Comme je l'ai déjà dit, mes primals ne revêtent pas toujours la même intensité. Ceux qui sont les plus libérateurs ont été très simples et très directs. Le premier est survenu en séance individuelle, au cours de la première période de thérapie intensive qui a duré trois semaines. J'ai commencé par sentir que j'avais froid. J'ai toujours eu très froid. J'ai toujours eu les mains et les pieds gelés, et j'ai toujours été incapable d'avoir chaud, même quand tous ceux qui m'entouraient se trouvaient bien. Etendue sur le divan, j'avais froid, je claquais des dents, et je m'entourais de mes bras. Janov m'a demandé alors de sentir réellement le froid en moi et avant même de m'en rendre compte (tout au moins sans savoir comment j'y étais arrivée), je me retrouvai couchée sur le côté comme un bébé, recroquevillée sur moi-même, en train de sangloter « je veux maman... ». Je ne sais pas combien de temps cela a duré. Je n'en étais pas maîtresse.

J'ai passé une bonne partie de ma vie à pleurer, mais sans que cela m'apporte le moindre soulagement. Ces sanglots avaient un accent nouveau pour moi, et je les ressentais comme plus réels que tout ce que j'avais pu connaître auparavant. La souffrance était la plus douce de toutes les souffrances que j'aie jamais connues. J'ai toujours joué les petites filles : comme celui d'une petite fille, mon pied droit était toujours tourné « en dedans », comme si cela devait me protéger. Dès que je me suis sentie un bébé, mon pied droit, qui était tourné vers l'intérieur, s'est redressé. Janov a vu quand cela s'est produit; après, j'ai regardé mes pieds et j'ai constaté qu'ils étaient tous les deux dressés bien droit. Après le primal, je suis restée étendue un certain temps. C'est une expérience assez éprouvante et pendant un bon moment, je ne pouvais rien faire ni dire. Aussi loin que remontent mes souvenirs, c'était la première fois que mes mains étaient chaudes. Et depuis, elles le sont presque tout le temps.

CHAPITRE 14

INSIGHT ET TRANSFERT EN PSYCHOTHERAPIE

Nature de l'insight

En 1961, Nicolas Hobbs, président de l'American Psychological Association a fait un discours sur les « causes d'amélioration en psychothérapie ». Les questions que pose Hobbs sur le rôle de l'insight revêtent une importance toute particulière, car l'insight joue un rôle essentiel dans ce que j'appellerai la thérapie conventionnelle. Quelles que soient leurs convictions théoriques, la plupart des thérapeutes — hormis les behavioristes — qui utilisent l'insight, pensent que si le patient peut comprendre le pourquoi de ses actes, il tend presque inévitablement à abandonner son comportement névrotique et irrationnel.

Hobbs exprime de l'inquiétude, car il arrive souvent que des malades qui ont une excellente compréhension de leurs actes, ne progressent pas. Beaucoup d'entre nous sont de son avis. Hobbs commence à remettre en question l'efficacité de cette technique. Il cite des exemples où des modifications ont été obtenues sans faire appel à l'insight : la thérapie du jeu pour les enfants, les thérapies du mouvement et le psychodrame. Il signale que des thérapeutes d'obédience théorique différente pratiquent des techniques introspectives variées, mais d'une efficacité équivalente, indiquant un pourcentage analogue de succès. Il se demande si dans ces thérapies, le malade n'adopte pas tout simplement le système personnel d'interprétation du thérapeute. « On dirait, ajoute-t-il, que le thérapeute n'a pas besoin d'avoir raison, il lui suffit d'être convaincant (1). »

Hobbs pose la question suivante : « Comment toutes ces interprétations différentes peuvent-elles toutes être justes ? Y en a-t-il même une seule de juste ? »

Hobbs définit ainsi l'insight : « C'est une affirmation qu'un patient fait à propos de lui-même et qui concorde avec l'idée que le thérapeute se fait de lui. » A ce degré de scepticisme, Hobbs abandonne l'insight comme un exercice plutôt stérile et il passe à l'examen des facteurs qui, selon lui, entraînent une réelle amélioration de l'état du malade. Il cite comme facteurs essentiels, la chaleur humaine, la compréhension et le fait d'écouter attentivement, autrement dit, la relation patient-thérapeute. Hobbs termine son exposé comme suit : « Il n'y a pas d'insights véritables, il n'y a que des insights plus ou moins utiles. »

Qu'est-ce que l'insight thérapeutique ? Je crois que c'est l'explication du comportement irréel. Le véritable insight n'est rien de plus que la souffrance, retournée comme un gant. L'insight est le cœur de la souffrance, tout ce que le sujet doit dissimuler pour ne pas avoir à faire face à la vérité. Ainsi, libérer la souffrance, c'est libérer la vérité. Cela implique non seulement qu'il y a, comme le dit Hobbs, des prises de conscience simplement « utiles », mais qu'il y a des vérités spécifiques précises pour chaque individu.

Prenons un exemple. Une malade en thérapie primale parle de son père qu'elle considère comme un homme foncièrement affectueux; elle raconte comment sa mère l'a mal traité, comme il paraissait faible. Elle poursuit ses commentaires à ce sujet en disant avec une expression de dégoût : « J'aurais voulu qu'il soit capable de lui faire front. » Je lui dis alors de crier « papa, sois fort pour moi ! ». Elle a un primal très émouvant, montrant comment son père a désespéré de sa famille, s'est refermé sur lui-même, vaincu et brisé. C'était lui le bébé, incapable d'aider sa fille qui avait besoin d'être protégée de cette mère odieuse. Quand elle comprend que son père ne l'aimait pas réellement, et qu'il ne pouvait pas l'aider, parce que lui-même avait besoin d'aide, elle est assaillie d'une série d'insights : « C'est pour ça que j'ai épousé un homme aussi faible, j'essayais de faire de lui un père fort ! C'est pour ça que je pleure quand mon fils m'embrasse ! C'est pour ça que les hommes qui se laissent tourner en dérision

(1) Nicholas Hobbs, « Sources of Gain in Psychotherapy », *American Psychologist* (novembre 1962), p. 741.

par leur femme me répugnent ! C'est pour ça, c'est pour ça !... »

Tous ces « c'est pour ça » étaient ses insights. Ce sont les explications des innombrables façons dont elle cherchait à dissimuler sa souffrance.

Les sentiments refoulés provoquaient tous ces comportements. Le fait de ressentir ces sentiments les a rendus compréhensibles.

Ces insights ne sont pas le simple fruit d'une discussion, ils jaillissent de tout un système bien structuré de sorte qu'ils sont l'aboutissement d'un sentiment totalement éprouvé. Les malades parlent de déferlement d'insights, qui sont de nature presque involontaire. Comme l'a dit un patient, il y a des insights « que l'on ressent jusqu'au bout des orteils ». La souffrance refoulée de cette malade — de n'avoir personne qui la protège de sa détestable mère — était la *raison* de son comportement irréel ultérieur. Libérer la souffrance, c'est faire apparaître les raisons du comportement. Ces raisons sont les insights. Une fois la souffrance ressentie, il est presque impossible de ne pas être submergé d'insights. En effet, un seul sentiment refoulé suffit à provoquer une multitude de comportements névrotiques.

Voici un autre exemple : un malade décrit la colère irrationnelle qu'il éprouve à l'égard de sa femme et de ses enfants. « Nom de Dieu, ils ne me fichent jamais la paix ! Il ne se passe pas une minute sans qu'ils me demandent quelque chose et je n'ai pas un instant à moi ! » Il affirme avec exaspération qu'il ne peut jamais être tranquille. Je lui demande s'il avait la même impression chez lui, avec ses parents. « Et comment ! » réplique-t-il, « je me souviens que mon père venait dans ma chambre et me lançait des regards soupçonneux quand j'étais en train de me reposer ou d'écouter de la musique parce que je ne m'occupais pas à quelque chose d'utile. Nom de Dieu, je deviens furieux quand je pense comment il me talonnait constamment. Pas une fois il ne s'est assis pour me parler. Il ne faisait que gueuler ses ordres. » Je dis : « Ressentez cela, laissez ce sentiment monter en vous et vous submerger. » Peu de temps après, le sentiment fait surface et je demande : « Qu'auriez-vous voulu lui dire dans ces moments-là? » « Oh, croyez-moi, j'aurais dit à cette espèce de con de... » — « Dites-le-lui maintenant ! » Làdessus le malade débite toute une série d'épithètes sur son salaud de père, mais bientôt cela fait place à un sentiment beaucoup plus profond : « Papa, s'il te plaît, assieds-toi à côté de moi. Pour une fois, sois gentil avec moi. Dis-moi quelque chose de gentil, s'il te plaît. Je ne veux pas être en colère contre toi, papa, je veux t'aimer. Oh papa ! » A ce stade, le malade éclate en sanglots, il est ravagé par la souffrance. C'est alors que surviennent ses insights : « Voilà pourquoi j'empruntais toujours de l'argent, que ce soit à lui ou à d'autres ! Je voulais que quelqu'un s'occupe de moi. C'est pour cela que je n'ai jamais voulu aider ma femme ! C'est aux exigences de *mon père* que je réagissais. C'est pour cela que je me mettais en colère quand les gosses me demandaient de les aider. » Puis le malade, toujours en larmes, s'adresse à nouveau à son père en criant : « Papa, si seulement tu savais combien j'ai pu me sentir seul à attendre que tu aies un geste affectueux ! Si une seule fois tu avais pu me prendre dans tes bras en rentrant à la maison ! — C'est pour ça que quand mon patron me dit un mot gentil, je me sens fondre. C'est pour ça que j'ai l'estomac noué dès qu'il a un regard critique ! »

Ces exemples montrent bien à quel point souffrance et démarche introspective sont liées. L'insight est en fait la composante mentale de la souffrance. Cet homme a senti les besoins réels que cachait sa colère et cela lui a permis de comprendre tous les actes dits irrationnels provoqués par ces besoins.

En thérapie primale, les malades ne savent pas qu'ils font de l'introspection. Ce n'est pas quelque chose à part. Quand le malade dit ses sentiments à ses parents, il se trouve dans la situation donnée correspondante. Il ne regarde pas ses sentiments de loin. Ce n'est pas « je les haïssais pour telle ou telle raison »; c'est « je vous hais pour ce que vous me faites ! » Bref, il n'y a pas de clivage du moi, pas de moi parlant d'un autre moi. Le processus primal est unique et constitue une unité en soi. C'est réellement le petit enfant qui dans mon cabinet exprime des vérités, ce n'est pas l'adulte qui explique l'enfant qu'il a été. A mon avis, il y a une différence énorme entre le fait de parler de ses sentiments avec un médecin et de parler directement à ses parents comme on le fait en thérapie primale. Quand on parle à ses parents, il n'y a pas de clivage du moi, mais seulement un moi totalement submergé par le passé.

Quand le malade dit : « Docteur, je crois que j'ai fait cela parce que je me sentais comme un petit enfant », il y a une séparation entre le « je » qui donne l'explication et le « moi » qui est expliqué. Ainsi, en thérapie conventionnelle, *le fait d'expliquer aide à maintenir la névrose en maintenant le clivage du moi.* Dans ce cas, aussi correcte que soit l'explication, la névrose s'aggrave.

En thérapie primale, le thérapeute n'est pas là pour donner des explications. Souvent les explications *sont* la maladie, surtout dans les classes moyennes où l'enfant est tenu d'expliquer ses moindres gestes. Dans ces familles les parents ont toujours des raisonnements très élaborés pour tout ce qu'ils font, y compris les raisons pour punir leurs enfants et ils leur imposent ce moule. Les enfants de la classe ouvrière ont quelquefois plus de chance. Le père rentre à la maison avec quelques bières dans le nez, il bat ses enfants pour se « libérer », et la vie continue. Tout se passe au grand jour et il n'y a pas de grands raisonnements qui plongent l'enfant dans la confusion. Ce n'est pas par hasard que pour les patients issus de la classe ouvrière, la thérapie primale est en général moins longue. Ils ne se préoccupent pas trop d'analyser leur père. Il leur suffit de l'engueuler pour tous les coups qu'ils ont reçus sans raison.

Par conséquent, j'estime que la méthode explicative de la psychothérapie conventionnelle peut *aggraver* la névrose du patient. Il me semble qu'elle l'aide simplement à schématiser son comportement irrationnel en fonction d'une théorie ou d'une autre, à se donner l'illusion d'aller mieux parce qu'il « comprend », alors qu'elle fait de lui ce que j'appelle « un névrosé intégré sur le plan psychologique ». En thérapie conventionnelle, « la compréhension » n'est qu'une nouvelle « couverture » de la souffrance. De nos jours, l'un des plus grands maux de l'humanité est, après la maladie mentale, la manière dont celle-ci est soignée. Les malades n'ont pas besoin d'expliquer leurs sentiments et de les noyer sous un flot de paroles, ils ont besoin de les ressentir.

Dès que l'on s'écarte des sentiments du malade pour entrer dans le domaine de l'interprétation thérapeutique, on peut pratiquement affirmer n'importe quoi. Le patient qui ne peut ressentir est perdu. Il est contraint d'accepter les interprétations que les autres lui donnent puisqu'il ne peut faire l'expérience de sa propre vérité. De plus, l'interprétation théorique du thérapeute peut très bien être l'expression de ses propres sentiments refoulés, subtilement symbolisés en des termes théoriques. C'est ainsi qu'il trouvera peut-être dans ce que dit le malade, des contenus agressifs ou sexuels qui font davantage partie des problèmes du thérapeute que de ceux du malade. Il peut aussi arriver que l'interprétation du thérapeute n'ait rien à voir avec les sentiments de quiconque et qu'elle soit tirée d'une théorie trouvée dans un livre écrit il y a des dizaines d'années. Le thérapeute a peut-être été attiré par cette théorie à cause de ses propres sentiments réprimés et il l'a adoptée pour l'appliquer à d'autres.

Tant que le sentiment reste bloqué, le malade et le thérapeute ne peuvent que conjecturer ce qu'il y a derrière cette barrière. Ce que le thérapeute suppose est appelé théorie. Quand le patient fait l'expérience que cette théorie s'applique à son propre cas, il passe pour « guéri ». Pour ma part, je pense que l'insight ne doit jamais précéder la souffrance et c'est pourquoi j'estime que le travail du thérapeute est d'aider le malade à éliminer la muraille qui sépare la pensée du sentiment, de manière à ce qu'il puisse faire ses propres connexions. Sinon, le thérapeute doit expliquer les choses au patient des années durant, et souvent le malade n'a guère d'autre chose à dire que : « Oh, oui, docteur, je vois... » En général, tout ce qu'il voit, c'est l'excellence de son médecin.

Mais peut-être avons-nous contemplé l'insight par le mauvais côté de la lorgnette. En effet, il se peut que l'insight ne soit pas la cause mais la conséquence du changement. Cela paraît évident dès que l'on considère que l'insight est le résultat de la connexion établie entre la pensée et le sentiment, appliqué à un comportement déterminé. Ici encore, le terme clé est la « connexion », car il est possible d'avoir un pseudo-insight, d'avoir une compréhension mentale, mais sans faire une connexion et donc sans changer. Sans ressentir sa souffrance, le névrosé ne peut avoir de véritable insight. On pourrait dire que l'insight est le résultat mental de la souffrance ressentie.

La souffrance est indissolublement liée à l'insight. Tant que le processus de l'insight se produit à l'intérieur d'un système névrotique où la souffrance empêche l'insight de pénétrer (et donc de changer) le système tout entier, je doute que l'on puisse espérer des modifications profondes et durables du comportement. Tant que le « blocage de la souffrance » existe, l'insight ne constitue qu'une expérience fragmentaire et déconnectée de plus. La barrière de la souffrance garde l'insight prisonnier de l'esprit, le rendant incapable de faire beaucoup de bien à l'ensemble de l'organisme.

Je comparerais le processus de l'insight en thérapie conventionnelle à un rapport ministériel soumis au gouvernement et analysant le système économique. Comme l'insight, le rapport est incorporé au système, mais il est si bien enregistré et classé qu'il n'a pas le moindre impact sur l'ensemble. Voilà pourquoi j'estime que, quand on veut renverser un système irréel qui fonctionne mal, on ne s'engage pas dans un dialogue avec ce système. Il faut s'attendre en général à ce que le système continue à réagir de manière irrationnelle quelle que soit la précision de l'insight, ou la qualité de l'analyse. Tant que rien ne survient pour détruire le système irréel, il réduira en miettes et absorbera la vérité.

De toute façon, les malades n'aiment pas que les explications leur viennent de l'extérieur. Comme me le disait l'un d'entre eux : « Ma névrose est mon invention à moi, comment un autre pourrait-il mieux l'expliquer que moi ? »

Renoncer à la tentative de dire au malade la vérité sur lui-même est un grand soulagement pour tout le monde, pour ne rien dire du fait que c'est aussi bien plus honnête. La plupart des thérapies conventionnelles partent du principe que le médecin va aider le malade à trouver sa vérité. Mais si les névrosés n'étaient pas contraints de se mentir toute leur vie, on pourrait fort bien se passer de spécialistes en vérités psychologiques. Il me paraît plus efficace de dépouiller l'individu du mensonge dans lequel il vit, afin de permettre à la vérité de surgir.

Il y a des différences essentielles entre le rôle de l'insight en thérapie conventionnelle et en thérapie primale. En thérapie conventionnelle, le médecin considère généralement un aspect de la conduite névrotique du patient et il en infère ce qu'il cache de réel (la cause inconsciente). Il concentre son attention sur le comportement irréel. En thérapie primale, le malade ne parle du comportement irréel qu'*après* avoir ressenti ce qui est inconscient. En thérapie conventionnelle, l'insight devient une fin en soi, et l'on suppose qu'une accumulation d'insights entraînera un changement. De plus, l'insight est unidimensionnel. Il ne concerne en général qu'un seul aspect du comportement et son unique motivation. En thérapie primale, une souffrance profonde peut, à elle seule, conduire à *plusieurs heures* d'insights directs. Et le plus important est que ces prises de conscience primales convulsent souvent le système entier. Elles mettent en jeu l'organisme tout entier et produisent un changement total. Si en thérapie primale, les insights provoquent un état convulsif, c'est qu'une personne connectée (dont l'esprit est connecté au corps) ne peut avoir des pensées douloureuses sans avoir des réactions physiques douloureuses. De même, le sujet ne peut ressentir une souffrance physique au cours d'un primal sans la connecter à la conscience. Il peut même arriver qu'un malade, qui fait des progrès en thérapie primale, raconte en fin de traitement une histoire qu'il a déjà racontée au début et qu'il ait une réaction physique bien plus violente que la première fois.

La thérapie conventionnelle s'occupe en général des données connues du comportement. En thérapie primale, tout est inconnu jusqu'à ce qu'on le ressente. Un malade décrivait cette différence de la façon suivante : « C'est comme s'il y avait en moi une grosse tumeur de souffrance. Attachés à cette tumeur il y avait des filaments emmêlés qui m'étranglaient. Ma thérapie précédente semblait s'attacher à démêler ces filaments pour atteindre le cœur même du mal, mais nous n'y sommes jamais parvenus. Ici, j'ai eu l'impression que l'on enlevait la tumeur tout entière et que tout a repris sa place d'un seul coup. »

Beaucoup de patients ont cette impression que « tout reprend sa place ». C'est aussi bien vrai sur le plan physique que sur le plan intellectuel. Comme l'a dit un patient : « Mon esprit maintenait mon corps à l'écart. Je crois que si tout mon organisme avait fonctionné harmonieusement, j'aurais totalement ressenti mon horrible souffrance. Je lui ai d'abord abandonné mon esprit, puis mon corps. »

Si je dis donc que l'insight mental fait partie, en thérapie primale, d'un changement de tout l'organisme, il en résulte une perception plus aiguë *et* une coordination physique améliorée. Un patient, qui avait les épaules légèrement voûtées, décrivait ce processus global comme suit :

« Quand il n'y a pas de connexion, le corps et l'esprit ne font pas preuve de droiture l'un envers l'autre et je crois que cela se manifeste toujours aussi bien au niveau mental que physique. Dans mon cas, ce manque de droiture me faisait rentrer la poitrine, probablement pour me raidir contre la souffrance qui montait d'en bas, et pour me protéger encore davantage, il me faisait ramener les épaules autour de la poitrine. Il tirait ma bouche qui formait une ligne droite et j'en étais venu à loucher. Quand, au cours d'un primal, j'ai établi la connexion, non seulement j'ai pris conscience de tout cela, mais mon attitude s'est redressée automatiquement. Je ne m'étais même pas aperçu de ce changement jusqu'à ce que ma femme me l'ait fait remarquer. Ce qu'il y a de bizarre, c'est que tout cela est involontaire : je veux dire que je n'essaie pas de me tenir droit — simplement je suis droit avec moi-même et le corps ne fait que suivre le mouvement. »

Revenons un instant à Hobbs. Il met l'accent sur la chaleur humaine du thérapeute plus encore que sur sa compétence en matière d'insight. Je dirai que la chaleur humaine n'a pas grand rapport avec l'insight car la thérapie primale n'est *pas* une théorie fondée sur les relations humaines. Tout ce que le malade apprendra est déjà en lui et non entre le thérapeute et lui. Il n'y a pas de rééducation, rien que le patient ait à apprendre d'un thérapeute. Je ne crois pas que l'on puisse enseigner la faculté d'insight, pas plus que l'on peut apprendre à ressentir. C'est le sentiment lui-même qui « enseigne ». S'il n'y a pas de sentiment profond, la chaleur du thérapeute est au meilleur des cas un rôle qu'il joue. Mais même si cela devait « marcher », je ne vois pas comment sa gentillesse pourrait réparer totalement des années de grave refoulement névrotique.

Récapitulation

La personne même à qui la thérapie conventionnelle de l'insight pourrait rendre quelque service, est généralement celle qui n'en profite pas, c'est-à-dire le malade qui n'a pas l'art de manier les mots, l'ouvrier qui a du mal à s'exprimer. C'est lui, le patient, qui a le plus besoin d'apprendre à formuler ce qu'il pense et ressent, mais hélas, lui reste hors jeu. C'est le malade issu de la classe moyenne, lui qui a les moyens de payer la thérapie et qui sait comprendre un système d'insight basé sur la parole, c'est lui qui tire le plus grand profit de la thérapie. Cependant, le badinage introspectif entre ce malade et le thérapeute, est surtout une lutte avec le système de défenses, une rencontre purement *intellectuelle*. Le malade incapable de s'exprimer n'est jamais en mesure d'entrer dans ce domaine et de jouer à ce jeu. Il faut qu'il s'effondre complètement pour qu'on le soigne. Le traitement qu'il recevait et reçoit toujours est décrit dans un livre qui a pour titre *Social Class and Mental Illness* (« Classes sociales et maladies mentales ») (1). C'est un traitement qui consiste en moins de paroles et en plus d'action : électrochocs, chimiothérapie, ergothérapie, etc. On se demande quelle est la valeur scientifique d'une méthode qui ne s'applique qu'à certaines classes sociales. Il est permis de penser qu'une science du comportement *humain* ne devrait pas négliger la grande majorité de l'humanité.

Il y a eu un si grand nombre de techniques de l'insight,

(1) A. B. Hollingshead et F. C. Redlich, *Social Class and Mental Illness* (New York, Wiley, 1958).

chacune correspondant à une approche différente, que l'on finit par avoir l'impression qu'il est possible d'analyser le comportement humain en fonction de n'importe quel cadre de référence. Pour ma part, je crois qu'il existe une seule réalité, un seul ensemble de vérités spécifiques pour chacun d'entre nous et que l'on ne peut en faire n'importe quelle interprétation.

Le transfert

Le phénomène de transfert joue un rôle essentiel dans beaucoup de thérapies, en particulier dans les méthodes analytiques. Le transfert est l'un des concepts clé de la thérapie freudienne pour désigner les attitudes et les comportements irrationnels que le patient adopte à l'égard de son thérapeute. On suppose que le malade projette sur le thérapeute la plupart des anciens sentiments irrationnels qu'il a eu à l'égard de ses parents. L'objectif de la thérapie progressive est de briser le transfert — c'est-à-dire de faire comprendre au patient comment la relation fondamentale enfants-parents s'est perpétuée, et s'est déplacée sur d'autres personnes, en particulier sur le docteur. On espère que la compréhension de ces processus irrationnels s'étendra à tous les domaines de la vie du malade et qu'il sera alors capable d'adopter un comportement rationnel dans tous ses rapports.

Je ne crois pas que le transfert soit un phénomène en soi, indépendant de l'ensemble du comportement névrotique. Le malade qui a, par rapport à lui-même, un comportement symbolique, adoptera, selon toute vraisemblance, un comportement du même type à l'égard de son thérapeute. Etant donné que la relation entre le patient et son analyste est très intense et qu'elle se poursuit longtemps, il est facile d'examiner la névrose du patient, telle qu'elle se manifeste dans cette relation. De plus, la névrose peut se trouver intensifiée parce que, comme les parents, le médecin est une autorité.

La question est de savoir ce que le thérapeute fait du comportement névrotique en question (le transfert). S'il procure à son patient des insights au sujet de la manière dont ce dernier se comporte dans son cabinet, je pense que les problèmes soulevés seront exactement les mêmes que dans les autres techniques de l'insight. C'est-à-dire que le malade « absorbera » l'insight et continuera à être névrosé, même s'il *agit* de manière plus posée, moins impulsive, moins peureuse ou moins agressive à l'égard du thérapeute. En thérapie primale, on ne s'occupe pas du transfert. Le thérapeute se consacre à faire sentir au patient le besoin qu'il a de ses parents. En fait, la relation patient-thérapeute est totalement « ignorée ». Passer du temps à analyser le transfert me semblerait engager la discussion d'un comportement dérivé, déplacé et symbolique alors qu'il s'agit de s'attaquer au besoin fondamental.

La thérapie primale interdit tout transfert et n'admet aucun genre de comportement névrotique parce qu'il signifie que le malade ne ressent pas, il déjoue ses sentiments; ce n'est qu'un acting-out. Nous obligeons le patient à être direct. Au lieu de lui permettre de se soumettre ou de raisonner, nous lui demandons de se jeter par terre en criant directement à ses parents « aimez-moi, aimez-moi ! » En général, cette méthode rend superflue toute discussion quant aux sentiments que le malade pourrait éprouver à l'égard de son médecin. Il paraît évident que si le malade projette sur le médecin des sentiments qu'il éprouve encore à l'égard de ses parents, ces sentiments projetés et déplacés ne sont vraiment pas importants. Ce qui est important, ce sont ces sentiments très anciens à l'égard des parents. Le fait de les ressentir éliminera le transfert et la névrose.

Le sujet qui a des souffrances primales attend de son thérapeute un soulagement. Il désire que le médecin soit un bon père ou une bonne mère. En général, son comportement sera d'essayer de faire du thérapeute le bon parent, exactement comme il l'avait fait avec ses parents qui ne l'aimaient pas. Mais il se peut que le thérapeute soit justement ce parent bon, affectueux, attentif, prêt à écouter que le malade a toujours désiré. Dans ce cas, la névrose « prospère ». Elle empêche le malade de ressentir ce qu'il n'a pas obtenu de ses parents. Il ne faut pas oublier que le patient vient en général demander de l'aide parce que, dans la vie courante, son comportement symbolique ne lui procure pas ce dont il a besoin. Il vient dans l'espoir que dans le cabinet du médecin, il réussira peut-être mieux. Si le thérapeute se montre serviable, chaleureux et prêt à prodiguer des conseils, il encourage le transfert « positif ». Comme je crois que le transfert *est* la névrose même, je pense que tout ce que l'on fait qui ne consiste pas à aider le malade à ressentir sa souffrance, lui rend un mauvais service.

Il arrive souvent que des malades « tombent amoureux » de leur thérapeute parce que ce dernier offre quelque chose qu'ils ont inconsciemment cherché à obtenir par leur comportement névrotique. Peu importe l'aspect extérieur du médecin; il est une autorité, il est gentil et il écoute. Rien d'étonnant à ce que des malades qui, toute leur vie, ont manqué de tout, restent en traitement pendant des années une fois qu'ils ont trouvé ce bon père ou cette bonne mère. Les malades sont tout prêts à jouer le jeu thérapeutique pendant des années avec force insights et explications uniquement pour rester en contact avec ce thérapeute sensible, chaleureux, qui s'intéresse à tout. A mon avis, ce que le patient désire le moins, c'est parler du transfert. Il veut se lover bien au chaud dans la relation entre l'analyste et l'analysé. Il parlera peut-être du transfert, parce qu'il le « doit » au thérapeute, mais je crois que cela cache le désir de pouvoir rester allongé, sans dire un mot, sans avoir à expliquer un seul aspect de son comportement — baigné de bienveillance et de compréhension.

En thérapie primale, le rôle du thérapeute est d'atteindre ces sentiments sous-jacents. Cela veut dire qu'il coupe court à toute manifestation de transfert — qu'il soit positif ou négatif — parce que tout cela est du comportement symbolique. On demandera : « Mais que se passe-t-il si le thérapeute a réellement quelque chose qui plaît ou qui déplaît ? » Je répondrai que le thérapeute n'est pas là pour parler avec le malade de leur rapport, ni pour plaire ni pour déplaire. Il s'occupe de la souffrance du patient, un point c'est tout. Si le thérapeute a, de son côté, des attitudes manifestant un « contre-transfert » (conduites irrationnelles que le médecin projette sur le malade) et si cela influe sur sa relation avec le malade, je dirais que le thérapeute n'a pas ressenti sa propre souffrance et qu'il ne devrait pas pratiquer la thérapie primale. Le contre-transfert n'est pas admis en thérapie primale parce que cela veut dire que le thérapeute est toujours névrosé. Or, un névrosé ne peut pas pratiquer la thérapie primale.

On n'insistera jamais assez sur le point que *tout comportement symbolique provoque la suppression des sentiments*. Le contre-transfert est le même comportement symbolique visant à être aimé que le thérapeute adopte à l'égard de son patient. Cela va évidemment aggraver l'état du patient, parce qu'on attend de lui certaines choses. Il doit agir de façon à calmer la souffrance du thérapeute et par conséquent, il doit être irréel et manquer de sincérité vis-à-vis de lui-même.

Prenons l'exemple du thérapeute qui se considère comme gentil, chaleureux et particulièrement sensible. Il embrasse son malade affligé et en larmes et le console à coup de

« là, là... c'est fini; je suis là, les choses vont s'arranger, vous allez voir... ». Je pense que cette manière de se substituer aux parents aboutit à la suppression des sentiments et à empêcher le malade d'éprouver toute la souffrance qu'il doit ressentir pour en venir à bout. Cela évite bien entendu au malade de se sentir seul, sans personne pour le consoler, ce qui est le cas de beaucoup de névrosés. Ces consolations thérapeutiques provoquent cependant une expérience plus en surface; de cette façon le thérapeute « chaleureux » finit par faire partie de la lutte du malade. Au lieu de forcer le malade à se sentir seul et isolé, il l'aide à fuir son sentiment Or, c'est précisément ce sentiment qui déclenche la lutte et c'est ce sentiment qui, une fois ressenti, y mettra fin.

Si le thérapeute embrasse son patient pour le consoler, c'est peut-être qu'il a perdu de vue ce que devait être son rôle. Il cherche sans le savoir à être le bon père au lieu d'être ce qu'il est (le thérapeute). Encore une fois, le but est de tirer le malade de sa lutte et *non* pas d'y prendre part.

S'il arrive en thérapie primale que le thérapeute tienne la main ou la tête de son malade, c'est en général pour l'aider à ressentir plus intensément quelque chose de particulier à propos de ses *parents*. Ce geste survient quand le malade ressent ce qu'il *n'a pas* reçu de ses parents et à ce moment le contraste avec le thérapeute chaleureux *accroît* la souffrance.

Dans l'optique primale, la raison pour laquelle l'analyse du transfert ne peut réussir, consiste dans le fait que le patient transfère son espoir irréel sur le médecin au lieu de ressentir son désespoir. Lorsque en fait, le patient reçoit du thérapeute ce dont il croit avoir besoin, la situation vis-à-vis de sa névrose peut alors être vraiment sans espoir. En glissant du désir réel d'un bon père ou d'une bonne mère au désir d'être aimé et respecté par le thérapeute, le malade a suivi sa démarche habituelle — il a trouvé une lutte de substitution.

A mon avis, l'expérience même de la psychothérapie conventionnelle sert souvent à maintenir le patient dans sa névrose. Le patient vient chercher de l'aide et il la trouve en la personne d'un thérapeute compréhensif et plein de compassion. Dans le moment même où il explique à quel point il manque d'indépendance, et comment il a toujours eu besoin d'être guidé, ce sentiment est faussé par le fait que quelqu'un est là pour l'écouter et l'aider. Dans ce sens, le malade adopte encore dans le cadre de la relation thérapeutique, un comportement symbolique, alors qu'il devrait sentir qu'il n'a jamais été aidé par ses parents. Un nouvel espoir d'aide est investi de façon névrotique dans la thérapie.

C'est la tentative de satisfaire des besoins qui force le névrosé à faire des autres, y compris du thérapeute, ce qu'ils ne sont pas. Il est incapable de laisser les autres être ce qu'ils sont, tant que lui-même n'est pas ce qu'il est. Une fois qu'il est lui-même, il n'y a plus de transfert de besoins passées sur le présent.

Tom

Tom a trente-cinq ans, il est professeur d'histoire et il est divorcé. Il a eu ce que je considère comme une éducation typiquement américaine. Apparemment, il n'avait rien d'un névrosé. Il se débrouillait bien, avait le sens de ses responsabilités et était un bon père, mais il avait le sentiment qu'il manquait quelque chose à sa vie.

Il était toujours en quête de quelque chose. Il avait fait partie de nombreux groupes thérapeutiques et consacré beaucoup de temps à des techniques d'expansion de la perception. Il y apprenait beaucoup sur les autres mais aucun de ses propres problèmes ne s'en trouva modifié. En aucun sens du terme il n'était ce qu'on a coutume d'appeler un névrosé (bien que j'aie appris plus tard que la nuit il grinçait si fort des dents qu'il avait dû se faire faire un appareil spécial pour la bouche). Il était poli et respectueux, s'intéressait aux affaires de son pays, il avait des amis, aimait ses enfants, les emmenait en voyage et extérieurement, il semblait heureux. Il faisait tout ce qu'il fallait faire, mais il avait le sentiment de ne rien tirer de l'existence. La vie lui paraissait vide.

Avant d'entrer en thérapie, il se considérait comme un intellectuel. Il était complètement absorbé par l'histoire des idées et des systèmes philosophiques et pouvait citer mot pour mot les pensées brillantes d'hommes célèbres; mais il ne savait pas mettre ses connaissances au service de sa propre vie afin de la vivre plus intelligemment.

L'intellectualisme agit souvent comme un processus mental de répression, tout comme la cuirasse du corps est un processus de répression physique. En termes primals, l'intelligence est la faculté de penser ce que l'on ressent et vice-versa. Tom était professeur de lycée, mais de son propre aveu, il n'était pas « fin ». « Etre fin, c'est avoir la liberté de voir les choses telles qu'elles sont », m'a-t-il dit, « mais mes sentiments étaient trop douloureux pour me le permettre. »

En trois semaines, le système de valeurs de Tom s'est modifié radicalement. Pour comprendre un changement aussi rapide, on ne doit pas oublier qu'en thérapie primale, pour la première fois depuis l'enfance, l'esprit du malade est assailli d'idées qui lui viennent des sentiments profonds qu'il revit. Par conséquent, l'esprit n'échafaude plus des systèmes de valeurs pour dissimuler la souffrance, et quand l'esprit ne sert plus à supprimer des sentiments, on devient réel. Les vieilles valeurs et les vieilles idées s'effondrent parce que c'étaient dès le départ des structures fausses. Tom n'avait jamais été autorisé à avoir ses propres pensées et ses propres sentiments. Dès l'abord, il avait accepté les positions de ses parents et celles de l'Eglise. Il aurait été vain de passer en revue une à une ses idées et de lui montrer ce qu'elles pouvaient avoir d'erroné ou d'irrationnel. Le fait de mettre son esprit en accord avec ses sentiments rendait ces irrationnalités superflues.

En fin d'après-midi, la veille de mon entrée en thérapie, je me suis installé dans un tranquille petit hôtel de Beverly Hills. Je suis resté dans ma chambre jusqu'au lendemain matin où je l'ai quittée pour me rendre au cabinet du docteur Janov.

Me trouver seul dans cette pièce minuscule, sans rien à faire ni personne à qui parler, me mit dans l'embarras. Il n'y avait rien autour de moi. Moi, seul. Ni le présent ni son cadre monotone et limité ne m'intéressaient vraiment. Je n'avais pas la moindre idée de ce qui m'attendait en thérapie. L'avenir m'était totalement inconnu. Tout ce que j'avais, était mon passé. Bientôt, tous les événements importants de ma vie et tous les êtres qui avaient tenu une grande place dans mon existence commencèrent à sortir des murs de cette chambre d'hôtel. A ma grande surprise, ces souvenirs et ces reflets étaient extraordinairement vivants et pourtant étrangement irréels : j'aurais voulu me préoccuper de chacun au fur et à mesure qu'il apparaissait, mais je n'y arrivais pas. Quelque chose semblait me retenir. Pourquoi ? On aurait dit que je regardais ma vie de très loin à travers un puissant télescope. Cette incapacité de me sentir concerné me troublait. Je commençais à sentir que probablement je ne prenais pas tout cela aussi au sérieux que je l'aurais dû. N'aurais-je pas dû souffrir ? J'essayais de trouver quelques explications, pour être finalement obligé de reconnaître que je n'y arrivais pas. Je ne pouvais que me livrer à des spéculations. Je suis allé me coucher.

Lundi

Le traitement a débuté de la façon habituelle (j'ai déjà été plusieurs fois en thérapie). Je suis entré dans le cabinet et on m'a dit de me coucher sur un grand divan noir, placé le long d'un mur. Puis on m'a demandé d'expliquer pourquoi j'avais décidé d'entrer en thérapie.

Depuis deux ans, je n'étais plus du tout satisfait de mon travail. J'envisageais sérieusement de quitter l'enseignement. En amour, je n'avais pas trouvé le bonheur que je cherchais. Je m'étais marié puis j'avais eu deux liaisons. J'étais au milieu de toutes ces explications lorsque Janov m'a interrompu en disant : « Ce ne sont pas du tout les raisons pour lesquelles vous êtes ici. Vous êtes ici parce que vous êtes un perdant. Peu importe le travail que vous faites : vous serez toujours malheureux. Vous vivez dans l'échec. » D'un seul coup, j'étais percé à vif. Il n'y avait plus besoin d'autres explications.

Ensuite, il a demandé des renseignements sur mon père. Mon père avait un poste dans une entreprise de transports. Il était aimé de tout le monde parce que c'était un homme très gentil et très serviable. Mais comme père, il ne valait pas grand-chose. Il passait le plus clair de son temps au bureau. Il rentrait rarement avant sept heures du soir et souvent, pas avant huit ou neuf heures. Il n'était ni coureur ni buveur, il restait simplement au bureau pour travailler. Quand il rentrait, il mangeait, puis s'asseyait sur le divan et s'endormait. Par ailleurs, il bricolait dans la maison et il écoutait les matchs de football à la radio. En dehors de ça, il n'y a pas grand-chose à dire. Nous ne faisions jamais rien ensemble. Au lycée, je jouais au basket et au base-ball mais il ne venait jamais me voir jouer. Une seule fois, mes parents étaient venus voir un match de base-ball. J'étais si ému que je ratai un coup facile dès le début du jeu. Quelques minutes plus tard, je vis la voiture de mes parents quitter le parking du stade. Vous pouvez imaginer quels étaient mes sentiments !

Puis, je fus pris par surprise. Janov me dit de demander de l'aide à mon père. Je ne comprenais pas ce qu'il voulait mais je me suis mis à le faire. Après avoir demandé de l'aide plusieurs fois, j'ai dit à Janov que cela me paraissait tout à fait inutile, car je savais que mon père ne m'accorderait pas d'aide. Janov n'a pas insisté, et nous sommes passés à autre chose.

Il m'a demandé de décrire la vie à la maison, quand j'étais gosse. J'ai commencé à parler du « programme ». Le programme était un ensemble de directives tantôt simples, tantôt complexes, qui étaient édictées pour mon édification et pour mon bien-être, par des puissances extérieures et inconnues. Il se faisait connaître par l'intermédiaire de la famille, de l'Eglise et de l'école. Comme ma mère était la seule qui se faisait entendre à la maison, et que la maison était la première institution à laquelle je m'étais senti lié, j'en étais venu à associer étroitement ma mère à l'idée de « programme ». A la maison, le programme était rappelé à mon attention par des critiques, remarques reproches, remontrances et blâmes incessants. Quand je sortais pour m'amuser, je pouvais me salir mais il ne fallait pas que je me salisse trop. On attendait de moi que je me comporte en « bon petit catholique » — c'est-à-dire, respecter mes aînés, obéir, et fuir toute pensée malsaine. Notre maison était pratiquement un « domaine protégé ». Elle était remplie de meubles et d'objets anciens, de sorte que je m'entendais continuellement dire « de faire attention à ne pas casser quelque chose ». Inviter des camarades pour jouer avec moi était pour ainsi dire exclu. D'abord, je ne pouvais en inviter plus d'un ou deux sinon ma mère s'énervait et s'irritait. Ensuite, quand on jouait dans la maison, on se sentait comme en liberté surveillée. Elle nous avait constamment à l'œil ; il ne fallait pas courir, il ne fallait pas faire de bruit, il ne fallait rien heurter. Par conséquent, si je voulais vraiment m'amuser ou être avec mes camarades, il fallait que je m'en aille — plus j'étais loin, mieux ça valait !

Ma famille était une bonne famille catholique. J'allais bien entendu à l'école dans une institution catholique. Douze années durant, j'ai eu pour professeurs des religieuses. Pour compliquer les choses, ma mère avait deux sœurs cadettes qui étaient entrées dans l'ordre des sœurs qui enseignaient dans mon école, de sorte que toutes les nonnes connaissaient ma mère. J'avais l'impression d'une gigantesque conspiration. Dès que je n'étais plus un bon petit catholique, on me tombait dessus de tous les côtés. Je ne savais réellement plus où s'arrêtait la famille et où commençait l'Eglise ou l'école. Tout cela, c'était le programme.

A la fin de cette explication, Janov m'a demandé comment j'avais réagi à ce mode de vie que l'on m'avait imposé. Jetant une allumette dans un réservoir d'essence, il n'aurait pas fait mieux ! J'explosai en une diatribe incendiaire. Les flammes s'élevaient et s'attaquaient au programme, ce qui me donnait une profonde satisfaction de colère. Je voulais réduire en cendres ce programme. Je hurlai à plusieurs reprises : « Saloperie de programme, saloperie ! saloperie ! saloperie ! » et comme les flammes commençaient à mourir, j'ai conclu avec le calme d'une colère blanche : « Et saloperie de père et de mère, vous qui étiez les représentants officiels du programme ! »

Je suis resté un moment couché en silence en attendant que ce feu m'abandonne, puis Janov m'a demandé de parler de mon frère, Bill. Je lui ai dit que nous n'avions jamais eu de relations très étroites. Il avait trois ans de plus que moi, et il n'aimait pas avoir son petit frère sur les talons. Comme il était malheureusement incapable d'envisager notre relation en d'autres termes, il me repoussait parce que j'étais trop petit. Il n'y a eu qu'une brève période, aux alentours de mes seize ans, pendant laquelle nous avons fait un certain nombre de choses ensemble et où nous nous comprenions un peu. Je me souviens que nous allions voir des films de cow-boys, nous moquant ensemble du scénario et nous régalant des bagarres. Après le film, nous allions prendre une bière quelque part. Mais ces occasions étaient rares et cette période d'entente fut brève. En grandissant, je me fis une autre image de Bill. Je trouvais qu'il était éteint. Il émoussait ma joie de vivre et le désir d'entreprendre des choses avec lui, s'estompait.

Apparemment, c'était toujours moi qui faisais des bêtises ou créais des ennuis d'une manière ou d'une autre. Et quand mon père et ma mère me tombaient dessus, Bill était toujours avec eux. Jamais je n'ai eu le sentiment que je pouvais me tourner vers lui quand j'avais des ennuis. Cela me mettait en colère et me blessait profondément. Je me sentais d'autant plus seul. Aussi, quand il avait des ennuis, ce qui ne lui arrivait pas souvent, je me sentais mieux — beaucoup moins seul. Bill était le genre de gosse qui fait des tours spectaculaires et risqués pour attirer l'attention des copains et se faire aimer d'eux. Je me souviens d'un jour où il roulait à bicyclette sur le parapet d'un pont de chemin de fer d'une trentaine de mètres de haut, qui traverse la rivière, au sud de la ville. Un faux mouvement, et il se tuait. Je l'ai regardé du bout du pont, jusqu'à ce qu'il commence à traverser, après, je n'ai plus pu le supporter. Je pensais qu'il était fou de tenter des choses pareilles et je le lui disais. Mais cela ne semblait pas faire le moindre effet. Une autre fois, il me donna l'occasion de me sentir vraiment « mieux ». Il était parti au bal avec un certain nombre d'amis qui l'avaient défié de boire un casier entier de bière. Pour Bill, il n'en fallait pas plus; et il se mit à descendre vingt-quatre bouteilles de bière. Ils l'ont ramené à la maison complètement noir. Pour aggraver les choses, pendant qu'il trébuchait dans l'escalier pour monter à la maison, ils étaient tous assis dans la voiture, en train de chanter sur l'air de *Good night, Ladies* : « Bonne nuit, Billy, il est temps de se séparer ! »

Mon père et ma mère étaient mortifiés : qu'est-ce que les voisins allaient penser ! J'avais peur de les voir dans une telle fureur contre lui. Mais, au fond de moi, je ressentais une satisfaction réelle à voir Bill tomber de son piédestal de juste.

J'espérais que le fait d'être tombé de son piédestal le rapprocherait de moi; mais il n'en fut rien. « Vous étiez un enfant très seul », a remarqué Janov. J'ai dit : « C'est vrai. » Il n'y avait vraiment personne dans la maison vers qui je puisse me tourner. C'était devenu si insupportable que je finissais par sortir dans le seul but de m'échapper. Quand j'étais gosse, j'allais dans les bois pour jouer. Je rencontrais d'autres enfants avec qui m'amuser — n'importe lesquels — et quelquefois, j'aimais sortir tout seul. Quand nous partions nombreux, nous jouions à la guerre, nous faisions des randonnées et nous explorions les alentours. Je crois que je connaissais les moindres recoins de ces bois. Nous descendions le long de la rivière jusqu'aux chutes : un petit affluent qui, de vingt-cinq mètres de haut, se jetait dans la rivière. On se baignait dans la rivière et on se balançait sur des plantes grimpantes. Quelquefois on allait voler dans les champs des pommes de terre et du maïs, on les enveloppait de boue prise au bord de la rivière, et on les faisait cuire sur un lit de pierres chaudes. On apportait une ou deux boîtes de haricots et de viande de porc et pour dessert on chapardait une ou deux pastèques ou on prenait des fruits dans un verger. Quelquefois on pêchait, on chassait des serpents ou des marmottes, tout ce qu'on pouvait trouver. On cueillait les baies et les asperges sauvages qui poussaient le long des voies ferrées. En automne, nous allions dans la campagne pour manger des papayes sauvages. Je me souviens qu'un jour j'avais emmené un autre gosse pour lui montrer les papayes parce qu'il ne savait pas ce que c'était. Il en a tant mangé qu'il en a vomi. Moi, j'ai trouvé ça drôle.

Adolescent, je sortais beaucoup pour jouer au ballon. Je jouais au ballon à longueur de jours, au base-ball, au basket-ball et au football, selon la saison. Je jouais très bien et quel que fût le jeu, les autres me voulaient toujours dans leur équipe. C'était un sentiment très réconfortant. Jamais auparavant, je ne m'étais ainsi senti désiré.

Plus tard encore, je partais pour sortir le soir. J'allais dans les bistrots et dans les bals. Quelquefois je me contentais de descendre en ville pour parler avec qui je trouvais. Plus je grandissais, moins je restais à la maison. Dans ma dernière année de lycée, pas une fois je n'ai rapporté un livre à la maison pour travailler le soir. Il fallait que je sorte. J'étais toujours dehors. Finalement, je suis parti pour aller à l'université. A partir de ce moment, j'ai passé très peu de temps à la maison.

Quand je me suis arrêté de parler, Janov m'a fait remarquer que j'avais été très passif et très accommodant dans mes rapports avec mes parents. C'était vrai et j'en ai convenu. Puis, il m'a demandé si je me sentais parfois femme ou si j'avais des fantasmes homosexuels. Il posait ces questions d'une façon qui me paraissait sournoise, insinuante. J'ai répondu non à ses deux questions, mais la scène m'a irrité et je me sentais mal à l'aise.

Janov n'a pas insisté sur ces questions, mais il est revenu sur le programme. Je me suis énervé et j'ai eu envie d'uriner. Je lui ai demandé les toilettes, mais il ne voulait pas que j'y aille. Il disait : « Vous allez évacuer vos sentiments en pissant. » Je me suis retenu. Mais au bout d'un moment, je n'ai plus pu attendre. Il m'a dit que si jamais je sortais pour pisser, il nous faudrait nous arrêter. J'étais furieux parce que je sentais qu'il essayait de me manipuler. Je suis allé pisser. Quand je suis revenu, la porte était fermée à clef. J'ai frappé. Il n'a pas ouvert. Cela m'a mis en rogne et j'ai tapé à la porte si fort que les murs en tremblaient. « Pourquoi avez-vous fait ça ? » lui ai-je demandé quand il a ouvert la porte. Le visage impassible, il m'a répondu : « Parce que je ne voulais pas que quelqu'un d'autre entre. » Cette réponse m'a coupé le sifflet et je n'ai su dire que « merde ». Je suis retourné m'allonger sur le divan et nous sommes repartis pour une demi-heure de plus.

Rentré chez moi, je me suis mis en colère à l'idée d'être un raté. Le terme semblait exact. Je me demandais même si j'aurais dû avoir des fantasmes homosexuels. Je n'avais jamais été attiré par les hommes. Puis j'ai commencé à ressentir de la colère contre Janov : avant le début du traitement, il m'avait téléphoné pour me dire qu'il nous faudrait repousser notre séance d'un jour, parce qu'il avait une « laryngite ». Je lui en voulais profondément à cause de ses insinuations sur l'homosexualité. Il m'avait provoqué avec son histoire de porte fermée à clef. Tous ces problèmes me tracassaient et j'ai fini par décider que j'irais le voir demain dans l'intention d'aller au fond de ces plaisanteries.

Mardi

Je suis arrivé à 10 heures moins 10. La porte était fermée à clef. J'avais envie d'être seul pour me concentrer sur ma colère, je suis donc allé aux toilettes et j'ai attendu là, jusqu'à 10 heures. Quand je suis revenu, la porte était ouverte. Je suis entré, Janov m'a demandé pourquoi j'étais en retard. J'ai regardé ma montre, il était 10 heures 03. Je lui ai répondu que j'étais venu plus tôt, mais que la porte était fermée. Il m'a dit de m'allonger. Je lui ai répondu que je ne voulais pas, que je voulais le regarder dans les yeux et qu'on parle face à face. Il a fait claquer ses doigts et m'a dit de m'allonger parce que nous étions en train de perdre du temps. Ce claquement de doigts ne fit que durcir ma résolution d'avoir un tête-à-tête avec lui. J'étais tout engourdi et étourdi de colère et au lieu de lui obéir, je suis allé droit à la chaise qui était en face de lui, et je lui ai dit qu'il y avait un certain nombre de choses que je voulais mettre au point. J'ai dit ce que j'avais à dire à propos du jeu qu'il jouait avec moi. Puis je lui ai dit que j'en avais assez d'être manipulé et que je voulais dire sur l'heure ce que je ressentais. Il m'a dit que je jouais la comédie. Il m'a à nouveau demandé d'aller m'allonger. Cette fois, je lui ai obéi, mais avec des sentiments très mitigés.

Nous avons commencé par ma colère. Je lui ai dit que derrière la colère que j'éprouvais contre lui, il y avait la colère que j'éprouvais contre moi-même pour être un raté. Il m'a demandé ce que je ressentais. J'ai répondu : « J'ai la poitrine oppressée et les entrailles me brûlent. » Il m'a dit de demander à mon père de m'aider à me débarrasser de cela. Il m'a fait respirer profondément, en gardant la bouche grande ouverte. Cette respiration semblait me transporter dans une autre vie, mais le fait de demander à mon père de m'aider n'avait pas le moindre effet. J'ai dit à Janov que mon père ne m'aiderait pas. Il m'a demandé quelle impression cela me faisait. « L'impression d'être seul, d'être exclu. » Je me sentais triste. Il m'a encore fait respirer profondément et m'a dit de faire sortir la souffrance. Cette fois, la respiration m'a vraiment épuisé. Je me suis mis à me tordre de souffrance. L'estomac me brûlait, et j'avais l'impression qu'on m'écrasait la poitrine. Il m'a dit de continuer à faire sortir la souffrance et de demander à mon père de m'aider. Je me suis mis à taper de toutes mes forces sur le divan et à hurler pour demander à mon père de m'aider, jusqu'à ce que je sois épuisé.

Je me suis reposé un moment, puis Janov m'a demandé de dire ce que j'avais sorti. Pendant un moment, j'étais tellement sous le coup de l'expérience que j'étais incapable d'expliquer ce que c'était. J'ai fini par reconnaître le sentiment de culpabilité, la peur d'être moi-même et la frustration de ne pas être capable d'être moi-même. Soudain, j'ai compris pourquoi il me fallait demander à mon père de m'aider. J'avais été très intrigué par cette tactique et maintenant j'étais impatient de tout sortir. J'ai dit à Janov qu'il ne me paraissait plus inutile de demander de l'aide à mon père. Car j'avais compris que c'est au père qui était à *l'intérieur de moi* que je parlais — le père que je désirais. J'ai expliqué : « Il s'agit d'arriver à ce que *ce* père m'accepte tel que je suis et m'aide à sortir ce sentiment d'être seul et exclu. »

Il m'a demandé ce que je devais faire maintenant. J'ai dit qu'il me fallait tout d'abord apprendre à ressentir ce père en moi. Sentir à quoi cela ressemblait. Il me fallait ressentir comme on ressent un beau tir au golf ou un bon rythme de danse, et plus tard, apprendre à l'utiliser. Puis je lui ai dit combien il était bon de sentir qu'on avait un père — un père qui se souciait de vous et pouvait vous aider. C'était un sentiment si agréable que j'ai ri et pleuré pendant un long moment.

Quand j'ai été de nouveau en mesure de parler, je lui ai dit depuis combien de temps je m'étais senti seul et exclu. Je me suis souvenu d'un Noël où je m'étais senti infiniment seul. Je me revoyais assis sous l'arbre de Noël et regardant tristement la lumière bleue de la crèche après qu'ils m'eurent dit que le Père Noël n'existait pas. Ils m'avaient expliqué que Bill était trop grand pour y croire encore et qu'ils savaient que ça ne me ferait rien. En un sens, ils avaient raison parce que je savais depuis un certain temps que le Père Noël n'était qu'une fiction et cette histoire de cadeaux n'était pas importante. Mais la manière dont ils me l'avaient dit, enlevait tout amour au jour de Noël, or, c'était le seul jour où j'avais l'impression d'en recevoir réellement un peu. Tout ce que je souhaitais pour

Noël, c'était un père et une mère réels qui m'aimeraient, prendraient soin de moi, m'aideraient et me défendraient tel que j'étais. Cette année-là, à Noël, je fus un enfant très triste et très seul.

Mercredi

Aujourd'hui, Janov m'a fait me coucher par terre. J'ai passé cette séance — comme je devais passer toutes les séances suivantes — par terre. Il m'a demandé ce que j'avais fait depuis hier. Je lui ai dit que j'avais été très fatigué, que je l'étais toujours et que j'avais passé tout ce temps à me reposer. Dès le premier jour, j'ai établi une routine. Après la séance, je rentre, je déjeune, je me repose une heure ou deux, j'écris mes notes sur la séance avec Janov, je réfléchis à ce propos, je dîne, j'écris mes réflexions, je traîne encore une heure et puis je vais au lit. Je trouve qu'en me concentrant exclusivement sur la thérapie, je peux multiplier les insights et me souvenir de beaucoup d'expériences et d'événements du passé qui me sont utiles. Mais hier, je me suis senti si fatigué que je n'ai rien pu faire en dehors de prendre des notes sur la séance du matin. Je suis resté allongé, comme un mort. Trois événements me sont revenus à l'esprit et je les ai racontés.

Je me suis d'abord souvenu d'un jour où mon père nous avait emmenés Bill, mon cousin et moi, voir un match de base-ball à Cincinnati. J'avais environ cinq ans. J'étais tellement épaté par tout ce que je voyais, que j'en avais le tournis. Quand nous fûmes arrivés au parc des sports, mes yeux ne quittèrent plus le terrain.

A la fin de la partie, mon père nous fit passer par la grille de milieu de terrain, et je me retournai pour jeter un dernier regard sur ce terrain. J'aurais voulu rester là toute la nuit, à tout jamais. Quand je me tournai enfin, mon père et les deux autres avaient disparu. Pris de panique, je me suis mis à brailler. Autour de moi, les gens s'agitèrent et en un rien de temps mon père, mon frère et mon cousin furent là pour me récupérer. Puis, nous prîmes un bus pour regagner la gare, et j'avais un irrésistible besoin de faire pipi. Je le dis à mon père mais il répondit qu'il ne pouvait rien y faire et que je n'avais qu'à pisser dans mon pantalon. Cela me soulagea beaucoup mais j'ai encore le souvenir très vif de l'inconfort de ce pantalon de laine tout mouillé et qui grattait.

313

Le second incident date de mes premières années d'école. Quelquefois, quand je rentrais de l'école, je trouvais la porte de la maison fermée. Je m'asseyais alors sur les marches de la porte de derrière; furieux, je cognais contre la porte et je pleurais en criant à ma mère de me laisser rentrer. Une des voisines finissait par venir me dire que ma mère n'était pas à la maison. Alors je m'asseyais et j'attendais qu'elle revienne.

Le troisième événement s'était produit un dimanche soir, alors que j'avais environ huit ans. Nous n'avions pas de voiture. Je ne partais en voiture que quand ma grand-mère et mon grand-père nous emmenaient quelque part. Un dimanche soir, j'étais chez les voisins d'en face, quand ils passèrent nous prendre pour aller d'abord au cimetière, puis faire un tour en ville. Mon père et ma mère leur avaient dit de ne pas m'attendre et ils démarraient juste quand j'arrivai. Je courus aussi vite que je pouvais et hurlai de toute la force de mes poumons, mais en vain; la voiture passa le coin de la rue et disparut.

Janov m'a demandé pourquoi ces souvenirs m'étaient revenus. J'ai répondu : « Parce que c'étaient des moments où j'étais seul et exclu. » Il m'a demandé ce que je ressentais. J'ai dit que cela me serrait l'estomac et la poitrine. Il m'a fait essayer de le faire monter et sortir par la respiration, comme hier. Mais j'étais trop épuisé pour y arriver. Je suis resté un long moment sans mouvement. Quand enfin j'ai bougé, il m'a demandé ce qui n'allait pas. Je lui ai dit que j'avais mal au dos. Il m'a dit que ce n'était pas une douleur physique. Il m'a dit de ne pas bouger, de ressentir simplement. Je lui ai dit que ça me rappelait le programme : « Ne t'assieds pas sur cette chaise, sale comme tu es ! Enlève tes souliers ! Ne touche pas ça ! »

Je suis resté longtemps là, et dans mon dos, je sentais le programme. J'ai fini par dire : « Vous savez, j'avais quand même trouvé un moyen de ne pas me sentir exclu. C'était d'aider les gens, de faire des choses pour eux. Un jour, mon grand-père m'avait trouvé dans la rue, un morceau de papier entre les dents alors que deux gars coupaient le papier en deux avec des lanières de fouets de deux mètres de long. Il m'avait ordonné de m'arrêter. Il ne comprenait pas pourquoi je faisais ça. » Janov est intervenu : « Il se sentait concerné, n'est-ce pas ? » J'ai répondu : « Oui, il se sentait vraiment concerné. » « Dites-le-lui », m'a dit Janov. C'est ainsi que j'ai dit à mon grand-père combien il se sentait concerné, combien c'était important pour moi et combien j'avais souffert quand il était mort parce qu'il était à peu près tout ce que j'avais. Puis, j'ai versé des torrents de larmes, jamais je n'avais pleuré de la sorte, même pas le jour où il était mort qui avait pourtant été le plus triste jour de mon enfance.

Après cette crise de larmes j'ai parlé à Janov de mon grand-père. Je lui ai dit comment il m'avait appris des tas de choses et comment il me laissait toujours le regarder quoi qu'il fît et comment il m'expliquait tout ce qu'il faisait et puis me permettait de m'y essayer à mon tour.

A la fin de la séance, Janov a fait une remarque qui m'a surpris et troublé. Il a dit que je le faisais penser à un péquenaud du Middle West. J'ai dit que cela avait quelque chose de péjoratif. « Ce n'est pas un jugement », a-t-il dit, mais je n'ai pas compris pourquoi il l'avait dit. En y réfléchissant plus tard, dans ma chambre, je me suis dit que ce devait être une manière de me dire : « Vous êtes réellement un raté. »

Aujourd'hui a été le jour le plus pénible. Hier, j'étais en colère, je commençais à me soucier de moi-même et à prendre ma propre défense. Aujourd'hui, j'étais de nouveau par terre — un gosse piaillant, exclu de tout. J'étais, comme l'a dit Janov, « comme un petit enfant le nez collé à la vitrine, essayant désespérément d'entrer dans la vie ». J'ai l'impression que j'ai un très long chemin à parcourir. J'ai fait un très grand effort et pourtant on dirait que je n'ai pas fait encore beaucoup de progrès.

J'ai commencé à réfléchir sur le fait que j'étais un raté — un exclu. J'ai toujours eu ce sentiment-là, à toutes les époques de ma vie. Je ne sais pas comment on peut se sentir autrement. J'ai bâti toute une éthique autour de ce sentiment. J'ai l'impression que recommencer à tout apprendre à zéro est une tâche monumentale et je ne sais pas comment je vais m'y prendre.

Jeudi

Aujourd'hui nous avons commencé par mon découragement lorsque je me suis rendu compte que tout mon mode de vie avait été construit sur l'idée que j'étais un raté et que j'avais un si long chemin à faire pour arriver à tout reconstruire sur de nouvelles bases. J'ai rapporté à Janov les réflexions que m'avait inspirées sa remarque que j'étais un péquenaud du Middle West; c'était à mon avis une autre manière de me traiter de raté. Il en est convenu. Puis il m'a demandé de parler comme un paysan du

315

Middle West. J'ai répondu que je ne pouvais pas me mettre à le faire pour le plaisir, ce ne serait qu'une démarche de l'esprit. Il me fallait entrer dans ce sentiment. Janov a demandé : « Que voulez-vous dire ? » « Je veux dire qu'il me faut plonger dans le sentiment que j'éprouvais hier à l'égard de grand-père. » Janov a demandé : « Etes-vous allé à son enterrement ? » « Bien sûr. » Janov m'a demandé d'en parler. Alors je lui ai tout raconté : je lui ai dit que tout le temps de la maladie de grand-père, j'avais habité chez eux et aidé grand-mère, j'ai raconté comment il était mort, la veillée, les funérailles.

« Avez-vous beaucoup pleuré ? » a demandé Janov. « Non, j'ai pleuré un peu le premier jour et un peu quand ils l'ont mis en terre. J'essayais de me comporter comme un homme, comme on dit. J'avais treize ans. »

« Est-ce que vous avez fait vos adieux à grand-père quand ils l'ont mis en terre ? » « Non, pas avec tous ces gens autour. Il aurait fallu qu'ils m'emmènent. » « Dites adieu à grand-père, dites-lui tout ce qu'il représente pour vous. »

Et j'ai dit adieu à grand-père avec tout l'amour et tous les sentiments de mon corps. J'ai parlé à grand-père en pleurant, jusqu'à ce qu'il ne reste plus rien. Je lui ai dit combien je l'aimais parce qu'il se souciait de moi, qu'il m'apprenait à faire des choses et qu'il me prenait sous son aile. Je lui ai dit combien j'aimais apprendre et savoir faire les choses moi-même pour lui prouver que tous ses soins et tout son amour n'avaient pas été perdus. Je lui ai dit combien je désirais qu'il comprenne, en me voyant m'éloigner au fur et à mesure que je grandissais, mais qu'il me fallait aller de l'avant sur le nouveau chemin et abandonner le vieux. « Il faut que j'avance, grand-père, il faut que j'avance ! » Je l'ai dit d'innombrables fois en pleurant. « Il faut que j'avance, grand-père, comprends, s'il te plaît ! Je t'en supplie ! Tu n'as pas échoué, grand-père. Il faut que j'aille de l'avant. Adieu, grand-père. Adieu ! » Et j'ai pleuré pareil à une rivière à la fonte des neiges au printemps. Comme je pleure maintenant que je tape ces notes et comme j'ai pleuré quand je les ai écrites pour la première fois.

Puis Janov m'a demandé de dire à mon père combien j'aurais voulu qu'il soit comme grand-père. Et je l'ai fait. Je lui ai tout dit. Je lui ai dit combien j'avais envie qu'on me désire et prenne soin de moi, comme le faisait grand-père. Puis j'ai raconté à Janov que papa et maman ne désiraient pas ma naissance et que papa avait dit qu'il avait envie de rabattre la fenêtre à guillotine sur sa verge afin de la couper quand il avait découvert que ma mère était enceinte de moi. Puis j'ai dit : « Papa, tu sais ce que je désire vraiment ? Je voudrais que tu désires véritablement tout le tremblement, le baisage et tout ce qui va avec — car c'est de ça qu'il s'agit, papa. Je voudrais que tu désires vraiment maman, que tu la baises comme il faut et que tu me désires également. Car c'est ça le vrai moi, papa : je suis davantage que simplement moi. Je suis la vie ! Et tu dois la désirer, papa, tu dois la désirer réellement ! »

Ensuite j'ai parlé de ma mère qui se comportait comme si elle n'avait jamais connu le plaisir — ne voulait pas le connaître — toujours en train de râler, toujours énervée. Et j'ai de nouveau ressenti cette douleur dans le dos que j'avais ressentie la veille. Janov m'a fait rester couché un moment pour la ressentir. Il ne cessait de répéter « Qu'est-ce que vous ressentez ? » J'ai fini par répondre : « Ça me creuse les reins, comme si je me tendais contre quelque chose. » — « Contre quoi ? » — « Contre le fait d'être exclu, isolé. C'est comme quand on marche pieds nus sur des pierres très pointues. Il faut faire attention tout le temps, être tendu, sinon, on se fait mal. »

Alors Janov m'a dit de dire à ma mère qu'elle me faisait mal. Je n'y suis pas allé par quatre chemins. J'ai crié de toutes mes forces pour lui dire de s'arrêter parce qu'elle me faisait mal. Elle était toujours là à râler. « Arrête ! Fous-moi la paix ! » Quand j'ai eu fini de hurler, il m'a fallu aller pisser.

Quand je suis revenu, Janov m'a dit qu'il était surpris de me voir apprendre si vite. Il m'a dit que je faisais vraiment du bon travail. Cela m'a fait du bien parce que ce matin, quand j'ai commencé, je me sentais vraiment très loin de la sortie du tunnel. Quand je suis rentré chez moi, j'ai pensé à dire à Janov pourquoi j'avais toujours échoué. J'avais été « programmé » pour ça. La raison : en me considérant comme un raté, je n'ai plus à me faire du souci si je suis toujours exclu. Je me suis retiré moi-même du jeu avant qu'ils aient l'occasion de m'en exclure.

Vendredi

Aujourd'hui j'ai participé à ma première séance de groupe. Pendant un moment, je me suis contenté de regarder. Puis je me suis couché par terre pour faire une fois de plus mes adieux à grand-père. Vers la fin, j'ai eu l'impression qu'il comprenait que nous devions suivre des chemins différents — il entrait dans la mort, et moi dans l'âge d'homme. Je sentais que bien qu'étant obligés de suivre des chemins différents, nous étions maintenant très proches l'un de l'autre. C'était comme si je m'étais senti proche de la terre ou comme si j'avais été au lit avec mon amie sans être le moins du monde tendu. Janov m'a dit de me laisser aller à ce sentiment, je l'ai fait dans la mesure où je le pouvais, avec tous ces pleurs et tous ces cris autour de moi. Je n'étais pas habitué à cela, mais je m'y ferai.

Quand tout le monde s'est relevé, on s'est mis à parler. Janov m'a présenté au groupe. J'ai dit que j'avais le sentiment que je n'en savais vraiment pas assez pour apporter ma contribution. Je leur ai dit qu'en m'éveillant, ce matin, j'avais su qu'il fallait que je m'arrête de baiser, parce que ce n'était qu'un moyen d'évacuer mes sentiments. Janov s'est tourné vers moi et m'a dit que je n'avais pas tellement l'air d'un baiseur. Il était légèrement étonné que j'aie eu un tas de femmes. Il a ajouté que ce comportement ne me servait qu'à dissimuler une homosexualité latente. Cette remarque m'a terrassé.

En rentrant chez moi, j'avais un mal de tête à me faire éclater le crâne. J'étais trop bouleversé pour pouvoir manger quoi que ce soit. Tout ce que j'ai pu faire, c'est me coucher par terre. Je sentais que si je devais être un pédé toute la vie, je me foutais de vivre. Je voulais me débarrasser de la pédale. Je suis retourné en arrière, et j'ai essayé de reconnaître tous les sentiments homosexuels. Je souffrais tellement qu'il m'a fallu appeler Janov. Il était à Santa Barbara. Je voulais faire un primal et je lui ai demandé comment je pourrais y arriver seul. Il m'a dit que ça ne marcherait pas mais il m'a donné les numéros de téléphone d'autres personnes qui pourraient s'occuper de moi. Je lui ai dit que je voulais savoir si je pouvais me débarrasser de la tapette. « Aucun problème », m'a-t-il répondu. J'ai pleuré de soulagement et je lui ai dit que je pourrais attendre lundi pour le primal.

Lundi

Ce matin, nous avons eu beaucoup de peine à commencer. Afin de pouvoir passer la journée après le coup de téléphone à Janov, j'avais bloqué mes sentiments. Janov voulait savoir ce qui s'était passé samedi. J'ai essayé de lui en rendre compte du mieux que je pouvais mais ça se passait dans la tête et je ne pouvais plus me plonger dans le sentiment. « Bon, qu'est-ce que vous ressentez maintenant ? » a demandé Janov. Je l'ai engueulé immédiatement et je lui ai lancé en pleurant : « Pourquoi est-ce que vous n'étiez pas là samedi, quand j'avais besoin de vous ? C'est dégueulasse ce que vous avez fait ! Vous m'avez mis cette histoire de tapette sur le dos et puis vous êtes parti ! Vous saviez pertinemment le genre de réaction que cela produirait. »

Il m'a dit de me recoucher et de ne pas m'en faire, qu'on y arriverait d'une autre façon. Il m'a dit de parler de ma vie. Je lui ai raconté comment j'étais tombé amoureux de Betty, je lui ai parlé de mes rapports avec Louise et de mon mariage avec Phyllis. Il en est venu au truc de la femme plus âgée que moi et voulait savoir comment ça avait été avec Vi. A la fin du récit de mes relations avec Betty, la partie la plus traumatisante, j'ai eu envie de pisser. J'avais senti cette envie se former au fur et à mesure que je parlais d'elle. Je l'ai dit à Janov. Il m'a dit de ressentir cette envie et de ne pas bouger un muscle. Auparavant, quand j'avais étendu les bras sur le sol, ils s'étaient engourdis. Il m'a demandé s'ils étaient trop longs. J'ai dit : « Non, mais ils sont tout engourdis ce matin, je ne sais pas quoi en faire. » Il m'a dit de ne pas bouger et de me contenter de ressentir ce qui se passait. Je suis donc resté étendu là. Bientôt, j'ai senti dans les entrailles un gonflement qui montait. La tension montait tant que bientôt mes bras et mes jambes se sont mis à battre le sol et j'ai commencé à remuer la tête dans tous les sens. J'étais un bébé dans son berceau. Je le sentais. Mes mains se crispaient comme celles d'un petit bébé quand il pleure. Ma bouche se contractait comme si je cherchais à tirer quelque chose d'un biberon vide. Je ne disais rien et je ne criais pas. Simplement, je gigotais violemment et j'essayais de reprendre ma respiration. A la fin j'étais si fatigué que je me suis arrêté et suis resté là, immobile. Puis, consciemment et lentement, j'ai répété tous les mouvements et les contractions de ma bouche et de mes mains pour être sûr que je m'en souvenais bien.

A la fin du primal, j'avais l'esprit tout embrumé, et je ne sais pas exactement ce qui s'est passé. C'était à peu près comme ça : Janov a dit : « Vous n'aviez pas le droit de la toucher, n'est-ce pas ? » J'ai saisi ma verge et j'ai dit : « Non, je recevais chaque fois une tape. » Je me frappais la main en racontant à Janov comment cela se passait. Il a dit : « Vous n'aviez pas le droit d'avoir un pénis, n'est-ce pas ? » J'ai dit : « Non. » Alors je me suis assis et je me suis caressé le pénis. Je suis allé devant le miroir, j'ai baissé mon pantalon et je me suis caressé le pénis en disant à mon père et à ma mère que tout était bien. J'ai dit à Janov que je ne pouvais avoir un pénis qu'en secret, quand je me masturbais; pourtant, j'aurais voulu qu'il fasse partie de toute ma vie. « Vous le saviez, n'est-ce pas ? » m'a-t-il dit. « Oui ! je le savais ! et c'est pour ça qu'ils avaient peur. Ils savaient que j'étais au courant et ils étaient pressés de tout renfermer bien vite. » « Et c'est comme ça que vous êtes devenu une bonne petite tapette. » « Eh oui. »

C'était un sentiment extraordinaire de me caresser et de dire à mon père et à ma mère que j'en avais le droit. « Partout, dans la philosophie, dans la religion, dans le travail et Dieu sait encore où, j'avais cherché ce sentiment et aujourd'hui je l'ai trouvé dans mon pénis. Janov, vous êtes formidable. C'est merveilleux », ai-je dit.

Rentré chez moi, j'ai passé le plus clair de mon temps à me caresser le pénis et à dire à mon père et à ma mère que c'était bien. En sortant du cabinet de Janov, j'ai croisé dans le corridor un homme d'un certain âge, l'air cossu. D'abord, j'ai eu mon sentiment habituel, un sentiment de gêne et de honte secrète à la vue d'un étranger qui avait l'air plus imposant que moi. Puis j'ai senti que j'avais un pénis et que tout était en ordre; immédiatement, mon attitude a changé. Je me suis brusquement senti à l'aise, en accord avec moi-même et sans hostilité à son égard. Jamais je n'avais eu ce sentiment. La même chose m'est arrivé en croisant quelques femmes dans le supermarché.

Je n'ai plus le même passé. Il me faut retourner sur mon passé et le reconstituer entièrement pour le mettre en harmonie avec ce que j'apprends maintenant. Il me faut le faire afin d'obtenir de la continuité dans ma vie. Sans continuité, je ne puis arriver à un changement dans l'ordre.

En thérapie, je cherche à m'exprimer de plus en plus sans utiliser les règles de la logique habituelle et le langage structuré, les phrases entières, reliées les unes aux autres, etc. Car je bousille tout si j'essaie à la fois de ressentir la réalité et d'enfermer cette expérience dans un schéma de pensée et dans des structures linguistiques.

Aujourd'hui, Janov a essayé de me faire pleurer comme un petit bébé. Je n'y ai pas réussi. J'y suis arrivé pendant un tout petit moment, mais après j'ai échoué. J'ai gigoté par terre pendant trois heures et demi. J'ai essayé de retrouver le sentiment par l'envie de pisser. Mais c'était une impasse, un piège. Si j'allais pisser, je ne pourrais pas pleurer parce qu'en pissant, j'évacuerais mes sentiments. Inversement, si j'arrivais à pleurer, mes muscles se relâcheraient et je pisserais partout.

L'effort a néanmoins produit quelques insights. Leur valeur s'est révélée être immense. J'ai ressenti la colère qu'éprouvait ma mère en me regardant gigoter et pleurer dans mon berceau. Je ne pouvais y faire face. Je me cachais pour ne pas le voir. J'ai senti ce que c'était que de ne jamais recevoir assez de lait et de manger de l'air. Je lisais l'absence d'amour sur leurs visages. Je voulais me cacher sous le divan pour ne pas voir leur expression glaciale. Je me suis donc glissé sous le divan en criant à Janov : « Qu'est-ce que vous voulez savoir ? » J'ai commencé à parler comme un bébé, la bouche toute tordue. « Y veut pas me laisser crier ! » J'ai senti à quel point mon père était éloigné de moi — comme s'il apparaissait pour dire : « J'aiderai à prendre soin de toi, mais ne t'attends pas à ce que je sois ton père. » J'ai senti qu'il me cachait toujours son pénis et qu'il ne me permettait jamais de le voir nu. Ma mère non plus, je ne l'ai jamais vue nue.

A la fin de cette scène, j'étais totalement épuisé — trop épuisé même pour en écrire le compte rendu complet. Ceci est tout ce que j'ai pu faire.

Quelquefois, quand j'étais tout petit, je me cachais sous le lit ou derrière le divan. J'aimais cela parce que j'y étais tout seul et que ma mère ne pouvait pas me voir. Je me sentais bien et libre quand on ne me voyait pas. Aujourd'hui, sous le divan, j'ai fait la même chose. Je m'en souviens maintenant. J'avais oublié tout ça. J'en avais assez de voir sa colère. C'est pour ça que je me cachais là où je trouvais la solitude, le calme et l'amour.

En thérapie, j'ai un comportement très caractéristique. Je pars en flèche. Puis quelque chose se met à clocher. Je semble avoir besoin d'en faire une grosse affaire, je lutte beaucoup et j'essuie des échecs. Puis je reviens réellement sur moi-même jusqu'à ce que je redevienne un petit garçon désarmé. Je ne comprends pas ce qui m'arrive. Tout ce que je vois c'est que mon attention a été détournée de ce que je fais et dirigée vers autre chose.

Mercredi

Aujourd'hui, j'ai encore passé la séance à me tordre sur le sol. J'ai compris combien j'avais eu une éducation rigide. Mon corps n'a jamais eu le droit de faire ce qu'il voulait. Il était emprisonné dans une camisole de force. Je n'avais pas le droit de donner des coups de pied, de gigoter et de me rouler dans tous les sens. Je ne pouvais pas jouer avec ma mère. Jamais je n'ai eu le droit de la téter. Il semble qu'un grand nombre de mes désirs et de mes besoins m'étaient déniés.

Aujourd'hui, j'ai appris à jouer et à me rouler par terre. Mais il y a eu toujours le même jeu avec cette envie de pisser. Et nous n'avons pas fait ce que nous aurions dû faire depuis le début de la semaine : revenir à cette peur de la pédale que j'avais éprouvée samedi dernier.

Jeudi

Aujourd'hui, j'ai ressenti ma peur, cette peur de la pédérastie. Ce n'était pas comme samedi où j'étais rentré avec un mal de tête tuant, mais je m'y suis plongé assez profondément pour ressentir ce que c'était. J'étais sur le sol et je retrouvais le bébé que j'ai été. J'ai retrouvé le bébé et ma mère, mais après, je me suis troublé. Je ne savais pas si je devais me mettre en colère ou reprendre ce personnage de bébé gigotant par terre. J'appelle maintenant cette seconde attitude ma crise de bébé. Puis j'ai de nouveau eu envie de pisser.

Cette fois, je me suis mis en colère. J'ai été comme un volcan déchaîné. Je tapais les coussins les uns contre les autres pour me libérer du contrôle que ma mère exerçait sur mon corps. J'ai hurlé et j'ai pesté contre la pression que je sentais dans mon ventre, lui disant que je voulais être maître de mon ventre !

Cela a duré assez longtemps jusqu'à ce qu'à mon grand étonnement, je sente que j'étais effectivement devenu maître de mon ventre. L'envie de pisser a disparu. C'est par la colère que je me suis rendu maître de mon corps ! Par la violence, j'ai obtenu ce qui m'appartient de droit — mon corps.

Vendredi

Aujourd'hui nous sommes revenus sur mon père et ma mère et sur les rapports que j'avais avec eux dans mon enfance. J'ai dit à Janov que mon père était pour ainsi dire totalement fermé, que le peu de rapports que j'avais, je les avais avec ma mère, comment, en fait, je n'avais personne, combien j'étais seul et désemparé au lycée, sans personne pour me guider ou me conseiller, comment j'en étais venu à épouser quelqu'un d'aussi éteint que Phyllis.

Puis nous avons parlé de mon scepticisme à l'égard de l'enseignement. Cela se résumait au fait que c'était un programme respectable, sûr, bourgeois, sans risques, et je voulais envoyer le programme au diable. J'ai dit à Janov que j'avais peur parce que je ne savais pas à quoi le nouveau moi allait ressembler, et que j'hésitais à abandonner le seul moi que je connaisse. Puis j'ai compris qu'il me fallait me détourner de ce moi, que je le veuille ou non, parce que si je gardais le programme, je gardais aussi le pédé, et je n'en veux plus !

Il m'a demandé ce que j'avais tiré de ces deux semaines. J'ai répondu que j'avais retrouvé « mon passé et mon corps ». Il m'a demandé ce que je voulais faire. J'ai répondu que je voulais apprendre aux gens à avoir une conscience individuelle et une conscience politique.

Quand je suis rentré, j'étais au comble de l'excitation. Le désir urgent de faire quelque chose de ma vie, quelque chose de sensé, me tenait. Je me rendais compte que ni les femmes, ni le tabac, ni l'alcool, ni l'argent, ni la drogue ne pourraient servir de substituts.

Samedi

Aujourd'hui, la séance de groupe a de nouveau commencé avec tout le monde par terre. Quand plusieurs malades se sont mis à appeler leur mère en pleurant, je me suis mis en colère parce que je ne pouvais pas retourner au passé, car il n'y avait rien. Janov m'a vu assis dans mon coin et m'a dit de me coucher par terre. J'ai commencé à frapper le sol, j'étais dans une fureur aveugle. Puis j'ai hurlé de colère : « Je suis furieux, pourquoi y me laissent pas pleurer ? Je veux ma vie. » Janov est venu à côté de moi, je lui ai dit que je m'étais coupé de tout pendant vingt ans et qu'il était très difficile de retourner à mon père et à ma mère. J'ai dit : « Je peux pleurer pour grand-père parce qu'il se souciait de moi et qu'il m'aidait. » Il a répondu : « Dites-leur que vous voulez revenir. » Alors je leur ai dit que je voulais revenir à eux tel que j'étais et que je voulais qu'ils se soucient de moi comme grand-père. Pendant un petit moment j'ai sangloté sans retenue. Puis j'ai parlé à Janov de l'oncle Mac et comment grand-père l'avait rejeté avec mépris parce qu'il voulait devenir musicien, combien Mac haïssait grand-père et qu'il s'était tué par la boisson. « Exactement comme vous vous êtes tué », a dit Janov. « Mais au moins, Mac semblait savoir ce qu'il voulait. Moi, je ne le sais pas encore. » « Non », ajouta-t-il, « ils vous ont bousillé ».

Je me suis plongé dans mon sentiment concernant Mac, mon oncle favori et l'idole de mon enfance, puis dans celui de mon lent suicide, dans ce que mon père et ma mère avaient fait. J'ai senti une immense souffrance dans ma tête et dans mes tripes. Puis j'ai eu ma crise de bébé qui se démène. Quand j'en suis sorti, ils étaient tous en train de me regarder. Ils ont dit que ma colère leur avait fait peur.

Je leur ai dit à tous comment j'avais essayé toute la semaine de laisser la peur prendre possession de mon corps. Une femme m'a fait remarquer que quand la souffrance était montée, je n'étais pas resté immobile mais que j'étais entré dans ma crise de bébé. C'était une remarque judicieuse. D'autant que ma méthode ne marchait pas. Au cœur de la crise, je ne ressens qu'une émotion aveugle. Jusqu'à ce que je me calme, tout le reste disparaît. Il y a fort peu de chances pour que je passe jamais d'une colère aveugle à une peur paralysante.

En rentrant, je me suis aperçu que j'avais mal aux reins, comme quelqu'un qui travaille un bon coup un jour, après une longue période d'inactivité. La douleur se situait au même endroit que quand je reste couché immobile sur le sol !

Aujourd'hui, je suis allée à une soirée. C'était la première fois depuis deux semaines que j'avais un contact social. Je n'avais pas envie de boire ou de fumer, mais j'avais envie de baiser et de faire une ou deux boîtes.

Je me sentais bien — un autre moi-même, un être nouveau. Plus vivant. On aurait dit que cette vitalité était irradiante, elle se répandait autour de moi, sur les autres. J'ai rencontré une ravissante blonde qui s'appelle Frances. J'ai aussi fait la connaissance d'Eileen, une brune assez piquante qui portait une longue robe très décolletée et des bijoux en or. Mais je me sentais plus attiré par Frances

parce qu'elle avait un corps dont elle se servait merveilleusement bien. Je l'ai regardée danser pendant un long
moment. Puis j'ai essayé de danser avec elle mais ça ne
marchait pas très bien. J'ai retrouvé l'ancien manque d'assurance, l'effacement, le sentiment d'être un pédé. J'ai
remarqué que bon nombre de gens avaient l'air d'éprouver
des sentiments analogues. Ils n'étaient pas à l'aise dans
leurs corps, ils n'étaient à l'aise dans rien. Baiser Frances
à la fin de la soirée, c'était bon, mais j'aurais voulu qu'elle
ne se donne pas tant de mal à faire travailler sa tête. « Tu
es un vrai homme... » et tout un tas de foutaises. Ce matin
j'ai senti que j'aurais dû faire quelque chose à ce sujet, dire
par exemple : « Détends-toi, ne force rien. Laisse ton
corps commander à ta tête. Alors tu pourras te passer de
toutes ces foutaises. »

Dimanche j'ai dormi. En m'éveillant, j'ai perçu une
vague clarté, un peu comme on voit la lumière à l'aube
avant de voir le soleil. Par intermittences, j'avais déjà eu
cette impression, au cours des jours précédents. Cela
m'avait fait peur. On aurait dit que c'était un sentiment
effroyable et que cette manière de s'insinuer était une
façon de me préparer à le supporter. J'ai eu l'impression
que ce jour n'était pas loin et qu'il fallait que je m'y
prépare.

Lundi

Ce que j'ai appris aujourd'hui doit être exposé d'une
manière générale, parce que c'est d'ordre tellement
physique.

J'ai raconté à Janov tout ce qui s'était passé pendant
le week-end. Je lui ai dit que je me sentais toujours exclu
à la maison et que même grand-père, s'il avait vécu, se
serait retourné contre moi, parce qu'il était de l'ancienne
école. Il aurait été contre moi, exactement comme il était
contre Mac. Janov m'a dit alors de leur dire adieu à tous
— à grand-père, à mon père et à ma mère. Je leur ai dit
à tous qu'il me fallait aller de l'avant, que je les aimais
mais que je ne voulais pas être prisonnier de leur façon
de vivre à eux. Je leur ai dit de ne pas s'en faire, que je
ne prendrais pas le chemin qu'avait pris Mac.

Là-dessus, j'ai eu besoin de pisser. Janov m'a dit de le
faire monter au lieu de le pousser vers le bas. C'est ce que
j'ai fait. J'ai exercé une poussée ascendante avec ma respiration, ma voix, mon pénis, mes mains, mon estomac, mon

dos et mes jambes. J'ai senti la pression se réduire progressivement jusqu'au point où mon esprit a pu lâcher et où mon corps a pu prendre la relève. Cela s'est produit quand j'ai eu une impression de bien-être dans mon pénis et quand les mouvements de mon corps ont été coordonnés à ma respiration. A ce moment, je me suis rendu compte que depuis des années, ils n'étaient pas synchrones. La raison en était que je ne respirais pas bien. En inspirant, je me remplissais le ventre d'air, et j'expirais mal. A mi-chemin de l'abdomen, les deux courants se heurtaient. La partie inférieure de mon abdomen était bloquée. Toute activité génitale était coupée du rythme de ma respiration.

En plongeant plus profondément, j'ai appris les mouvements que j'aurais voulu faire dans le berceau sans en être capable et que j'avais remplacé par ma crise de bébé. J'ai senti dans mon ventre un mouvement ondulatoire qui était en accord avec le rythme de ma respiration et celui de ma voix, c'était très agréable. J'avais une sensation très agréable dans mon pénis et les mouvements de mon corps étaient rythmés comme quand on baise, seulement, j'étais sur le dos. Je me sentais tout d'un coup lavé de toutes mes colères et de toutes mes frustrations. Je ne suis pas arrivé à tout sortir aujourd'hui. J'avais toujours les extrémités raides. Mais elles y parviendront à leur tour.

Mardi

Aujourd'hui, il ne s'est pas passé grand-chose. J'étais trop fatigué par la longue et épuisante séance d'hier. Janov s'en est rendu compte et on a levé la séance au bout d'une demi-heure. Quand je suis rentré, j'ai sombré dans une crise de cafard.

Mercredi

J'ai dit à Janov que je voulais m'attaquer à ce cafard. « Enfoncez-vous dedans », a-t-il dit. J'y suis allé tout droit. Je me suis dit que je ne valais rien, que je perdais mon temps et mon argent en thérapie, et qu'à la fin, rien n'aurait changé. Puis je me suis lamenté sur le fait que je ne serais jamais rien d'autre qu'un professeur de lycée. J'ai expliqué plein de tristesse que j'étais incapable de reprendre des études supérieures, je n'ai pas d'argent, je suis trop vieux et je ne suis pas assez doué. J'ai aussi dit que je n'avais pas le droit de parler de sujets tels que l'œuvre de Sir James Frazer ou la mythologie. Pour résumer le tout, je me suis plaint en disant que les choses ne changeraient jamais, que j'étais vraiment désemparé et que ce n'était même pas la peine d'essayer d'y faire quelque chose.

Janov m'a dit de me laisser encore plus profondément aller à ce sentiment. Je lui ai dit que je m'enfonçais dans un trou noir où j'étais plongé dans l'obscurité, seul et abandonné de tous. Il m'a dit de demander à mon père et à ma mère de m'aider. Je les ai appelés, mais cela ne m'a pas fait grand-chose. J'ai dit à Janov que mon père ne pouvait pas m'aider parce qu'il était complètement éteint et fermé. Il m'a dit de respirer profondément et de m'enfoncer encore davantage dans mon sentiment. Je l'ai fait et j'ai commencé à avoir mal au ventre. J'ai dit à Janov que je n'avais confiance en personne, là, dans ce trou. Je veux être seul. Quand il y a des gens autour de moi, lorsque je suis dans ce profond trou noir, je m'énerve. Je suis agacé parce que je ne sais pas ce qu'ils vont me faire. Puis, j'ai décrit comment j'allais me cacher derrière le divan quand j'étais petit. J'avais aussi coutume de me cacher dans une armoire toute noire et dans le grand placard de la chambre de mes parents où on mettait les chaussures. J'aimais les endroits sombres et isolés où je pouvais être seul. Janov m'a dit de respirer profondément et de m'enfoncer encore dans ce que je ressentais. Je lui ai dit que le petit bébé se noyait, qu'il coulait. J'avais le vertige, j'étais en train de sombrer. Janov m'a demandé d'appeler ma mère à l'aide. Je l'ai fait. Elle se contentait de rester plantée là. Puis Janov m'a dit de laisser le bébé se noyer. J'ai senti un poids énorme sur ma poitrine. J'avais de plus en plus de peine à respirer. Janov m'a dit d'interrompre ma respiration et de laisser le bébé se noyer. Je l'ai fait. Sans un mot, sans une larme. Aussi froidement que ma mère. Mais rétrospectivement, il me semble que le bébé ne s'est pas noyé. Il a simplement disparu du champ de ma conscience.

Ensuite, Janov m'a dit de raconter le peu de fois où mon père et ma mère s'étaient montrés chaleureux à mon égard. Je lui ai dit que j'avais vu de vraies larmes dans les yeux de ma mère quand, enfant, j'avais eu une grave pneumonie qui mettait ma vie en danger. J'ai aussi raconté que quelquefois, mon père nous emmenait à la gare pour voir arriver le train. On restait là un moment à parler avec le chef de gare, l'employé des postes, le type des messageries, le chauffeur de taxi, avec tous les gens qui se trouvaient par là. Quand j'étais petit, j'avais chaque soir juste avant de m'endormir un fantasme à propos de l'arrivée du train. J'étais au milieu des rails, attendant qu'il entre en gare. Je le voyais venir du fond de l'horizon. Les minces rubans de fumée se changeaient en colonnes épaisses au fur et à mesure qu'il approchait. Juste au moment où la puissante machine noire fondait sur moi, je sombrais dans le sommeil. J'avais l'impression que quand le train était arrivé, je pouvais me reposer. J'ai dit à Janov que je sentais qu'il y avait un rapport entre ce fantasme et le fait de me cacher dans le placard. Dans les deux cas, la scène se déroulait dans l'obscurité. J'étais toujours seul. Finalement je me sentais toujours seul et enveloppé de chaleur.

Je n'ai pas pu me souvenir d'avoir été caressé et cajolé, malgré tous mes efforts de me rappeler un contact physique chaleureux de la part de mes parents. Mais je me souviens d'avoir fait une sieste sur le divan, blotti contre ma mère. Je me souviens aussi d'avoir levé la main pour toucher la barbe de mon père. Je me souviens de l'avoir regardé se raser et d'avoir senti la lotion capillaire dont il se servait. Il me chantait toujours une petite comptine et il riait. J'avais presque peur de toucher mon père.

Jeudi

J'ai dit à Janov combien j'étais désolé d'avoir laissé le bébé se noyer hier, sans seulement verser une larme. « Si cela avait été le bébé de quelqu'un d'autre, j'en aurais été complètement bouleversé », ai-je conclu.

J'ai expliqué à Janov qu'il m'était toujours très difficile de recevoir des félicitations quand je faisais quelque chose de bien. Je frémissais secrètement de fierté en voyant mon nom sur les pages sportives des journaux, mais quand quelqu'un m'en parlait, j'étais plongé dans le plus profond embarras. Il s'était passé la même chose quand les gens avaient découvert que j'allais à Fordham (1). J'aurais préféré qu'ils n'en sachent rien du tout. Quoi que je fasse, je ne me permettais pas d'en être fier. C'était une sorte de punition que je m'infligeais de peur de devenir vaniteux. Janov m'a demandé pourquoi. Je lui ai dit : « Je ne voulais pas être différent des autres. Le succès aurait élargi le gouffre qui me séparait de mon père et de tous les autres. Et en ce qui me concernait, je le trouvais déjà assez

(1) Université catholique à Bronx (New York).

grand. Je faisais donc comme mon père, je m'étais condamné à éveiller la pitié des autres. »

Je suis longtemps resté étendu : je parlais de mon pauvre père et je pensais à lui. Tout à coup, je me suis rendu compte de ce que j'étais en train de faire. Je me suis écrié : « Mon Dieu ! » « Qu'y a-t-il ? » a demandé Janov. J'ai dit : « Je suis en train de m'apitoyer sur mon père parce qu'il n'était pas un bon père pour moi. Mais qu'en est-il de *moi* ? Et toute la pitié que lui témoignaient les gens ne lui servait à rien. Bon, continue, papa, reste comme tu es ! Cela n'a plus d'importance. C'est ton problème, et si tu n'y peux rien, c'est ton affaire. Continue et reste comme tu es. Pour moi, ça ne change plus rien. Il est trop tard maintenant. Adieu, papa : c'est très triste de dire adieu ! Tu n'avais pas de mauvaises intentions. Mais il faut que j'aille de l'avant. »

En rentrant, j'ai déjeuné, puis j'ai fait la sieste. En m'éveillant, j'ai eu le sentiment que j'étais en train de faire des études supérieures en psychologie. J'en ai pleuré de joie.

Vendredi

Nous avons pris un jour de repos et j'ai emmené mon fils, Fred, se baigner au lac Gregory. Nous nous sommes bien amusés, mais j'étais tendu. Nous étions couchés au milieu du lac, sur un aquaplane. Je ne suis pas arrivé à me laisser aller complètement. Je pensais à mon enfance — quand je voulais ma mère et qu'elle n'était pas là. Il n'y avait pas seulement son absence physique, mais aussi une absence de cœur. Son cœur froid, bardé d'acier, qui repoussait tout le monde dès qu'il était question d'aimer.

Samedi, séance de groupe

J'ai été subjugué par le sentiment du bébé qui demande sa mère. Le rêve où j'ai tellement peur tourne autour de cela. C'est ce qui va venir, ce à quoi je me suis préparé. J'ai essayé de m'y plonger aujourd'hui mais je ne suis pas allé bien loin. Puis j'ai fait ce que je faisais chaque fois que ma mère me rejetait. J'ai fait une crise de bébé et j'ai évacué mes sentiments en pissant.

Lundi

Aujourd'hui, j'ai repensé à ma mère. J'ai ressenti une partie de ce que j'ai souffert d'être toujours rejeté, méprisé, et toujours si isolé. J'ai été pris de colère. J'ai hurlé, j'ai hurlé que je haïssais tout et que je haïssais ma mère pour tout ce qu'elle me faisait. Puis j'ai pleuré amèrement sur tout ce qui était perdu. J'ai tendu les bras vers ma mère, ils sont tombés dans le vide. J'ai pleuré pour appeler ma mère et mes pleurs sont tombés dans le vide. J'ai dit à Janov combien j'enviais les enfants qui étaient appréciés et considérés par leurs parents. J'ai dit à ma mère qu'il fallait toujours se comporter comme elle l'entendait si l'on ne voulait pas être condamné par elle. J'avais un sentiment de tristesse et d'infinie solitude.

Mardi

« Comment vous sentez-vous ? » m'a demandé Janov dès le début. « Aujourd'hui, j'ai le cafard. » — « Comment ça ? » — « Hier, c'était très triste de se sentir si seul et si abandonné. Je me suis toujours senti plus proche de ma grand-mère que de ma propre mère. » — « Parlez-moi d'elle. » — « Oh ! c'était une femme merveilleuse. Elle était patiente et compréhensive. Elle n'était pas toujours sur mon dos comme ma mère. Quand j'avais des problèmes, j'allais toujours vers elle. Elle m'écoutait et elle me soutenait. Quand j'étais malade à l'école, j'allais voir ma grand-mère parce que je savais qu'elle ne se mettrait pas en colère contre moi et qu'elle me soignerait. Elle me préparait un bouillon chaud ou une infusion de sassafras. Elle s'interrompait même dans son travail pour s'occuper de moi.

Après la mort de grand-père, elle alla habiter dans un appartement. J'allais la voir et je lui rendais les services que je pouvais, parce que je savais qu'elle n'aimait pas être seule et elle était si gentille avec moi que je voulais faire tout ce que je pouvais pour elle. Après avoir fait une chute et s'être cassé le col du fémur, elle déménagea pour habiter en face de l'église afin de n'avoir que la rue à traverser pour aller à la messe. C'était près de l'école, et je passais tous les jours la voir pour savoir si tout allait bien. S'il y avait quelque chose qui n'allait pas, je m'en occupais. J'aimais vraiment ma grand-mère. J'aurais voulu être là quand elle était morte. » — « Dites-lui adieu maintenant. »

Alors, j'ai dit adieu à ma grand-mère. J'ai pleuré comme j'avais pleuré pour grand-père — presque aussi fort. Je lui ai dit tout ce qu'elle avait été pour moi. Je l'ai remerciée d'avoir été si bonne et si gentille avec moi. Je lui ai dit qu'elle aurait toujours une place en moi, que tout le restant de mes jours, je la garderais tout près de moi. Je lui ai dit combien je désirais la prendre dans mes bras et la serrer bien fort. Je lui ai dit que c'était bon d'ouvrir mon cœur et de pleurer parce qu'elle méritait tout l'amour et toute l'affection que je pouvais lui donner. « C'est facile de pleurer grand-père et grand-mère, ai-je dit, mais c'est difficile de pleurer mon père et ma mère. »

« Maintenant, a dit Janov, faites pleurer le bébé qui appelle sa mère, faites-le pleurer pour l'appeler. »

J'ai appelé. J'ai pleuré sans un mot, parce qu'hier, couché sur le divan chez moi, je m'étais aperçu que les mots m'écartaient de la grande peur, du grand sentiment. Cette fois, j'ai appelé avec des cris suppliants mais inarticulés, puis le sentiment m'a inondé comme une averse printanière. C'était le sentiment à l'état pur, sans mots, sans images de mon grand-père, de mon père, de ma grand-mère ou de ma mère. C'était le besoin à l'état pur. J'ai pleuré de tout mon corps. Tout mon corps a pleuré de besoin, secoué de profonds sanglots et les larmes jaillissaient comme le sang d'une blessure ouverte.

Une fois mes pleurs apaisés, je nageais dans le bonheur. Janov m'a demandé pourquoi. J'ai dit : « Parce que je me sens entier. » — « Que voulez-vous dire ? » — « On peut l'expliquer de diverses manières. Maintenant, je peux remonter le cours de tous mes sentiments (ce que j'entendais par être né) sans qu'ils se heurtent. Je n'ai pas besoin d'en écarter certains pour éviter qu'ils se heurtent. Je suis en possession de toute la gamme de mes sentiments. Je possède le bébé que j'ai été et je vais prendre bien soin de lui. Je prendrai sa défense et je le soutiendrai quand il en aura besoin. Mon histoire devient le présent. »

Toute la journée, je me suis senti comme une jeune pousse qui vient à peine de sortir de terre. Tout me touchait avec tendresse. Je sentais rouler en moi des vagues de sentiments. Le soir, en séance de groupe, une jeune femme a pleuré à cause de la souffrance que lui causait la vie. Nous en sommes venus à parler de ce que nous, qui sommes passés en thérapie primale, nous ferions dans ce monde barbare. J'étais au bord d'un primal mais je ne savais pas comment y arriver. Je ne voulais pas prendre un faux départ qui aurait tout ruiné. J'aurais voulu lui dire avec mon cœur que moi aussi je ressentais la souffrance, mais que je voulais vivre parce qu'il y a de la chaleur et de la joie quand nous sommes capables d'assumer la souffrance que nous ressentons en nous. La souffrance, comme toutes les autres expériences de la vie, est passagère. Si nous apprenons à l'assumer, à nous aimer et à nous prendre en charge, la souffrance, si elle est authentique, nous conduira à l'amour, à la chaleur et à la joie, en dépit de tout ce qui se passe dans ce monde barbare. Car la souffrance n'est pas dans le monde, elle est dans notre corps, où nous pouvons nous en occuper. Et ainsi tout est bien. Vivre devient un problème réel qui ne nous conduit vers la mort que si nous tenons la souffrance à l'écart.

Je n'ai rien dit de tout cela parce que cela n'aurait servi strictement à rien. Nous parlons tous trop, même quand ce que nous disons a une certaine valeur. Je suis donc rentré et j'ai écrit tout cela. Mais j'avais l'impression d'être sorti de cette séance les mains vides, parce que je n'avais pas trouvé ma propre voie pour faire un primal, alors que j'étais si profondément ému.

Maintenant, je deviens entier. Je suis mon corps. Je suis une grande symphonie de sentiments riches et divers; chacun parcourt mon corps de façon harmonieuse et ils se complètent les uns les autres. Mon sexe, ma structure physique, mon énergie, ma colère, ma peur, mon ardeur, ma tristesse et ma joie sont autant d'éléments dont chacun a son temps et sa texture — il y a des textures dans le temps — et chacun en son temps et à sa manière, sert les besoins des autres. Maintenant, je deviens entier, je suis ma propre origine. Je suis mon propre père. Je suis ma propre mère. Je suis mon corps. Je suis ce que je ressens.

Mercredi

Ce matin, j'ai de nouveau pleuré de besoin, de pur besoin. J'écoutais l'adagio du quatuor en la mineur de Beethoven, j'étais au milieu de la salle à manger et je pleurais avec la musique (jamais je n'ai entendu un morceau qui évoque à un tel degré la douleur physique la plus intense), exactement comme hier en séance, j'avais laissé pleurer le bébé. Il n'y avait pas de mots, pas d'images. Il y avait du chagrin et de la souffrance à l'état pur dans la musique et je pleurais à cause du chagrin et de la souffrance qui étaient en moi.

Jeudi

Je me suis mis à travailler sur mes notes. J'en suis arrivé à la page 45 : pas de mère, tristesse et solitude. J'ai repensé à mon projet d'aller chez moi. Est-ce que j'ai envie de voir quelqu'un d'autre que mon père et ma mère ? Non. J'y vais pour la thérapie, non pour m'amuser. Oh si ! je voudrais voir tante Millie et oncle Les. Millie était si gentille avec moi quand j'étais adolescent. Les aussi. Je voudrais les remercier comme j'ai remercié grand-père et grand-mère parce que j'étais triste et seul et qu'ils m'ont aidé. Quel orphelin je faisais, un orphelin avec des parents ! Me voilà projeté dans le sentiment de souffrance primale. Bang ! Me voilà dans un primal triste et solitaire. Bang ! Voilà ce qu'était le primal en la mineur : tristesse et solitude. Bang ! Me voilà de nouveau réel.

Vendredi

Premier jour depuis dimanche où je n'ai pas fait de primal. Mais je sens qu'il y en a un qui approche. Ce matin j'ai pensé à cette visite chez moi et j'ai imaginé quelles seraient leurs réactions. Pas de travail. Cheveux longs. Vivant à la dure. Je voyais d'ici ma mère jouer l'air de « Nous nous faisons du souci ». Puis j'ai pensé en moi-même : *Tu sais ce que tu me fais avec ton « nous nous faisons du souci », maman ? Cela me place à part. Cela fait de moi un cas spécial. Il y a quelque chose qui ne va pas en moi. C'est ta façon de faire que quelque chose n'aille pas en moi, afin que tu puisses continuer à dominer. S'il y a quelque chose qui ne va pas en moi, l'attention ne se concentre pas sur toi. Tu sais ce que cela m'a fait, maman ? Cela a fait de moi un marginal. Un petit orphelin solitaire avec des parents !*

Ainsi, j'ai compris combien j'ai peur de sortir de mon enveloppe bourgeoise. J'ai peur que mon père et ma mère ne m'abandonnent et m'excluent. J'ai peur. C'est la grande peur. Le petit garçon solitaire et triste.

Lundi à Vendredi

Je suis retourné à Woodsville pour voir mes parents. C'était la première fois que j'y revenais depuis une dizaine d'années. Cette visite a confirmé tout ce que la thérapie m'a fait découvrir. Ils m'ont fait toute une histoire parce qu'ils allaient être interviewés pour le film (1). Leur réticence n'avait rien à voir avec moi ou avec mon passé, pourtant c'est tout ce dont on leur demandait de parler. Ma mère a essayé de me tracasser parce que j'avais divorcé, parce que j'avais quitté l'Eglise catholique et que je ne travaillais pas. J'ai attendu pour voir ce que ferait mon père. Rien, comme à l'habitude. Il l'a laissée parler. Alors moi, j'ai mis un terme à ses reproches. Tout cela faisait mal : les tracasseries, l'apathie caractéristique de mon père, la colère par laquelle j'ai mis fin aux vexations. Puis ma mère a essayé de me coller l'étiquette de « fou », et là, j'ai vraiment explosé. Après, les choses se sont arrangées extérieurement, mais au fond, rien n'a changé. Le soir, je suis sorti, juste pour les quitter un moment. En sortant de la maison, j'ai eu ce même sentiment d'être un orphelin que j'avais connu si bien dans mes solitaires promenades d'adolescent. J'ai commencé à me demander comment j'avais réussi à supporter tout cela quand j'étais jeune.

Je suis allé voir la vieille gare, la rivière, les bois, et le grand pont. J'ai retrouvé tous les sentiments du jeune garçon qui cherchait refuge dans la nature. Je suis resté un moment sur le pont et j'ai pleuré sur le garçon qui à l'époque ne pouvait pas se permettre de ressentir toute la souffrance. Alors je suis resté là sur le pont et j'ai pleuré et je l'ai laissé la ressentir maintenant — maintenant que c'est passé. J'étais rempli de reconnaissance et d'affection pour ces lieux qui avaient donné à ce jeune garçon une idée de ce dont il avait si profondément besoin.

Je suis redescendu pour aller voir mon oncle et ma tante. Je leur ai raconté toute la thérapie parce que je savais qu'ils s'y intéresseraient et qu'ils me comprendraient. C'était merveilleux de les retrouver. C'était bon de leur dire tout ce qu'ils représentaient pour moi, de leur dire tout ce qu'ils avaient fait pour moi quand j'étais adolescent. Ils en étaient heureux. Toute la soirée, des ondes de chaleur enveloppaient la pièce.

Je suis allé au cimetière pour voir les tombes de grand-père et de grand-mère. Je me suis agenouillé entre leurs tombes et je leur ai dit tout ce que je leur avais déjà dit en thérapie. Je suis resté agenouillé longtemps, à pleurer et à parler à grand-père et à grand-mère. Puis, quand mes pleurs se sont calmés, je suis resté agenouillé là, en silence.

_____

(1) Allusion au documentaire que l'on fait sur le traitement de Tom.

Je n'avais jamais vu la tombe de grand-mère. Vingt-deux années étaient passées depuis le jour où j'étais venu ici pour l'enterrement de grand-père. Pour moi, c'était hier. L'oncle Mac était aussi enterré là. Cette tombe non plus je ne l'avais jamais vue. Devant sa tombe je n'ai pu dire que « mon pauvre oncle Mac ». Puis je suis allé sur celles de grand-père et de grand-mère, j'ai touché un long moment la pierre tombale. Et je suis parti.

Ce retour chez mes parents m'a rapproché de la chaleur que je désire sentir, car il a confirmé la réalité de ma souffrance et celle de la thérapie. Maintenant, le seul problème est de traverser la souffrance. La chaleur est de l'autre côté. Maintenant je sais où est l'amour et où est la chaleur humaine — de l'autre côté de la souffrance. Il faut que je la traverse. L'expérience que j'ai faite de la souffrance suffit déjà à m'avoir fait comprendre cela. Maintenant je n'ai plus besoin de compter constamment sur mon ancienne façon de rechercher l'amour et la chaleur humaine. Auparavant, je m'arrangeais pour ne pas exploiter toutes mes capacités, pour inspirer la pitié (j'avais pris à tort la pitié pour l'amour et la chaleur humaine). Auparavant, je voulais que les autres s'apitoient sur moi. Je voulais qu'ils compensent le manque d'affection et d'amour que m'infligeaient mes parents, le manque de cet amour dont j'avais si terriblement besoin. Je me diminuais jusqu'à me comporter de façon imprévisible. J'espérais alors que quelqu'un viendrait qui aurait pitié de moi (ma mère) et qui m'accorderait aide et soutien (mon père).

Conclusions

Au bout de trois semaines de traitement, on observe plusieurs profonds changements.

D'abord, avant la thérapie, je fumais environ trois paquets de cigarettes par jour. Non seulement je me suis arrêté de fumer mais je n'en ai plus le moindre désir.

Deuxièmement, avant la thérapie, je buvais pas mal. J'allais plusieurs fois par semaine dans les bars. Je ne buvais jamais au point d'être soûl mais quatre ou cinq whiskies ne me faisaient pas peur. Je n'ai plus envie de poursuivre cette habitude.

Troisièmement, mon activité sexuelle s'est considérablement ralentie. Avant le traitement j'avais des rapports au moins trois fois par semaine. La thérapie a commencé il y a un mois et demi et je n'ai eu de rapports que trois fois. Pour ce qui est des deux premières modifications, je suis sûr qu'elles sont définitives, mais en ce qui concerne mes sentiments quant à ma vie sexuelle, je ne vois pas encore clair. Avant la thérapie, je couchais avec de nombreuses femmes. Il était rare que je couche avec la même femme plus d'une fois dans la même semaine. Avoir des femmes, c'était un moyen de me dissimuler ma souffrance profonde — la souffrance d'être exclu, d'être un raté. On ne peut pas réussir à être un raté si l'on regarde les choses en face, on doit prendre la fuite. Il faut avoir une « couverture » pour se dissimuler la honte d'être un raté. Pour moi, cette couverture, c'étaient les femmes. Je ne ressens plus le besoin de continuer ainsi. Mais mes désirs réels, il faut encore que je les découvre. Peut-être que je n'aurai plus besoin que d'une seule femme ou d'un petit nombre — je ne sais pas.

Quatrièmement, je n'ai plus de problèmes d'insomnie. Je n'ai plus de maux de tête non plus.

Cinquièmement, ma tension a considérablement diminué. Il en reste encore mais je sens qu'elle décroît.

Sixièmement, les rapports que j'ai avec les autres se modifient. (C'est le changement le plus subtil, il se fait progressivement et est difficile à décrire.) Je n'ai plus l'impression d'être dominé et passif — le sentiment d'être pédé, comme je l'avais avant d'entrer en thérapie. Je ne l'ai plus aussi intensément et je ne l'ai plus aussi fréquemment. Quelquefois j'ai du mal à distinguer le sentiment d'être pédé de celui d'être simplement désarmé devant les gens qui m'aiment. (Je n'ai pas l'habitude d'identifier les deux sentiments.) Mais maintenant, j'arrive généralement à faire la distinction grâce à mon sens de la solitude. Dans le sentiment d'être un pédé, je ne me sens pas seul. Je sens une présence inquiétante qui se profile dans l'ombre du présent. Lorsque j'ai le sentiment d'impuissance, je me sens très seul, mais cela n'est pas douloureux, c'est plus ou moins excitant, selon les circonstances.

Je suis plus distant dans mes rapports avec les autres, mais cette distance semble une manière d'approfondir mon aptitude à l'intimité. C'est encore quelque chose d'inachevé et de nouveau pour moi, mais je crois que c'est une excitante promesse pour l'avenir. Pour l'instant je n'en suis qu'intrigué.

Dans mes relations avec les autres, et même quand je suis seul, je sens l'indescriptible et profonde douleur de tout cet amour perdu, dont j'avais si terriblement besoin quand j'étais enfant et que je n'ai pas reçu. Quelquefois c'est un sentiment si violent que je suis presque paralysé. C'est encore le sentiment qui domine en moi. La plupart du temps, je suis très craintif ou au bord des larmes. Aux yeux de la plupart des gens, je peux paraître triste. Je suis sûr que mes amis qui ne sont pas au courant se demandent secrètement quels bienfaits la thérapie a pu m'apporter.

Enfin, toute l'orientation de mon existence est en train de subir une immense transformation. Bien sûr, ce processus est encore inachevé mais on peut esquisser certaines modifications.

D'abord, je ne suis plus dominé par le besoin d'être « reconnu » sur le plan professionnel, de même que je n'éprouve plus le besoin d'être aimé d'une ou de plusieurs femmes. Honnêtement, je ne peux pas dire pour le moment que ces besoins aient été remplacés par autre chose. Dans une certaine mesure je me sens un peu dans les limbes, dans une espèce de no-man's-land. Mais cela ne me déconcerte pas particulièrement parce que je sens quelque chose de nouveau naître en moi. Il serait prématuré d'en parler maintenant, cependant je sens que c'est là, et que ça grandit.

Je sens que le changement le plus radical est intervenu dans mon système de valeurs. J'ai de plus en plus conscience que la dynamique de mon organisme est en train de mettre au point de nouvelles valeurs. Ce n'est pas mon intellect qui dirige ce processus, c'est mon corps. Mon intellect joue un certain rôle mais c'est un rôle secondaire. La meilleure façon de le décrire, est de dire que mon intellect, plus qu'il ne prend part au processus, observe et enregistre ce qui s'est passé, un peu comme la science moderne a observé la structure et la dynamique de l'atome pour élaborer ensuite les notions abstraites de protons, neutrons, électrons, et le reste, pour rendre compte de ses observations.

Ce que j'affirme, c'est que les concepts de valeur et les idées par lesquelles nous essayons de diriger notre comportement et nos expériences n'ont pas à proprement parler leur origine dans la pensée. Si l'on définit notre expérience en fonction d'idées c'est le résultat d'une maladie qui nous coupe des processus organiques de notre environnement, aussi bien que de ceux qui nous sont propres. On répète des expressions absurdes du style « l'esprit doit dominer la matière » ou « savoir se maîtriser », mais toutes ces remarques dénotent un profond clivage dans notre vision de l'existence; et ce clivage nous coupe aussi bien du monde extérieur que de nous-mêmes.

Pour parler en termes positifs, j'affirme que les concepts de valeur et les idées en fonction desquels nous souhaitons organiser notre vie, ont leur origine directe dans l'expérience que l'organisme a de lui-même. Ils expriment les exigences de l'organisme en vue d'une vie saine, ce qui revient à dire qu'ils expriment nos désirs réels. Les idées participent et elles jouent un rôle important. Mais ce qu'il faut comprendre c'est que les idées *découlent* de l'expérience. Par exemple, je n'élabore pas d'abord une pensée sur la nécessité d'être avec un groupe de personnes pour aller les rejoindre ensuite. En tout premier lieu, je *fais l'expérience* de ma propre solitude. Puis j'élabore une pensée à ce sujet. Par nature, cette idée double l'expérience — en quelque sorte, elle la photographie. C'est ce qui me permet de reconnaître l'expérience, de la mettre en relation avec d'autres expériences, et finalement d'agir en conséquence. Pour moi, ce processus est d'une importance capitale. Cela signifie que mes valeurs et mes buts, ce que l'homme a toujours considéré comme étant ce qu'il y a de plus sacré dans la vie, ont en réalité leur source dans la structure organique de *mon* être. C'est pourquoi il serait décidément malsain si je permettais à mon intellect ou à celui d'autres gens, à des autorités publiques ou à un système philosophique qui prétend détenir « la vérité », d'assumer ce processus d'élaboration des valeurs.

CHAPITRE 15

SOMMEIL, REVES ET SYMBOLES

Dès que le petit enfant nie la réalité catastrophique au moment de la scène primale, il cesse d'être entièrement réel et s'engage dans une voie qui le conduit vers une irréalité toujours plus grande. Ce processus est déterminé jour après jour par des parents qui ne laissent pas l'enfant être lui-même, et exigent qu'il se conforme à une image qu'ils ont inventée et qui représente tout ce qu'ils attendent. Il sera selon les cas « le bon petit garçon », le « clown » ou « l'imbécile heureux ».

Etre un moi symbolique représente un travail à plein temps. L'obligation de se défendre contre le moi réel s'impose jour et nuit. Le jour, c'est l'acting-out symbolique; la nuit, ce sont les rêves symboliques qui, jusque dans le sommeil, protègent l'individu de ses sentiments réels. Par exemple, l'enfant qui grandit dans le désir de satisfaire une mère exigeante, se montre serviable, sourit dès qu'elle le regarde, lui parle de façon hésitante, agit de manière à se faire bien voir, offre des excuses presque pour tout ce qu'il fait, bref il adopte des comportements divers qui découlent tous d'un même désir inconscient : « Sois gentille avec moi, maman; je ferai tout ce que tu voudras, si tu es gentille. » Chacune de ses attitudes renvoie de manière symbolique à ce sentiment central.

Comme la nuit le besoin ne se modifie pas ni ne disparaît, il donne lieu à un déjouement au cours du rêve, encore sous forme symbolique. Le rêve essaiera peut-être d'amadouer un monstre ou d'accomplir quelque chose d'impossible sans jamais y arriver tout à fait. La tâche symbolique impossible est en réalité la tentative d'obtenir la gentillesse de la mère.

Par conséquent, le premier point à retenir est que *les rêves ne sont que le prolongement de la conduite du sujet éveillé et non des phénomènes différents.* C'est la lutte symbolique de la nuit — la névrose de la nuit. Il paraît raisonnable de penser qu'un névrosé qui est névrosé quand il va se coucher ne guérit pas pendant la nuit pour se réveiller de nouveau névrosé le lendemain matin. Inversement, les personnes réelles ne font pas plus, pendant la nuit, de rêves irréels, qu'ils n'adoptent, le jour, des comportements irréels.

Le deuxième point à retenir est que *seules les personnes symboliques font des rêves symboliques.* Il m'a fallu pratiquer la thérapie primale pendant plusieurs mois avant de m'apercevoir qu'au fur et à mesure que la thérapie avançait, les malades faisaient des rêves de plus en plus réels. A la fin du traitement, les gens devenaient ce qu'ils étaient — non seulement le jour, mais également la nuit et dans les rêves : la mère était la mère, les enfants étaient des enfants, et New York était New York. De plus, leurs rêves se situaient dans le présent et non dans le passé comme beaucoup de rêves névrotiques. Ceci est logique puisque les symboles sont créés pour masquer les *anciens* sentiments de l'enfance. Ils sont une tentative de venir à bout du passé. L'individu normal s'est débarrassé de son passé. Il vit jour et nuit dans le présent.

L'individu qui se sent dépourvu d'importance, ne peut pas conclure des affaires importantes pendant la nuit pour se dissimuler ce sentiment. Ses rêves se chargeront de le faire. Il rêvera d'être félicité pour ses succès au cours d'une réunion en son honneur. Ce rêve et le fait de conclure effectivement des affaires importantes dans la journée sont deux aspects du sentiment non ressenti. En thérapie primale, si le patient rapporte un rêve de ce genre, on le contraint à se plonger en plein cœur de ce sentiment. Il ressentira le sentiment douloureux qui lui fait adopter ces conduites symboliques d'homme important dans ses rêves *et* dans la journée.

Le troisième point, et le plus important, à retenir à propos des rêves symboliques, c'est *qu'ils servent à protéger la santé mentale du malade.* C'est une conception opposée à celle de Freud qui prétend que les rêves sont faits pour préserver le sommeil et permettre le repos. Si nous pouvons comprendre que le moi irréel (le moi qui transforme les sentiments dangereux en symboles) préserve notre santé mentale et notre névrose, nous pouvons comprendre que les rêves symboliques ont une importance capitale. Sinon on ferait pendant le sommeil des primals bouleversants.

Il arrive que des sentiments réels affleurent, même pendant le sommeil. Les symboles oniriques habituels ne retiennent plus le sentiment et il en résulte un cauchemar. Le cauchemar est le sentiment primal qui perce les défenses névrotiques. Le rêveur symbolise à un autre niveau — un niveau psychotique. Ses dragons et ses monstres sont ce que j'appellerais des symboles psychotiques. Les cauchemars sont donc une folie nocturne. C'est pourquoi c'est un tel soulagement de se réveiller et de se retrouver dans le monde réel. Le sentiment ressenti dans le cauchemar nous ramène à la conscience de sorte que nous pouvons rester *inconscients* du sentiment que ce cauchemar recelait, de la même façon que les mécanismes de défenses permettent au névrosé de rendre, durant la journée, ses pensées et ses sentiments inconscients. Si l'on transpose sur le plan physique, on constate que certains d'entre nous s'évanouissent (deviennent inconscients) sous le coup d'une intense douleur physique.

Un primal est le prolongement logique et la conclusion d'un cauchemar. C'est ce sentiment de cauchemar, cette terreur, *sans* la dissimulation symbolique. Le sujet qui fait des cauchemars est proche de son primal. En fait, il éprouve la plus grande partie de la terreur, même après son réveil. Son cœur bat très fort, ses muscles sont raidis, il ne lui manque que de faire la connexion pour avoir un primal. La souffrance l'en empêche. Si un thérapeute primal était présent à cet instant-là, le sujet pénétrerait bien dans ses primals et serait en bonne voie pour devenir réel.

Un cauchemar ou un mauvais rêve qui revient périodiquement est un sentiment primal qui persiste et qui doit être symbolisé pendant des années selon presque le même schéma. On peut rêver régulièrement d'être attaqué par un ennemi, d'avoir un revolver qui s'enraye et d'échapper de justesse. Le sentiment contenu dans ce rêve est que personne n'est là pour apporter de l'aide. Souvent le sujet n'a pas conscience que quelqu'un devrait l'aider. Il est tout seul dans son rêve, de même qu'il a toujours été seul dans le monde à se débattre contre des difficultés insurmontables. Il faut qu'il crie : « A l'aide ».

Il y a des rêveurs qui essaient de crier : « A l'aide », mais rien ne sort. Il y a à cela une bonne raison. Ce cri est le cri primal, et le fait qu'il ne jaillit pas est une mesure de protection. Voici un exemple : au cours d'une séance, une malade décrivait son rêve de la nuit précédente : « J'étais attaquée et quelque chose m'avait acculée dans un coin de ma chambre. J'essayais d'échapper et je courais chez mes voisins où je voulais appeler la police. Je composais constamment un faux numéro de sorte qu'il m'était impossible de la joindre. » Je la fis se replonger dans ce rêve et le raconter une nouvelle fois. Elle refusait avec obstination. Pour une raison ou pour une autre, c'était trop effrayant. Je persistai. Quand elle raconta comment elle avait couru chez ses voisins, j'intervins en disant : « Appelez le bon numéro »; elle hurla alors qu'elle ne pouvait pas. Je la harcelai encore. Elle finit par former le numéro exact et poussa un cri primal horrible : « Au secours ». Elle cria pendant dix minutes en se roulant par terre et en se débattant. Depuis vingt ans, chacun de ses actes avait été un cri à l'aide parce qu'elle n'avait jamais pu l'obtenir de ses parents. Elle avait été tellement occupée à les aider qu'elle ne pouvait ressentir son propre besoin d'aide.

Pourquoi n'avait-elle pas crié pendant son rêve ? A cause de l'espoir. Si elle avait crié et que personne ne soit venu, tout aurait été perdu — elle aurait été contrainte de sentir son extrême désarroi et le fait que jamais personne ne l'aiderait. Tant qu'elle n'avait pas crié elle était à l'abri de cette vérité. Le jour où elle cria dans mon cabinet, elle sentit tous ces sentiments horribles d'abandon et de désespoir. Par conséquent, le fait de ne pas crier lui faisait poursuivre la lutte (et garder l'espoir). Cela lui permettait aussi de masquer ses sentiments. Le cri perça la couche irréelle et contribua à la mettre sur la voie de la réalité.

Beaucoup de névrosés sont si bien à couvert qu'ils ne sont jamais près de crier pendant leurs rêves. En fait, ils se souviennent à peine de leurs rêves, tant les sentiments et les symboles sont profondément enfouis. Mais les névrosés sont des cris ambulants ! Il y a des formes de cris très élaborées. L'obséquiosité est un cri qui réclame la gentillesse, le fait d'être bavard, un cri qui réclame de l'attention.

D'après tout ce qui précède, il apparaît que la névrose n'est pas une simple inadaptation sociale. On ne peut juger de la présence de la névrose ou de son absence, selon le critère de la réussite professionnelle d'un individu. Un individu qui fonctionne bien dans la journée, peut avoir dans son sommeil des cauchemars qui sont des témoignages éloquents de sa névrose. C'est pourquoi les échelles qui prétendent mesurer la névrose à partir du degré d'adaptation sociale de l'individu, n'ont aucune valeur puisqu'elles ne prennent en considération que les comportements diurnes.

Les symboles des rêves permettent généralement de mesurer la profondeur de la souffrance, la résistance du système de défenses, et la distance qui sépare des sentiments. Plus il y a de souffrance profonde, plus il y a de chances pour que les symboles soient complexes. De même, plus il y a de souffrance, plus il y a de lutte dans les rêves : passer sous des clôtures, s'extraire d'un tunnel, escalader des pentes abruptes, etc. Si les sentiments émergent dans le rêve malgré les symboles, on peut supposer que le sujet a un système de défenses faible et qu'il est proche de ses sentiments réels. Il s'agit alors en règle générale d'un cas facile pour la théorie primale et le sujet a une bonne chance de devenir rapidement réel (guéri). En revanche, il y a quelque chose de suspect quand un névrosé fait des rêves agréables. Par exemple : le rêve périodique de voler et de se sentir libre. Cette agréable sensation de flotter et d'être libre peut cacher une terrible contraction. Au lieu de rêver qu'il est Prométhée enchaîné, ce qui correspondrait mieux à la réalité et indiquerait que le sujet est près de ses sentiments de constriction, ses rêves de liberté dénotent une rupture, la séparation de son moi réel ligoté. Un rêve où il tenterait de dénouer les liens qui l'enserrent, indiquerait qu'il est plus proche de ses sentiments réels.

De quelle façon exactement un symbole indique-t-il un sentiment ? Examinons quelques exemples. Quand un enfant refoule ses besoins de bébé et s'efforce d'agir en adulte pour faire plaisir à ses parents avec leurs besoins infantiles, il peut rêver qu'il est servi par une armée de domestiques. Un enfant qui assiste quotidiennement aux discussions de ses parents sur l'argent du ménage, qui doit travailler pour gagner son argent de poche, et qui se voit constamment donner quelque chose à faire pour qu'il soit occupé, peut rêver qu'il s'évanouit et qu'il est emmené en ambulance dans un hôpital où il n'a absolument plus rien à faire. Il le rêvera sans même savoir ce qu'il ressent, c'est-à-dire : « Arrêtez-vous, laissez-moi me reposer et prendre mon temps ». Son système essaie de lui indiquer ses propres besoins en termes symboliques. Nous devons prêter une attention particulière à ces symboles.

Les rêves symboliques (aussi bien que les hallucinations symboliques après absorption de drogues, ou toute autre conduite symbolique) se maintiennent tant que la souffrance existe. Ils constituent d'excellents indices, non seulement du degré de la névrose, mais aussi des progrès du traitement. En général, les patients ne peuvent pas tricher sur la signification symbolique de leurs rêves parce qu'ils ne connaissent pas la signification des symboles. Même s'ils la connaissaient, ils ne savent habituellement pas évaluer la complexité du symbole et le mettre en corrélation avec la névrose. Le sujet qui prétend qu'il se sent bien mieux et qu'il fonctionne bien, mais qui rapporte par la suite un rêve hautement symbolique, ne se porte probablement pas aussi « bien » qu'il le croit.

Les sentiments éprouvés à l'intérieur du rêve correspondent à ce que le sujet a de plus réel. Il est tentant de les considérer comme étrangers au sujet sous prétexte qu'ils surgissent dans le contexte d'un rêve tellement irréel. Évidemment, il n'y a pas de nazis qui nous pourchassent, ni de fusils pour nous tirer dessus, mais la peur qui a rendu nécessaire cette fabulation nocturne est parfaitement réelle. Sinon, elle ne nous réveillerait certainement pas.

C'est sa peur réelle qui pousse le sujet à habiller sa terreur d'uniformes nazis, de même que c'est sa peur réelle qui fait croire à un paranoïaque qu'au coin des rues, les gens conspirent contre lui. Incapables de ressentir leur sentiment réel, le rêveur et le paranoïaque doivent projeter leur peur sur quelque chose d'apparent. Le délire du paranoïaque et le rêve symbolique sont la tentative de rendre rationnel (de redonner un fondement) à un sentiment inexplicable : « J'ai peur, parce que les nazis me poursuivent. »

La différence entre le délire et le rêve névrotique consiste dans le fait que le paranoïaque vit son rêve pendant le jour. Il prend ses symboles pour des réalités. Le névrotique sait que ses symboles (par exemple des nazis) sont irréels. Si quelqu'un entre dans le cabinet du psychothérapeute en disant que les nazis le poursuivent, ou douterait de sa santé mentale. S'il ajoute « c'était un rêve... », le diagnostice change.

Beaucoup de névrosés font fréquemment des cauchemars. Il m'est apparu que dans un certain sens, alors que dans leur sommeil leur système de défenses est affaibli, ils frisent sans cesse la folie. Rien d'étonnant à ce qu'ils aient peur du sommeil. Il semble cependant que ces cauchemars drainent assez de tension pour les empêcher d'être fous durant le jour. Mais le sujet dont la souffrance est trop grande ne peut souvent cantonner sa folie dans le sommeil.

L'examen d'un cauchemar nous permet de voir que le comportement dans le sommeil et le comportement diurne ne sont que des prolongements l'un de l'autre. « Hier, alors que je pensais que tout allait bien, le directeur de l'école m'a fait appeler à propos d'une réclamation faite par la mère d'un de mes élèves. Tout en sachant qu'elle avait la manie des réclamations et que celle-là n'était pas justifiée, j'en fus quand même préoccupée. Cela a duré toute la journée sans que j'arrive à y remédier. Je ne comprenais pas ce qui m'arrivait; j'allai me coucher dans un état d'extrême tension. Et voici ce que j'ai rêvé : Je conduis sur une route sinueuse et étroite. Tout d'un coup une autre voiture me heurte de côté, juste au moment où je croyais être hors de danger. Je réussis à continuer de rouler, mais j'entre dans un tunnel étroit avec une suite de tournants en épingle à cheveux. A chaque tournant, je heurte la paroi. C'était comme le tunnel de la terreur; je heurtais la paroi continuellement. Tout d'un coup, en regardant par la fenêtre je vois que je suis suivie par une femme-motard qui m'observe et attend pour me coller une contravention. Je ne puis lui échapper. Elle est derrière et elle me regarde heurter sans arrêt la paroi. Je suis abolument terrifiée. Brusquement je m'éveille avec un grand soulagement; je suis sortie du tunnel. Je suis soulagée de savoir que tout cela n'est pas vrai. »

Mais c'est vrai. Le *sentiment* qui est à la source de tout cauchemar est toujours vrai. Ce qui n'est pas vrai, c'est le schéma mental que la malade construit à partir de son sentiment. Je la fis se replacer dans le rêve et le raconter une nouvelle fois, avec un masque devant les yeux pour qu'elle le revive vraiment. La même panique commença à monter. Je lui dis de se plonger dans cette terreur, de se laisser submerger par elle. Elle fut vite bouleversée et s'agita en tous sens sur le divan. Elle se mit à parler de son enfance. « Quand j'étais petite, je pouvais rester sage des heures entières, mais à la longue je faisais inévitablement quelque chose de travers et cela provoquait une catastrophe chez ma mère. » Elle raconta alors un incident qui s'était produit dans son enfance : elle avait accompli impeccablement toutes ses tâches, lavé la vaisselle, nettoyé la maison, etc., mais sans le faire exprès, elle avait fait tomber quelques gouttes de parfum sur un meuble. Sa mère, furieuse, l'envoya dans sa chambre. Elle en fut déprimée, car elle s'était donné beaucoup de mal. Elle en revint brusquement à son rêve : « Oh, je comprends maintenant. Heurter les parois, c'était exactement comme ne jamais arriver, malgré tous mes efforts, à faire que les choses aillent bien à la maison. Cette " mère-flic " a toujours été là à attendre sans répit que je commette la faute inévitable. Peu importait que je sois sage, il y avait toujours quelque chose qui me guettait (exactement comme dans mon rêve) et qui venait tout gâcher. » Puis, elle mit tout cela en relation avec ce qui s'était passé à l'école, où, juste au moment où elle pensait faire si bien son métier, il avait fallu que quelqu'un vienne tout détruire. « Tout ça, c'est la même chose, dit-elle, l'école, le rêve — toute ma vie. » A ce moment précis, elle ressentit réellement la douleur de toutes ces années et cria : « Ne te fâche pas, maman, je ne suis pas méchante; ne me gâche pas la vie ! » Elle revivait à la fois l'école, son rêve, et sa vie, dans un seul sentiment terrible : la terreur qu'elle éprouvait à l'égard de sa mère qui avait paralysé sa vie et avait fini par en enlever toute la sève.

Ce qui s'était passé à l'école avait déclenché le rêve. Dans les deux cas, le sentiment était inconscient. Il est étonnant de penser que jusque dans notre sommeil notre système nous protège des sentiments qui nous menacent, mais notre organisme est une merveille. Le cauchemar était la représentation allégorique directe de ce qui s'était passé à l'école où d'abord tout allait très bien, et puis allait mal et où tout était gâché. Comment l'organisme sait-il produire un rêve allégorique aussi parfait, alors que le cerveau — ou du moins une partie du cerveau — est complètement inconscient du sentiment sous-jacent ? Je crois que ces processus de symbolisation du système irréel sont des mécanismes inconscients, automatiques et nécessaires afin de protéger l'organisme.

Le cauchemar de cette malade était le prolongement de la terreur qu'elle avait éprouvée à l'école et qui s'était manifestée sous forme de tension. Le sentiment avait fait naître un rêve afin de venir à bout de cette terreur et, si possible, de la résoudre. Peut-être pouvait-elle échapper au flic dans son rêve ? Non. Les névrosés n'y arrivent jamais. Pourquoi ? Pourquoi cette femme ne peut-elle échapper au flic de son rêve ? Parce que les sentiments réels de toute une vie retiennent le flic dans le rêve. Le flic était le symbole de la peur de la malade. Elle faisait aussi des cauchemars à propos d'une ouvreuse de cinéma qui la surprenait régulièrement alors qu'elle était en train d'entrer sans ticket. Quelle que fût son habileté, l'ouvreuse l'attrapait toujours, car elle ne pouvait lui échapper tant qu'elle n'avait pas résolu (ressenti) sa terreur.

Je crois que cela explique pourquoi, dans nos cauchemars, nous ne pouvons nous échapper, pourquoi nous nous sentons des jambes de plomb quand nous essayons de courir pour fuir un ennemi, pourquoi nous sommes poursuivis sans fin. Nous sommes poursuivis par des sentiments primals sans fin, jusqu'à ce qu'ils trouvent une fin dans la réalité, dans un primal. Nous sommes condamnés à avoir des cauchemars tant que ces sentiments ne sont pas résolus. Toute thérapeutique qui déclare un malade guéri alors qu'il a encore des cauchemars n'a pas résolu ces sentiments refoulés et n'a par conséquent pas atteint les fondements de la conduite symbolique névrotique.

Dans le cas de ce professeur, on constate qu'elle se réveillait *automatiquement* dès l'instant où le sentiment contenu dans le rêve devenait trop fort pour être supportable. C'est ce que je veux dire en affirmant qu'elle cherchait à rester inconsciente d'un sentiment intolérable. Déconnecter la conscience — et le comportement névrotique qui en résulte — semble être un réflexe. La malade se réveillait pour reconstituer son système de défenses. Jamais elle ne s'était rendu compte jusque-là qu'elle avait une telle peur de sa mère. Elle ne l'avait jamais su parce qu'elle s'était tellement occupée à être « la bonne petite fille » de sa maman. En étant gentille et docile, elle évitait sa peur (la peur *consciente*) de sa mère. Le même mécanisme de défense fonctionnait généralement bien à l'école, parce qu'elle était un professeur méticuleux, avec des tableaux bien propres, des livres bien rangés et de la discipline. Ses défenses commencèrent à s'écrouler lorsque quelqu'un de l'extérieur fit une réclamation.

Un cauchemar n'est donc pas la peur de quelque chose dans un rêve; dans notre exemple, ce n'est pas la peur des flics. La réaction de ma malade était tout à fait hors de proportion avec celle qu'elle aurait dû normalement avoir devant un flic l'attendant pour lui mettre un procès-verbal. Elle réagissait à quelque chose de vrai — une vie entière d'horreur et de peur. De même, elle avait réagi beaucoup trop violemment à la plainte de la mère d'élève. Cette réclamation et le rêve étaient un symbole des sentiments de l'enfance. Après son primal, elle déclara : « Ressentir la terreur de la nuit m'a aidée à comprendre la terreur de chaque jour. » Son cauchemar — tant diurne que nocturne — était fini.

Le fait de ressentir la terreur ou des souffrances primales quelles qu'elles soient, les fait disparaître à tout jamais, précisément parce qu'elles sont ressenties. Une fois ressenties et connectées, c'en est fini.

Il est logique que les névrosés aient un sommeil troublé — troublé par des sentiments réels. La même souffrance qui les fait agir pendant le jour, les contraint à créer des personnages fictifs qui les gardent occupés la nuit. Rien d'étonnant à ce que le névrosé se lève souvent plus fatigué qu'il ne s'est couché la veille ! Il a déployé une grande activité durant la nuit pour se garder de ses sentiments. Ce que font les personnages de son rêve — par exemple : entreprendre une escalade — produit en lui durant son sommeil des réactions musculaires, de sorte qu'à certains égards, il passe réellement une bonne partie de la nuit à escalader. Le pauvre névrosé ne se repose pratiquement jamais. Il se réveille fatigué et est presque incapable d'assumer sa journée; ceci produit à son tour davantage d'anxiété et de problèmes qui se glissent de nouveau dans son sommeil et les troubles recommencent.

Examinons quelques rêves pour nous faire une idée de leur caractère symbolique.

« Je suis dans la maison que j'habite actuellement et mon père me rend visite. Nous sommes au premier étage. Il m'embrasse sur le front, je tombe et je m'ouvre le genou. La blessure s'aggrave et je vois ma mère qui fait des reproches à mon père à cause de sa maladresse. »

Dans ce rêve, les personnages sont réels, mais la situation ne l'est pas. C'est le sens de la situation qui est symbolique. Dans son rêve, le sentiment du patient est le suivant : « J'ai sans doute toujours su d'une manière ou d'une autre qu'accepter l'affection de mon père signifiait pour moi un clivage. On aurait dit que j'avais conclu un pacte avec ma mère pour humilier mon père. Je crois que je le faisais en partie pour que ma mère m'aime. Je pense qu'aimer mon père impliquait que je devais abandonner l'espoir d'être aimé par ma mère. »

Le deuxième rêve a eu lieu un mois après le premier primal.

« Je suis en train de nettoyer quelque chose avec Janov. J'ai des coupures ou des cicatrices sur les mains, mais elles sont recouvertes d'une couche de cire. Je dis à Janov que je ne peux pas bouger les mains parce qu'elles sont enflées. Il dit que si. J'essaie de mettre du mercurochrome sur les coupures, mais je n'y arrive pas. La cire ne l'absorbe pas. Je comprends que les coupures sont les symboles de blessures qui m'empêchent encore d'être totalement moi-même. Je comprends que je ne peux plus l'éviter. J'enlève la cire et je me sers de mes mains. »

Nous constatons ici la diminution du symbolisme avec la conscience à l'intérieur du rêve de la signification du symbole. Il semble qu'il y ait un mélange de conscience et d'inconscience. Bien que plongé dans le sommeil, le patient sait que sa lutte est irréelle et il la rectifie. On peut s'attendre à ce que sous peu, peut-être dans quelques mois, toute trace de la lutte aura disparu. Les rêves seront alors aussi clairs et directs que le comportement diurne.

Examinons un dernier rêve :

« Je suis dans la cour en train de travailler avec mon père. Ma mère nous appelle sur un ton d'irritation, pour aller à table. Le repas est triste. Tout est étouffé, silencieux, mort. Mon père essaie de faire une plaisanterie, et ma grand-mère part d'un horrible rire qui découvre son dentier. Ma mère regarde ma grand-mère avec une expression d'espoir. Je vois que la mère de ma mère est elle aussi incapable d'aimer. Soudain j'ai une révélation; je vois la famille telle qu'elle est : une coquille vide. Tout est lugubre, sans vie. Je me mets à pleurer, m'excuse et m'enfuis dans la cuisine. Les plats sont prêts, mais personne ne fait un effort pour les servir. Mes pleurs redoublent. Ils sont tous trop morts pour faire le moindre effort.

« Ma mère demande : " Est-ce qu'il pleurait ? " Mon père dit " non ". Je cours au premier, ferme ma porte à clef et cherche un bout de papier pour écrire ce rêve. Je sais que c'est important. En bas, j'entends mon père jouer *Down upon the Swanee River*. Je pleure, je pense qu'il n'y a pas de foyer pour moi, nulle part. »

Il y a très peu de symbolisme dans ce rêve. La situation est immédiate et les sentiments du rêve reflètent exactement les sentiments que le sujet éprouve à l'égard de lui-même et de sa vie. Son rêve s'explique de lui-même et le patient le comprend au moment même où il le fait. Il n'y a pas de labyrinthe de symboles à traverser. Il semble que le rêveur ait ressenti le vide et l'artifice de sa propre vie et également la manière dont son père essayait de dissimuler ses sentiments réels.

Récapitulation

Si un sujet n'a pas un moi tourmenté, s'il a une relation directe avec ses sentiments, je ne vois pas pourquoi il les exprimerait par des symboles. Des patients qui ont terminé la thérapie primale ne font pas de rêves symboliques, de la même manière qu'ils n'ont pas d'hallucinations symboliques sous l'effet du L.S.D. — car il n'y a pas de souffrance et par conséquent, pas de besoin de la dissimuler par des symboles. Les petites contrariétés de tous les jours ne ravivent pas d'anciennes douleurs qui se glisseraient dans les rêves d'une personne normale, parce qu'il n'y a pas de douleurs non résolues pour venir se mêler au présent.

Il est évident que, de même qu'il n'y a pas de symptôme à signification universelle, il n'y a pas de symbole universel. Le symbole découle d'un sentiment spécifique de l'individu. Il se pourrait que deux personnes fassent le même rêve, mais ce rêve aurait des significations très différentes.

Après la thérapie primale, les patients ont besoin de moins de sommeil, et ils constatent qu'ils dorment mieux. Ils rapportent également qu'ils rêvent moins. Comme le disait un patient : « Maintenant, je vais au lit et je dors au lieu de passer la nuit à rêver. »

Je rapporte brièvement ici les propos que mes patients tiennent après la thérapie à propos de leur sommeil et de leurs rêves. Ils affirment indépendamment les uns des autres que le sommeil très profond est dans la plupart des cas un sommeil névrotique, dans lequel, pour se défendre contre les symboles névrotiques, le malade « dort comme une bûche ». Ils pensent que le sommeil très profond correspond à un refoulement total et à un système de défenses sans faille. Un patient l'exprimait ainsi : « Je dormais toujours comme si j'avais enveloppé ma conscience dans une couverture épaisse. Maintenant je dors sous un voile léger. » Il estime que ce sommeil profond d'où il sortait souvent plus fatigué que d'un sommeil plus léger correspondait à son état de profonde inconscience (de lui-même et du reste du monde) pendant le jour. Il constate qu'il avait toujours pris le sommeil pour un état d'inconscience alors qu'il le voit maintenant comme un état de repos. La plupart des patients parlent de « super-conscience ». Bref, plus rien n'est inconscient.

« Il se peut, dit un patient, que nous ayons été habitués à faire un clivage profond entre sommeil et état de veille. » On se demande si la bipolarité sommeil-veille ne nous a pas empêchés de voir que ce n'étaient que deux aspects d'un même état d'être et non deux entités distinctes qui n'auraient qu'un rapport en quelque sorte mystique.

Avec toutes leurs luttes diurnes, les Américains trouvent encore le moyen d'avoir un sommeil troublé. D'après un sondage (1) il y a plus d'un tiers de la population qui ne dort pas bien. Vingt-cinq pour cent des sujets qui entrent dans cette catégorie, se sentent trop épuisés le matin pour se lever. Du même sondage, il ressort que plus de la moitié de la population se sent parfois seule et déprimée et 23 % avouent qu'ils se sentent « perturbés sur le plan émotionnel ». Travailler dur les libère de certains sentiments, engueuler les enfants aide un peu plus, les cigarettes et l'alcool drainent encore davantage, et malgré tout il y a encore le besoin de tranquillisants et de somnifères.

Dans une intéressante étude (2) qui a été présentée par un membre de l'équipe de recherches de l'université de Californie, à Los Angeles, lors d'une conférence sur la physiologie du cerveau, on a remarqué que les sujets qui cessent de fumer rêvent plus et avec plus d'intensité. Cela confirme l'hypothèse de la thérapie primale sur les rêves et leur rôle d'exécutoires de la tension. Quand les moyens qui drainent habituellement la tension sont supprimés, les rêves ont une charge doublée. Inversement, des recherches faites sur le sommeil ont montré que les sujets qui utilisent des somnifères rêvent moins qu'ils ne le feraient sans médicaments. Mais le fait que la libération dans le rêve n'est pas permise, a pour effet de rendre ces sujets plus irritables et plus déprimés et d'augmenter leur besoin d'autres relaxateurs de tension, comme des cigarettes. Bref, le système névrotique trouve toujours une issue.

Quand le sujet qui ne rêvait pas assez du fait qu'il prenait des somnifères cesse d'en prendre, il se met à rêver beaucoup plus qu'il ne le ferait normalement. Et ses rêves sont bien plus bouleversants. On ne peut pas chasser une névrose avec des drogues. On peut l'atténuer pendant un certain temps, mais par la suite le névrosé en paie le prix. Je veux dire que les tranquillisants pris dans la journée ne font que repousser la dépression profonde ou l'effondrement total qui surviendra inévitablement dès que les drogues seront supprimées.

Les implications de ce que j'avance ne se limitent pas aux phénomènes du rêve et du sommeil. Je dis que les remèdes chimiques, autour desquels on a fait tant de bruit, n'ont pas une grande influence à long terme, sur l'évolution de la maladie mentale. Ils ne font qu'aider au refoulement

(1) Louis Harris, dans *Los Angeles Times*, 19 novembre 1968.
(2) *Los Angeles Times*, 16 septembre 1969.

du moi réel, provoquant une augmentation de la tension intérieure et une aggravation de la névrose. Ils jouent le même rôle que les techniques de conditionnement qui contribuent à supprimer les « mauvaises » conduites par de petites décharges électriques. N'est-ce pas ce que font les parents d'une façon naïve, non théorique, et le résultat n'est-il pas une névrose plus profonde ? Il y a par exemple des études qui montrent qu'il y a davantage d'accidents cardiaques qui surviennent dans le sommeil qu'à l'état de veille. Peut-être y a-t-il à cela de bonnes raisons physiologiques. Mais on peut se demander si l'utilisation des tranquillisants pendant la journée ne produit pas une accumulation si importante de tension à évacuer par les rêves, que le sujet qui n'est pas solide sur le plan cardiaque, ne peut y résister.

Les névrosés ont un sommeil troublé parce qu'ils sont constamment tenus en alerte par la souffrance primale, et cet état d'alerte est le contraire du sommeil. Utiliser des tranquillisants et des sommifères, c'est comme mettre un couvercle bien fermé sur une casserole qui bout à grand feu. Finalement, une partie de l'organisme, sinon l'organisme tout entier, va céder.

CHAPITRE 16

NATURE DE L'AMOUR

Il y a bien longtemps que l'on se penche sur la notion d'amour; il sera peut-être utile de l'envisager dans l'optique de la thérapie primale.

Par définition, l'amour signifie être ouvert aux sentiments, libre de les ressentir et accorder aux autres la même liberté. C'est leur permettre de se développer et de s'exprimer, selon leur propre nature. Ce qui importe avant tout, c'est d'être soi-même et de laisser les autres être ce qu'ils sont naturellement.

Selon la définition de la théorie primale, l'amour c'est *laisser l'autre être ce qu'il est.* Cela ne peut se faire que quand les besoins sont satisfaits.

La définition de l'amour implique l'existence d'une relation réelle entre gens qui s'aiment. Après tout, rien n'empêche de laisser l'autre être ce qu'il est en l'ignorant, or, la réponse à l'autre est une partie intégrante de l'amour. Il ne faut pas oublier que pour laisser l'autre être réellement ce qu'il est, il faut répondre à ses besoins. Tel doit être le rôle de parents qui aiment leurs enfants. Plus tard, les besoins à satisfaire seront moins nombreux et l'amour peut devenir un véritable échange. Malheureusement, chez le névrosé, l'amour consiste en la satisfaction de ses besoins irréels qui prennent la forme de désirs. Il signifie des cadeaux, des coups de téléphone perpétuels ou toutes sortes de « preuves » d'un dévouement absolu. Le névrosé a l'impression de n'être pas aimé quand ses besoins névrotiques ne sont pas remplis. Quel meilleur exemple à cela que celui de l'homosexuel qui souffre de l'abandon de son amant ?

L'amour est un sentiment. Il est présent aussi bien quand on parle ou quand on boit une tasse de café ensemble que pendant les rapports sexuels. Si le sentiment n'est pas présent (s'il est bloqué ou dissimulé), le névrosé fera tout cela sans la moindre trace d'amour. Au contraire, il « sucera » quelqu'un (comme disent mes malades), afin d'obtenir quelque chose pour combler le vide intérieur.

Dans les premiers temps de la vie, l'amour représente la satisfaction des besoins primals. Dans ses premiers mois et dans ses premières années, cela consiste à prendre souvent l'enfant dans les bras et à le caresser beaucoup. L'enfant ne connaît pas le mot « amour » pour désigner son besoin d'être tenu, mais il souffre quand il en est privé. Le contact physique est indispensable pour l'enfant. Sans lui, l'amour ne peut pas être démontré. Il ne suffit pas à l'enfant de « savoir » qu'il est aimé d'une façon ou d'une autre par un père ou une mère peu expansifs, il lui faut le *sentir*. Si ce besoin n'est pas satisfait, l'enfant n'est pas aimé, quelles que soient les grandes protestations verbales qu'on puisse lui faire. Le père qui travaille tellement qu'il ne voit guère ses enfants, peut se justifier en disant qu'il travaille pour eux, mais quand il n'a pas de contact avec eux, quand il ne se donne pas à eux, nous devons supposer qu'il travaille pour se libérer lui-même. Si l'enfant a besoin de la présence du père ou de la mère et qu'ils soient toujours absents pour leur travail, les besoins de l'enfant restent insatisfaits.

Les bébés élevés dans des institutions où il y a peu d'affection ou d'attention individuelle, développent une personnalité sans relief, émoussée. Il y a en eux une sorte d'apathie, un manque de vie qu'ils gardent jusque dans l'âge adulte. Automatiquement, ces enfants font tout ce qui les protège du manque d'amour : ils se rendent insensibles à toute souffrance supplémentaire. Ils se replient sur eux-mêmes et se ferment.

Des études effectuées sur des chiens élevés sans contact physique avec d'autres chiens ou avec des hommes ont montré qu'ils restaient à tout jamais instables et immatures. Adultes, ils devenaient « froids » et « durs », dépourvus d'activité sexuelle pour la plupart, et incapables de répondre à l'affection. Quelle qu'ait été par la suite l'affection qu'on leur portait, elle semblait incapable de modifier leur état.

Les mêmes résultats ont été observés chez des singes élevés dans l'isolement. Dans les expériences d'Harlow qui sont maintenant devenues célèbres, les singes étaient divisés en trois groupes : les premiers étaient élevés dans l'isolement le plus complet, ceux du second groupe avaient pour mères des poupées de chiffon, les derniers des mères faites de fil de fer et de longues pointes (1). Harlow a constaté que c'étaient les singes élevés dans l'isolement qui avaient le plus souffert. Ils semblaient incapables aussi bien de donner que de recevoir de l'affection. Ceux qui avaient eu pour mère des poupées de chiffon semblaient s'en tirer aussi bien que ceux qui étaient élevés avec leur mère réelle. Ils mangeaient autant, n'étaient pas plus peureux, ils étaient plus sociables et davantage prêts à explorer un environnement nouveau. Harlow met ainsi l'accent sur l'importance du contact physique. Le singe qui avait pu se blottir contre une poupée de chiffon lui était aussi attaché qu'il l'aurait été à une mère réelle. On peut en conclure que, dans les premiers mois de la vie, l'amour est essentiellement le toucher et un contact physique chaleureux. Un bébé « non-aimé » est celui qu'on ne touche pas assez.

On comprend l'importance des caresses dans les premiers mois de la vie surtout quand on considère que depuis des dizaines d'années, beaucoup de nos enfants ont été élevés « le livre à la main ». Au lieu de réagir en fonction de leurs sentiments, les parents ont réagi en fonction de tout un système de règles. Ils ont nourri l'enfant selon les horaires rigides au lieu de lui donner à manger quand il hurlait de faim, et ils ne l'ont pas pris dans leurs bras quand il pleurait, de peur de le « gâter ». Au cours de toute cette période, les pédiatres se sont laissés influencer par les théories des premiers psychologues behavioristes qui semblaient d'avis qu'en ne choyant pas l'enfant et en ne l' « aimant » pas chaque fois qu'il pleurait, on le préparait mieux à affronter un univers dur et froid. On constate aujourd'hui qu'il n'y a pas de meilleure préparation à la vie que les caresses et les contacts physiques que les parents peuvent prodiguer à leurs enfants. Toutefois, ce n'est pas seulement l'acte qui compte mais également le sentiment qui l'inspire. Un père ou une mère tendus, nerveux, qui manient le bébé sans douceur et avec brusquerie, le font souffrir; mais le fait de s'occuper de l'enfant, même si l'on s'en occupe mal, ne peut jamais provoquer en lui de dommages absolus et irrémédiables.

(1) Harry F. Harlow, « Love in Infant Monkeys ». *Scientific American*, vol. 200, nº 6 (juin 1959), pp. 68-74.

Le bébé sait quand il est mouillé, quand il a faim, quand il est fatigué — et quand il souffre. On peut dire que quand il est physiquement à l'aise, le bébé fait l'expérience de l'amour. L'amour est ce qui supprime la souffrance. L'enfant aimé, c'est l'enfant qui a le droit d'explorer à tâtons, de pousser des cris, de sucer son pouce, et d'attraper sa mère. S'il ne peut faire tout cela, s'il n'est pas tenu dans les bras, si l'on ne lui parle pas, l'enfant est mal à l'aise et tendu. On pourrait dire qu'amour et souffrance sont deux entités radicalement opposées. L'amour renforce le moi, la souffrance le supprime.

Le contact physique, les caresses ne sont pas tout. Si l'enfant n'a pas la possibilité d'exprimer ses sentiments et doit fermer une partie de lui-même, les caresses ne l'empêcheront pas de ne pas se sentir aimé. Jamais je ne mettrai assez l'accent sur l'importance de la liberté d'expression chez l'enfant, car c'est un facteur qui peut être déterminant pour le reste de ses jours. Ce n'est pas avec quelques baisers et des protestations d'amour du style « tu sais bien que nous t'aimons... » que l'on peut en compenser le manque.

Comme la faculté de sentir est un tout, je ne crois pas qu'il soit possible d'interdire certains sentiments tout en supposant que d'autres puissent s'exprimer totalement; quoi que l'enfant névrotique ressente plus tard, tout aura tendance à être estompé et émoussé. Si l'on refuse à un enfant l'expression de la colère, sa capacité de se sentir aimé ou heureux en souffrira inévitablement.

Aucune affection ultérieure — une situation nouvelle, une foule de gens qui « vous aiment » autour de vous — ne pourra annuler ces manques des tout premiers temps, à moins que le sujet ne les revive en éprouvant le sentiment originel qu'il avait refoulé. Le névrosé passe la plus grande partie de sa vie adulte à essayer de « couvrir » sa souffrance avec de nouvelles aventures amoureuses. Paradoxalement, plus il a d'aventures, moins il paraît probable qu'il éprouve un sentiment; la quête peut être infinie car pour se sentir aimé, il faudrait qu'il ressente d'abord dans toute son intensité la vieille souffrance que lui a causé le manque d'amour.

Etant donné que l'amour suppose le sentiment du moi, il ne peut venir de quelqu'un d'autre. Quand quelqu'un dit « avec toi je me sens réellement femme » ou « avec toi, je me sens aimé », cela signifie en général que la personne ne peut pas ressentir et qu'elle a besoin de manifestations ou de symboles extérieurs pour se convaincre d'être

« aimé ». L'amour ne consiste pas à donner quelque chose à quelqu'un comme on remplirait un réservoir vide. Inversement, on ne peut pas vider quelqu'un d'amour, pas plus qu'on ne peut le vider de sentiments. Ce n'est pas quelque chose de divisible que l'on pourrait donner ou prendre par petits morceaux et on ne peut pas non plus établir des catégories spécifiques et parler d'un amour d'une plus ou moins grande maturité.

Le sujet qui, de longue date, souffre d'une névrose, peut jurer un amour éternel, mais quand le sentiment est bloqué, les serments risquent de ne pas avoir grand poids. En outre, ces affirmations ne sont souvent que des supplications déguisées pour obtenir la satisfaction de besoins impérieux. Les individus qui ressentent, éprouvent rarement le besoin d'affirmations verbales. Les sujets incapables de ressentir semblent en avoir un besoin constant.

Ce que le névrosé cherche dans l'amour c'est le moi qui n'a jamais eu le droit d'exister. Il cherche le partenaire spécifique qui puisse l'amener à sentir. Il aura tendance à appeler amour ce qui lui a manqué et ce dont le manque l'a empêché d'être entier. Dans certains cas, il a besoin de contacts physiques et il essaiera de fabriquer de l'amour à partir des rapports sexuels — c'est « faire l'amour ». Parfois, il cherche quelqu'un qui le protège, dans d'autres cas encore, il a besoin qu'on lui parle et qu'on le comprenne.

Le dilemme du névrosé consiste dans le fait qu'alors que l'amour n'est rien de plus que la libre expression du moi, il a dans son enfance dû renoncer à son moi qui ressent afin de se sentir aimé par ses parents. Par définition, il a besoin de croire qu'il est aimé ou qu'il le sera un jour, sinon, il ne poursuivrait pas la lutte névrotique. Autrement dit, pareil au troisième groupe de singes d'Harlow, l'enfant névrosé garde par la lutte l'illusion d'être aimé, afin d'éviter de comprendre qu'il n'y a que du fil de fer et des pointes.

Si l'enfant devait à six ans faire face à la vérité et à l'absence d'espoir, il est douteux qu'il s'engage dans la lutte. Qu'elle soit implicite ou explicite, c'est la *promesse* d'amour qui maintient l'enfant dans l'espoir au lieu de le confronter à la réalité de sa vie. Il peut passer toute son existence à espérer quelque chose qui non seulement n'existe pas, mais encore n'a jamais existé — l'amour de ses parents. Il fera le clown pour distraire ses parents, l'érudit pour les impressionner, ou le malade pour attirer leur attention. Cette « comédie » même empêche l'amour car l'enfant dissimule ce que seraient son comportement et ses sentiments réels.

D'après mes observations, le névrosé recrée plus tard dans sa vie, la situation de son enfance, où il était privé d'amour, afin de jouer la même pièce avec une fin qu'il espère pleine d'amour. Il n'épouse pas une image de sa mère uniquement parce qu'il désire sa mère; il désire une mère *qui l'aime* mais il n'aborde pas l'amour de façon directe. Il faut d'abord qu'il satisfasse un rituel. Il choisira par exemple une personne froide, comme sa mère, et s'efforcera d'en tirer un peu de chaleur. Si c'est une femme, elle choisira un homme rude et grossier, comme son père, et elle essayera d'en faire quelqu'un de gentil et de doux. C'est une forme d'acting-out symbolique. Si le sujet se trouvait engagé avec une personne qui l'aime vraiment, il serait forcé de l'abandonner parce qu'il serait toujours rongé par ce vieux sentiment de n'être pas aimé. Autrement dit, le fait de trouver une personne chaleureuse *empêche-rait* la lutte symbolique de résoudre les sentiments anciens. Dans ce sens, le fait de trouver dans le présent de l'amour et de la chaleur signifie qu'on ressent la souffrance de ne pas obtenir l'amour recherché dans le passé.

Même dans ses rêves, le névrosé crée cette lutte. Il voit des obstacles sur la route vers l'être aimé. Il se voit esca-ladant des montagnes, traversant des labyrinthes sans jamais atteindre les « rivages de l'Amour ».

Ses propres sentiments lui ayant été interdits, le névrosé croit souvent qu'il trouvera l'amour quelque part ailleurs, avec quelqu'un d'autre. Il comprend rarement que l'amour est en lui-même. Je crois que sa quête frénétique est la tentative d'atteindre son moi. Mais le problème, c'est qu'en général, il ne sait comment s'y prendre. Il n'a pas le moyen d'accéder à ses propres sentiments. Dans cette optique, en recherchant l'amour, l'individu ne fait que rechercher ses sentiments, son « être ». Le désespoir, la poursuite per-pétuelle et l'errance sont souvent la tentative de trouver ce quelqu'un de particulier qui permettra au sujet de res-sentir quelque chose. Malheureusement, seule la souffrance en est capable. C'est ainsi que l'on voit de dérouler sans fin le même scénario — celui d'un film de troisième caté-gorie, avec un texte monotone, des acteurs de mauvaise qualité, sans happy end.

Je crois que la lutte n'est instaurée que pour que le sujet obtienne, serait-ce sous forme de substitut, l'amour de petit garçon ou de petite fille dont il a eu besoin dans son enfance et qu'il n'a jamais obtenu. Il ne cherche pas l'amour adulte dans le présent. Même quand cet amour lui est offert, le sujet semble le refuser, par déférence pour la lutte. Dans la théorie primale, la notion d'amour se concentre donc sur le fait qu'il est la recherche de ce qui a manqué au sujet, peut-être des dizaines d'années auparavant. Le névrosé appellera amour tout ce qui est susceptible de satisfaire ses besoins. C'est peut-être pour cette raison qu'il y a tant de définitions différentes de l'amour — il y a tant de besoins différents.

Malheureusement, même si les parents du névrosé pouvaient brusquement se métamorphoser en personnes aimantes et pleines de compréhension, rien ne serait changé. Le névrosé ne peut pas se servir de cet amour dans la suite de sa vie, parce que cet amour ne serait qu'un substitut de ce qui s'est passé entre l'enfant et ses parents sans amour. Le sentiment de n'être pas aimé l'emporte toujours.

Le petit enfant malheureux essaie, par son comportement névrotique, son agressivité, ses maladies et ses échecs, de dire à ses parents « aimez-moi pour que je ne sois pas obligé de vivre dans mon mensonge ». Comme nous l'avons déjà vu, le mensonge est un pacte inconscient entre l'enfant et ses parents, par lequel l'enfant accepte de n'être pas ce qu'il est réellement pour être ce qu'ils attendent. Il accepte de satisfaire leurs besoins dans l'espoir qu'ils finiront par satisfaire les siens et qu'il n'aura plus besoin de mentir. Mais tant qu'il maintient le mensonge, la politesse, la dépendance, l'empressement ou l'indépendance, etc., les parents, aussi bien que l'enfant, sont convaincus qu'il y a un amour réciproque. L'enfant ne met pas fin au mensonge par crainte de ne plus être aimé. Fait étrange, quand il se produit dans le courant de la vie quelque chose qui remet en question le mensonge, le sujet a tendance à se sentir privé d'amour. Contrairement à certains autres thérapeutes, le thérapeute primal ne participe pas au mensonge et ne le permet pas, de sorte que le patient n'a d'autre recours que de ne plus se sentir aimé.

En règle générale, le névrosé n'est pas lucide. Il en vient à penser que l'amour est ce que ses parents — qui ne l'aimaient pas — lui donnaient. Si ses parents semblaient toujours se faire du souci pour lui, il essayera de provoquer la même attitude, par des échecs ou des maladies. En provoquant des réactions analogues à celles de ses parents, le névrosé s'arrange pour perpétuer le mythe de l'amour. Il est souvent tellement occupé par la lutte pour maintenir ce mythe qu'il ne ressent pas son malheur. Il peut par exemple commencer sa thérapie en disant : « Mes parents n'étaient pas parfaits; personne ne l'est. Mais, à leur manière particulière ils m'aimaient. » Je crois que cette manière particulière faisait de l'enfant quelque chose de particulier : un névrosé. Il continuera : « Mon père tenait beaucoup à la discipline, il ne montrait pas son affection, mais nous savions qu'il nous aimait ! » En traduisant, cela veut dire à peu près : « Mon père avait la manie de la perfection, ne disait jamais un mot d'éloge, ne montrait jamais la moindre chaleur, mais tant que nous nous soumettions à ses ordres, nous pouvions nous dire qu'il nous aimait. » Peu importe d'ailleurs ce que l'on se dit. Le moi réel qui n'est pas aimé, le sent. Quand en thérapie on force un patient qui a fait ce genre de déclaration, à appeler son père pour qu'il le prenne dans ses bras, il souffre. Tout ce qu'il *pensait* être vrai, s'effondre devant la souffrance.

Une jeune femme bien élevée disait : « Ma mère était simplement un peu vieux jeu pour tout ce qui concernait les bonnes manières et l'étiquette, mais elle nous aimait tout de même. » Quand elle cria qu'elle voulait la liberté, elle éprouva la douleur qu'elle avait toujours eue, mais jamais ressentie. Nous en concluons que ce n'est qu'au moment où les gens ressentent leurs propres besoins qu'ils réussissent, peut-être pour la première fois, à savoir ce qu'est l'amour et ce qu'il n'est pas.

Une malade affirmait qu'elle était aimée de ses parents, qui étaient tous deux expansifs. Elle soutenait que ses problèmes venaient de son mari. Au cours de la deuxième semaine de traitement, elle accéda au sentiment réel : elle revécut une scène où elle avait été montrée en exemple à sa sœur parce qu'elle était gentille et bien élevée. Jamais de sa vie, elle n'avait senti qu'elle n'était pas aimée, car elle était devenue la bonne petite fille. Ses parents lui prodiguaient de l'aide, des cadeaux, de l'affection, à la seule condition d'être « une bonne petite fille ». Comme elle acceptait ce rôle et n'était pas elle-même, elle n'avait jamais senti qu'elle n'était pas aimée. Neanmoins, elle ressentait une souffrance primale. Cette souffrance ne pouvait surgir qu'au moment où je ne lui permettais plus d'être « la gentille fille » qu'elle avait toujours été. C'est encore un exemple de la conception primale selon laquelle *aimer, c'est laisser l'autre être ce qu'il est*. Cette malade avait apparemment tout ce qu'elle voulait sauf le droit d'être elle-même. Elle n'était pas aimée.

Prenons un autre exemple pour bien mettre les choses au

clair : une jeune femme avait une mère qui était constamment avec elle, jouait avec elle, la prenait dans ses bras; elle ne la battait jamais. Pourtant, cette mère était une enfant qui n'était pas assez forte pour laisser sa fille être la petite fille. Il fallait que la fille soit adulte et forte, qu'elle protège sa mère faible. En dépit de tout ce que la mère faisait pour sa fille, elle ne l'aimait pas, puisqu'elle ne pouvait pas la laisser être ce qu'elle était : faible et petite.

Les enfants se soumettent et se sacrifient pour se dissimuler leur sentiment de n'être pas aimés. Les parents font parfois la même chose pour dissimuler le fait qu'ils ne ressentent rien à l'égard de leurs enfants. Ils offrent des preuves d'amour à leurs enfants : « Regarde tout ce que je fais pour toi ! » mais cela veut dire en général : « Pourquoi ne fais-tu pas, à ton tour, quelque chose pour moi ? » La renonciation au moi semble faire partie de l'éthique judéo-chrétienne selon laquelle nous nous rendons à une divinité au nom de l'amour. (Comme me le disait un patient : « J'ai renoncé à moi pour gagner l'amour de ma mère; comme ça ne marchait pas avec elle, j'ai essayé avec mon père, et comme ça ne marchait pas non plus, j'ai essayé avec Dieu. ») Le névrosé a tendance à étendre ce processus, de sorte qu'il commence à mesurer l'amour en fonction de ce qu'on lui sacrifie.

Ce n'est pas par hasard que quand un enfant est aimé, il ne se pose pas de question au sujet de l'amour. En général, il n'éprouve pas le besoin de se définir l'amour et de se demander si ses parents l'aiment. Il n'a pas besoin de mots parce qu'il a le sentiment. Je pense que ceux qui ont besoin de coller l'étiquette « amour » à certaines choses, sont ceux qui ne sont pas aimés. Dans ce cas, on dirait qu'il n'y a pas assez de mots, d'affirmations et de preuves pour combler le vide de l'enfance.

Aux parents qui veulent éviter de voir leurs enfants s'engager dans la lutte névrotique pour obtenir l'amour, je conseillerais de se laisser aller à la libre expression de leurs sentiments, larmes, colère ou joie, et de laisser leurs enfants dire ce qu'ils ont envie de dire et de la façon dont ils le désirent. C'est-à-dire qu'il faut leur permettre de se plaindre, d'être bruyants et exubérants, de critiquer et d'être insolents. Bref, il faut permettre aux enfants ce que l'on permet à n'importe quel autre être humain. Il faut que l'enfant ait le droit de s'exprimer parce que ses sentiments lui appartiennent; en revanche, il n'a pas le droit de casser les meubles ou la vaisselle parce que cela appartient à toute la famille. Mais l'enfant est rarement destructeur sur le plan physique quand il a le droit de se manifester verbalement.

Quand on précise qu'un enfant est en droit de ressentir et que l'on exige qu'il contrôle ses sentiments, on porte déjà atteinte à sa faculté de sentir. Il y a toute chance pour que l'enfant, qui a droit à une totale spontanéité dans ses sentiments, devienne le genre d'enfants qui va spontanément embrasser ses parents. De cette façon, les parents seront aussi aimés. Beaucoup trop d'entre nous ne voient dans les enfants que des exécutants d'ordres, incapables d'être spontanément affectueux. Dans un foyer de névrosés, l'amour prend la forme d'un rite. Il y a le *devoir* d'affection, le baiser de bonjour et d'adieu dénué de toute spontanéité, la réprimande quand l'enfant ne remplit pas son devoir. Par conséquent, le névrosé obtient le plus souvent de son enfant un comportement dénué de sentiment alors que l'enfant pourrait, s'il en avait la liberté, lui apporter beaucoup plus.

Pourquoi la quête de l'amour est-elle si universelle ? Parce qu'elle correpond à la quête du moi qui n'a jamais pu exister. Plus précisément, c'est la recherche de la personne qui vous laissera être vous-même. Comme la plupart d'entre nous ont dû ignorer ou refouler leurs sentiments, nous finissons par agir sans ressentir. Je crois que les mariages précoces et les amours de courte durée découlent de la frustration et du désespoir d'être obligé de sentir *à travers* les autres. La quête est infinie parce que la plupart des gens ne savent pas ce qu'ils cherchent.

La perte d'un amant ne pourrait rarement avoir des conséquences aussi dramatiques qu'une tentative de suicide, si elle ne reflétait pas une perte bien plus ancienne et bien plus profonde, datant de l'enfance.

Quand le névrosé *sent* enfin qu'il n'est pas aimé, il prépare la voie pour se sentir aimé. Ressentir la souffrance, c'est découvrir la réalité du corps et de ses sentiments — or, il ne peut y avoir amour sans sentiment.

CHAPITRE 17

SEXUALITE,
HOMOSEXUALITE ET BISEXUALITE

La théorie primale distingue l'acte sexuel de l'expérience sexuelle. L' « acte » comprend toutes les attitudes du sujet au cours des jeux amoureux et des rapports sexuels. L'expérience est la signification de l'acte. L'expérience que le névrosé fait de l'acte peut être tout à fait différente de l'acte en lui-même. Ainsi, un acte hétérosexuel peut être vécu en tant qu'expérience homosexuelle avec des fantasmes homosexuels. Et un rapport entre deux homosexuels, dont l'un joue le rôle de la femme, peut être vécu comme un rapport hétérosexuel. Pour ma part j'estime qu'il faut définir la nature de l'acte en fonction de l'expérience subjective qu'en fait le sujet, distinction qui se révélera importante quand on en vient à discuter le traitement des troubles sexuels et des perversions.

On peut trouver des sujets qui accomplissent tous les rites physiques de l'acte sans éprouver la moindre sensation sexuelle, ainsi qu'en témoignent d'innombrables femmes frigides. Ce qui donne à l'acte sexuel sa signification, c'est la conscience intégrale de la situation tout entière, et c'est l'effort que fait le névrosé pour en tirer une valeur symbolique qui la fausse.

D'après l'hypothèse primale, les besoins insatisfaits et les sentiments refoulés de la petite enfance réapparaissent plus tard sous forme symbolique. Pour ce qui est de l'acte sexuel, le névrosé le ressent habituellement par le biais de l'imagination comme la satisfaction de ses besoins.

Prenons plusieurs exemples. Un malade âgé de trente ans souffrait d'impuissance. Son érection cessait dès qu'il pénétrait sa femme. Il avait grandi avec une mère froide, exigeante et hargneuse, qui ne lui accordait pas la moindre chaleur et lui donnait continuellement des ordres. Incapable de comprendre qu'il méritait la chaleur de quelqu'un, il niait tout besoin de chaleur ou ne le reconnaissait pas. Il épousa une femme agressive et exigeante comme sa mère, mais qui se chargeait de diriger sa vie et lui permettait d'être passif. Au moment de la pénétrer, il n'était plus question pour lui de rapport sexuel avec une femme : il était le petit garçon aimé symboliquement par la mère. Cet aspect symbolique de l'acte empêchait qu'il pût fonctionner en tant qu'adulte. Cet homme avait nié (n'avait pas reconnu) son besoin de chaleur dans sa plus jeune enfance et il cherchait cette affection maternelle auprès d'autres femmes. Les femmes étaient pour lui des symboles de l'amour maternel et l'acte sexuel avait avec elles un caractère symbolique; c'est ce qui l'empêchait de se dérouler normalement. Il est évident que si les femmes n'étaient que des femelles adultes, il n'y aurait pas de troubles du fonctionnement sexuel; les problèmes naissent du fait qu'elles sont devenues des symboles de la mère.

Comme tout système d'organes, les organes sexuels fonctionnent d'une façon réelle quand le sujet est réel et de façon irréelle quand le sujet est irréel.

Tout acte de névrosé met en jeu un double système : le système réel avec ses frustations et ses besoins, et le système irréel qui essaie de satisfaire de façon symbolique ces besoins généralement inconscients. C'est ainsi que le moi irréel a apparemment des rapports sexuels adultes, tandis que l'enfant qui est en lui cherche à être aimé. Le névrosé doit inconsciemment faire des partenaires des images de ses parents (personnes irréelles) parce qu'il cherche toujours l'amour qui lui a manqué dans son enfance. Il n'y a rien d'étonnant, de ce fait, à ce que le sujet soit impuissant ou trahi par son corps d'une manière ou d'une autre.

Prenons un autre exemple : un malade ne pouvait entrer en érection que quand sa femme, qui était très belle, se mettait à lui parler d'autres hommes avec qui elle aurait aimé coucher. Les descriptions détaillées du pénis d'autres hommes le stimulaient et il était sexuellement excité en pensant aux organes sexuels masculins. Dans l'optique primale, sa relation avec sa femme était essentiellement de caractère homosexuel. Le rapport ne s'établissait pas avec elle mais avec un besoin très ancien qu'il avait refoulé et qui réapparaissait sous forme symbolique dans l'obsession des organes sexuels. Cet homme avait eu un père faible et incapable qui ne lui parlait jamais et l'embrassait encore moins. S'il voulait quelque chose, il fallait qu'il s'adresse à sa mère, qui à son tour demandait au père. Autrement dit, ce n'est qu'à travers sa mère qu'il pouvait atteindre son père; et c'est pratiquement ce qu'il faisait dans l'acte sexuel. Le besoin de son père était toujours présent, mais ayant été refoulé, il réapparaissait sous la forme symbolique du pénis. Dans l'acte sexuel, le rapport s'établissait donc avec le symbole de l'amour du père et non avec sa femme. Pour qu'il devienne réellement hétérosexuel, il fallait qu'il se débarrasse d'abord du besoin de son père.

Un dernier exemple : une malade s'imagine qu'au cours des rapports sexuels, elle est dominée et prise contre son gré. L'expérience de l'acte était celle d'un enfant désarmé, d'une victime plutôt que d'une partenaire à égalité. Cette femme avait eu un père brutal et sadique qui la traitait de « pute » alors qu'elle était adolescente. Il lui interdisait de sortir avec des garçons et la tournait en dérision quand elle se maquillait. Elle avait refoulé son besoin de l'amour paternel, mais dans les rapports sexuels, elle faisait à nouveau d'elle-même une victime désarmée (de son père) pour arriver à ressentir quelque chose.

Dans chacun de ces exemples, l'acte sexuel est un symbole, une tentative de résoudre des besoins très anciens. Le sujet n'a pas le sentiment de la situation dans laquelle il se trouve, parce qu'il se réfère à une situation imaginaire. Ainsi pour certaines femmes, l'acte peut signifier l'amour, pour certains hommes, la virilité, la puissance ou la vengeance. L'imagination au cours des rapports sexuels sert à recréer la lutte parent-enfant de la petite enfance. Mais l'acte sexuel se distingue par un trait essentiel : le sujet y obtient ce qu'il a toujours pensé obtenir au terme de toute une vie de lutte; il est embrassé, caressé, aimé, et autorisé à sentir. Le névrosé s'arrange symboliquement pour que sa lutte « finisse bien » en lui donnant un dénouement imaginaire qui n'aurait jamais pu être le dénouement réel. Comme le disait une malade : « Les fantasmes que je poursuivais au cours des rapports sexuels montrent bien que je vivais avec mon esprit au lieu de vivre avec mon corps. J'étais même incapable de sentir ce qui se passait en dessous de ma ceinture ! »

Quand le sujet arrive à ressentir son besoin initial, le fantasme ne sert plus à rien. Lorsque l'homme impuissant de notre premier exemple ressentit son besoin d'une mère prévenante, gentille et affectueuse il n'eut plus besoin de chercher des substituts. Sa femme ne représenta plus à ses yeux une mère, à partir du moment où il eut ressenti ce qu'était réellement ma mère. Son problème disparut parce qu'il était lié à un acte symbolique qui n'avait rien à voir avec ce qui se passait entre sa femme et lui. Il en va de même pour le malade qui avait besoin qu'on lui décrive de gros pénis. Une fois qu'il eut ressenti à quel point il avait souffert d'être privé d'un père, il put se passer du symbole tangible de son père.

Ces exemples montrent bien que pour le névrosé, les rapports sexuels sont des rapports symboliques dans lesquels le sujet ne « voit » presque jamais son partenaire. Le fait de les accomplir dans l'obscurité en accroît encore la valeur symbolique. Le fantasme peut n'être pas conscient; le névrosé peut s'adresser à son partenaire comme à son père ou à sa mère sans se rendre compte qu'il « vit » son fantasme.

Tant qu'on éprouve des souffrances primales, on ne peut pas être pleinement hétérosexuel. Si, par exemple, une fillette désire l'amour de son père, elle essaiera plus tard d'avoir de nombreux rapports avec des hommes pour l'obtenir sous forme symbolique; mais il y a toute chance pour qu'elle ait des problèmes de frigidité, dans la mesure où, tandis que le moi irréel fait l'amour avec des hommes, le moi du système réel ne cherche inconsciemment rien d'autre qu'à être tenu et à se sentir aimé (par le père). L'expérience n'est pas sexuelle; c'est une expérience infantile où le sujet tente de résoudre ces frustations passées. Comme le disait une malade qui était frigide : « Je crois qu'au lieu de me bourrer d'aliments, je me bourrais de pénis en essayant de me sentir remplie d'amour; je n'en avais jamais assez pour me sentir aimée. » Elle ajoutait : « Je crois que maintenant je comprends pourquoi je n'arrivais jamais à ressentir quoi que ce soit pendant les rapports; si je m'étais réellement laissée aller pour ressentir quelque chose, j'aurais ressenti toute la souffrance de n'être pas aimée. J'aurais ressenti ce que je cherchais à trouver dans le sexe. Ce sont mes illusions qui m'en empêchaient. »

Le problème sexuel se complique quand on se trouve en présence d'un jeune garçon qui éprouve à la fois un grand besoin de sa mère et de son père. Dans les rapports sexuels avec les femmes, il se conduit comme un petit garçon et laisse sa partenaire (symbole de la mère) prendre l'initiative alors que simultanément il poursuit des fantasmes homosexuels. Il en ira de même d'une femme privée dans son enfance d'amour maternel. Tant que ce besoin n'est pas satisfait, il entravera inévitablement toutes ses relations hétérosexuelles.

Les besoins du passé sont plus forts que le présent. On ne s'étonne guère qu'il y ait tant de femmes frigides quand on a vu, comme moi, le nombre de femmes en qui continue à vivre le petit enfant qu'elles ont été. Elles ont besoin de la gentillesse d'un père et sont irritées et déçues lorsqu'un homme souhaite des rapports sexuels adultes au lieu de leur offrir d'abord un amour paternel. Si l'on comprend qu'il y a en elles une petite fille effrayée, qui a peur de son père (et des hommes), il devient évident qu'elles auront de grandes difficultés à nouer des relations sexuelles sincères, faciles et enrichissantes. Les petites filles n'ont pas de rapports sexuels adultes.

Amour et sexualité

Nombre de femmes déclarent « je ne peux coucher qu'avec quelqu'un que j'aime ». Chez les femmes névrotiques cela peut signifier : « Pour jouir des sensations naturelles de mon corps, il me faut persuader mon esprit que cela représente plus que ce n'est. Pour que je puisse ressentir, il faut que je sois aimée. » Une fois de plus, c'est l'expression inconsciente du besoin d'amour comme condition préalable de la faculté de sentir.

Le sujet qui a été aimé au tout début de sa vie n'éprouve pas le besoin de chercher l'amour dans la sexualité; pour lui, le sexe peut être ce qu'il est : un rapport intime entre deux individus attirés l'un par l'autre. Cela signifie-t-il que la sexualité est quelque chose de tout à fait distinct de l'amour ? Pas nécessairement. L'individu normal ne passe pas sa vie à chercher de tous côtés des gens avec qui coucher. Il cherche à partager son moi (et par conséquent son corps) avec une personne pour qui il a de l'affection. Mais il ne pose pas en préalable à cette relation quelque conception mystique de l'amour. Le rapport sexuel sera la conséquence naturelle d'une relation comme une autre. Il n'a pas besoin d'être « justifié » par l'amour.

Une névrosée qui a refoulé ses sentiments, n'atteindra probablement pas la jouissance sexuelle complète, quelles que soient ses idées sur ce qui se passe dans des relations amoureuses. En revanche, la femme normale n'éprouve pas le besoin de conférer au sexe une valeur particulière. Elle ne sera pas tributaire d'un concept tel que l'amour; elle n'aura pas besoin de s'entendre dire « je t'aime » pour jouir de son moi physique.

L'enfant qui n'a jamais obtenu l'amour de ses parents risque de s'exciter beaucoup à l'idée des rapports sexuels parce qu'il croit qu'il y trouvera finalement la satisfaction de ses besoins. De l'émergence de tous ces besoins très anciens, il résultera une très grande impatience, l'incapacité de prendre le temps d'utiliser des contraceptifs. Une grossesse non désirée peut être la conséquence malheureuse de cette impulsion désespérée de satisfaire des besoins désespérés. Mais dès que le sujet a ressenti le besoin de l'amour parental, toute l'exacerbation qu'il mettait dans la sexualité semble s'évanouir. Le rapport sexuel devient une agréable expérience parmi d'autres.

Etre aimé de ses parents au début de la vie est la *seule* protection contre un dévergondage ultérieur. Trop de filles frustrées se laissent prendre à l'illusion d'être aimées quand elles ont des rapports sexuels avant vingt ans, parce qu'elles ont besoin de le croire. Il est tragique de penser que c'est souvent la première chaleur et la première affection physique qu'il leur soit donné de connaître.

Il n'y a véritable amour que lorsqu'un garçon et une fille s'acceptent l'un l'autre pour ce qu'ils sont, et par conséquent, acceptent leur corps. Le névrosé se sert du corps de l'autre pour satisfaire d'anciens besoins. Cela rend impossible toute relation d'échange réciproque. Il n'est que trop fréquent que le garçon névrosé n'établisse une relation qu'avec un seul aspect de sa partenaire, le côté sexuel; il ne la reconnaît pas comme une personne à part entière. Ce clivage entre la femme, objet sexuel, et la personne dans son entier a été appelé le complexe de la Vierge/prostituée. La jeune fille sage n'a pas de corps (pas de sexe) et la sexualité est réservée aux mauvaises filles.

Une femme normale n'a pas besoin de discours pour se laisser séduire. Elle aura des rapports sexuels quand la relation le demande. Combien les conseillers conjugaux ne voient-ils pas de femmes qui affirment aimer leur mari, mais qui ne ressentent rien au cours des rapports sexuels ! La femme frigide est incapable d'aimer parce qu'elle est incapable de se donner entièrement. On ne peut aimer que quand on est sexuellement épanoui.

On pourra ergoter sur ce que je viens de dire et me citer de nombreux névrosés qui semblent prendre un très grand plaisir au sexe. Mais ces mêmes névrosés sont dans un état de grande tension qu'ils érotisent *mentalement* et baptisent « sexe », sans y mettre davantage de contenu qu'ils n'en mettraient dans un éternuement vigoureux. Je n'en veux pour preuve que le fait que la majorité des patients qui perdent leur tension dans les premières semaines de traitement, voient en même temps leurs pulsions sexuelles diminuer provisoirement. Dans certains cas, elles disparaissent complètement pendant quelques semaines. En outre, aussi bien des hommes que des femmes qui pensaient qu'ils étaient très portés sur le sexe, déclarent qu'ils n'avaient aucune idée de ce qu'était un véritable sentiment sexuel avant d'avoir réappris à sentir grâce à la thérapie primale. Surtout des femmes qui prétendaient ne pas être frigides constatent qu'elles ont des orgasmes tout à fait différents après la thérapie : en général, c'est une expérience plus pleine, plus convulsive. Un malade l'exprimait de la façon suivante : « Autrefois, l'orgasme n'était qu'un jet de liquide qui s'échappait de mon pénis, maintenant, c'est tout mon corps qui y participe. »

Tout le corps peut « participer » lorsque chaque parcelle des répressions antérieures (chaque négation du moi) a été revécue et résolue. Ces refoulements ne sont pas nécessairement d'ordre sexuel; le corps ne fait pas de distinction entre ses négations. Réprimer une partie du moi qui ressent, signifie réprimer la sexualité.

Frigidité et impuissance

D'après les observations que j'ai pu faire au cours des dernières quinze années, la frigidité et l'impuissance sont extrêmement répandues. Cela vaut surtout pour la frigidité.

J'entends par frigidité l'incapacité d'éprouver un sentiment sexuel dans toute sa plénitude. Cela correspond en général à l'incapacité d'atteindre l'orgasme. Les répercussions de la frigidité sur le comportement des femmes varient en fonction de leur personnalité. Certaines se lancent dans des rapports de hasard, espérant tomber ainsi sur l'homme qui pourra leur faire atteindre la jouissance. Celles qui ont eu un problème dans leur rapport avec leur mère peuvent simplement ignorer la sexualité. Ce qu'elles ressentent en adoptant cette attitude, est peut-être l'espoir d'obtenir l'amour de leur mère en conservant ainsi honneur et dignité.

Beaucoup de femmes frigides ne peuvent atteindre l'orgasme qu'en se masturbant. C'est un bon exemple de référence à ses propres besoins et non à un partenaire. Il s'agit souvent de femmes qui se sont masturbées dès leur puberté en poursuivant toujours les mêmes fantasmes. Dans ces cas, le pénis n'est qu'un symbole de menace, de déshonneur, d'agression etc. et elles l'évitent à cause de cette signification (habituellement inconsciente).

En voici un exemple : une femme est élevée par une mère prude qui l'abreuve de mythes sur la sexualité, les hommes et la bonne moralité. Elle entend des choses du genre : « Les hommes ne sont que des bêtes, ils cherchent toujours la même chose. Ils vous prennent et puis ils vous plaquent. » En plus de ces paroles, il y a une preuve sous forme d'un père brutal. La jeune fille en vient à croire ce que dit sa mère. Elle se refuse à toute expérience sexuelle avant le mariage, et découvre à ce moment-là qu'elle est frigide. Elle dit au médecin que son vagin est comme anesthésié. Selon moi, elle n'a plus de sensations sexuelles au niveau du vagin. Elle n'y ressent que la *peur* qui découle de la *répression* du sentiment sexuel. Ce n'est pas nécessairement une peur consciente; mais n'ayant pas de père à qui s'adresser et dépendant uniquement de la mère pour obtenir les miettes d'affection qu'elle pouvait recueillir à la maison, la malade en question a pris l'habitude d'associer la « sexualité libre » à la perte de tout espoir de gagner l'approbation maternelle. De ce fait, elle a littéralement renoncé à une part de son moi ressentant pour l'amour de sa mère.

En parlant au figuré, on peut dire que son vagin appartenait à sa mère. Le fait de *ne rien ressentir* était une manière de présenter à sa mère l'image d'une « fille sage », dont celle-ci pouvait être fière. Comme un assez grand nombre de mes malades, une fois qu'elle eut renoncé à tout espoir d'obtenir l'amour parental, elle connut une abondance de nouvelles sensations vaginales.

Pourquoi le fait de ressentir l'impossibilité d'obtenir l'amour de sa mère rendit-il cette femme libre de sentir son vagin ? C'est qu'elle essayait jusque-là de trouver cet amour dans tous les rapports sexuels — en étant la « fille sage » (c'est-à-dire la femme frigide, non sexuelle) que voulait sa mère. La mère ne pouvait aimer qu'une « fille sage ». En renonçant à *cet* amour, elle se libérait de la lutte qu'elle menait pour l'obtenir symboliquement à travers son vagin frigide. Une malade, une fois achevée sa thérapie primale, expliquait ainsi la frigidité dont elle avait souffert : « J'ai été élevée dans une famille très religieuse où on ne parlait jamais de sexe. De temps en temps on faisait allusion à des femmes de mauvaise vie et à des amours de rencontre — assez pour m'inculquer la peur du sexe.

Plus tard, pour pouvoir accepter les sensations de mon corps, il me fallait au cours de l'acte sexuel imaginer que j'étais quelqu'un d'autre. Il arrivait souvent que mon esprit refuse absolument ce que mon corps ressentait et il échafaudait alors des scènes de viol. C'est alors, et seulement à ce moment-là, que je parvenais à avoir des sensations sexuelles. »

Une autre malade avait besoin d'imaginer qu'une autre femme pratiquait avec elle le cunnilingus. Elle épousa un homme efféminé qui avait une préférence pour ce type de rapports, ce qui facilita le travail de son imagination. Rappelons encore une fois que, dans l'optique primale, le fantasme — la sensation au cours de l'acte — est une tentative de satisfaire les besoins réels d'être aimé et embrassé par la mère. La satisfaction de ces besoins crée la capacité d'avoir des sensations sexuelles et (finalement) hétérosexuelles. Mais des fantasmes irréels sont impuissants à satisfaire des besoins réels, de sorte que le comportement symbolique prend un caractère répétitif et compulsif. Quand le mari de cette femme essayait de la pénétrer avec son pénis, elle devenait totalement frigide et les rapports étaient extrêmement douloureux. Dans son « langage » inimitable, son corps lui disait qu'il y avait en elle de la souffrance.

Cependant, il ne faut pas toujours imputer la frigidité à une mauvaise éducation sexuelle ou à des expériences malheureuses dans ce domaine. Beaucoup de jeunes filles sont si renfermées que l'on peut prévoir qu'elles seront frigides. Une jeune fille qui se ferme à toute sensation (telle que le goût de la nourriture) se retrouvera plus tard en toute probabilité fermée à toute sensation sexuelle. Autrement dit, dans un domaine qu'on lui a appris à considérer comme interdit, il lui faudra une stimulation très forte pour qu'elle ressente quelque chose. Je crois que c'est la raison pour laquelle la frigidité est un problème si répandu. Une femme dont les sentiments sont réprimés, est fatalement frigide dans une certaine mesure. Il est rare qu'une femme, ayant suivi la thérapie primale, n'ait pas des sensations sexuelles toutes différentes, même si elle n'a pas commencé la thérapie pour un problème de cet ordre.

Pour donner au lecteur une idée de la complexité du problème de la frigidité, je cite ici les paroles d'une femme frigide après un mois de thérapie primale.

« Cette thérapie m'a appris comment mon corps contribuait à bloquer mes sentiments. J'étais frigide, par conséquent, je me disais que la contraction de mon vagin devait être ma manière de me défendre contre un sentiment en rapport avec lui. Je rentrais à la maison après une séance de groupe, j'enlevais ma culotte, et, de mes deux mains, forçais mon vagin à s'ouvrir largement. Puis, je me laissais aller à ressentir tout ce qui pouvait se présenter. A mon grand étonnement, un souvenir me revint en mémoire, accompagné d'une douleur dans la région du vagin. J'étais sur la table à langer, ma mère me changeait sans douceur et me pinçait le vagin en passant. Je me souvins que quand elle me langeait, elle me pinçait toujours le vagin. Je sentis mon vagin se refermer pour se défendre de cette douleur. Le lendemain, j'eus pour la première fois un rapport avec mon mari qui ne fut pas douloureux. »

C'est là le point que Wilhelm Reich a souligné : le corps forme un système de défenses. Toutefois, cette femme aurait pu ouvrir manuellement son vagin pendant des jours et des jours sans obtenir le moindre résultat, si elle n'avait déjà ressenti de nombreuses souffrances primales qui avaient préparé le chemin à ce souvenir. Ce qui est essentiel, c'est la connexion qu'elle établissait, ce n'est pas la manipulation de son vagin. L'ouverture manuelle de son vagin l'a aidée à disloquer une défense spécifique, de la même manière que la relaxation de l'abdomen par les techniques de respiration profonde peut aider le sentiment à remonter.

Cette histoire me fait penser à ce qui est arrivé à un impuissant. Au cours d'un de ses primals, il fut poussé à se laisser aller au fantasme qui l'effrayait le plus : l'inceste avec sa mère. Au cours de ce fantasme, il se souvint que sa mère l'avait abandonné seul, à l'école maternelle. Il se sentit mal et à ce moment se mit à revivre cette scène pénible. Pour se sentir moins mal, il se mit à jouer avec son pénis. Durant le primal, il établit la connexion entre le sentiment de sa solitude, souhaitant la présence de sa mère, et le fait de jouer avec son pénis. Il voulait qu'elle vienne pour qu'il se sente mieux et moins seul. Plus tard, cela se transforma en un fantasme où il désirait des rapports sexuels avec sa mère. En grandissant, il eut peur de ces fantasmes. Pour une raison inconnue de lui, ils se changèrent en fantasmes homosexuels qui se poursuivirent jusqu'à l'âge adulte. Au cours de ce primal, il sentit enfin que cela signifiait « N'aie pas peur, maman, ce n'est pas toi que je désire, ce sont des hommes. »

Cet homme avait souffert de fantasmes homosexuels pendant des années à cause d'un événement qui s'était produit à l'école maternelle. De toute évidence, cet incident n'avait pas, à lui seul, amené le tournant, mais tout petit, il avait été négligé et laissé seul si souvent que cet événement eut une importance cruciale. Ses fantasmes homosexuels, si pénibles et désagréables qu'ils aient été, servaient à cacher quelque chose de bien plus intolérable : des sentiments incestueux à l'égard de sa mère.

Beaucoup de femmes frigides (et d'hommes impuissants) constatent que les rapports sexuels leur sont plus faciles quand ils ont un peu bu. C'est parce que l'alcool émousse la souffrance primale et réduit le besoin du moi irréel de contrôler le corps. Il ne faut pas oublier que le besoin du système irréel consiste à tenir en échec la souffrance. Lorsque la souffrance est réduite ou endormie, le besoin de contrôle est moindre. Et lorsque le contrôle est moins sévère, le corps peut se laisser aller davantage. Que signifie laisser aller ? Moins de contrôle mental sur ce que ressent le corps. Malheureusement l'alcool émousse aussi les sensations au cours de l'acte sexuel de sorte que l'expérience n'est pas aussi enrichissante qu'elle pourrait l'être.

La sexualité consiste à sentir son corps et non à le contrôler. Si ce corps retient d'anciens sentiments, se laisser aller signifie qu'on libère ces sentiments. Ainsi, on voit des femmes devenir au lit de véritables tigresses, griffant, égratignant et mordant, et s'imaginer qu'elles sont sexuellement passionnées. Il s'agit bien de passion, mais pas de passion sexuelle. C'est une rage réprimée qui réapparaît lorsque le corps commence à ressentir. Une fois de plus, nous constatons que le sentiment se présente toujours sous la forme du tout-ou-rien. Sentir quelque chose c'est tout sentir. Il se peut que pour le névrosé le sexe soit à moitié violence et sans doute n'est-ce pas un hasard si les publicités cinématographiques juxtaposent le sexe et la violence. Mais d'autres sentiments que la violence peuvent être réprimés. Certaines femmes pleurent après l'orgasme et c'est une tristesse refoulée qu'elles expriment. Quels que soient les sentiments réprimés, le sujet ne peut ressentir pleinement sa sexualité, tant que tous les sentiments névrotiques empoisonnants ne sont pas éliminés.

La frigidité n'est pas seulement un problème de sentiments sexuels. C'est un problème de sentiments tout court. Etre libre de ressentir, c'est être libre sur le plan sexuel. Etre refoulé, c'est être refoulé sexuellement, même si apparemment le sujet fonctionne normalement sur ce plan. Quand une personne se présente en thérapie primale et déclare qu'elle n'a qu'un problème d'ordre sexuel, on s'aperçoit bien vite qu'elle a d'autres craintes et d'autres refoulements. Inversement, on peut supposer que le sujet qui vient pour d'autres problèmes a également des problèmes sexuels. Il n'est pas de problème qui ne concerne qu'une partie de nous. Toutes ces parties sont liées et interdépendantes.

En thérapie conventionnelle, j'aidais des femmes à comprendre le puritanisme de leur attitude sexuelle et je donnais des conseils quant à des techniques sexuelles, mais cela a rarement servi à grand-chose. En thérapie primale, le fait de ressentir la souffrance semble résoudre les problèmes sexuels, sans discussions techniques. Ce n'est pas par des raisonnements, semble-t-il, que l'on peut atteindre le vagin.

Le névrosé a un réservoir de souffrances qui empêchent des connaissances nouvelles d'amener le corps à sentir. La connaissance dans le domaine sexuel restera bloquée au niveau mental tant que le corps ne sera pas libéré.

J'ai traité il y a des années une femme de médecin qui avait l'habitude de quitter furtivement son domicile pour aller faire l'amour avec cinq ou six partenaires successifs dans un camp de travail du Civilian Conservation Corps, proche de chez elle. Elle cherchait l'homme qui pourrait lui révéler la jouissance. Mais en réalité, personne ne le pouvait, parce qu'elle s'y était complètement fermée. Personne, si ce n'est elle-même, ne pouvait la libérer. Elle était intelligente et *savait* que ses excursions au camp de travail étaient vaines et dangereuses; je lui avais expliqué le sens réel de ce qu'elle faisait, mais rien ne l'arrêtait. Elle avait des besoins qui la harcelaient sans relâche. Le fait de *connaître* le danger et de comprendre pourquoi elle agissait ainsi ne pouvait pas l'arrêter parce que ces besoins ne cessaient pas. Elle voulait ressentir.

Je pense que l'on a tort de croire que grâce à une éducation sexuelle libérale, on puisse changer d'attitude à l'égard de la sexualité et résoudre par-là ses problèmes sexuels. Quelle que soit l'éducation que l'on reçoit et la liberté sexuelle à laquelle on accède, les troubles sexuels persisteront jusqu'à ce que ces nouvelles attitudes se développent à partir du corps et de ses sensations.

Il ne faut pas négliger, dans l'examen des problèmes sexuels, l'importance de facteurs de civilisation; la sujétion générale de la femme — l'idée selon laquelle elle est au monde pour assurer le bonheur de l'homme — a donné naissance à certaines notions spécifiques comme par exemple la psychologie « de la femme ». L'idée que la femme est faite pour rendre l'homme heureux implique

que l'homme est supérieur et que la femme doit vivre pour lui. C'est de nouveau de la névrose pure. Nul être ne peut vivre pour ou à travers quelqu'un d'autre sans être malade — c'est malheureusement ainsi que beaucoup d'hommes souhaitent voir leur femme. Or, nul ne peut imposer un sentiment à autrui, même pas le bonheur. L'affaire de tout être humain est de vivre.

Le névrosé croit que la femme ne s'excite que plongée dans une atmosphère romantique — lumière tamisée, paroles appropriées et alcool. Ainsi, au lieu d'en venir au fait, c'est-à-dire au sexe, on met en scène toute une lutte au cours de laquelle la femme est séduite. Une femme qui n'a pas besoin de tout ce travail de séduction, qui ne cache pas ses désirs sexuels, passe trop souvent pour immorale. Cela tient en partie au fait que les hommes qui ne sont pas très virils, ont l'impression qu'en se montrant agressifs avec les femmes — en les conquérant sexuellement — ils deviendront en quelque sorte de vrais hommes. La domination d'une femme ne confère pas plus de virilité à un homme que la domination d'un enfant ne confère d'importance à un adulte.

Dans une société non divisée, non névrosée, il n'y aura pas ce clivage entre hommes et femmes. Ils seront égaux, ayant les mêmes besoins et les mêmes sentiments. Il n'y aura pas d'un côté une psychologie de l'homme, et de l'autre une psychologie de la femme, parce que ce serait une psychologie de clivage.

Perversions

Dans certains cas, le sujet ne peut se contenter de fantasmes mentaux au cours de l'acte sexuel. Un homme peut mettre une robe, se maquiller et partir dans la rue tout en sachant toujours qu'il est un homme. Mais s'il met une robe et croit vraiment être une fille, il a fait un pas important sur le chemin symbolique de l'irréalité. Les pressions intérieures peuvent atteindre de telles proportions qu'un homme ne s'imagine pas seulement qu'il est battu pendant l'acte mais qu'il a réellement besoin d'être flagellé afin d'atteindre l'orgasme.

La perversion implique que le poids des refoulements passés est devenu trop grand pour que l'individu puisse en venir à bout selon ses méthodes habituelles de sorte qu'au moment du rite, il est précipité dans un comportement presque entièrement symbolique, peut-être dans un état momentanément quasi psychotique.

J'ai connu un homme qui avait besoin d'être attaché et battu par une femme pour entrer en érection. Bien que ce rite eût un certain nombre d'aspects psychologiques, il semblait essentiellement découler de ses rapports avec une mère sadique qui le battait et le maltraitait continuellement. Le malade semble avoir recréé l'ancien rapport mère-fils d'une façon presque littérale, avec le même espoir inconscient qu'il avait eu des années auparavant — l'espoir de trouver, s'il avait été assez battu, du répit, du plaisir et de la gentillesse.

Ce rite masochiste était un drame bien défini symbolisant une foule d'expériences passées, que le sujet essayait de résoudre par cette substitution. Au cœur de tout cela, il y avait l'espoir — espoir que quelqu'un voie sa souffrance et y mette un terme. On dirait qu'il faut du vrai sang et de vraies meurtrissures pour que certains parents soupçonnent tant soit peu que leurs enfants ont besoin d'aide. Certains enfants dramatisent en volant des voitures, d'autres, en devenant pyromanes, d'autres en se faisant battre. Le rituel inventé par le pervers peut être considéré comme le prolongement du rite *inconscient* auquel le névrosé obéit dans toutes ses expériences diurnes. Dans son rite généralisé, il adoptera par exemple une attitude d'homme battu et vaincu comme pour dire : « Ne me faites plus mal, je suis déjà par terre. » Le névrosé non pervers semble adopter un rite plus généralisé au lieu d'un rite inventé.

Un malade qui était exhibitionniste tentait de décrire sa perversion de la façon suivante : « C'est comme quand vous êtes trop jeune pour y voir clair et que quelqu'un vous bourre le crâne systématiquement. Ma mère détestait les hommes, elle était peut-être gouine. Je crois que j'essayais d'être une fille pour elle. Finalement, j'éprouvais le besoin de montrer mon pénis à des femmes inconnues au coin des rues pour prouver que je n'étais pas une fille. Il fallait que je sois bien malade pour être obligé de faire ça. » Marié et ayant des enfants, cet homme possédait toutes les preuves de sa virilité. Cela ne semblait compter pour rien, il était forcé de continuer à accomplir ce rite, jusqu'à ce qu'il fût retourné au passé et eût revécu les origines du rite et toutes les distorsions qu'il s'était infligées pour obtenir de sa mère un mot gentil.

Cet homme avait beau savoir ce qui se passait en lui, il était poussé à son acte par une force incontrôlable.

Cet exemple peut nous aider à comprendre le mécanisme de l'impulsivité en général. Le désir réel de cet homme — d'être vraiment un homme — se manifestait en dépit de la façon dont ses terribles expériences l'avaient modifié. Le but de son acte était donc d'être ce qu'il était — réel. Il semble que tout ce que peut se *dire* le sujet sur ce qu'il doit ou ne doit pas faire, n'ait guère d'importance à partir du moment où son moi réel a été réprimé et fait pression pour être libéré. A mon avis, l'impulsivité est déclenchée par la tension, par des sentiments anciens qui font de l'acte impulsif un acte irrationnel. Le sujet impulsif n'agit pas poussé par des sentiments, il agit poussé par des sentiments qu'il a refoulés. L'acte impulsif est l'opposé de l'acte spontané qui est fondé sur des sentiments réels. La conduite spontanée a moins de chances d'être irrationnelle, si rapide que soit la réaction, car c'est la réaction d'une personne réelle à des conditions réelles.

Il semble qu'il n'y ait qu'un moyen d'éliminer les perversions, c'est de ressentir et d'exprimer le message que dissimule l'acte rituel. Par exemple, si l'exhibitionniste, en montrant son pénis, désirait dire « maman, laisse-moi être un garçon », il faudra qu'il ressente toutes les façons dont on lui interdisait d'être ce garçon. Chaque souvenir retrouvé, autrement dit, chaque nouveau primal, détruira une parcelle du rituel exhibitionniste jusqu'à ce qu'il ne reste plus d'impulsions. A chaque scène qu'il revit, il revoit comment sa mère l'empêchait d'être un garçon (« Ne touche pas à ton pénis, ne fais pas l'amour avec les filles », en lui laissant des cheveux longs et bouclés, en lui interdisant de faire du sport, etc.). Chacun de ces incidents au cours desquels sa mère l'empêchait d'être ce qu'il était (un garçon) contribuait à faire naître la perversion jusqu'à ce qu'elle fût extériorisée. De la même manière, chaque fois qu'une de ces scènes est revécue, la perversion est démantelée aussi méthodiquement et aussi sûrement qu'elle a été construite. Au cours d'un primal, par exemple, un exhibitionniste a tenu son pénis en criant : « Maman, ce n'est pas sale. Il est bien. C'est moi que je tiens. Laisse-moi me sentir. »

L'exhibitionnisme de cet homme avait, comme toute perversion, une signification réelle. Il essayait d'être réel en montrant son pénis — ce qui était évidemment un moyen irréel. Bien que toute sa vie on ait voulu faire de lui une fille, le besoin d'être ce qu'il était s'était maintenu quoique d'une façon déformée.

En thérapie primale, le traitement des perversions est

facile parce qu'elles sont d'un symbolisme très clair. Ce sont en fait des primals « ramassés ». En général, elles révèlent le besoin de façon directe, sans qu'il soit nécessaire de se livrer à des tâtonnements. Il suffit d'arrêter un rituel, et la pression énorme qui le commandait se transforme immédiatement en un primal, et établit les connexions qu'il faut.

Lenny

Lenny est un psychologue diplômé de vingt-six ans. Bien qu'il ait fait pendant des années des études de psychologie et de comportement anormal et qu'il ait mis ses connaissances en application dans le service pour lequel il travaille, cela ne l'a pas aidé le moins du monde à dominer ses propres problèmes — preuve dramatique que le savoir seul ne suffit pas pour venir à bout d'une névrose. Quand Lenny se livrait à son rite, il était dans un autre monde où tout ce qu'il avait appris sur le comportement était oublié. Son cas peut nous aider à comprendre le phénomène général de la perversion et, plus particulièrement, le comportement impulsif.

Je suis entré en traitement après avoir été arrêté pour avoir montré mon sexe et m'être masturbé en public. A la maison, je me sentais toujours poussé à me masturber, mais cela ne semblait pas soulager toute ma tension. Je pris l'habitude de le faire au coin des rues ou dans la voiture, près d'arrêts d'autobus où il y avait beaucoup de femmes. Dès que je me trouvais longtemps seul chez moi, il fallait que je sorte pour me masturber. Il m'était tout simplement impossible de me maîtriser, je devins un exhibitionniste invétéré.

Quand d'autres prennent une cigarette ou un verre pour diminuer leur tension, moi, je prenais mon pénis. Je ne savais qu'une chose, c'est que, quand je me trouvais seul, je me sentais mal, et que j'avais envie de me sentir bien. Mais avec le temps, les fantasmes de femmes que je poursuivais en me masturbant chez moi, étaient devenus insuffisants, eu égard à la nature de ma maladie. Tous les symptômes que je présentais avant la thérapie étaient d'ordre physique — asthme, ulcères, troubles du sinus, écoulement dans le pharinx, et pellicules chroniques — ils ont tous disparu. J'étais toujours orienté vers mon corps. Il me semblait constamment que je devais faire quelque chose de physique. Quand les fantasmes de mon esprit pendant la masturbation ne me suffirent plus, je compris que mon état s'aggravait. Mais je ne savais que faire. Il fallait que je voie l'expression de visages de femmes, de femmes réelles, vivantes. Je marchais dans la rue à la recherche d'une femme dont je pourrais observer le visage en me masturbant. Quelquefois je prenais ma voiture et je m'arrêtais à proximité de l'une d'elles. Au moment de l'orgasme, je fixais son visage — il me fallait être sûr qu'elle me voyait. En quelque sorte, je transposais mon fantasme dans la vie.

Après l'orgasme, je me sentais extraordinairement soulagé, comme si on m'avait enlevé un grand poids. Je me sentais libre et je partais pour aller travailler, aider les autres, comme si rien ne s'était passé. Mais ce n'était qu'une question de temps jusqu'à ce que je recommence.

Ce qui avait commencé comme une petite incartade de temps en temps, finit par devenir une occupation à plein temps. J'y passais quatre ou cinq heures par jour, je n'avais plus rien d'autre en tête. Je savais que je devenais fou, parce qu'une partie de moi-même savait combien tout cela était dément alors que l'autre partie ne pouvait s'empêcher de le faire.

En fait mon esprit se détachait tout simplement de mon corps. Je veux dire que je faisais avec mon corps des choses dont mon esprit n'avait même pas conscience. Au cours de mes rites exhibitionnistes, une sorte de brume m'enveloppait. Je savais bien vaguement où j'étais, mais en même temps j'étais dans le brouillard. On aurait dit que mes impulsions venaient de quelque chose d'extérieur à ma conscience.

J'essayais de lutter : il y allait de mon métier et de ma situation. Quand l'impulsion me prenait, j'essayais de la nier, mais c'était impossible. Mon esprit conscient semblait se décomposer. La compulsion en moi augmentait de jour en jour, et je ne savais absolument pas pourquoi. La confusion mentale remplaçait la pensée rationnelle de sorte que même en travaillant, je n'arrivais plus à penser logiquement. J'avais toujours l'impression qu'il y avait en moi deux personnes. J'étais l'acteur et le spectateur. Au cours de ces accès, je ne savais plus distinguer le bien du mal. C'était comme un état d'amnésie passagère où l'on part au hasard pour aller tuer cinq personnes. J'étais simplement l'autre personne inconsciente qui obéissait à ses instincts.

Maintenant, après la thérapie, je sais que je serais vite devenu fou. Je perdais de plus en plus le contrôle de moi.

Ma raison s'en allait. Je suis sûr qu'un jour j'aurais fini par ne plus sortir du brouillard, et cela aurait été la fin. Je crois que cela aurait voulu dire que mon corps se serait complètement séparé de mon esprit, et qu'ils auraient alors agi chacun de son côté.

En tant que névrosé, j'étais incapable de ressentir ce qui provoquait mon comportement impulsif. C'était trop douloureux. La souffrance montait dès que je me trouvais seul, et je m'arrangeais pour la déjouer. Pendant le traitement, quand la souffrance surgissait, je la ressentais. C'est là la distinction entre sentir et déjouer que la thérapie primale m'a si bien fait comprendre.

En thérapie, je permettais à l'impulsion de se saisir de moi. Au lieu de me séparer du sentiment et de me masturber, je laissais enfin mon esprit rejoindre mon corps, et cela m'amena à un certain nombre de vérités assez épouvantables. Je me souviens de mon premier primal : en arrivant, j'avais mon impulsion. En allant à la séance je faillis chercher une femme dans la rue. Le thérapeute me dit de me laisser aller à cette impulsion. J'entrai en érection et j'étais terriblement excité. J'étais sûr que j'allais avoir un orgasme. Au sommet de l'excitation, je me mis à crier : « Non, non, non ! » Puis je vis un visage de femme. Dieu ! c'était ma mère. Je hurlai : « Maman, je souffre, je souffre ! » Puis je criai : « Ne me laisse pas seul, papa me tuera. » Je n'avais jamais pu lui dire à quel point j'avais peur de mon père. Je compris aussitôt que si j'exhibais mon pénis devant une femme inconnue, c'était pour qu'elle voie mon visage distordu par l'orgasme (la peur et la souffrance) et reconnaisse que j'avais besoin de protection. Mais c'était ma mère qui aurait dû savoir que j'avais peur. Mais telle qu'elle était, je n'avais en quelque sorte jamais osé lui en parler. Elle était elle-même trop malade pour que j'ose lui dire que j'avais besoin d'aide. C'est pourquoi je le disais d'une façon passablement folle près des arrêts d'autobus.

La force qui me poussait à tout cela était la peur de mon père et le besoin d'être protégé par ma mère. Une fois que j'établis la connexion de toutes ces pressions indéfinies avec ce qu'elles étaient réellement, je n'eus plus besoin de les déjouer. En fait, il n'y avait plus de pression, — il n'y avait plus que la souffrance.

Avant la thérapie, mon esprit et mon corps n'allaient jamais ensemble. Je ne comprendrai jamais comment j'ai pu m'en sortir à l'école. Aujourd'hui encore, j'ai des difficultés d'orthographe et de lecture. En revanche j'étais doué pour le sport et pour tout ce qui était bricolage, — plomberie, électricité, etc. Il fallait que je sois stupide, car lorsque je fis preuve d'intelligence et établis la connexion mentale avec toute cette pression intérieure qui me poussait dans les rues, je me débattis dans le cabinet du docteur Janov comme un poisson sur le sable. Ces sentiments étaient une source d'énergie. Je sais aujourd'hui que si l'on m'avait supprimé cet acting-out, si je n'avais pu sortir de prison sous caution après avoir été arrêté, je serais devenu fou. Je m'exhibais parce que c'était le seul moyen que j'avais instinctivement trouvé pour tenir à distance mes sentiments. Rester tranquille, sans rien faire, m'aurait fait éclater le cerveau. Si fou que cela paraisse, même après avoir été arrêté, *sachant* dans quels ennuis je me trouvais, je continuais à sortir pour me masturber dans la rue devant des femmes, alors que j'attendais mon procès. Je n'avais pas le choix.

Avant la thérapie, j'avais toujours pensé que j'étais très porté sur la sexualité — un « chaud lapin » comme je disais toujours. Mais maintenant, j'ai transformé ces convulsions de l'orgasme en convulsions primales et mon instinct sexuel est bien moins fort. C'est le phénomène inverse de ce qui se passait auparavant. Auparavant, je transformais mes primals en convulsions sexuelles parce que je ne pouvais pas ressentir la souffrance. A mon avis, la perversion est quelque chose de très asexué. Je me masturbais, mais en réalité, je ne faisais que demander de l'aide. C'était ma manière de crier « au secours ». Ce que je faisais ne correspondait pas à un instinct sexuel naturel, c'était la perversion d'un autre sentiment. Beaucoup d'entre nous ont des tendances perverses diverses. Les hommes d'affaires pervertissent leur besoin d'amour en concluant de grands marchés. Pour moi, cette perversion de mes sentiments s'effectuait avec mon pénis. Tout ce que je voulais c'était que ma mère voie ma souffrance et qu'elle me donne enfin ce qui m'avait manqué dans mon enfance.

Jim

J'ai vingt-deux ans et je suis né en Alabama. J'habite aujourd'hui Los Angeles, la ville qui, entre toutes, m'a toujours paru symboliser tout ce qui est impersonnel, indifférent, grossier, sale, superficiel, prétentieux, tendu et désespéré. La seule pensée de Los Angeles — ou le fait de m'y trouver — a toujours failli me faire *sentir* à quel point ma propre vie était impersonnelle, froide et superficielle. Maintenant, c'est uniquement une ville sale et crispée qui ne me fait rien ressentir du tout.

Mon père était officier de carrière dans l'armée de l'air. Il était né dans une petite ville de l'Indiana et était également pasteur de l'Eglise presbytérienne. Ma mère est originaire du Mississippi.

Je n'ai jamais eu un foyer. Mes premiers souvenirs remontent à mes quatre ans quand j'ai fait une fugue. Nous étions au Japon où mon père était en garnison. Par la suite, nous avons déménagé tous les deux ou trois ans, toujours dans la vieille Oldsmobile qui était devenue le théâtre des scènes de ménage, aussi bien devant les cactus de l'Arizona que devant les totems le long de l'autoroute Alcan (Alaska-Canada). La voiture, c'était aussi l'endroit dont je ne pouvais pas m'échapper quand ma mère décidait de me battre avec un tuyau de caoutchouc lorsque je me conduisais mal. J'avais fini par enfouir le tuyau en question dans la poubelle de la salle de bains d'un motel de Denver.

Tous ces voyages auraient pu être amusants pour un enfant; ils l'étaient d'ailleurs quelquefois, bien que sur le plan familial, nous n'ayons jamais connu un instant de bonheur. Tout servait de prétexte à des querelles, des disputes. Qu'il se soit agi du motel où on allait s'arrêter, du programme de TV à choisir, ou de l'endroit où on allait faire halte pour manger, tout donnait lieu à des chamailleries. Il en allait de même pour mes choix personnels : savoir ce que je devais porter comme vêtements, qui je devais prendre comme ami, quand je devais aller au lit, comment je devais me tenir à table, etc. Ma mère était toujours là, à me dire ce qui, à *ses* yeux, était le mieux, avec une légère inflexion dans la voix qui disait : « Tu fais ce que tu veux — si tu ne te soucies pas de moi. » Nom de Dieu ! Elle avait trouvé là une excellente méthode pour me faire faire ce qu'elle voulait, et pour me forcer à être ce qu'elle voulait que je sois. Vous voyez, j'étais naturellement attaché à ma mère (et à mon père) davantage qu'à quiconque. Par conséquent, quand elle disait qu'elle ne croyait pas que je l'aimais, cela voulait aussi dire qu'il n'y avait aucune raison pour que nous poursuivions nos rapports. C'est-à-dire qu'elle *non plus* ne m'aimerait plus *à moins* que je ne sois et ne fasse ce qu'elle voulait. C'était un marché dégueulasse, mais un enfant n'est pas en mesure de se défendre. C'est ainsi qu'avant tout, ma moindre décision devait avoir l'accord de ma mère. Si elle n'aimait pas ce que j'aimais, il me fallait tout simplement *découvrir comment dissimuler mes sentiments et comment faire et être ce qu'elle désirait.*

Ma mère n'aime pas les hommes, plus exactement, les hommes qui ont des couilles. Par conséquent, il ne fallait surtout pas que je sois un homme, en dépit du fait que, comme tout mâle, je suis né doté d'un pénis, même s'il était petit.

Il ne s'est du reste jamais développé entièrement. Pas encore. Dans sa haine de la virilité, exprimée constamment avec opiniâtreté, jour après jour, elle m'a avec succès élevé comme un travesti. Très tôt, j'avais perçu le message. « Maman ne m'aime pas (n'aime pas que je sois moi-même). Elle m'aime quand je suis ce qu'elle veut. » En dehors de la sexualité, on n'a pas grand-chose à transformer quand on a cinq, six ou sept ans; on n'a pas de grandes opinions, pas de théories philosophiques — on n'a que soi-même. De sorte que...

A côté de cet aspect de mon éducation qui existait dès le début et continuait d'exister, il y avait aussi le spectre terrifiant du divorce de mes parents que j'ai senti planer au-dessus de moi pendant vingt-deux ans. (Ils divorcent actuellement, alors que je finis la thérapie. Ils se sont affrontés pendant longtemps.) Quand j'avais sept ans, — nous vivions au Texas — mon père est rentré un soir après avoir un peu trop bu. D'après ma mère il avait bu plus « qu'un peu », et elle a commencé à se mettre en colère, à crier et finalement à le battre. Tout d'un coup c'est *elle* qui s'est laissée tomber sur le sol, en sanglotant qu'elle n'allait pas se laisser *battre* de la sorte et qu'elle allait demander le divorce. Terrifié, j'assistais à toute la scène. Ni l'un ni l'autre ne semblait remarquer ma présence. J'essayai même de les séparer en me mettant entre eux, en les prenant par la taille et en les suppliant d'arrêter, de s'embrasser et de se réconcilier. J'étais assez grand pour savoir à peu près ce que signifiait le mot « divorce » : c'était la séparation. J'avais une trouille épouvantable.

J'ai demandé : « Maman, qu'est-ce que vous allez faire de moi ? » Elle a répondu : « Je ne sais pas », et elle s'est mise à faire sa valise. A ce moment-là, ni mon père, ni elle ne se souciaient le moins du monde de moi. Je faisais le tour de la maison avec mon cheval en peluche, en murmurant : « Qu'est-ce qui va m'arriver ? Qu'est-ce qui va m'arriver... » Depuis ce jour, jusqu'à celui où je suis entré en thérapie primale, je me suis toujours traîné ainsi en murmurant.

Quand je revins de l'école le lendemain, après m'être demandé toute la journée avec qui j'irais (ma mère évidemment), je découvris que tout était rentré dans l'ordre (complètement dingue). Mon père « ne le ferait plus » (pauvre type !) et ma mère n'allait pas partir. La même scène se reproduisit un nombre incroyable de fois au cours des quinze années qui suivirent; j'attendais toujours avec effroi la séparation qui ne survenait jamais mais qui menaçait toujours.

Je n'ai pas beaucoup parlé de mon père parce que mon père n'était pas très présent. Il m'est arrivé de le haïr parce qu'il n'empêchait pas ma mère de me détruire. Mais je l'ai aussi aimé profondément, dans les rares moments où nous étions ensemble. Mon père et moi, nous aurions voulu nous aimer, mais nous avions peur de laisser paraître nos sentiments parce que cela nous aurait fait trop souffrir.

Quand on est névrosé et qu'on a une famille comme la mienne, il faut faire attention de garder ses sentiments à distance. On reste froid avec la famille. A l'extérieur on *joue* le garçon énergique et indépendant. Les travestis ne sont même pas aussi « in » que les simples homosexuels. Il y a une différence. Ainsi j'ai été un enfant très actif et solitaire. J'avais tellement peur des filles que je n'ai jamais embrassé une fille avant ma deuxième année d'université; encore n'était-ce qu'au treizième rendez-vous. De plus, elle était plus âgée que moi, ce qui n'est pas surprenant.

Je me masturbais pas mal et cela me calmait un peu, mais il fallait que je fasse attention parce que ma mère était toujours là pour m'attraper. Elle n'aimait pas que je touche à ma verge.

A la fin de ma deuxième année d'études, j'ai découvert non seulement qu'à force de me disputer avec ma mère j'étais devenu très habile à manier les mots et les idées, mais aussi que j'étais très doué pour la course. A la fin de ma troisième année, j'emportais toutes les compétitions et je commençais à sortir avec des filles. A la fin de ma quatrième année, j'étais à nouveau champion, chargé du discours de remise des diplômes, premier prix d'éloquence de tout l'Etat, journaliste et radical à tous crins.

J'étais malheureux. Il y avait déjà longtemps que j'avais pris l'habitude, quand ma mère était sortie, de mettre ses vêtements — soutien-gorge, bas, slip, etc. — déjouant mon fantasme selon lequel ma mère finirait par m'aimer si j'arrivais à être ce qu'elle voulait. C'était un marché merdique, c'est le moins qu'on puisse dire, et ce n'était certainement pas un bon moyen de me sentir à l'aise avec ma queue !

A l'université, je refoulais ce genre d'activités. Je gardais le fantasme dans mon esprit et je me contentais de me masturber comme tous les autres. Mais le travail était si lourd et l'atmosphère si accablante que la masturbation s'avéra vite impuissante à me soulager. Je ne sortais guère avec des filles. Je continuais à faire de l'athlétisme mais c'était si difficile à concilier avec les études, si astreignant et, dans le fond, si malsain, que cela n'aidait pas beaucoup à soulager la tension. Cependant, les relations que je me faisais dans le sport me permirent d'être reçu dans une bonne association d'étudiants et je pus aborder l'année suivante en me raccrochant à quelque chose. Les notes ne me servaient à rien, elles étaient moyennes. Pas de prestige, pas d'égards, rien qui m'eût empêché de me sentir seul et insignifiant.

A la fin de ma deuxième année, je devins militant. L'entraîneur de l'équipe se révéla être un sectaire. Il avait foutu un étudiant étranger dehors pour la seule raison qu'il avait des cheveux longs et une coupe à la Beatles. Une déception de plus. Je fus médiateur. J'étais tendu, malheureux, dégoûté de l'athlétisme et de toutes les foutaises que l'on voulait me faire ingurgiter.

Cet été-là, pour la première fois de ma vie, je sortais régulièrement avec une fille. C'était la première personne avec qui je me laissais aller à ressentir quelque chose. Mais je n'arrivais jamais à parler de baiser, même quand nous étions au lit et qu'elle tenait mon pénis entre ses mains. Je voulais qu'une fille me fasse sentir mon sexe, mais je voulais le sentir en toute sécurité et elle me le permettait. C'était des relations orageuses. Nous avons lutté de toutes nos forces pendant six mois pour essayer de donner à nos rapports, où chacun aidait l'autre à se décharger de sa tension, une espèce de stabilité. Malheureusement, elle me laissa tomber raide. Je n'avais rien à quoi me raccrocher et j'étais sur le point de devenir fou. J'avais une telle frousse que je quittai l'université et commençai à écrire un journal à la Kierkegaard, dans le style de Bob Dylan, de Ken Kesey, et de tant d'autres... J'étais dans un tel état de tension que le seul moyen de ne pas perdre la raison semblait être d'écrire sur les mythes, sur la conscience existentielle et le destin mi-tragique, mihéroïque des petites gens. J'essayais de refouler la souffrance et j'y parvenais bien.

C'est à cette époque-là que j'ai découvert que personne n'avait le droit de m'ordonner de tuer quelqu'un d'autre. C'était très simple. Mais à force de me demander ce qui allait advenir de moi, j'étais passé à côté des choses les plus simples aussi bien que de mes sentiments. Cette simple notion m'exalta à tel point que j'en fis une sorte d'anti-dogme. Je travaillai dans l'opposition en Arizona et tentai de découvrir comment arriver à la synthèse de la politique et de l'art. Devais-je aller en prison pour refus du service militaire ou m'expatrier pour écrire mes grands livres et mourir à trente-neuf ans ? comment faire les deux ? C'étaient de grandes questions qui dissimulaient de grands sentiments. A propos de mon père et de ma mère. J'avais besoin de me sentir de la valeur (ma mère), besoin d'aider les autres à cesser de se disputer (ma mère et mon père), besoin de trouver un foyer de paix, de simplicité et de durée (nous tous), besoin d'être fort et efficace (mon père); et ainsi de suite. Je renvoyai mon livret militaire, mais de façon non agressive. J'allais écrire et faire des études jusqu'à ce qu'on vienne m'arrêter pour me mettre en prison. Le tout, passivement.

Le premier jour de la thérapie, je dis à Janov que j'au-rais voulu dire à mon père d'aller se faire foutre quand il m'avait refusé l'argent pour me faire soigner. Arthur a demandé : « Vraiment ? »

J'ai répondu : « Eh bien, j'aurais aussi aimé qu'il me vienne en aide. »

« Demandez-le-lui. »

« Par téléphone ? »

« Demandez-le-lui, ici même. »

J'allais le faire mais ma gorge se noua. « Je ne veux pas le faire et vous savez très bien que je ne le veux pas. »

« Demandez-lui. »

Je le fis et tout ce que je sais c'est que je me tordais sur le divan et que je criais pour demander à mon père de m'aider, en ressentant dans mon esprit et dans mon corps la colère que j'avais réprimée depuis tant d'années. Quand, mon énergie épuisée, je commençai à me détendre, j'ai senti des fourmis dans mes mains comme si la circula-tion avait été coupée et comme si elles « s'éveillaient ». Dans le cabinet, les couleurs étaient plus brillantes, comme sur un fond d'herbe, et il n'y avait plus la sépara-tion surréaliste entre temps et espace. Je sentais mes entrailles. Et tout cela n'était que le début.

Cela suffisait pour un premier jour. Je suis sorti tout exalté. Mais dès l'après-midi, je me suis senti dans un état dégueulasse. Maintenant que la barrière de tension s'effondrait, d'autres sentiments commençaient à remonter. ATTENTION ! QU'EST-CE QUI VA SE PASSER ?

Le jour suivant j'ai voulu aller au devant du primal et provoquer les événements. Ce qui a été ma façon de ne pas ressentir. Cinq jours de suite, j'ai tournicoté autour, jusqu'à ce qu'enfin, au cours de la séance de groupe, la tension en moi ait atteint un tel degré qu'elle a éclaté toute seule, de nouveau à propos de mon père. Je voulais qu'il m'aide. Le jour suivant, j'ai pleuré, pleuré profondément. J'avais été si perdu toute ma vie, personne ne m'avait jamais vraiment écouté, et surtout, j'avais fait des efforts si grands pour accomplir quelque chose qui rendrait mon père et ma mère heureux de sorte qu'ils puissent m'aimer. Des parents malheureux n'ont pas le temps de laisser leurs gosses être eux-mêmes. L'amour exige une attention non égoïste.

Depuis ce temps, je suis passé par un sentiment après l'autre. Il y a de la colère, de la solitude, de la tristesse et un certain nombre de sensations très subtiles : chaleur, parfums, froid, goût ou impressions du toucher qu'il faut relier au souvenir auquel elles appartiennent. C'est un processus qui consiste à remettre l'esprit entièrement en contact avec le corps. Il faut ressentir tous les sentiments refoulés de sorte qu'il n'y ait plus rien qu'on ait peur de ressentir. C'est à la fois infernal et merveilleux.

Certains sentiments sont remontés facilement, pour d'autres, il a fallu des jours et des jours avant que la tension lâche. J'ai passé trois semaines où j'ai cru devenir fou, exactement comme quand mon amie m'avait plaqué. Je me coupais totalement de mon sentiment en PENSANT à ce qui allait m'advenir. J'arrivais presque à VOIR l'invisible écran qui séparait mon corps du monde extérieur. Il s'épaississait. Je supposais qu'un sentiment important était sur le point de remonter. Entendu, j'allais l'aider à sortir. Foutaise ! C'était une manière très subtile de ne pas ressentir, de contrôler, d'anticiper et de diriger. Un matin, dans le cabinet de Janov, je parlais à mon père et à ma mère, je revivais la scène primale où pour la première fois, je demandais : « Qu'est-ce qui va m'arriver ? Ne divorcez pas. » En le disant je ressentais la peur, comme un enfant de sept ans. A la fin, l'écran disparaissait. Je me détendis. J'allais laisser les choses aller leur train. Plus tard, je devais m'enfoncer plus loin dans ce sentiment et l'écran disparaissait de plus en plus. Maintenant, chaque fois que j'ai un sentiment primal, je peux me permettre de ressentir le présent un peu plus. L'écran a été détruit.

Ce que je commence à ressentir à la suite de la thérapie primale, c'est tout simplement mon moi. Au début je me sentais plus fort, d'une façon névrotique. Pour la première fois de ma vie, j'obtenais un peu de liberté de ressentir et mes espoirs et mes rêves s'en trouvaient revigorés. Mais les espoirs et les rêves sont les symptômes de sentiments refoulés. Ce sont les mots abstraits que nous utilisons pour dissimuler notre BESOIN. Quand le BESOIN est entièrement ressenti, il n'y a plus d'ESPOIR de le satisfaire. On se contente de vivre. Plus le moindre besoin d'utopie politique ou de succès artistique. La réussite ou l'échec n'existent pas. Il n'y a que vous. Moi. Je n'ai plus besoin d'être un éternel raté tragique pour que quelqu'un me prenne dans ses bras ou me cajole ou m'écoute comme mon père et ma mère ne l'ont jamais fait.

Pour moi, ce n'est pas encore complètement fini. J'ai encore un peu besoin de mon père et de ma mère. Il reste encore du BESOIN à ressentir. Mais j'en ai presque fini avec mon père, et ma mère ne reste que partiellement. Je fais encore de temps en temps un rêve où je suis surpris nu dans les toilettes pour dames d'un supermarché alors que je suis en érection. Je ne sais pas où me cacher et je voudrais arriver à jouir si seulement une femme — ou ma mère — avait la gentillesse de me laisser faire. C'est le déjouement mental, dans mon sommeil, de ce que je voudrais ressentir réellement.

Cependant, j'ai déjà énormément changé. Ma voix a baissé de presque une octave, parce que je ne suis plus déconnecté de mon estomac. J'entends ce que me disent les gens sans le leur faire répéter. Je n'éprouve plus le besoin de passer des heures à palabrer avec mes amis malades sur ce qui se passe dans le monde. J'ai perdu près de dix kilos sans effort parce que je ne mange plus pour éviter de sentir que mon estomac était vide et seul comme tout le reste. Je ne fume plus un paquet de Camel par jour comme j'avais l'habitude de le faire depuis que j'avais abandonné l'athlétisme. Je leur trouve à présent un goût atroce. L'alcool ne supprime plus mes inhibitions, il m'engourdit. LES ALIMENTS ONT DU GOUT. Les objets réels ne sont plus des symboles susceptibles de déclencher des avalanches de pensées et des accumulations de tensions. Les flics sont simplement des flics, pas mon père. (Je ne les en aime pas mieux, mais je n'éprouve plus de colère contre eux.) L'océan est l'océan, non plus le PÈRE et la MÈRE DE LA VIE, je ne prends plus un miroir brisé pour le symbole de l'art irlandais, etc.

Les seins ne sont rien d'autre que des seins. Et un con n'est presque rien d'autre qu'un con. Ils sont loin d'être les symboles qu'ils représentaient auparavant et bientôt, ils ne seront vraiment rien de plus que ce qu'ils sont.

Mon état s'est assez amélioré et je RESSENS assez pour reconnaître ce qui est RÉEL; cela ne ressemble à rien de ce que j'*attendais* et a toujours en quelque sorte été MOI.

La thérapie a pour résultat que tout devient littéral. L'argent me paraît comique parce que ce ne sont que des petits bouts de métal que nous portons sur nous et que nous échangeons contre des choses. J'ai l'impression que toutes ces choses irréelles n'ont plus aucun rapport avec ma vie. C'est comme si les mots ne représentaient plus rien, il n'y a plus que le sentiment. J'ai l'impression que le monde dans lequel je vis est une scène de théâtre « pop » — une illusion. Je crois que tout le monde joue un match qui n'est pas le bon, mais personne ne s'en aperçoit parce que tout le monde est trop pris par le jeu. Ça m'ennuie même d'en parler, d'ailleurs, qui s'en soucie? J'ai enfin changé du tout au tout. Le travesti appartient au passé. Toute ma vie, je me suis entendu dire que ma santé mentale était de la folie et j'en venais à le croire. Aujourd'hui, j'ai compris que c'est eux qui sont fous et que c'est moi qui suis sain d'esprit.

Homosexualité

L'acte homosexuel n'est pas un acte sexuel. Il se fonde sur le *reniement* de la sexualité réelle et constitue le déjouement symbolique d'un besoin d'amour par le moyen du sexe. Une personne vraiment sexuelle est hétérosexuelle. L'homosexuel érotise d'habitude son besoin, de sorte qu'il paraît en général très porté sur la sexualité. Privé de sa « dose » sexuelle, de son partenaire, il se comporte comme un drogué en période de manque; sans son partenaire, il est plongé dans la souffrance qui est toujours présente mais qui est drainée par l'activité sexuelle. Le but recherché n'est cependant pas le sexe, c'est l'amour.

En règle générale, l'homosexuel est le plus tendu de tous les névrosés, car c'est lui qui a été obligé de se séparer le plus profondément de son moi réel. La tension peut le pousser à boire, à se droguer, ou à une activité sexuelle compulsive, sans que ces exutoires lui suffisent. Parmi les homosexuels que j'ai pu voir, beaucoup se plaignent de troubles psychosomatiques. La violence que l'on observe en eux résulte de leur reniement d'eux-mêmes. Le sujet qui ne peut être ce qu'il est, vit dans un état de colère.

Je qualifierai d'homosexualité tout acte qui est vécu comme s'il était pratiqué par deux personnes du même sexe. Si un homme fait l'amour avec une femme tout en étant complètement absorbé par des fantasmes concernant des hommes, il vit d'après moi une expérience homosexuelle. Ce n'est pas le comportement extérieur qui compte, mais l'état d'esprit dans lequel on se trouve. Lorsque le sujet fait réellement l'amour avec un partenaire du même sexe, cela signifie qu'il s'est engagé plus avant dans le comportement symbolique : il n'y a pas de clivage en lui, il n'y a pas de fragment de lui-même qui le force à garder un comportement hétérosexuel; il a renoncé à lutter et il est devenu plus complètement ce qu'il n'est pas.

Il y a des hommes et des femmes qui font des mariages homosexuels sans le reconnaître. Un homme efféminé choisit une femme très masculine — il préférera, comme me le disait un patient, être dessous quand il fait l'amour, expliquant qu'il est mieux comme ça — sans se rendre compte le moins du monde qu'en vérité, il fait l'amour avec un homme. Il y a un système spécial de radar qui fait que ces gens se rencontrent. L'homme qui éprouve le besoin inconscient d'être aimé par son père, et qui n'a pas le courage d'admettre ses pulsions homosexuelles sera attiré par une femme virile. Il s'attachera aux côtés masculins de son caractère, de sorte que c'est elle qui sera le bricoleur de la maison, elle qui gérera le budget familial, conduira la voiture, etc. L'important c'est qu'un névrosé peut faire de n'importe qui ce qu'il veut. C'est ainsi qu'un homme peut dans son esprit transformer une femme en homme, de la même manière qu'il fait d'un policier son père ou d'une institutrice, sa mère. Le besoin l'emporte sur tout.

Le sujet qui doit avoir des fantasmes pendant l'acte sexuel est plus proche de ses sentiments que celui qui vit ses fantasmes. Le fantasme suppose au moins la conscience intellectuelle d'un besoin — plus exactement, la conscience d'un symbole de ce besoin. Le sujet qui vit ses fantasmes, supprime aussi bien le besoin que ses symboles.

D'après mes observations, l'homosexualité peut découler de toutes sortes de facteurs à l'intérieur d'une famille. Le garçon homosexuel peut avoir un père faible aussi bien qu'un père tyrannique ou pas de père du tout. Ce qui est déterminant, c'est que l'enfant éprouve le besoin d'avoir un père qui l'*aime*. Il n'est pas nécessaire de s'attarder sur les relations spécifiques que l'enfant entretenait; ce qu'il faut atteindre, c'est le besoin. C'est le besoin qui est déjoué dans l'homosexualité. Beaucoup dépend de l'enfant lui-même. S'il a une nature sportive, il peut devenir le « dur » que désire le père. S'il est faible et manque de coordination, il peut être rejeté complètement parce qu'il ne répond pas aux besoins du père. Si la mère est un peu plus chaleureuse, le garçon établit peut-être des rapports plus étroits avec elle; si elle est froide, l'enfant essayera désespérément de ressembler à son père. L'homosexualité n'est pas le produit d'une structure familiale spécifique.

L'enfant qui a un père brutal et ivrogne peut devenir hostile à tout élément masculin. Mais dans la même situation, un autre enfant décidera de devenir l'homme comme il faut que son père n'était pas. La fille d'une mère qui hait les hommes, peut elle aussi les haïr. Le fait d'avoir une mère odieuse peut lui faire prendre les femmes en horreur. Il n'est pas de formule qui soit responsable d'une névrose spécifique. Il faut comprendre comment l'enfant a réagi intérieurement à ce qui lui arrivait.

Le comportement qui en résulte chez l'enfant n'est d'habitude pas le fruit d'une décision consciemment élaborée; c'est une lente accumulation d'expériences qui le déforment afin de faire de lui une image propre à satisfaire les besoins refoulés de ses parents. Sur le plan pratique, cela veut dire qu'il faut qu'il soit ce que ses parents ont besoin qu'il soit, pour leur rendre (et pour se rendre) provisoirement la vie possible. Si la mère ne supporte pas l'agressivité et croit que les hommes sont des animaux qui ne pensent qu'au sexe, elle fera vite sentir à l'enfant, par son attitude et par son comportement, qu'il ne faut être ni agressif ni porté sur la sexualité.

Comme le jeune enfant ne peut pas savoir que son père est un sadique ou que sa mère hait les hommes parce qu'elle est lesbienne, il en vient à croire que tout ce qu'il fait spontanément est mal. Il refoule de plus en plus ses tendances naturelles et se retrouve à la fin complètement inverti.

Beaucoup d'homosexuels semblent ne pas comprendre quelque chose qui est pourtant évident : le fait qu'ils sont en quête de substituts. Beaucoup font l'apologie de l'amour homosexuel et le considèrent comme le seul amour véritable, en citant l'exemple des Grecs pour appuyer leur théorie. Mais c'est un amour irréel fait par des personnes irréelles. Si l'homosexuel poursuit sa quête sexuelle avec un acharnement si intense, c'est qu'il a besoin de se sentir enfin aimé et de mettre un terme à la tension qui le ronge.

Un ancien homosexuel me disait : « Après chaque nouveau rapport, je me sentais légèrement insatisfait sans jamais savoir pourquoi. Je croyais que c'était un autre pénis que je désirais, — plus il serait gros, mieux ce serait — jusqu'au jour où je l'avais. Puis il me fallait encore davantage. C'est quand j'ai ressenti le besoin de mon père que j'ai compris que ce n'était pas un pénis que je désirais. Je crois que je suis devenu une pédale déclarée parce que je n'avais jamais pu crier pour appeler ce salaud. » Ce patient constatait que le comportement qu'il avait adopté au début de son adolescence, était un cri continuel pour demander ce qui ne venait jamais — l'aide de ses parents.

Un autre patient dont les parents étaient intérieurement « morts » et tout à fait dépourvus de sentiments, disait : « Maintenant je sais pourquoi j'étais tellement acharné à sucer des gars. Je crois que j'essayais littéralement de sucer la vie de quelqu'un. » Après la thérapie primale, tous les homosexuels (hommes ou femmes) s'accordent à reconnaître que leurs relations homosexuelles n'étaient qu'une manière de dire : « Maman, (ou papa), aime-moi. » Si l'on admet que dans la plupart des cas, l'homosexualité est l'expression de ce besoin de l'amour parental, on peut dire que le but de l'homosexualité est l'hétérosexualité. Je ne crois pas qu'il s'agisse là d'une simple clause de style. Cela veut dire que toute névrose a pour objet la suppression de la souffrance, pour que l'individu puisse devenir une personne réelle capable de ressentir. Quand la souffrance a disparu, l'homosexualité devrait avoir disparu en même temps, et c'est ce qui se passe.

Ce que nous venons de dire montre aussi que ce n'est pas le nombre d'actes hétérosexuels qui peut remédier à l'homosexualité tant que cette souffrance n'est pas ressentie. Ce n'est pas en faisant l'amour avec des douzaines de femmes qu'un homme peut, à mon avis, faire disparaître le besoin désespéré d'avoir un homme pour père. Autrement dit, tous les baisers et toutes les caresses du monde, donnés *dans le présent,* soit par des hommes soit par des femmes, ne peuvent modifier une déviation sexuelle.

Ce que l'homosexuel éprouve quand une femme l'embrasse, est quelque chose de symbolique — c'est l'amour de son père. Ces baisers ne satisfont pas le besoin réel, pas plus du reste que ne le feraient les baisers d'un homme. Les baisers et les caresses d'une femme peuvent même approfondir des tendances homosexuelles de l'homme en recouvrant provisoirement le besoin du père. La chaleur de l'affection féminine l'empêche de ressentir sa souffrance, or c'est justement ce qu'il faudrait pour qu'il devienne hétérosexuel.

L'homosexuel aurait-il besoin d'un homme s'il avait été pleinement aimé par sa mère au début de sa vie? Je ne le crois pas. Il a besoin de l'amour d'un homme parce que ses deux parents l'ont privé d'amour — chacun à sa manière. Il recherche l'amour d'autres hommes parce qu'il a, pour de multiples raisons, été engagé dans la lutte, par un père qui ne l'aimait pas.

Je crois que même l'arrivée soudaine d'un père prodigieusement aimant quand l'enfant arrive à la puberté, ne modifierait pas grand-chose. Si dans les années précédentes, cet enfant a été obligé de renier son moi et ses besoins afin de pouvoir vivre avec, par exemple, un père sadique, le beau-père affectueux qui arrivera plus tard ne sera pas en mesure d'effacer le passé. Autrement dit, même placé dans un foyer où il est aimé, l'enfant doit ressentir ses souffrances initiales. Ce point se vérifie dans d'autres domaines que l'homosexualité. Les malades dont les parents se sont « adoucis » avec les années, n'arrivent pas à se défaire de la tension et de la névrose qu'ont provoquées en eux les premières blessures. Le passé vient toujours faire obstacle au présent. Si le sujet pouvait pleinement ressentir l'amour qu'on lui porte dans le présent, cela signifierait qu'il est capable de ressentir pleinement. Mais pour le névrosé, ressentir pleinement, c'est ressentir *d'abord toute* sa souffrance, car c'est elle qui surgit quand il commence à ressentir. Ce n'est qu'après avoir ressenti sa souffrance qu'il peut accepter l'amour qu'on lui porte dans le présent.

Aussi longtemps qu'existent de vieux reniements, ils obligeront le sujet à un comportement symbolique déformé et perverti. Par exemple, il est des mariages homosexuels qui durent des années. Les deux partenaires semblent satisfaits et épris, mais il y a néanmoins un niveau élevé de tension *et* de l'homosexualité (névrose). Pourquoi? Parce que des amants homosexuels se satisfont de façon symbolique et non réelle. Généralement, ils cherchent à obtenir l'un de l'autre, l'amour du père. Dès qu'ils ressentent ce besoin réel, la quête symbolique cesse (1). L'homosexualité n'est pas une maladie spéciale; c'est seulement un moyen différent de satisfaire des besoins insatisfaits et souvent refoulés.

Quant à aller le « droit » chemin sans résoudre la névrose, cela ne fait qu'aggraver le mensonge; c'est prétendre renoncer au besoin de l'amour paternel; or nul ne peut le faire tant que ce besoin réel existe. Le seul moyen de se débarrasser de ce besoin c'est de le ressentir.

Identité et homosexualité

Le sujet qui ne peut pas être ce qu'il est réellement, sera obligé de chercher son identité. Il est condamné à ne jamais la trouver puisque cette identité est simplement le moi réel, le moi qui ressent, qui n'a jamais eu le droit de s'exprimer. Par conséquent, chercher son identité est une entreprise névrotique, poursuivie par des gens qui ne ressentent pas et qui en général ont besoin de trouver quelque chose ou quelqu'un de l'extérieur pour se faire dire ce qu'ils sont intérieurement. Ainsi, après la thérapie primale, le malade est à l'abri de toute crise d'identité. Comme il *ressent,* il n'a aucune raison de se demander qui il est réellement.

La théorie primale affirme qu'un enfant n'éprouve le besoin de copier, consciemment ou inconsciemment, le comportement, les idéaux, les attitudes et les particularités des autres, que quand il ne lui est pas permis d'être lui-même. Un enfant élevé par des parents normaux ne s'identifie pas à eux. Les parents ne le désirent pas. Au contraire, il aura des qualités bien à lui.

Pour clarifier ce que nous venons de dire, on peut se poser la question suivante : « Est-ce qu'un garçon né dans un milieu où il n'y aurait que des femmes deviendrait efféminé ? » Je ne le crois pas. S'il est aimé et si on lui permet d'être lui-même, je crois qu'il doit conserver son caractère masculin. Mais le même enfant élevé par des femmes névrotiques aurait toute chance de devenir efféminé.

Les gens qui se débattent pour savoir qui ils sont, y sont forcés parce qu'ils ont été contraints d'être quelqu'un d'autre afin d'obtenir ce qui leur semblait être l'amour

(1) Les mariages homosexuels sont habituellement fragiles *justement parce que* ce sont des accommodements symboliques qui ne peuvent pas satisfaire durablement les partenaires.

de leurs parents. Toutes les façons dont ils ont été obligés de *jouer* un rôle au lieu d'être, ont tendance à brouiller leur prétendue identité. On ne peut s'identifier qu'avec soi-même. Le sujet qui n'est pas lui-même est contraint de se chercher. Une femme m'a dit un jour : « L'an dernier, je suis allée en Europe pour me trouver moi-même; mais je n'y étais pas. »

La conception primale de l'identité implique qu'une mère ou un père seuls, s'il/elle est un être humain affectueux, peut élever avec succès un enfant — fille ou garçon. Une femme peut élever seule un petit garçon qui grandira pour devenir un homme réel, sans qu'il ait besoin de modèle masculin ou de substitut du père sur lequel calquer sa conduite. Il arrive qu'une mère maintienne son union avec un homme froid ou brutal parce qu'elle croit que son enfant a besoin de père et que sans lui, il ne se développerait pas normalement sur le plan sexuel. Il est plus probable que l'enfant deviendra efféminé en vivant avec un tel père que sans père du tout.

Je ne crois pas que sur le plan pathologique il y ait une différence essentielle entre un garçon qui essaie de s'identifier à l'homme « ultra-viril » et celui qui s'identifie à une femme. Dans un couple de pédérastes, le « jules » et la « gonzesse » ne se différencient pas par l'intensité de leur souffrance, mais par la manière dont ils cherchent à y échapper. Quand le « jules » se fait tatouer, circule sur d'énormes motos, se laisse pousser la barbe ou se met à pratiquer l'haltérophilie, c'est qu'il ne se sent toujours pas lui-même et qu'il doit s'identifier à l'image qu'il se fait de la virilité. Il cherche probablement encore l'amour du père et essaie de différentes manières de ressembler à l'homme réel que son père désirait. La « gonzesse » a peut-être renoncé à l'amour du père et essayé d'imiter les manières et les intérêts de sa mère. Bien qu'il n'ait pas été aimé par son père, l' « homme » du couple peut être attiré par les hommes et préfère leur compagnie, ressemblant alors beaucoup à l'homosexuel efféminé. Il ne se sent pas plus viril que son partenaire et sa situation est pire parce qu'il doit faire des efforts beaucoup plus grands pour cultiver l'apparence.

Il y a ainsi une foule d'hommes et de femmes qui, faute de sentir ce qu'ils sont, se donnent d'une manière moins évidente les attributs de la personnalité qu'ils voudraient avoir. L'homme arborera une imposante moustache, portera des bottes et des vêtements solides, tandis que la femme, pour tenter de prouver sa féminité, portera des robes très décolletées ou des pantalons serrés. Le besoin même de donner de soi une « image » peut être un indice de sentiments intérieurs tout à fait contraires et ces sentiments enfouis s'accompagnent souvent aussi de troubles sexuels. Mon expérience clinique m'a appris que malgré une bonne façade virile, la tentative d'être un « vrai mâle » est souvent trahie par de l'impuissance, des fantasmes ou des craintes homosexuels. « La lutte », comme me l'expliquait un patient qui auparavant portait la barbe, « consistait à conserver ma barbe assez longtemps pour me sentir un homme de sorte que par la suite je n'en aurais plus besoin. A ce moment-là, je ne le comprenais pas, mais aujourd'hui, j'ai compris. »

Bisexualité et homosexualité latente

Depuis Freud, un certain nombre d'écoles psychologiques partent du principe que l'homme est fondamentalement bisexuel. Chacun d'entre nous serait en partie hétérosexuel, en partie homosexuel. Ce serait le rôle d'un système de défenses bien constitué que de supprimer les tendances homosexuelles latentes pour permettre l'établissement de relations hétérosexuelles normales. Toujours selon ces théories, l'homosexualité des adolescents serait normale, jusqu'à l'époque où le jeune homme atteint le stade dit « génital » de son développement. Selon certaines de ces théories, les rêves homosexuels doivent également être considérés comme faisant partie du fonctionnement normal. *Je ne crois pas qu'il s'agisse de bisexualité, mais bien plutôt de névrose.* Un si grand nombre d'entre nous ont été privés aussi bien de l'amour de leur père que de celui de leur mère, qu'il existe souvent un besoin persistant d'amour, aussi bien d'un sexe que de l'autre. Ce besoin semble si universel que la tentation est grande de considérer la bisexualité comme un phénomène général.

Je ne pense pas qu'il y ait une tendance homosexuelle fondamentale et génétique chez l'homme. S'il en était ainsi, le malade guéri aurait toujours des besoins homosexuels, or ce n'est pas le cas. Après la thérapie primale, les malades qui ont été des homosexuels latents ou manifestes, n'ont plus ni penchants, ni fantasmes, ni rêves homosexuels. A en juger d'après la conformation des organes sexuels de l'homme et de la femme, il semble que l'homme normalement constitué ne puisse être qu'hétérosexuel. Si l'on considère que le rapport hétérosexuel est la source même de la vie, il semble difficile de trouver un fondement logique à la thèse de la bisexualité innée.

Un patient me décrivait ainsi son expérience : « Au travail, j'étais excité par les gars autour de moi. Quand un type se penchait, j'avais toutes les peines du monde à me retenir de regarder son cul. Quand mon patron me parlait et qu'il était tout près de moi, j'entendais à peine ce qu'il disait parce que je ne pouvais détourner les yeux de ses lèvres en pensant ce que je ressentirais si je l'embrassais. Je croyais que tout le monde était un peu homosexuel, je repoussais donc ces pensées pour m'appliquer à ne penser qu'aux filles. » Cet homme avait un immense besoin d'être caressé et embrassé par son père. Mais il n'était pas conscient de ce besoin parce qu'il haïssait son père qui avait quitté le foyer familial alors que l'enfant avait dix ans. On pourrait dire qu'à l'époque, ses besoins homosexuels latents étaient ce qu'il y avait de plus réel en lui et son comportement hétérosexuel, ce qu'il y avait de moins réel, il faisait simplement semblant de ne pas avoir de désirs homosexuels. Ce qu'il y a de latent chez le névrosé, ce sont les besoins restés insatisfaits.

Une fois ressentis pleinement, ils n'existent plus, ni à l'état latent, ni autrement.

Par exemple, si une jeune fille a été privée au début de sa vie de la chaleur et des caresses de sa mère, on peut dire qu'elle a le besoin latent de l'amour d'une femme. Si elle est séduite plus tard par une autre femme qui lui apporte cette affection, ses tendances latentes sont transformées en un comportement manifeste. Par conséquent, l'homosexualité latente ne se distingue de l'homosexualité manifeste que par *l'acte,* non par le besoin. Ce qui empêche beaucoup d'homosexuels latents de passer à l'acte, c'est la peur, la réprobation sociale, les croyances religieuses, etc. Il se peut aussi qu'au moment critique, personne ne se présente pour séduire la fille aux tendances homosexuelles latentes; dans ce cas, ces tendances restent à l'état latent. Il arrive que le sujet reconnaisse ces tendances latentes, mais il arrive aussi qu'il n'en prenne absolument pas conscience et qu'il soit fort occupé à les déjouer au lieu de les ressentir. Si le sujet vit dans un milieu violemment hostile à l'homosexualité, comme les familles profondément religieuses, il y a toutes chances pour qu'il ne prenne pas conscience de ses tendances latentes. Le besoin reste caché, et crée une tension intérieure très forte.

Ce concept de latence est important pour comprendre certaines conduites comme la toxicomanie et l'alcoolisme, où les tendances homosexuelles latentes sont présentes dans une proportion exceptionnellement forte, aussi bien chez les hommes que chez les femmes. Il est presque inévitable que le refoulement de ces tendances crée un désir puissant d'un moyen quelconque de soulagement physique, comme l'alcool. L'homosexuel déclaré a au moins cédé a ses besoins *apparents* et trouve de temps en temps ce qu'il appelle l'amour. En ce sens, il est en accord avec son irréalité. De toute évidence, l'alcoolique et le toxicomane paient un prix élevé pour ne vouloir reconnaître aucun de leurs besoins. Le besoin d'obtenir l'amour d'une personne appartenant au même sexe, peut être aussi fort chez l'homosexuel déclaré que chez celui qui garde ses tendances à l'état latent. Ce n'est pas en prétendant que ce besoin n'existe pas qu'on le modifie. Une personne comme la femme que nous venons de citer exprimera le besoin de sa mère en devenant membre d'associations féminines, d'un club équestre, en ayant des amies intimes et en buvant sec, le tout sans prendre conscience de son besoin.

Le paradoxe de l'alcoolique réside dans le fait qu'il considère son penchant pour la boisson comme un critère de sa virilité. La boisson dissimule encore davantage son besoin jusqu'à ce qu'il atteigne finalement le point où « il ne ressent pas de souffrance ». C'est alors, lorsqu'il ne ressent plus la peur, qu'il peut enfin faire ce qu'il a quelquefois désiré pendant des années : prendre un autre homme par la taille et l'embrasser.

On pourrait dire que ce qui sépare l'homosexuel déclaré de l'homosexuel latent, c'est que le second a subi un lavage de cerveau jusqu'à ce qu'il ait été dressé à se *comporter comme* un homme (ou une femme, selon le cas). Ses pensées ont été modifiées, de sorte qu'elles ne correspondent plus à ce qu'il ressent intérieurement. Il en arrive à croire au mensonge dans lequel il vit. Mais il semble qu'on ne puisse éliminer les sentiments latents comme l'on élimine les idées. Il a beau penser n'avoir pas besoin de chaleur et d'affection, l'alcoolique a besoin de tirer quelque chaleur de sa bouteille jusqu'à ce qu'il arrive à relâcher le nœud au fond de ses entrailles et à ressentir une chaleur intérieure pendant un petit laps de temps. Il peut quitter son domicile tous les soirs pour aller dans une « station anti-souffrance » (un bar) sans jamais se rendre compte qu'il souffre. Mais si on le prive même de cet exutoire symbolique on risque d'aggraver sa névrose.

Je crois que si nous pouvions reconnaître pour ce qu'elles sont les tendances latentes qui habitent bon nombre d'entre nous — le besoin de l'amour d'un père ou d'une mère et non une perversion bizarre — nous pourrions avancer beaucoup dans la résolution de certains problèmes sociaux importants dont souffre notre monde.

Récapitulation

Je crois qu'il est essentiel de considérer les déviations sexuelles comme faisant partie d'une névrose totale, et non comme un comportement spécial et bizarre, détaché de la personnalité dans son ensemble. Mais je ne crois pas qu'on ait besoin d'un spécialiste de l'homosexualité pour soigner le sujet, pas plus qu'on a besoin d'un spécialiste pour traiter les autres fuites devant la souffrance. Il ne s'agit pas, pour soigner l'homosexualité, de donner au sujet un comportement d'homme ou de femme. Il s'agit, à mon avis, de provoquer un comportement *réel*. Nous avons peut-être essayé de faire usage de catégories d'abstractions, sans voir que nous avons simplement soigné des gens qui ont trouvé des moyens différents d'échapper à leur souffrance.

Beaucoup de névrosés ne se sont pas faits soigner en psychothérapie parce que nous autres psychothérapeutes avons eu tendance à considérer l'homosexualité comme une sorte de maladie spéciale que l'on ne pouvait pas soigner sans avoir des connaissances spéciales. Pour ma part, je ne considère pas que l'homosexualité soit différente de n'importe quelle autre forme de névrose, sauf par le degré pathologique. Ce qui veut dire que si l'on est capable de guérir une névrose, on devrait être capable de les guérir toutes.

De multiples approches psychothérapeutiques ont été envisagées pour le traitement des déviations sexuelles. Comme la thérapie conventionnelle échoue, l'on s'est souvent contenté d'aider l'homosexuel à accepter son mal et à s'en accommoder. L'une des méthodes actuellement en faveur chez les thérapeutes est la méthode du conditionnement. L'une d'entre elles consiste, comme nous l'avons déjà dit, à présenter à des pédérastes des photos d'hommes nus en leur envoyant simultanément une légère décharge électrique. Il faut supposer que le but visé est le déconditionnement (appelé « aversion ») de l'homosexualité. Une autre méthode consiste à encourager l'homosexuel à se lancer dans des rapports hétérosexuels en lui faisant se répéter qu'il n'a pas peur de l'autre sexe. Il arrive aussi que l'on pousse le sujet à imaginer des relations hétéro-sexuelles pendant qu'on l'encourage à se détendre.

Comme il arrive que par les méthodes de conditionne-ment on modifie certaines déviations sexuelles, on a dans certains cas une impression de guérison. Cela ne fait que compliquer la notion que l'on peut avoir de la guérison. Ici elle ne concerne que le comportement extérieur. Si l'on observe ce qui se passe en dessous, et si l'on évalue le degré de tension qui reste élevé, on peut être amené à constater que l'on a seulement modifié les habitudes sexuelles du sujet pour qu'il soit davantage en accord avec le système de valeurs du thérapeute.

Il vaut mieux soigner l'homosexuel latent avant qu'il ait connu le plaisir du rapport homosexuel déclaré. Une fois qu'il a découvert cette satisfaction de substitution, il est davantage porté à croire qu'il a découvert ce qu'il désire réellement et il est moins disposé à demander de l'aide. Toutefois, même s'il devait avoir pratiqué l'homosexualité pendant plusieurs années, je crois que l'on peut arriver à le guérir. Le moment où il est le plus probable qu'il viendra se faire soigner, c'est quand il aura perdu son partenaire — sa « dose » sexuelle. Privé de son partenaire, il souffre. Il peut se mettre à boire, partir en croisière, changer de ville — le tout pour fuir la terrible souffrance qui le pour-suit comme son ombre. Au moment où l'homosexuel inter-rompt sa fuite et ressent effectivement sa souffrance, je crois qu'il peut être guéri. J'ai constaté que des conduites homosexuelles qui duraient depuis des années avaient dis-paru au contact de la réalité. L'homosexuel est un moi symbolique, sans fondement réel. Il s'évanouit avec la souffrance parce qu'il n'a d'abord été qu'un fantasme.

Je ne crois pas que le tout jeune enfant fasse la diffé-rence entre l'amour qu'il reçoit d'un homme et celui qu'il reçoit d'une femme. Il a besoin de chaleur *humaine* et non pas des caresses particulières d'une femme ou des embras-sades d'un homme. La névrose naît, selon moi, de la pré-sence de quelqu'un qui devrait donner de l'amour et qui n'en donne pas. C'est la lutte pour en faire une personne qui donne de l'amour, qui, d'après moi, fait naître des déviations de toutes sortes. Si l'enfant pouvait toujours être spontané dans ses démonstrations d'affection et dans ses rapports d'ensemble avec ses parents, je crois qu'il n'y aurait pas de déviations.

Quand j'ai connu Elisabeth, elle était lesbienne. Elle avait l'air et la démarche d'un homme. Elle se droguait à la Méthédrine. Elle a complètement fait volte-face et, aujourd'hui, elle travaille comme assistante sociale, s'occupant plus spécialement d'anciens drogués et aidant ainsi ceux dont elle a si bien connu le sort. La solution qu'elle a trouvée au problème de sa frigidité peut s'appliquer à de nombreuses autres femmes qui souffrent du même mal.

Je m'appelle Elisabeth. Je suis née dans le Sud et j'ai un frère jumeau; j'ai actuellement vingt-six ans. J'ai également une sœur qui a un an et demi de moins que moi. Mon père enseigne l'engineering et ma mère a fait une foule de petits métiers, pour joindre les deux bouts.

Le premier souvenir que j'ai de quelque chose qui n'allait pas en moi date de mes quatre ans et demi. J'étais allergique à pratiquement tout : la poussière, les plumes, les fleurs, les fourrures, et les féculents. J'avais six ans quand nous sommes allés habiter en Californie. C'est à cette époque que j'ai commencé à voler de la monnaie sur la commode de mon père pour aller acheter des sucreries à la boutique du coin. Quelquefois, j'extorquais à ma sœur son argent de poche. Je me bourrais alors littéralement de bonbons.

Pendant mes premières années d'école, je passais le plus clair de mon temps à regarder par la fenêtre; je faisais abstraction du monde qui m'entourait, où il ne m'arrivait jamais rien. Je fuyais dans un univers imaginaire où je pouvais faire arriver des choses; par exemple, j'imaginais un prince qui me poursuivait dans la forêt; il finissait par m'attraper et me prenait dans ses bras puissants et chauds.

A sept ans, mes parents m'envoyèrent voir un psychiatre pendant quelque temps. A l'époque, ma mère disait que c'était parce que je lui disais tout le temps : « Maman, tu ne m'aimes pas ». Des années après, elle m'a révélé que c'était aussi parce que je volais de la petite monnaie chez mon amie. Le psychiatre déclara que j'avais un très grand besoin d'être aimée et que j'étais capable d'un attachement très profond.

En classe, mon professeur de dessin encouragea mes activités artistiques. J'adorais peindre des Indiens Hopi. J'utilisais toujours des oranges vifs, des bleus turquoise et des nuances de pourpre. Sur la plupart de mes dessins, il y avait une femme Hopi tenant un bébé dans ses bras. Jamais je n'arrivais à donner une expression aux visages. La peinture était la seule chose que j'aimais vraiment faire. Comme j'avais obtenu quelques prix, mes parents m'envoyèrent dans une école de dessin. C'était étouffant. On voulait m'apprendre les formes et les lignes. On m'enlevait la seule liberté que j'avais jamais eue. Mes parents croyaient que j'avais un véritable talent de créateur. « Elle a des mains de fée ! » disaient-ils. Ce n'était plus un amusement, mais un pénible devoir. Mes mains devenaient raides. Elles ne faisaient plus ce que je voulais. Je sentais qu'il fallait que je sois parfaite si je voulais qu'ils fassent attention à moi.

Mes parents passaient la plus grande partie de leurs loisirs à bricoler dans la maison. Il fallait que nous, les enfants « assumions » très tôt certaines responsabilités. Il y avait toujours tant de travail à faire que certains amis de la famille appelaient notre maison « la maison du travail ». Chacun recevait sa part de corvée et nous étions toujours en train de chercher un moyen d'échapper au travail. Il m'arrivait bien de sortir pour m'amuser mais c'était toujours avec un profond sentiment de culpabilité parce qu'il y avait toujours quelque chose que j'avais laissé inachevé et qu'il faudrait faire en rentrant. Je ne rangeais jamais ma chambre. Elle était froide et dans un désordre inimaginable, un désordre criant : c'est ce désordre qui criait à ma place.

Pendant mon adolescence, j'avais le nombre habituel d'amis, filles et garçons. En fait, je passais plus de temps avec des filles qu'avec des garçons. A l'école, j'avais toujours le béguin des filles les plus en vogue. Ma « meilleure » amie, Roberta, était superbe et très froide. Nous vivions dans une sorte de perpétuelle compétition. Nous jouions à « être des femmes ». Nous nous confectionnions des robes sexy. Nous portions des soutiens-gorge rembourrés de mousse et nous étions toujours en train d'essayer quelque nouvelle méthode miraculeuse pour nous développer la poitrine. Nos seins trop petits nous étaient une humiliation partagée. Nous sortions à deux couples, nous faisions des surprises-parties ensemble et nous nous soûlions de compagnie. Nous nous aimions tout en nous haïssant. A l'école on nous appelait les « Gold Dust Twins ». Mes parents estimaient que ces relations avec Roberta ne me valaient rien.

A quinze ans, j'allai passer un an dans l'Est parce que ma mère ne venait pas « à bout » de moi. Stacy, une fille très populaire dans l'école, me prit sous son aile. Nous devînmes des amies intimes. Plus tard, nos relations prirent un tour particulier grâce à des lettres et de brèves visites que nous nous rendions.

Quand je revins de l'Est, mes parents avaient décidé de me placer dans un autre établissement secondaire, dans l'espoir que mon amitié pour Roberta s'éteindrait. Ce fut en effet le cas. Mais je me nouai d'amitié avec Janet. Nous passions la majeure partie du temps à nous perdre dans des élucubrations intellectuelles. Chacune trouvait l'autre brillante. Nous avions réponse à tout. Elle m'appelait son « alter ego ».

En général, je m'attachais à conquérir les gars les moins « faciles », puis, je les plaquais. A dix-sept ans, je me suis fait dépuceler parce que c'était la chose à faire. Je n'ai rien ressenti. Cependant, après m'avoir poursuivie et finalement prise, c'est lui qui me plaqua. J'eus réellement l'impression qu'on s'était servi de moi. Mais je fis de mon mieux pour camoufler ma blessure. A dix-huit ans, j'étais malheureuse et perdue dans le plus complet désarroi. Rien ne me satisfaisait jamais véritablement. Il semblait bien que je désirais quelque chose, sans savoir quoi, ni où le trouver. La crise se déclencha une nuit, où je me précipitai dans la chambre de mes parents et leur demandai la permission d'aller voir un psychiatre. Pendant six mois, j'en vis un toutes les semaines. L'autre jour, j'ai retrouvé la liste de tout ce dont je voulais lui parler et que j'avais établie une nuit.

> L'intérêt que je porte à la sémantique
> Le fait que je me sens comme une amibe
> Bonheur ?
> L'envie de hurler
> Les professeurs ne m'aiment pas
> L'envie de dévorer — apathie
> Analyser les gens
> Les garçons plus âgés — les hommes
> Mon égocentrisme
> Ma haine de la société.

Rien ne changea vraiment, sauf que j'avais trouvé quelqu'un qui m'écoutait. Mon père était aussi en traitement chez un pschychiatre. Le résultat fut que mes parents divorcèrent. J'en fus profondément affectée. Je ne pouvais pas y croire. Mon père se remaria. J'allais alors à l'université du Midwest où mon père devait enseigner pendant un an. Là, je trouvai une autre « meilleure amie ». Bonnie et moi étions inséparables. Elle était si douce, si éthérée, et pour moi, elle semblait une incarnation de la poésie. Nous nous adorions.

Cette fois, quand je regagnai la Californie, les choses allaient de mal en pis. Je filais un mauvais coton. Ma mère s'était remariée et ils n'avaient pas envie que j'habite chez eux. Ma sœur qui s'était mariée et avait un enfant, m'accueillit. A cette époque-là, j'avais cessé de sortir avec des garçons. Quand je couchais avec l'un d'entre eux, je ne ressentais jamais rien; en outre, je m'intéressais de plus en plus aux gouines. Ainsi, le jour, je m'habillais de façon sobre et je travaillais dans une banque, tandis que la nuit, je me montrais sous mon vrai jour et me joignais à la clientèle lesbienne de la boîte locale. Pourtant je n'arrivais pas non plus à me laisser aller complètement avec les femmes. Je voyais depuis longtemps une gouine, Mary, qui avait exactement la même carnation que ma mère. Nous nous pelotions beaucoup, mais je ne laissais jamais rien se passer au-dessous de la taille. En fait, je ne pouvais faire l'amour ni avec les hommes ni avec les femmes. Je le dis à la femme de mon père qui était ma seule véritable amie. Elle en parla à mon père et ils m'emmenèrent chez le docteur Janov dans une ville voisine. Je me souviens de notre premier entretien. A toutes ses questions, je répondais « je ne sais pas ». On décida que je déménagerais pour venir habiter la même ville que lui et que j'entreprendrais une thérapie intensive.

Cela marcha assez bien. J'arrivais à tenir un emploi. Je cessai d'avoir des relations avec des femmes, je sortais avec des hommes, seulement ils étaient en général beaucoup plus âgés que moi. Il y avait entre autres un professeur de philosophie, ancien pasteur, qui avait une cinquantaine d'années. Je faisais l'amour avec lui, tout en sortant avec son fils qui avait vingt ans. Je crus que j'allais assez bien et je revins m'installer à Los Angeles. Je passai quelques mois chez ma mère et mon beau-père, puis je trouvai un travail et m'installai dans mon propre appartement. Presque tous les dimanches soir, j'avais une crise de larmes. J'avais toujours l'impression de n'être pas prête pour le lundi. Il me semble que jamais je ne pourrais faire ce que j'avais à faire pendant le week-end. Je passais mon temps à courir à droite et à gauche, chez ma sœur ou chez des amis. L'une de mes meilleures amies était Hildie, une fille que je connaissais depuis mes six ans. Avec elle, je faisais ma « dose » périodique de stabilité; j'avais aussi un « boy-friend platonique » : Raymond. On faisait du stop, on parcourait la région, on allait au restaurant et on allait au cinéma ensemble. Pour moi, tout rapport sexuel était exclu. Physiquement, il ne m'attirait absolument pas. Je vis encore un psychiatre pendant six mois. *Lui seul* parlait et prêchait. Je ne pouvais presque plus ouvrir la bouche. Ça ne marchait pas, un point c'est tout. Quand j'appris que le docteur Janov était revenu à Los Angeles, je décidai de le consulter à nouveau. J'entrai donc en thérapie de groupe.

Je prenais régulièrement des médicaments. Le médecin me les avait prescrits pour maigrir quand j'avais dix-sept ans; j'en prenais une ampoule par jour, cinq jours par semaine, et pendant le week-end, je faisais la bombe tant que je pouvais. Je dis au docteur Janov : « Je prends des médicaments pour ne pas me sentir vivre... Avec les médicaments, je ressens moins... Je suis si sensible à l'existence que je ne peux pas la supporter. Il me faut des médicaments pour atténuer la vie. Avec les médicaments, je me sens morte. La musique est trop forte. Je suis comme dans une coquille. » C'était comme si tous les matins je me disais : « Je ne vivrai pas cette journée, mais je la passerai. » Avec ces médicaments, je réussissais à maintenir mon poids tout en m'empiffrant, quand cela me prenait, et à éviter de sentir ce qui m'arrivait. Il y avait sept ans que cela durait. Un matin je compris que *sans* le médicament, je ne passerais pas la journée. J'étais son esclave; j'étais toxicomane. Je savais que Janov travaillait sur cette idée nouvelle de thérapie primale. Sentant qu'il pouvait réellement me venir en aide, j'abandonnai les médicaments. Quelques semaines plus tard, je cessai de fumer. Je vis Janov à plusieurs reprises en séances individuelles et j'avais l'impression qu'il me préparait à quelque chose.

L'après-midi du 17 septembre 1967 j'écrivais : « AIDEZ-MOI A RESSENTIR LA SOUFFRANCE. JE SUIS TELLEMENT MALADE DE NE RIEN RESSENTIR DU TOUT... JE SUIS SURE QUE LA SOUFFRANCE, AU MOINS, ME FERA SAVOIR QUE JE SUIS VIVANTE... PARCE QUE JE ME SENS RÉELLEMENT MORTE... »

Ce soir-là, en séance de groupe, je racontai quelque chose qui m'était arrivé quelques jours auparavant; tandis que Raymond me massait le cou et les épaules, je m'étais souvenue combien il m'avait manqué d'être tenue dans les bras par mon père ou par ma mère. Le docteur me demanda de me lancer dans un petit psychodrame avec Steve, l'un des membres du groupe. Je me couchai par terre, sur le ventre. Steve commença à me raconter une histoire pour m'endormir, en me frottant les épaules. J'aurais voulu me relaxer et y prendre plaisir, mais je me crispais. Quand il se mit à me caresser les cheveux et la nuque, l'excitation me gagna, mais j'eus peur et tentai de me dégager. Comme il continuait à me caresser doucement les cheveux et la nuque, ma tension augmenta. Alors, je fixai mon attention sur les mains de Steve et tout à coup ce furent les mains de mon père. Je m'écriai : « Mon Dieu, ce sont les mains de mon père... Je suis dans un lit avec des draps tout froissés. » J'étais dans ce lit, et je me sentais si petite que je n'avais plus que six mois, et celui qui me caressait, c'était mon père... J'étais excitée au point de croire que j'allais avoir un orgasme... Puis, ses mains me quittèrent et je perdis le contrôle de moi-même — je commençai à sombrer en moi-même... J'étais aspirée à l'intérieur de moi-même... Je tombais, je tombais... J'avais l'impression que cette chute n'en finirait jamais... Il y avait des éclairs blancs et rouges et des grondements et des mugissements... J'explosai en mille morceaux... Je savais que j'allais mourir... C'en était fini de moi... Je me sentais électrocutée.. Enfin, au fond de moi-même, je trouvai la force de crier... Tandis que je criais, j'avais vaguement conscience de me rouler et de me tordre par terre... Je renversai quelque chose... Puis je m'arrêtai de rouler pour dire que je voulais l'orgasme... Une fois de plus, je sombrai en moi-même, je me sentis encore électrocutée et je hurlai en me roulant toujours sur le sol... Ensuite, je me retournai sur le dos et je sentis un souffle d'air frais m'effleurer. J'ouvris les yeux et je regardai autour de moi... Puis je dis fort calmement : « J'étais la souffrance. » J'étais vivante; j'avais survécu; j'avais brisé la coquille dure, maintenant, j'étais en moi-même.

J'ai compris plus tard que c'était là ma scène primale. Quand j'étais bébé ou même plus tard, on ne me tenait pratiquement jamais. Mon père affirme, cependant, qu'il avait l'habitude de me « cajoler et caresser » beaucoup quand j'étais toute petite. C'est à ce moment-là justement que je m'étais fermée. On ne me tenait jamais, sauf quand mon père me « cajolait et me caressait » comme si j'avais été une femme. J'étais assez émue pour savoir *qu'ils* étaient là mais pas assez tenue dans les bras pour savoir que *moi* aussi, j'y étais. L'atroce souffrance, c'était le *besoin* d'être tenue afin de pouvoir survivre. Au lieu de cela, mon père me tourmentait en m'excitant pour m'abandonner ensuite. Bébé, on a besoin d'être tenu beaucoup pour savoir où l'on commence et où commence le monde extérieur. Je m'étais fermée parce que si j'étais restée là à ressentir, j'aurais explosé en mille morceaux. Au lieu de cela, je me séparai en deux. A partir de ce jour, je vécus dans un état de tension perpétuelle. Mais je m'étais si bien fermée à tout que je ne le sentais même pas. Je devins le symbole de ce que j'étais trop petite pour ressentir — j'étais en miettes.

Le lendemain, j'étais hypersensible. Mes jambes étaient encore crispées et j'eus de la peine à me tenir debout. J'avais pleinement conscience du monde qui m'entourait. Je désirais parler et marcher plus lentement. La grande vague était passée. Il n'y avait rien à dire et aucun endroit où aller. A certains moments, j'étais comme étourdie par tout cela, puis, c'était l'immense regret d'avoir perdu la lutte. Toute ma vie avait été une lutte pour obtenir l'amour de mes parents, lutte déjouée à travers mes amies. Tout cela était une immense duperie.

A l'hôpital, où je devais répondre au téléphone et fixer des rendez-vous pour de vieilles dames criardes, le travail me devint intolérable. Je le quittai.

Le premier primal qui revêtit pour moi un sens réel fut celui où j'essayai de revenir en arrière et de ressentir cette première souffrance, mais où je ne trouvai que la souffrance du *néant*. Effectivement, ma vie était vide, je n'avais jamais rien eu. Je n'avais fait que donner le change. Pour éviter de ressentir ma mort intérieure, je m'étais donné un rôle. Aujourd'hui — notez comme je suis bien vivante — il me serait impossible d'imposer à mon visage ce masque grimaçant. Pour la première fois de ma vie, je me sentais vivre. Je commençai à noter les modifications que j'observais. Tout devenait réel. Les couleurs étaient vives, les paysages ressemblaient à des tableaux. Je ne voyais plus le monde au travers d'un télescope. Mes oreilles étaient très sensibles et je ne supportais pas l'excès de bruit. Mes mains pendaient, relâchées, puisqu'elles n'avaient plus rien à quoi se raccrocher. Quelle libération ! j'étais réellement libre. J'écrivis : « Je commence à fleurir. Aujourd'hui, je commence à sortir de mon cocon ! J'aime naître... il y a tant à apprendre — avant tout, que le présent est le présent. Hier est passé, demain n'est pas encore — aujourd'hui, c'est aujourd'hui. » J'avais l'impression d'avoir cinq ans. D'être toute neuve. J'écrivis : « Maintenant, je peux avaler, parce que ma gorge est reliée à moi-même. »

Je commençai à faire d'autres primals. J'ai senti que mon corps était froid. Il était devenu froid à force d'attendre de la chaleur de ma mère et de mon père. Après ce primal, ma circulation s'est nettement améliorée. Pour la première fois de ma vie, j'avais les mains et les pieds roses et chauds. J'ai fait beaucoup de primals où je désirais mon père ou ma mère. Janov me disait de les appeler et, tandis que j'appelais, le sentiment m'envahissait — je sentais combien je les désirais et puis le fait qu'ils ne venaient pas. En fait j'ai gardé ce sentiment du désir que j'avais d'eux, jusqu'à la fin du traitement. Chaque fois, je ressentais ce besoin à un niveau un peu plus profond, plus vaste et plus réel. Une fois ressenti ce dont j'avais réellement besoin, il n'était plus nécessaire que je me bourre de nourriture pour combler le vide de mon besoin insatisfait. Voilà pourquoi il me fallait tant m'empiffrer, je n'étais jamais rassasiée, parce que, en réalité, ce n'était pas la nourriture que je désirais réellement. Comme je ne sentais pas mon estomac, je ne sentais pas non plus quand il était plein. Dans cette forme de thérapie, il y a un certain nombre de « rêves qui se réalisent ». Quand je me goinfrais, je rêvais toujours de pouvoir rester mince sans effort. Je n'aurais jamais cru que je puisse sortir du cercle vicieux — régime — bombance — etc. Maintenant je mange ce que je veux quand je veux et j'ai une silhouette agréable.

J'étais frigide. J'aimais les baisers et les caresses mais, au niveau du vagin, je ne ressentais jamais rien. Pendant un certain temps, au cours de la thérapie, je sortais avec un type réellement ardent, mais tout se déroulait selon le schéma habituel. Quand nous faisions l'amour, je ne savais pas me laisser aller; pourtant j'aurais terriblement voulu arriver à l'orgasme. Janov me dit : « Vous confondez le sexe et l'amour; ce n'est pas le sexe que vous recherchez, c'est encore l'amour de votre père. » C'était vrai. Ce besoin de mon père remontait du bout de mes orteils. Je me réservais pour mon père, je me plongeais dans une froideur totale pour lui. Puis il y eut ce jaillissement chaud dans mon vagin. Deux jours plus tard, un autre de mes rêves se réalisa : j'eus un orgasme total. C'était merveilleux. Je sentais jusqu'aux moindres cellules de son organisme. C'était délicieux. Quand ce fut fini, je me suis sentie en accord avec moi-même et avec l'univers. Jamais je n'avais connu pareille sérénité. Je sais maintenant que si je n'avais pas ressenti ce sentiment clé, qui m'a ouvert le vagin, je serais restée frigide pour le restant de mes jours. Toutes les explications de ma frigidité que m'avait données la thérapie conventionnelle n'avaient pas réussi à m'en faire *ressentir* la raison. J'aurais poursuivi mon déjouement avec Raymond, sans sexe. Mon père et Raymond se ressemblaient beaucoup — intellectuels, mais pas sensuels pour deux sous. La seule différence, c'est que j'arrivais à comprendre Raymond, alors que je n'avais jamais compris mon père. Raymond s'intéressait beaucoup à moi, mon père très peu. Raymond me lisait même des histoires comme mon père l'avait fait quand j'étais petite. Raymond était un père qui donnait. Il satisfaisait *mes* besoins, il ne me demandait pas de satisfaire les *siens*. J'avais toujours vécu dans la crainte de mon père, tant il m'avait paru étranger quand j'étais enfant. Il était toujours plongé dans ses livres, sauf quand il bricolait. Tout ce que je savais de lui, c'est qu'il ne fallait pas le déranger. Il m'était d'autant plus difficile de renoncer à lui que fondamentalement, c'est un homme bon. C'est un homme très humain — en principe !

J'ai eu quelques primals très violents. Une fois j'ai eu le sentiment horrible d'avoir été assassinée par mes parents. Eux-mêmes étaient morts et ils ne pouvaient me laisser vivre. Une autre fois, j'ai eu le sentiment d'avoir été l'esclave de mes parents. Ces sentiments bouillaient au plus profond de moi-même et jaillissaient de mes entrailles en me faisant pousser des cris saccadés. Puis je ressentis aussi des colères terribles contre ma mère. Elle ne me permettait pas de désirer son amour. Elle ne jouait jamais avec moi. Pourtant, j'avais terriblement besoin de son amour. « Joue avec moi, s'il te plaît, sois réelle, s'il te plaît. » Elle ne comprenait jamais. « S'il te plaît, sois une personne sensible, je t'en prie, aime-moi, je t'en supplie, prends-moi dans tes bras. » Maintenant je *sentais* pourquoi j'avais choisi les amies que j'avais. J'avais essayé de me faire aimer d'elles, parce que j'avais enseveli les sentiments que j'éprouvais pour ma mère. J'avais le sentiment intime d'être si moche que j'avais besoin de m'entourer de filles splendides. Au lieu de reconnaître que je ne me sentais pas à la hauteur de ma mère, je m'étais lancée dans une violente compétition avec Roberta, qui était belle, froide et vaniteuse comme ma mère. Janet attendait de moi que je sois prévenante avec elle, comme le demandait ma mère. Elle me suçait, exactement comme ma mère, mais au contraire de ma mère, elle au moins, elle me parlait. Hildie, c'était la bonne mère, elle était vive et intelligente, c'est elle que j'avais préférée. Elle m'écoutait pendant des heures et elle essayait de me consoler et de m'aider quand j'étais déprimée. Evidemment, jamais je n'avais été satisfaite parce qu'aucune d'entre elles n'était ma mère.

Comme je ne me sentais toujours pas féminine, je me tournais vers des femmes qui l'étaient moins. C'est ainsi que j'avais eu des relations avec des gouines. Avec Stacy et Mary, je me sentais totalement « femme ». C'étaient des femmes qui me voulaient « femme » et me laissaient l'être. Ma mère était d'habitude très froide à mon égard, sauf quand elle avait bu quelques verres. Alors elle me caressait, et m'embrassait d'une façon si érotique que cela me répugnait. J'étais encore en thérapie primale quand elle me téléphona une nuit à 2 heures et demie. Je dis : « Allô » et la voix de ma mère répondit : « Je t'aime et tu me manques terriblement. » Stupéfaite, je raccrochai sans dire un mot. Le lendemain, je compris ce qu'il en est de l'homosexualité féminine. Ma mère me relançait pour obtenir que je l'aime, elle ! La mère veut que sa fille l'aime — ma mère ne m'avait jamais permis de me sentir jolie et féminine, elle ne m'avait pas laissé être une petite fille, elle cherchait à faire de moi sa mère — elle était incapable de m'aimer, mais elle voulait que je l'aime. Ainsi, l'homosexualité féminine veut dire que la fille refuse d'être rejetée par sa mère et se tourne vers une autre femme en lui disant : « Je t'aimerai, si tu m'aimes. » C'est alors le début d'un déjouement symbolique. Ce qui distingue la lesbienne qui joue le rôle de l'homme, de sa partenaire, c'est le degré de féminité auquel elle a renoncé. Celle qui garde le rôle de la femme lutte encore pour rester « femme ». L'autre va jusqu'à dire qu'elle est prête à renoncer à ce qui lui reste de féminité pour devenir un homme aux yeux de sa partenaire (sa mère). L'une de mes amies, lesbienne et psychotique, a écrit un poème en prose intitulé : « *Les êtres fragiles* ». On ne peut mieux exprimer le saphisme.

Voici la source du cyanure.

Voici la fontaine où viennent boire les égarées pour apaiser leur soif — et elles croient que leur quête s'achève... et pourtant, dans la bouche souillée, le nectar devient acide. La rosée s'évapore et le bouton se dessèche sur sa tige — ou la fleur est cueillie et jetée aussitôt. La violette devient une plante de serre — une plante qui vit en pot — perdant sa discrétion du fond des bois, elle se pare de l'éclat des villes.

Voici la source — voici les limbes du liquide — et le liquide, ce sont des larmes et la fontaine est creusée dans l'abîme de vies brisées. Nous chantons l'amour et nous rêvons du premier amour. Nous voyons en rêve ces yeux dont la profondeur semblait infinie et limpide comme celle d'un calme lac. Nous sentons une fois de plus le tremblement, l'appel de ces lèvres que nous avions peur de toucher

— et le frisson. Et nous cherchons sans répit le frisson du premier amour...

Maintenant nous sommes dures — et brillantes — et cassantes : à nous le masque radieux, le rire clair et insoucaint — les poignées de mains indifférentes et les larmes qui s'ensuivent. Les années s'envolent rapidement et nous sommes les gens qui bavardent — Enterrés, nos rêves de jeunesse ! Pour certaines d'entre nous, la source s'est tarie, il n'en reste que des cristaux de sels amers. On les oublie — jusqu'à ce qu'un coup de poignard habile vienne rouvrir la blessure ancienne et que le sel nous brûle...

Oui, nous sommes les lesbiennes : vives, intelligentes — et fragiles !

Vers la fin de la thérapie, j'ai pris du L.S.D. J'ai commencé à ressentir quelque chose de très profond puis je me suis envolée : s'envoler ainsi, c'est vraiment se couper de ce que l'on ressent et partir à la dérive avec son esprit. J'ai cru devenir folle. C'était purement et simplement l'enfer !

Je me sentais comme dans la pièce de Sartre, « Huis-Clos », je ne retrouvais plus la porte qui donnait sur la réalité. Le lendemain, je voulais me suicider. Je ne voulais pas réellement me tuer, mais pour la première fois de ma vie, je me sentais terriblement seule et terriblement effrayée. Je ne pouvais plus rien tirer du monde. J'avais peur de me sentir complètement seule, parce que cela pouvait me détruire, mais je craignais aussi d'avoir une réaction impulsive et de me tuer si j'estimais que ce sentiment de solitude m'était impossible à supporter. Ainsi, je me sentais seule degré par degré.

Pendant des semaines, j'avais l'impression d'être folle. Je ne distinguais plus ce qui était réel de ce qui ne l'était pas. Un soir, en séance de groupe, je me retrouvai couchée sur le sol, tout mon corps possédé d'un immense besoin. Au plus profond de moi-même, j'entendais les vagissements d'un bébé. Je sentais que j'avais deux jours. En dehors de l'orgasme, je n'avais jamais rien ressenti d'aussi total Ensuite, j'eus des périodes de vertige. Ce déséquilibre persista jusqu'à ce que je retourne en arrière et ressente mon besoin entièrement.

Au cours de la thérapie primale, des modifications physiques que j'espère définitives se sont opérées en moi. Je n'ai plus d'allergies. Ma peau est plus douce et je n'ai plus le moindre problème d'acné. Mes seins se sont développés et les mamelons sont plus gros. Enfin mes muscles se sont détendus.

Cela valait-il la peine ? Est-ce que je me sens réellement différente de ce que j'étais avant le traitement ? C'est le jour et la nuit ! Simplement, je ne savais pas que j'étais morte jusqu'à ce que je me sente vivante. Maintenant que je suis vivante, ma vie est sans but. Je suis entrée en thérapie pour trouver une nouvelle image de moi, et je n'ai découvert que moi-même. Une chose est sûre : la réalité ne déçoit pas.

CHAPITRE 18

LES ORIGINES DE LA PEUR ET DE LA COLERE

La colère

Un des mythes concernant les hommes veut que sous un extérieur placide, nous cachions un véritable volcan de fureur et de violence que seule la société arriverait à contenir. Quand le système social connaît une défaillance, la violence innée de l'homme fait éruption, et il en résulte guerres et holocaustes. Cependant, je suis constamment frappé de voir combien les gens sont non agressifs et peu violents quand leur façade soi-disant civilisée tombe. En thérapie primale, le patient, qui est tout à fait désarmé et sans défenses, n'est pas en colère. Il n'y a pas de fureur. C'est peut-être le processus de civilisation même qui rend les hommes si peu civilisés entre eux qu'il en résulte des réactions de frustration et d'hostilité. Etre civilisé signifie trop souvent dominer ses sentiments et ce contrôle peut provoquer une rage intérieure.

Je crois que le coléreux est le sujet qui n'est pas aimé — celui qui n'a pu être ce qu'il était réellement. En général, il est en colère contre ses parents parce qu'ils ne l'ont pas laissé être lui-même, et en colère contre lui-même parce qu'il continue à renier son moi. Mais c'est le besoin qui est fondamental, la colère est l'effet secondaire. Elle survient quand le besoin n'est pas satisfait. lorsque nous considérons le processus primal, nous constatons qu'il se déroule, avec une rigueur presque mathématique. Les premiers primals ont souvent pour sujet la colère. Dans la seconde série, il s'agit de la souffrance et dans la troisième, du besoin d'amour. Le besoin et la non-satisfaction de ce besoin causent en général la plus violente douleur. Le processus primal se déroule comme la vie, mais en sens inverse. Dans la vie, il y a eu d'abord le besoin d'amour, puis la douleur de ne pas l'obtenir, enfin, la colère, pour atténuer la douleur. Le névrosé perd souvent tout souvenir de la première et de la deuxième étape, de sorte qu'il se retrouve habité d'une inexplicable colère. Mais la colère est, tout comme la dépression, une réaction à la souffrance et non un trait fondamental du caractère de l'homme. Il est quelquefois plus facile au jeune enfant de ressentir de la colère que de supporter l'horrible sentiment de solitude et d'abandon qu'elle cache, de sorte qu'il prétend que son sentiment de n'être pas aimé est et être seul est quelque chose d'autre : de la haine. Mais il est rare qu'en thérapie primale le patient ne manifeste que de la haine à l'égard de ses parents. Il dira plutôt : « Aimez-moi, je vous en prie; pourquoi ne m'aimez-vous pas ? *Aimez-moi, salauds !* » Lorsqu'il est devenu adulte, le névrosé a tendance à penser qu'il n'éprouve que de la haine, mais en thérapie, il découvre que cette haine n'est qu'une couverture de plus sous laquelle il dissimule le besoin. Une fois le besoin ressenti, il n'y a plus guère de colère. Dans les séances de groupe en thérapie primale, on n'observe presque jamais entre les participants l'hostilité que l'on trouve quelquefois en thérapie de groupe conventionnelle. Il n'y a pas non plus de colère contre le thérapeute. Il n'y a qu'une très grande souffrance.

D'après la théorie primale, la colère est toujours dirigée contre quelqu'un qui en veut à votre vie. Il ne faut pas oublier que dans un sens les parents névrotiques tuent inconsciemment leurs enfants; ils tuent le moi réel de leurs rejetons; la mort psychophysique est un processus réel par lequel on extirpe de l'enfant toute vie. Il en résulte de la colère de la part de l'enfant : « Je vous hais parce que vous ne me laissez pas vivre. » Etre quelqu'un d'autre que soi-même — c'est être mort.

Quand le névrosé réprime son besoin d'amour pour ne plus sentir que la colère, il peut essayer de s'en décharger jour après jour sur des objets symboliques : sa femme, ses enfants ou ses employés. Comme il n'établit pas la bonne connexion entre la colère et son origine, il continuera à s'en décharger de manière irréelle. Un patient, par exemple, homme habituellement courtois et mesuré, fut horrifié par ce qu'il venait de faire à sa femme : il lui avait craché à la figure. Pourquoi ? Parce qu'elle n'avait pas voulu le croire alors qu'il lui disait où il était allé un matin. En thérapie primale, il ressentit la colère furieuse qu'il éprouvait contre ses parents qui n'avaient jamais voulu le croire. Malheureusement, des années après, sa colère s'est déversée sur sa femme.

Il suffit de rendre la colère réelle pour qu'elle disparaisse. Jusque-là, une multitude d'explosions de colère dirigées contre des gens dans le présent, seront des faux-semblants et par conséquent « irréelles ». Bien évidemment, il est aussi une colère réelle qui ne vient pas du passé. La colère que vous éprouvez un jour parce qu'un garagiste a bâclé la réparation de votre voiture est tout à fait justifiée; mais le sujet qui a des accès de colère quotidiens, irraisonnés, est dominé par son passé. Cela signifie que le névrosé est toujours sur le point de ressentir dans le présent ce qu'il a refoulé dans le passé. Ce qui n'a pas été résolu dans l'enfance s'infiltrera dans presque tout ce que le sujet fait plus tard dans sa vie, jusqu'à ce que ce soit résolu.

J'estime que la distinction entre colère réelle et colère symbolique est importante. Un exemple me permettra mieux d'expliquer pourquoi.

Une jeune enseignante toujours souriante et avenante vint me consulter parce qu'elle était dans un état de tension musculaire constante. Au cours de sa seconde visite, elle parla de son père qui la critiquait toujours, se moquait d'elle, faisait des plaisanteries à ses dépens et la tournait en ridicule. Elle piqua tout d'un coup une violente colère et donna des coups de poing dans le coussin du divan, pendant plus de cinq minutes. Après, elle se sentit détendue et me dit qu'elle n'aurait jamais cru qu'il y eût en elle tant de colère.

Cependant, la tension musculaire persistait. Au cours de la cinquième séance, elle reparla des injustices passées, et les sentiments commencèrent à remonter à nouveau. Mais cette fois, je ne la laissai pas donner des coups de poing dans le coussin, je la pressai de dire ce que c'était. Elle se mit à trembler de façon violente et incontrôlable tout en exprimant sa haine : comment elle allait les étrangler, battre son père à mort pour tout le mal qu'il lui avait fait, sans jamais la laisser se défendre, comment elle allait tuer sa mère à coups de couteau pour avoir laissé faire son père, etc. Elle hurlait tout cela, tout en gémissant, en se tordant, en se tenant le ventre; elle avait perdu tout contrôle d'elle-même. Au point culminant de cette expérience, elle cria : « Maintenant j'ai compris, j'ai enfin compris — j'ai toujours crispé mes muscles pour me retenir de les attaquer », puis elle reprit ses violences verbales.

De toute sa vie, elle ne se souvenait pas avoir jamais élevé la voix. Il fallait toujours parler doucement, car dans une maison aussi distinguée que celle de ses parents, les jeunes filles devaient se conduire comme il faut. Après ce dernier primal, elle déclara que pour la première fois de sa vie, elle se sentait détendue et imprévisible. Tout au long de ces années, elle s'était accrochée à son moi irréel pour empêcher ses parents de la rejeter tout à fait, si jamais elle s'était laissée aller pour devenir son moi réel.

Pour cette malade, la thérapie devait nécessairement passer par différentes étapes. D'abord, il y avait en elle une tension diffuse et vague qui, toute sa vie, l'avait tenue nouée. Dans son premier primal il s'agissait de dépasser cette tension et de ressentir la part physique de la colère, de prendre conscience du fait qu'elle était en colère. Plus tard, elle donnait des coups de poing dans le coussin parce qu'elle n'avait pas encore établi la connexion mentale. Ce comportement était un déjouement symbolique. La colère était ressentie mais non dirigée (c'est ce qui se passe pour toutes les colères qui persistent). De toute évidence, elle n'était pas en colère contre le coussin; le coussin était un objet symbolique de sa colère, de la même manière que certains enfants sont les souffre-douleur de leurs parents coléreux. Malheureusement, dans le cas de l'enfant désarmé et sans défense, les parents trouvent généralement une faute quelconque pour justifier leur colère. Avec le temps, et en butte à de telles méthodes, l'enfant finit par donner à ses parents de bonnes raisons d'être en colère.

Une fois que cette femme eut établi la connexion essentielle, sa colère disparut, de même que, cela va sans dire, la crispation chronique de ses muscles qui l'avait fait souffrir presque toute sa vie. Elle aurait pu venir pendant des jours et des années pour donner des coups de poing dans ce coussin sans modifier cette colère. Il est probable qu'elle en aurait tiré un soulagement temporaire, mais la colère serait réapparue au bout d'un certain temps.

Dans la thérapie qu'elle avait suivie auparavant, elle avait été encouragée à décharger son hostilité sur les autres membres du groupe thérapeutique. Elle sentait qu'elle progressait et qu'elle prenait de l'assurance, mais elle demeurait contractée et avait toujours mal dans les épaules. C'est que sa colère réelle de petite fille persistait. Peu importe que l'on se comporte en « adulte » en thérapie ou dans la vie; tant que l'on ne ressent pas le « petit enfant », le comportement qu'on adopte ne peut avoir que peu d'incidence sur la maturité. A mon avis, tout ce qui se passe, c'est que le moi réel, désarmé et passif, *prétend* prendre de l'assurance, surtout dans l'atmosphère de sécurité que donne la thérapie de groupe. En thérapie, la « bonne » petite fille *exprime* sa colère exactement comme une « bonne » petite fille la réprime quand elle est à la maison. Ces deux comportements font encore partie de la lutte pour être aimé. Cela expliquerait aussi pourquoi le patient qui fait des démonstrations d'agressivité en séance de groupe est souvent peu capable de s'affirmer dans la vie courante.

La différence entre la colère réelle et la colère irréelle ou symbolique est importante, car je crois que, faute de cette distinction, on a été conduit en pratique thérapeutique à un certain nombre d'erreurs. Dans les psychothérapies des enfants, on passe par exemple beaucoup de temps à leur faire pratiquer le punching-ball. Pour les adultes, il y a ce qu'on appelle des « cliniques de combat », où des époux sont placés dans une pièce pour apprendre à s'attaquer et à se défendre au cours de leurs disputes. Tout cela est symbolique et par conséquent ne peut à mon avis rien résoudre réellement. La patiente que je viens d'évoquer, se mettait en colère contre les membres de son groupe, mais en fait, sa colère n'était pas dirigée contre eux. Les choses qu'ils faisaient ranimaient en elle son ancienne colère. Quand ils l'ignoraient, la critiquaient, l'interrompaient ou la réprimaient, la colère furieuse qu'elle éprouvait à l'égard de ses parents était déclenchée mais sans qu'elle sût qu'il s'agissait là d'un sentiment ancien. La violence de sa colère contre les membres du groupe, une fois exprimée en paroles, était en fait démesurée et irrationnelle. C'est un peu comme quand on lit dans les journaux qu'une femme a assassiné son mari parce qu'il refusait de sortir la poubelle : en vérité, c'est un élément du passé qui a déclenché la violence. Cela peut aussi aider à expliquer pourquoi certains parents ont peur de fesser leurs enfants pour une vétille. Ils s'appuient sur le fait que leur conception de l'éducation leur interdit de les fesser, alors qu'en réalité, c'est eux qui sont terrifiés — sans vouloir l'admettre — à l'idée qu'une petite faute de leurs enfants pourrait déchaîner tout ce qu'il y a en eux de violence latente.

Il est possible que l'existence des « cliniques de combat » et des méthodes où l'on incite les malades à exprimer leur hostilité en thérapie de groupe, repose sur le fait que l'on considère la colère et la violence comme des manifestations naturelles qui ont besoin, de temps en temps, d'un exutoire. Freud appelle cela « l'instinct d'agression ». Il est très tentant pour les psychologues de croire à ce prétendu instinct, parce que nous voyons effectivement beaucoup d'agressivité chez nos patients. Nous voyons la violence et pas grand-chose d'autre parce que nous ne forçons pas le patient à aller plus avant dans son sentiment, dans son besoin. Ce que nous voyons, c'est ce qui recouvre le besoin — c'est-à-dire la réaction de frustration au besoin.

Comme nous croyons à l'existence d'un instinct d'agression, nous avons souvent passé beaucoup de temps au cours de nos thérapeutiques à aider le malade à « manier » son agressivité — c'est-à-dire à la « contrôler ». Je crois qu'il faut l'inverse. Nous devons ressentir entièrement la colère pour arriver à l'éliminer. Le sujet qui sent son moi au lieu de déjouer symboliquement ses sentiments, ne risque guère d'agir sous le coup de l'impulsivité ou de l'agressivité. La dialectique de la colère est la même que celle de la souffrance : dès qu'elle est ressentie, elle disparaît, tant qu'elle n'est pas ressentie, elle attend d'être ressentie.

L'idée de « contrôle de soi » implique le concept de clivage névrotique du moi. C'est le clivage qui est dangereux parce qu'il signifie que les sentiments refoulés doivent être dominés. C'est pourquoi un sujet désinvolte, spontané, qui ne se maîtrise pas, est le moins exposé à des agressions intérieures.

Je tiens à souligner encore une fois que le sujet spontané est le sujet qui ressent, tandis que l'impulsif agit sous la pression des sentiments refoulés. Par conséquent, c'est l'impulsif qui adopte facilement un comportement symbolique agressif et qui a besoin d'un contrôle. On a pris peu à peu l'habitude de considérer l'impulsif comme un individu libre et anarchique, oubliant qu'il n'exprime pas le moins du monde, comme il semblerait, la liberté ou l'anarchie, mais qu'il est prisonnier de sentiments précis très anciens qu'il déjoue d'une façon déterminée.

Il est des sujets qui piquent tous les jours des crises de rage sans jamais se rendre compte qu'ils sont coléreux. Ils sont en général capables d'arranger les choses de manière à justifier leur colère présente de sorte qu'ils n'ont pas besoin de ressentir son origine. Si le névrosé ne trouve rien pour justifier sa colère, on peut être sûr qu'il trouvera le moyen de mal interpréter quelque chose d'inoffensif afin de pouvoir donner libre cours à sa colère débordante.

Dans la majorité des cas, une mauvaise interprétation semble indiquer un besoin refoulé et n'est pas simplement une question de sémantique.

Les raisons qui excitent la colère du névrotique dépendent de la situation qui a été à l'origine de sa souffrance. Une malade, par exemple, se mettait en colère parce que ses enfants ne l'aidaient jamais dans les travaux ménagers. Elle les battait sévèrement parce qu'ils laissaient traîner des choses de tous côtés. Ce qu'elle ressentait, en fait, était « j'ai tant travaillé et personne ne semble s'en soucier ou reconnaître mes efforts ». C'était un sentiment qu'elle éprouvait à l'encontre de sa mère qui lui avait fait faire le ménage à partir de l'âge de huit ans.

Un autre malade entrait en fureur dès qu'on le faisait attendre. Chaque fois qu'il demandait à son père de jouer avec lui, il s'entendait répondre : « Tout à l'heure, pour le moment, j'ai à faire. » Ce « tout à l'heure » n'arrivait jamais, mais la colère s'installait. Le problème est souvent que l'enfant est frustré et rendu furieux sans qu'il ne lui soit même permis de montrer ses sentiments de sorte qu'il en est réduit à trouver, pour se libérer, des solutions de remplacement — rixes à l'école, maux de tête, allergies, etc. C'est ainsi que l'enfant est dépouillé de ses besoins et ensuite dépouillé une nouvelle fois des sentiments qu'il éprouve parce que ses besoins ne sont pas satisfaits. Il est donc deux fois perdant. Le comble, c'est que, si l'enfant en colère fait mauvais visage, il risque de se faire dire : « Mais voyons, souris ! Qu'est-ce que tu as à faire cette tête-là ? » A ce moment-là, il est trois fois frustré et il se retire plus encore en lui-même pour dissimuler ce qu'il ressent.

Ce refoulement profond de la colère peut provoquer de l'hypertension. Chez les patients qui tendent à une tension élevée, on note souvent une chute de tension après les primals où ils revivent leur colère. Si l'on considère qu'une tension croissante s'accumule à l'intérieur de l'organisme jusqu'à avoir des répercussions sur tout le système circulatoire, on comprend aisément la violence des réactions que le sujet peut avoir, une fois toutes les barrières éliminées. Inversement, l'augmentation de la tension s'explique si des refoulements sont constamment imposés.

Dans la civilisation américaine d'aujourd'hui, il y a un abîme entre l'éthique familiale et l'éthique sociale. A la maison, le « bon petit garçon » est celui qui ne se montre jamais insolent ou en colère contre ses parents, alors que dans la société le « bon petit garçon » est celui qui tue pour sa patrie. L'un devient la condition de l'autre; le même garçon réprimera ses sentiments et exterminera les autres, afin d'être « un bon petit garçon ».

La colère est souvent semée par les parents qui voient dans leurs enfants des êtres qui les privent de leur propre vie. Les parents qui n'ont jamais eu la chance d'être libres et heureux, supportent mal de s'être mariés jeunes et de devoir se sacrifier pendant des années pour des bébés et des enfants exigeants. L'enfant en souffre souvent. Il lui faut payer le seul fait d'être vivant, parce que son existence constitue la négation de la liberté de ses parents. L'enfant en est puni assez tôt. Il ne lui est pas permis de montrer ses désirs (appelés « exigences »), de se plaindre, de crier ou de se faire entendre. Pour gagner son droit à la vie, il faudra qu'il exécute une foule d'ordres. Tous les jours de sa vie, il sera dressé à se débrouiller tout seul, à ne pas demander d'aide et finalement à assumer les charges et les responsabilités de ses parents. Il sentira dès son plus jeune âge qu'il est un obstacle et tentera désespérément d'expier un crime qu'il n'a pas commis. Il grandira trop vite, prendra trop sur lui pour amadouer des parents qui le haïssent sans raison. Un malade, dont la naissance avait contraint ses parents à se marier alors qu'ils n'avaient pas vingt ans, m'a dit un jour : « J'ai passé ma vie à chercher pourquoi mon existence était un chaos. Toutes ces critiques et ces laïus que l'on faisait à propos du moindre de mes actes ! J'ai fini par faire des études de philosophie pour trouver une raison à la vie — je veux dire pour cacher le fait qu'il n'y avait pas de fondement rationnel à ce qui se passait chez nous. »

Il y a si peu de colère après la thérapie primale parce que, à mon avis, la colère est l'envers de l'espoir. Cette colère cache l'espoir de transformer les parents en personnes convenables, dotées de sentiments. Par exemple, certains de mes patients, du temps où j'exerçais en thérapie traditionnelle, s'imaginaient qu'ils iraient trouver leurs parents pour leur mettre sous les yeux toutes les blessures qu'ils leur avaient infligées. Mais cette confrontation impliquait l'espoir de voir leurs parents reconnaître à quel point ils s'étaient mal conduits et devenir des êtres nouveaux et pleins d'amour.

En thérapie primale, je considère la colère qui reste chez un malade comme un signe de névrose. D'abord parce que la colère implique un espoir irréel. Ensuite parce qu'elle signifie que le *petit enfant* désire encore ses parents et ne s'est pas détaché d'eux. Il n'y a pas de colère *adulte* si le patient est en effet devenu un adulte réel, pour la même raison qu'il ne se mettrait pas en colère contre les pitreries névrotiques de n'importe quelle personne qu'il rencontre. Devenu adulte, il verrait la névrose de ses parents objectivement. (L'objectivité est l'absence de sentiments inconscients qui poussent le sujet à détourner la réalité de sa souffrance pour l'orienter vers la satisfaction de ses besoins.) Ses parents ne seraient plus à ses yeux que deux autres adultes affligés de névroses. Le sujet n'est en colère contre ses parents que quand il désire les voir changer et devenir ce dont il a besoin. Une fois les besoins ressentis et disparus, la colère a également disparu.

Ce qu'on trouve chez les patients qui ont suivi la thérapie primale, c'est le sentiment déchirant d'avoir gâché leur enfance. En même temps, ils sont profondément soulagés de sentir que la lutte qu'ils ont menée toute leur vie est achevée. Ces patients ne cherchent pas à se venger de leur passé; ce qui les intéresse bien davantage, c'est de mener leur vie dans le présent.

La jalousie

La jalousie est un autre aspect de la colère. Elle aussi provient du sentiment d'un manque d'amour parental. Comme l'enfant ne doit pas se montrer directement hostile à ses parents, il a tendance à se retourner contre ses frères et sœurs. Mais en général, l'enfant n'est pas réellement en colère contre ses frères et sœurs. Ceux-ci ne sont que les symboles sur lesquels sa haine se concentre.

Pourquoi un enfant est-il si coléreux et si jaloux ? Peut-être parce qu'il a très tôt reçu de ses parents la notion selon laquelle l'amour est quelque chose qui n'existe qu'en quantité limitée et qui s'épuise vite. Les parents disent par exemple : « Regarde ton frère, il a fini tout ce qu'il avait dans son assiette (une qualité qui ne m'a jamais paru évidente). C'est lui qui aura la plus grosse part de gâteau. » Ou bien : « Regarde ta sœur, elle a rangé toute sa chambre, ainsi elle va pouvoir aller au cinéma. » L'enfant conçoit l'amour comme un cadeau très spécial, puisqu'il voit très vite qu'on lui en donne quand il a été « bien gentil » et jamais quand il est désobéissant. La jalousie signifie que l'enfant a le sentiment de ne pas recevoir sa part. Ce sentiment implique qu'il y ait des parts. Cette notion existe dans les familles de névrosés où les parents ne donnent pas généreusement mais ont tendance à tout distribuer sous « condition ». Les enfants ne peuvent rien obtenir sans lutte. Ils luttent, comme les clientes d'un grand magasin quand il y a des soldes. L'enfant peut se mettre en colère contre d'autres personnes parce qu'elles semblent menacer sa part.

Etre complètement aimé signifie ne pas être jaloux. Selon moi, l'enfant n'est pas naturellement jaloux, pas plus qu'il n'est naturellement coléreux. Il se retourne contre ses frères et sœurs, mais ce sont les parents qui le plus souvent exigent, critiquent et lui refusent ce dont il a besoin. Ce sont les parents qui ont tendance à s'irriter et à manifester de l'impatience devant un comportement enfantin et qui favorisent peut-être un enfant aux dépens d'un autre. Ce que les parents névrosés voient quand ils regardent leurs enfants, c'est un espoir : l'image de ce dont ils ont besoin (respect, adulation, etc.). Ils établissent des relations avec un symbole et non avec leur enfant. L'enfant qui reçoit ce qui passe pour de l'amour est celui qui se rapproche le plus de cette image et par conséquent, celui qui devient un névrosé symbolique et non une personne qui est uniquement animée de sentiments qui lui sont propres. C'est l'enfant ainsi favorisé qui, en général, est entièrement détruit et c'est pourtant lui qui souvent « fonctionne » assez bien dans la vie. Le rebelle, celui qui a refusé de s'adapter et de se soumettre, peut ne jamais s'en sortir dans la vie, tout en étant bien plus proche d'un être humain réel que son frère ou que sa sœur qui fonctionnent bien.

Le pauvre enfant qui est le favori est souvent battu par l'autre et il passe sa jeunesse à payer pour un crime commis par ses parents. Parce qu'il est ce dont ses parents ont besoin, il subira tous les sarcasmes et toutes les agaceries de son frère ou de sa sœur. En un sens, la jalousie qui se manifeste dans ce cas-là est le moyen qu'emploie l'enfant défavorisé pour avoir sa part : si seulement il peut faire tort au préféré et s'en débarrasser, s'il arrive à souligner ce qu'il fait de mal, peut-être arrivera-t-il à se faire aimer un peu plus.

La jalousie de l'enfant — je veux ma part — se poursuit dans la vie adulte. L'enfant jaloux, ignoré par ses parents, grandit et à son tour met des enfants au monde qu'il ridiculisera et punira quand ils réclameront l'attention de *leur* mère. Les enfants devront payer pour avoir détourné l'attention de leur mère au détriment du père. Ce comportement, dicté par la jalousie, se poursuit, à mon avis, jusqu'à ce que le sujet trouve le vrai contexte de sa colère et le ressente entièrement. A partir de ce moment-là, ses enfants n'auront plus à souffrir du fait que leur père a été négligé dans sa propre enfance. Ce sont souvent ces enfants jaloux qui donnent plus tard ces adultes imbus d'un tel esprit de compétition qu'ils veulent toujours avoir plus que les autres et ne s'accommodent jamais des défauts de leur enfant parce qu'il leur faut ce qu'il y a de « mieux ».

Le jeune enfant n'est pas seulement en colère parce qu'il n'est pas aimé, il est aussi frustré parce qu'il ne peut donner d'amour à personne. « Si seulement ils avaient su combien j'avais à leur donner », gémissait un patient : « J'ai fini par tout donner à mon chien. » En outre, ils éprouvent de l'amertume parce qu'ils n'ont même jamais été autorisés à demander l'amour dont ils avaient besoin. « Chez moi, c'était un crime d'avoir besoin de quelque chose », disait un patient. « Je sentais très bien que si j'avais dit : " Papa, prends-moi dans tes bras ", il aurait ridiculisé ce besoin en me disant que j'étais une vraie fille. »

Quant à ceux qui croient que la jalousie et l'hostilité sont des instincts inhérents à la nature humaine, je ne peux que leur signaler que les rêves des malades au sortir d'une thérapie primale, aussi bien, d'ailleurs, que leur comportement diurne, sont dénués de toute trace de colère ou de jalousie. Or, s'ils étaient capables de maîtriser leur colère pendant la journée, on s'attendrait à ce qu'elle se manifeste au cours de la nuit quand le contrôle se relâche. Apparemment, ce n'est pas le cas. Tout cela nous permet d'avancer que le concept d'un réservoir d'instincts d'agression est erroné; s'il est un « instinct », c'est celui d'être aimé — autrement dit, d'être soi-même.

La peur

A dix ans, mon fils se mit brusquement à avoir des peurs nocturnes dont je ne comprenais pas la raison. Il avait peur qu'il y ait quelqu'un dans le placard. Ce phénomène durait depuis un mois quand je me décidai à essayer d'éclaircir la chose. Un soir qu'il allait au lit en me demandant de laisser la radio et la lumière allumées, je lui fis faire un primal. Je le fis se plonger dans ce sentiment d'effroi et s'en laisser submerger. Il se mit à trembler et sa voix devint aiguë, « spectrale ». Il répétait sans cesse « Papa, je ne veux pas le faire, papa, ça me fait trop peur. » J'insistai. Comme il s'enfonçait dans sa terreur, je le pressai de crier son sentiment. Il dit enfin : « Papa, il n'y a pas de mots, maman me retient par mes langes et elle essaie de me clouer avec une épingle ou quelque chose comme ça. » Il était terrifié à l'idée d'être immobilisé et se sentait complètement sans défense. Il dit : « Tu sais, je n'ai jamais eu le sentiment que l'homme dans le placard allait me tuer avec un revolver ou quelque chose comme ça; j'avais le sentiment qu'il allait me retenir et m'étrangler. » Qu'est-ce qui avait déclenché tout cela ? Un après-midi, juste avant le début de ces peurs nocturnes, j'avais lutté avec lui et je l'avais plaqué au sol par les épaules. Cela n'avait apparemment rien de traumatisant et nous l'avions tous deux oublié — jusqu'au jour de ce primal. Au cours de ce primal, sa mémoire retourna directement à un événement qui s'était produit alors qu'il avait huit mois. Il se souvenait de la forme et de la couleur de sa table à langer. C'était après son bain et il gigotait dans tous les sens, alors que ma femme essayait de le langer; finalement, exaspérée et furieuse, elle l'immobilisa fermement. Cette expérience l'avait effrayé.

Dans l'optique primale, une peur actuelle, persistante, mais apparemment irrationnelle, est en général la manifestation d'une peur plus ancienne et souvent plus profonde. C'est une peur de *ce temps-là*, et non de maintenant, de sorte qu'essayer de persuader quelqu'un de sortir d'une phobie irrationnelle, telle que la peur que ressentait mon fils, reviendrait à essayer de lui faire abandonner un souvenir. La peur de mon fils persistait, à mon avis, parce que des sentiments de détresse, qui le submergeaient à l'époque et qui étaient tout-puissants, étaient associés à ce souvenir.

La raison de la persistance d'une phobie est qu'elle s'alimente au réservoir primal de la peur. Pour revenir à un thème déjà évoqué : les peurs névrotiques sont des peurs symboliques. Sans aide, le sujet est incapable d'atteindre sa peur réelle, de sorte qu'il se fixe sur des substituts. C'est ainsi qu'il aura, par exemple, peur des ascenseurs, des caves, de l'altitude, des chiens, des prises de courant ou de la foule, alors qu'en réalité sa peur provient du passé. On pourrait dire que les peurs actuelles sont, comme les rêves, une tentative de rendre rationnels des sentiments généralisés qui existent depuis très longtemps et qui, dans le contexte du présent, sont irrationnels.

Toutefois, il ne s'agit pas seulement de rendre rationnels dans le présent des sentiments anciens. Il s'agit de contrôler ces peurs et d'en venir à bout de manière symbolique. Le névrosé doit croire d'une manière ou d'une autre que, s'il garde le contrôle des choses et s'il les laisse en sommeil, il n'aura plus à avoir peur. Il évite alors ce qu'il redoute — ou ce qu'il croit redouter : il évite l'altitude et ne prend plus l'avion.

Il arrive souvent ainsi à contrôler ses peurs, en les isolant et en les compartimentant. Mais s'il vient à être en contact étroit avec l'objet *apparent* de sa peur, s'il se trouve par exemple sur un balcon élevé avec une balustrade basse, c'est sa peur réelle qui se manifeste, symbolisée par la situation présente. Sur ce balcon, le névrosé n'éprouve pas une simple peur du vide; en réalité, il a peur de ne plus être maître de sentiments qui risquent de le détruire.

La peur actuelle — qui contient parfois un noyau raisonnable, comme la peur de prendre l'avion — aide souvent le névrosé à se dissimuler le fait qu'il est simplement d'une nature peureuse. S'il était contraint de ressentir continuellement sa peur, la vie lui deviendrait intolérable.

Je crois que deux facteurs essentiels déterminent le choix d'une peur irréelle (phobie). Le premier est un incident qui se produit effectivement dans le présent et provoque un traumatisme réel, comme un accident de voiture ou une mauvaise chute du haut d'un toit... Chez le névrosé qui subit une telle expérience, la peur de conduire ou la peur du vide peut se prolonger au-delà de toute raison; elle peut durer toute une vie.

Souvent, le névrosé étend à toute une catégorie d'expériences, qui n'ont rien à voir avec sa peur originelle, ce qui se rapporte à une seule expérience réelle. C'est ainsi que le sujet qui est tombé d'un toit évitera peut-être dorénavant les balcons élevés bien que les deux choses n'aient aucun rapport. De cette façon, la peur du névrosé ne peut aller qu'en s'élargissant, puisqu'un incident isolé a ouvert le réservoir de souffrances primales. Il en va de même pour le névrosé qui, ayant eu des rapports désagréables avec sa mère, étend cette expérience à *toutes* les femmes. Ces généralisations se produisent parce que le sujet n'a pas réagi aux sentiments originels et ne les a pas résolus en tant que tels.

Le deuxième facteur qui détermine la phobie est la valeur symbolique de la peur présente. Le sujet qui n'est jamais tombé d'un toit et qui n'a jamais eu d'accident de voiture, est néanmoins forcé de fixer sa peur sur quelque chose. Il choisira en général quelque chose qui symbolise sa peur réelle. Le sujet qui a eu le sentiment d'être écrasé par ses parents aura peur d'être enfermé dans des espaces restreints, par exemple, dans un ascenseur bondé de monde. Celui qui s'est senti négligé et laissé à l'abandon par ses parents, aura peur des vastes étendues où il pourrait s'égarer et se *sentir* perdu (c'est-à-dire retrouver son sentiment originel d'être perdu). D'ailleurs, le même sujet épousera peut-être quelqu'un qui le prendra en charge et dirigera sa vie, de sorte qu'il pourra poursuivre son comportement symbolique sans se sentir perdu et laissé à l'abandon. Ce point est à mon avis particulièrement important, parce que la peur névrotique fait partie du système névrotique dans son ensemble et n'est pas un élément isolé. Par conséquent, si l'on ne traite que la peur bien spécifique, sans la replacer dans le contexte du système tout entier, on ne fait que perpétuer le caractère fragmentaire du système névrotique et détourner le sujet de la cause réelle.

On m'a récemment envoyé une malade parce qu'elle avait une peur excessive des insectes, non pas de n'importe quels insectes, mais des grandes araignées noires. Nous n'avons pas attaqué cette phobie d'emblée, mais au bout de quelques semaines de traitement, elle se mit à parler de ce qu'elle éprouvait à l'égard de son père. Elle découvrit combien elle en avait presque toujours eu peur. Elle se souvenait en particulier d'une scène au cours de laquelle il s'était jeté sur elle pour une vétille — il avait des réactions tout à fait imprévisibles. En revivant cette scène, elle était tout entière submergée par la peur de son père et lui criait : « Papa, ne me fais plus peur ! » Ce sentiment en fit naître un autre : « Papa, laisse-moi avoir peur ! » Il s'était tellement moqué de ses sentiments qu'elle finissait par craindre de manifester sa peur. Cela amena un autre sentiment très intense, celui d'avoir été terrifiée, tout au long de son enfance, par les yeux et par l'aspect de son père. Plus tard, elle ressentit une certaine confusion et éprouva presque simultanément deux sentiments. Le premier se manifestait par ce cri : « Papa, ne me touche pas »; et le second, par celui-ci : « Tiens-moi, touche-moi pour que je ne me sente pas si seule dans cette obscurité. » Ces sentiments profonds surgirent pendant que les souvenirs qu'elle avait de lui se précipitaient. Dès qu'elle put crier la peur qu'elle avait de son père, elle eut toute une série d'insights : « Maintenant, je comprends tout. J'avais toujours peur, mais cette peur était si subtile et semblait tellement injustifiée. Un jour, j'ai vu cette énorme araignée noire dans la salle de bains. J'ai hurlé et je me suis enfuie. *J'avais enfin pu crier ma peur*. Je m'étais trouvé une raison.

Ma peur était toujours réelle. Mais je la mettais en relation avec quelque chose qui ne l'était pas. »

Un incident fortuit lui avait permis de canaliser ses peurs latentes et de les concentrer sur un objet spécifique. La thérapie primale rétablit la relation de sa peur à sa source : « C'est de toi que j'ai peur, papa ! »

Les malades qui sont en thérapie primale éprouvent une vague anxiété quand leur système de défenses est attaqué. Quand j'interdis à un officier du corps des « Marines » de jurer pendant les séances, il se sentit menacé dans sa pose « d'homme fort ». Cela l'amena à soupçonner le fait qu'il était un petit garçon qui souffrait. Il ne savait pas exactement ce qu'il craignait, sauf qu'il avait peur (se sentait sans défense) quand il ne pouvait pas jurer. L'anxiété du névrosé est la peur de rester sans défense devant la souffrance primale. La conduite névrotique sert à masquer la douleur. Mais c'est le moi réel qui a été rejeté, maltraité et humilié, de sorte qu'il n'y a rien d'étonnant à ce que la peur apparaisse lorsque le moi réel surgit. Le malade dont je viens de parler était issu d'une famille de « Marines ». Son père et ses frères étaient aussi des « Marines ». Pour s'imposer dans cette famille, il fallait être dur, indépendant et froid. Il lui était intolérable de sentir qu'il était un petit pleurnichard, ayant besoin d'être tenu par son père. Le besoin enfoui provoqua une perpétuelle tension. Lorsque son système de défenses qui recouvrait son besoin réel se trouva affaibli, la tension se mua en anxiété.

J'ai connu le cas inverse d'un homme qui prenait peur dès qu'il devait s'affirmer avec une certaine agressivité. Cette peur était : « Si je me mets en fureur, je ne pourrai plus être le gentil fils de ma maman. » Ainsi, chaque fois qu'il se mettait en colère, il se mettait à trembler de peur sans savoir pourquoi.

La peur est un moyen de survivre. Non seulement elle nous fait nous écarter quand nous voyons quelque chose nous tomber dessus, elle permet aussi à l'enfant de vivre en l'empêchant de ressentir ces sentiments catastrophiques du début de son existence, qui pourraient le faire renoncer à la vie. La peur aide à produire la névrose afin de nous protéger de la catastrophe. Les gens qui ne peuvent pas continuer à être névrotiques, deviennent souvent craintifs ou angoissés. Lorsqu'en thérapie primale, nous privons les malades de leur comportement symbolique, ils se sentent plus mal.

De la même manière que tout névrosé doit éprouver de

la colère parce qu'il n'est pas aimé, il doit être habité par la peur. Certains nient leur peur, d'autres la projettent dans des phobies, d'autres, enfin, la déjouent par des « contre-phobies ». La peur indique l'approche de la souffrance primale. On le voit clairement lorsque après l'affaiblissement d'une défense, la peur surgit en même temps que la souffrance primale.

La peur du névrosé est la peur de devoir renoncer au mensonge qui a constitué la vie du sujet. Toute attaque du mensonge fait naître la peur, parce que le mensonge contient l'espoir. Si une fille essaie d'être un garçon aux yeux de son père, si elle essaie d'être très bonne en gymnastique pour lui faire plaisir et qu'elle échoue, elle connaît l'anxiété parce que son moi réel affleure. Si un garçon veut passer pour le « petit garçon bien élevé de sa maman », il est plongé dans l'anxiété quand sa mère se moque de son langage de garçon, en le qualifiant de « cru et de vulgaire ». Un malade expliquait ce phénomène comme suit : « J'ai toujours eu peur que, si je faisais ce que je voulais et si je disais ce que je pensais, mes parents ne veuillent plus de moi. Je devais être ce qu'ils attendaient de moi. Si je cessais de vivre leur vie à leur place (de vivre le mensonge), je serais abandonné ou totalement rejeté. C'était terrifiant pour moi. J'étais terrifié de moi-même. »

En thérapie primale, la peur du patient atteint son sommet au moment où tout son jeu névrotique est sur le point d'être terminé. Notre rôle est d'évoquer ces peurs de sorte que nous puissions le pousser au-delà et le faire pénétrer dans ses sentiments réels. Il a peur d'être réel; c'est pourquoi il est névrosé.

Le lien qui existe entre la peur et la souffrance est important. On se fait une façade pour ne pas être blessé. Si quelqu'un est exactement ce qu'il est, il ne peut pas être blessé et n'a nulle raison d'être anxieux. La fonction de la peur, réelle ou irréelle, est de nous protéger de la souffrance. La seule façon de venir à bout de la peur c'est de ressentir la souffrance. Aussi longtemps que la souffrance n'est pas ressentie, la peur demeure.

Contre-phobies

Une contre-phobie, c'est l'attitude qui consiste à aller au-devant de ce que l'on craint le plus. Par exemple, le

428

sujet qui a peur du vide se mettra à faire du parachutisme pour prouver qu'il n'en a pas peur.

L'activité contre-phobique ne peut être que constante et compulsive, puisque le sujet essaie de nier une peur réelle par une activité symbolique. Je considère la contre-phobie comme une forme plus grave de la névrose, puisque les sentiments réels sont enfouis si profondément en lui qu'ils contraignent le sujet à un déjouement total. La contre-phobie indique par conséquent un refoulement plus complet. J'ai vu en thérapie un parachutiste qui avait une peur excessive de la mort. « A chaque saut, disait-il, je me dis " Voilà que j'ai frôlé la mort et ce n'était pas si terrible que ça ". » Chacun de ses sauts était une tentative de vaincre sa peur inconsciente. Cette activité était compulsive parce que, chaque jour de sa vie, la peur *réelle* réapparaissait et il lui fallait chaque fois se prouver qu'elle n'existait pas vraiment. S'étant cassé une jambe lors d'un saut, il fut profondément soulagé de n'avoir plus à répondre tous les jours à la question : « Ai-je peur ? »

Tout acte qui va à l'encontre d'un sentiment de peur réelle peut être considéré comme une contre-phobie. La sexualité en est un bon exemple. Beaucoup d'hommes ont peur du sexe, et pourtant ils sont attirés par lui de façon compulsive, de peur de ne pas être de « vrais hommes ». Cela s'applique tout particulièrement aux hommes qui ont des tendances homosexuelles latentes. Pour prouver au monde que ces tendances n'existent pas, ils essaient de conquérir toutes les filles qu'ils voient, ne parlent avec les femmes que de sexe, ne tarissent pas de plaisanterie sur les « pédés » (ce qui constitue notre contre-phobie favorite), et se bagarrent fréquemment. Ou bien ils se marient, ont beaucoup d'enfants — plus il y a de garçons, plus ils sont contents — pour prouver leur virilité.

Dans la plupart des cas, l'activité et les conversations sexuelles compulsives sont des comportements de contre-phobie. La peur peut se formuler ainsi : « Je ne le fais pas aussi souvent que les autres » (et ainsi : « Je vais être obligé de reconnaître que je ne suis pas un homme »).

Chez la plupart des névrosés, la colère est une manifestation de contre-phobie. C'est une réaction à la peur. Une mère bat son enfant parce qu'il se jette devant une voiture en marche; la mère, terrifiée, se met en colère. Dans la majorité des cas, la colère est le refus de la peur. « Un homme » ne montre pas sa peur (ce ne serait pas viril), il montre de la colère — un trait de caractère plus masculin. Combien y a-t-il d'hommes qui non seulement diraient qu'ils ont peur, mais iraient jusqu'à la manifester ?

Pour expliquer les origines de la contre-phobie nous allons prendre le cas d'un enfant de cinq ans qui monte en courant l'escalier pour aller retrouver son père. « Papa, papa, où es-tu ? » crie-t-il en arrivant à la chambre de son père. Il ouvre la porte et voit son père en train de faire sa valise. « Je m'en vais pour un certain temps », dit le père, « tu vas vivre seul avec ta mère. » L'idée de ne plus jamais revoir son père peut être catastrophique. Que va faire l'enfant habité par un sentiment aussi effrayant ? Comme il n'a aucun endroit où s'en libérer, personne pour l'aider à comprendre ce qui lui arrive, la peur est enfouie. Plus tard, pour se débarrasser de la tension qui le ronge mais qui reste vague, engendrée par la peur refoulée, il créera artificiellement des situations dans lesquelles il a peur. Il sera torero, ou pilotera des voitures de courses — toutes activités qui justifient une peur latente. Il aura enfin trouvé quelque chose à quoi il peut attribuer sa peur. Il voudra bien admettre qu'il a peur dans ces situations-là qui ne sont que les substituts de la situation réelle, — le fait qu'il n'aura jamais plus de père.

Un malade se souvient d'être tombé dans une piscine et d'avoir failli se noyer. En sortant, il fut contraint par son père de retourner dans l'eau immédiatement pour conjurer sa peur; son père lui imposait un comportement contre-phobique.

La contre-phobie est un trait de caractère général. Agir contre un certain genre de sentiments signifie souvent agir contre différents genres de sentiments. La société, elle non plus, n'est pas pour rien dans le comportement contre-phobique. On ne cesse de nous répéter tous les jours comment *vaincre* notre peur, *surmonter* nos frustrations, nous *libérer* de nos insuffisances. Tout ce que nous avons à faire, c'est éliminer nos sentiments.

Mais ces sentiments constituent notre vie. On ne peut pas à la fois vaincre la vie et la vivre. Finalement, cette formule peut même être prise dans sa signification littérale, car je crois que les personnes affligées de contre-phobies, ceux qui ont si profondément refoulé leurs sentiments de la vie, arriveront finalement à étouffer la vie d'une manière ou d'une autre.

La contre-phobie entretient la peur. Nier la peur signifie qu'on doit la combattre toute une vie, sous une forme symbolique. Le sujet qui a des *phobies,* reconnaît au moins qu'il a peur. C'est une marche gravie sur le chemin de la guérison.

Les peurs de l'enfant

Les peurs de l'enfant se produisent en général la nuit, quand il est seul dans son lit. Un enfant peut avoir le courage de sauter d'un plongeoir très élevé et pourtant avoir une peur panique de l'obscurité. C'est en partie parce qu'à ce moment-là, il est tout seul avec lui-même. La peur que ressent l'enfant est du même genre que celle du patient que nous isolons dans une chambre d'hôtel au début de la thérapie primale : c'est la peur du « moi ». Il arrive fréquemment que l'enfant nie sa peur en la projetant à l'extérieur et en prétendant qu'il a peur des voleurs. Il fixe son esprit sur des causes apparentes — le bruissement d'une feuille, le bruit d'une porte de garage, une ombre sur le mur — chaque bruit et chaque ombre sert à justifier une peur latente.

Il faut que les parents prennent soin de ne pas priver l'enfant de ses peurs. Il est facile de dire : « Il n'y a pas de quoi avoir peur. Il n'y a personne dans le placard. Ne sois pas un bébé. Je ne te laisserai pas la lumière allumée. Arrête ces stupidités. » Par une telle attitude, on ne fait que refouler la peur dans l'inconscient et elle risque de se manifester par la suite sous forme d'énurésie ou d'autres maux, d'ordre physique. Si les parents n'arrivent pas à comprendre pourquoi leur enfant a peur, il vaut mieux le choyer de toutes les façons, plutôt que de réprimer cette peur.

Beaucoup d'entre nous ont souffert de peurs nocturnes durant l'enfance et, pour la plupart, nous ne sommes jamais arrivés à nous en défaire. Nous avons toujours peur du croque-mitaine, mais au lieu de croire qu'il y en a un dans le placard, nous nous mettons à redouter quelque vague conspiration de la part de tel ou tel groupe ou de telle ou telle nation. L'objet de la peur apparente change, mais il est sans importance. Nous avons besoin d'un croque-mitaine, sous quelque forme que ce soit, tant que nous ne sommes pas guéris. Pourquoi le fait d'être seul dans le noir fait-il naître une pareille peur ? Le sujet commence à se rendre compte qu'il est proche du sommeil, et cela signifie que ses défenses vont être affaiblies et laisser passer tous les démons qui ont été tenus à l'écart pendant la journée. Le fait de se sentir seul n'est pas effrayant en soi. Mais le névrosé qui fuit son moi ou s'en défend, a peur. Il doit allumer la radio et la télévision pour ne pas se sentir seul. « Etre seul » signifie autre chose pour le névrosé que pour l'individu normal. Etre « seul », c'est ressentir le manque de protection, de soutien et d'amour de la part des parents, et c'est contre cela qu'il lui faut se défendre. Les peurs de l'enfant sont exacerbées, par exemple, quand les parents sortent pour la soirée; c'est dans ces moments-là que la peur de la mort peut surgir et être associée au sommeil, car pour un jeune enfant, le fait d'être laissé sans protection peut signifier la mort.

Récapitulation

Comme toute phobie a une signification symbolique, et par conséquent entièrement subjective, on ne peut lui attribuer une signification universelle. Deux sujets peuvent avoir la même phobie, pour des raisons totalement différentes. La peur du vide peut se fonder chez l'un sur la crainte de sentir qu'il ne repose pas sur le sol (qu'il n'est pas soutenu), tandis que chez l'autre, elle est en relation avec la peur de sauter. On pourrait passer une vie entière à étudier les diverses significations des phobies. Mais il faut se concentrer avant tout sur ce qui est réel — la peur réelle. Si l'on parvient à rendre la peur réelle, on rend toute phobie superflue.

En ce qui concerne la peur, l'hypothèse primale semble être vérifiée par le fait qu'une fois ressentie la peur réelle, les phobies disparaissent pour ne jamais réapparaître sous quelque forme que ce soit. Je tiens à souligner que ce n'est pas en s'attaquant au caractère irrationnel d'un comportement présent que l'on peut y remédier; ni la logique ni les faits ne peuvent persuader le sujet d'abandonner une conduite irrationnelle. Chez l'individu normal, les circonstances de la vie ne provoquent pas de comportement irrationnel. Le fondement de la phobie (peur primale) est quelque chose de réel, c'est le contexte actuel qui rend la phobie irrationnelle.

Il serait tentant de croire qu'il y a toujours moyen d'aider quelqu'un à résoudre son problème. Toute la théorie selon laquelle il faut aider les névrosés en leur donnant des conseils et des brochures présentant des faits (par exemple que la Méthédrine détruit les tissus du foie...) me paraît peu judicieuse. L'information n'est pas sans valeur, mais la grande force qui contraint à un comportement irrationnel est la force primale. Ce ne sont pas quelques petits faits disséminés ici et là qui peuvent faire obstacle au raz de marée primal. Il ne servira pas à grand-chose de conseiller à un homme d'être gentil avec sa femme et ses enfants, si le sujet en question a en lui des années et des années de fureur réprimée qui attendent d'être lâchées et résolues. Il ne faut pas oublier que nous n'avons pas affaire à la peur ou à la colère elles-mêmes, nous avons affaire à des gens qui ont peur. L'essence de la thérapie primale est d'aider les gens à revivre les grandes peurs de leurs plus jeunes années de sorte qu'ils peuvent ressentir sans peur leur existence actuelle.

Kim

Le germe de ma névrose remonte à mes premières années. Le thème qui revient perpétuellement tout au long de ces années est l'incapacité de mes parents de me manifester leur amour autrement que par la distribution de cadeaux. Je ne me souviens pas d'une seule fois où, enfant, j'aurais été tenue dans les bras de mon père ou de ma mère. Et malgré tout, je n'ai jamais pu admettre que mes parents ne m'aimaient pas. Au lieu de ressentir ou même de considérer les implications et les conséquences de ce manque d'amour, je me sentais laide et irritée.

Mais comment est-ce que je sais que mes parents ne m'ont jamais aimée et ne m'aimeront jamais ? Il n'y a pas si longtemps, ma mère m'a raconté (à peu près sur le ton sur lequel elle m'aurait raconté une partie de base-ball) comment cela s'était passé lorsque mon père m'avait vue pour la première fois, à son retour de la Deuxième Guerre. Il avait dit à ma mère de me réveiller, avait constaté que je ressemblais à n'importe quel autre bébé et avait quitté la pièce. Au dire de ma mère, je m'étais alors mise à pleurer pendant des heures. Evidemment, je n'ai pas gardé le souvenir de cette scène, mais ce que je sais, c'est que pendant à peu près une année après ce soir-là, je me livrais toutes les nuits au même rite : je me mettais à quatre pattes pour me cogner la tête contre le montant de mon petit lit. Je crois que j'avais peur d'être abandonnée. Par le bruit de ma tête contre mon lit, je voulais rappeler mon existence à mes parents, qui dormaient dans la pièce voisine.

Autre chose révèle ce manque d'amour : mon père ne cachait pas le moins du monde qu'il aurait voulu avoir un garçon. Il taquinait ma mère parce qu'elle avait été incapable de faire un garçon. J'avais toujours les cheveux coupés très court; dès que je rentrais de l'école, il fallait que je mette des blue-jeans et un T-shirt. Plus tard, le dimanche, je buvais de la bière en regardant les matchs de football avec mon père. S'il voulait un garçon, je serais ce garçon pour obtenir son amour.

Enfin, il y eut un incident au cours duquel mon père me déclara clairement qu'il ne pouvait pas m'aimer telle que j'étais — c'est-à-dire que pour conquérir son amour, il me faudrait me transformer en quelqu'un d'autre. A la suite d'une discussion que j'avais eue avec lui au téléphone alors que j'étais interne, mon père m'écrivit une « lettre de conciliation » dans laquelle il me disait de ne pas m'en faire au sujet de notre désaccord. Il me demandait de revenir passer l'été à la maison pour que nous puissions « créer ensemble une nouvelle version de Kim » — qui soit acceptable pour tous deux, je présume.

L'amour qui m'était donné prenait la forme d'interdictions absurdes et d'une discipline rigide que l'on m'imposait « pour mon bien ». Il fallait que je supplie pour qu'on m'accorde ce que la plupart des autres enfants ont habituellement la permission de faire : passer la nuit chez des camarades, inviter une amie, veiller un peu au-delà de l'heure habituelle du coucher, etc. Au réveil, je me trouvais tous les matins avec une liste de dix choses à faire avant de partir (je suis convaincue que ma mère prenait sur ses heures de sommeil pour arriver à composer ces listes). A force d'interdits, je devins une enfant nerveuse et irritable, si je n'obéissais pas, je recevais une fessée quand j'étais petite et lorsque je fus plus âgée, ils se mirent à me gifler ou à m'interdire de sortir pendant un mois. L'administration de la sentence s'accompagnait généralement de force cris. Je me souviens que plusieurs fois mon père entra dans ma chambre après la bataille, et me demanda pourquoi j'étais si désagréable et si malheureuse alors que j'avais tout ce que je pouvais souhaiter. Que me manquait-il donc ? Je ne pouvais jamais lui donner de réponse, sa question me laissait interdite. Il semblait en effet que j'avais tout. Il ne m'est jamais venu à l'esprit de lui dire que ce que je désirais réellement, c'était qu'il m'aime et qu'il me montre son amour. On aurait dit que j'avais cessé de désirer tout haut. Lui demander de m'aimer, c'était m'exposer à un refus. A ce moment-là, il m'aurait fallu admettre et ressentir à quel point j'avais besoin de lui et combien je souffrais de ne pas l'avoir.

Au lieu de cela, j'enfouissais ce besoin sous une colère solitaire assez imprécise mais violente. Mais aux questions de mon père, je ne répondais jamais rien.

Il faut signaler un dernier élément concernant mes premières années, c'est le ton général des rapports dans la famille. Il y avait toujours une dispute, et j'y étais toujours impliquée. Il s'agissait de dire la chose qui blesserait l'adversaire (pour moi, c'était le plus souvent ma mère et ma sœur) le plus profondément et en son point le plus vulnérable. Comme on s'exerçait continuellement, cet art devenait presque un réflexe — réflexe que chacun d'entre nous exerçait contre les autres. Ce genre d'altercations se terminait généralement par un affrontement violent entre ma sœur et moi ou une bonne gifle que je recevais de mon père. Je me souviens d'une dispute entre ma mère et moi lorsque j'avais douze ans et où ma mère dit à mon père : « Bob, c'est elle qui part, ou c'est moi. » J'offris de partir. Comme ce genre de discussions n'était pas accidentel, j'appris à toujours me protéger et à adopter une attitude agressive ou sarcastique pour ne pas montrer à quel point je souffrais et par conséquent pour être moins vulnérable à l'avenir. De plus, cette défense agressive ou sarcastique me permettait souvent de ne pas ressentir du tout la souffrance sous-jacente.

Le manque d'amour est le dénominateur commun de tout ce que je viens de dire — un manque que je n'ai jamais pu ni admettre ni même ressentir et qu'il me fallait dissimuler par de multiples défenses. J'appelle défense le processus qui consiste à se couper de tout sentiment par tous les moyens possibles pour éviter de ressentir l'énorme souffrance de n'avoir jamais été aimée. Ce fait de « couper » n'est pas une décision consciente. Il semblerait plutôt que ce soit un réflexe du corps qui veut protéger son intégrité. Cela nous ramène au moment où je commençais à me cogner la tête contre mon lit. A partir de cette époque (jusqu'à la thérapie), ma vie n'a été qu'un cycle toujours recommencé. Dans ce cycle de défenses, la force agissante est le fait de n'être pas aimée. Il n'y avait pas eu de progrès; seul variait le degré de raffinement des défenses que j'adoptais pour couvrir mon désir et mon besoin d'être aimée.

Une de ces défenses qui faisait partie intégrante de moi-même depuis l'âge de quatre ans, consiste à contracter des maladies chroniques. Alors que j'avais quatre ans, mon père me punit en me lançant comme un ballon de football sur la couchette supérieure de mon lit. J'ai gardé le souvenir vivant de ma peur quand il me lança en l'air et quand je me sentis retomber, moitié sur le lit, moitié contre le mur. Peu de temps après, j'eus une éruption, incompréhensible et rebelle à tout traitement, d'énormes furoncles. Ils apparaissaient sans « raison apparente » et cette affection dura deux ans.

Je crois que cette infection comme tant d'autres (acné depuis l'âge de dix ans, mycose aux pieds, infections vaginales) résultaient d'une peur inexprimée et qui n'était que partiellement ressentie. Le jour où je fus jetée sur mon lit, je compris que s'il le voulait, mon père pouvait me blesser grièvement et même me tuer. Il fallait que je me transforme pour lui faire plaisir et apaiser par avance ses colères éventuelles.

Je me souviens d'avoir joué à des jeux d'imagination avec ma sœur. Nous voulions toujours être toutes les deux le type (dans les jeux, nous étions toutes les deux toujours des hommes) qui est blessé en voulant secourir les autres. C'était le personnage qui obtenait amour et attention. Ce désir d'être choyée et aimée pouvait être manifestée symboliquement dans ces jeux, mais jamais exprimé devant nos parents. Cela serait revenu à courir le risque d'un refus.

Seulement quand j'étais malade, mes parents semblaient s'intéresser à moi de façon positive (par opposition au fait de m'imposer des restrictions « pour mon bien »). Cela explique pourquoi je fus constamment malade durant ma première année à l'université, où j'étais loin de mes parents. Je crois que j'essayais de dire à mes parents de façon indirecte que j'avais encore besoin d'eux et que je voulais qu'ils s'occupent de moi.

Le fait que je devenais quelqu'un de très froid était une autre défense. D'où qu'elle me vînt, je repoussais toute chaleur comme quelque chose qui m'affaiblissait ou me limitait. Pour moi, l'amour ne représentait que des restrictions. De plus, si j'avais montré l'amour que je portais à mes parents ou, par extension, à quelqu'un d'autre, je serais devenue vulnérable à leurs attaques. Et plus important encore : le fait d'accepter l'affection de quelqu'un n'aurait fait que me rappeler toutes ces années où j'avais été privée d'affection de la part de ceux dont je l'attendais le plus. Il m'aurait fallu ressentir toute cette souffrance.

Le fait d'avoir été rejetée par mes parents et tout particulièrement par mon père, eut de profondes répercussions sur toutes mes relations avec les hommes. Jusqu'à seize ans, je rivalisais avec les garçons aussi bien sur le plan intellectuel que sur le plan physique. Je me tenais comme eux, parlais comme eux, et possédais leur habileté athlétique. Plus tard, je fis de tous les hommes le réservoir où j'essayais de puiser l'amour que je n'avais jamais obtenu de mon père. Il s'agissait ici d'un dualisme esprit-corps. Je choisissais toujours des hommes grands, athlétiques et musclés. Mais en même temps ils devaient avoir un niveau intellectuel inférieur au mien. Il fallait que je sois en mesure de les dominer et de rester maître de nos relations. Je pouvais recevoir tout l'amour physique qui m'avait été refusé sans être mentalement engagée. Je n'eus jamais à prendre le risque d'être rejetée comme je l'avais été par mon père. Le résultat fut que j'eus toute une série d'amants passagers. A l'époque, je ne comprenais pas quelle force irrésistible me poussait à coucher avec le premier venu, pourvu qu'il ressemblât à Monsieur Muscle.

Cette façon de vivre trouva fin lorsqu'un ami avec qui j'avais par hasard établi des relations un peu plus profondes, me rejeta. Je m'effondrai. A partir de ce moment-là, les seuls hommes dans la compagnie desquels je me sentais à l'aise, étaient des pédérastes, des asexués ou de vieux amis. Je passais aussi de plus en plus de temps avec des lesbiennes. Bien que je n'aie jamais eu de comportement symbolique de lesbienne, j'avais souvent l'impression que je l'étais. (Pendant le premier mois de thérapie, j'ai mis une robe dans le seul but d'avoir l'air plus féminine.) J'eus à la même époque une infection vaginale qui m'empêcha de coucher avec qui que ce soit. J'avais essayé d'être un garçon mais je n'avais pas réussi à obtenir l'amour de mon père. Puis je prétendis être une femme, pour être aimée par n'importe qui. Et je finis par être asexuée.

L'école fut ma principale défense contre le sentiment de n'être pas aimée. Cette défense était étroitement liée à l'espoir que je pourrais obliger mes parents à m'aimer. A l'école, je réussissais parfaitement : j'obtenais les meilleures notes et toutes les distinctions. J'espérais obtenir l'approbation de mes parents en leur prouvant que d'autres m'appréciaient.

L'effort intellectuel me servait doublement : c'était le moyen par lequel j'espérais paraître assez extraordinaire à mes parents pour qu'ils m'aiment; c'était aussi le moyen qui me permettait de tenir ma souffrance à distance. Enfant, dès que je me sentais malheureuse, je prenais le premier livre qui me tombait sous la main et je m'y plongeais. Il m'arrivait de ressentir ma souffrance et de pleurer quand il arrivait quelque chose de très triste ou de très heureux à un personnage à qui je pouvais m'identifier. A l'université, j'étudiais avec avidité l'histoire de la civilisation européenne et plus particulièrement celle de l'Allemagne. Mes parents avaient toujours nourri une haine — quelque peu aveugle à mon avis — contre l'Allemagne. L'aversion qu'ils me témoignaient me semblait également dépourvue de raison. Je cherchais à découvrir où l'Allemagne s'était fourvoyée; peut-être arriverais-je ainsi à comprendre ce que j'avais fait pour perdre l'amour de mes parents. L'Allemagne, avec son désordre et sa confusion à l'intérieur, avait toujours cherché à être puissante et influente au-delà de ses frontières. Moi qui n'étais que désordre et souffrance non ressentie à l'intérieur, je cherchais toujours à m'affirmer devant qui voulait bien m'écouter et à prouver la vivacité de mon esprit.

Au moment où je commençai mes études spécialisées, j'avais perdu l'illusion selon laquelle le succès scolaire me ferait gagner l'amour de mes parents. En outre, les études m'ennuyaient et je ne m'imposais plus la discipline nécessaire pour bien travailler. Il me fallut alors de nouvelles défenses contre la souffrance qui montait en moi. Je les trouvai dans la drogue. J'avais fumé de la marijuana pendant quelques années à l'université. Je découvris que, si malheureuse que je me sente, un peu « d'herbe », me permettait de me sentir mieux. J'avais aussi plaisir à prendre du L.S.D. En dehors des moments où une scène malheureuse de mon enfance surgissait sans avertissement, mes « voyages » étaient agréables. J'eus des hallucinations et à un moment donné, je perdis complètement la notion de moi-même. Perdre son moi, après tout, c'est ne plus savoir qui l'on est. J'avais renié toute ma souffrance et cette perte du moi était bien significative de mon état. Maintenant que j'ai ressenti ma souffrance et que j'ai renoncé à la lutte pour obtenir l'amour de mes parents, je n'ai plus ni hallucinations ni perte d'identité.

Quand je partis pour l'université de New York, ni le L.S.D., ni l'herbe ne suffisaient plus à contenir ma souffrance à l'intérieur de moi. Il m'arrivait souvent d'éclater brusquement en sanglots. Il fallait trouver un moyen d'anéantir la souffrance, d'adoucir la solitude et le désespoir que je ressentais à New York. Je commençai à prendre de la Béthédrine pour me remonter le moral et de l'héroïne pour arriver à dormir. Mais même ces drogues ne suffisaient pas. La dépression physique et mentale était inévitable.

Je quittai New York et m'effondrai complètement. Deux mois plus tard, j'entrais en thérapie primale. Je le fis parce que toutes mes défenses s'effondraient et que je n'étais plus maîtresse de moi. Mon esprit ne m'était plus d'aucune aide. Je ne comprenais pas pourquoi, alors que j'avais analysé mon cas d'une manière si approfondie, tout n'allait pas bien. La thérapie primale m'apprit que le sentiment de n'être pas aimée de mes parents n'avait jamais été résolu et que le cycle de dépressions et de rétablissements, à l'aide de substituts et de nouvelles défenses pour dissimuler mon besoin, n'avait jamais pu être interrompu parce que je fuyais ma souffrance au lieu de la ressentir.

La première étape de la thérapie consista à faire éclater le peu qu'il me restait d'un système de défenses qui s'émiettait déjà. La seule absence de drogue et de cigarettes fit augmenter ma tension au point que je tremblais de tout mon corps. J'avais vécu seule dans une grande ville où je ne connaissais personne, mais il me fallut l'isolement qu'exigent les trois premières semaines de thérapie, pour que je me sente vraiment complètement seule. J'avais toujours pensé que j'étais seule parce que je choisissais de l'être et que si je ne l'avais pas désiré, je ne l'aurais pas été. Maintenant, il m'apparaissait que j'avais été seule toute ma vie et que tout au long de ces années, je n'avais souhaité qu'une seule chose : faire partie de quelque chose (la famille) ou plus exactement de quelqu'un (mes parents). Je comprenais qu'auparavant, quand j'étais seule, je pouvais toujours sentir quelqu'un qui me regardait agir et qui pénétrait mes pensées. Maintenant, je crois que cette présence indéfinissable était l'espoir de voir mes parents se soucier de moi. Maintenant, je sens et je sais que je suis totalement seule.

Une fois mes défenses les plus évidentes détruites, mon esprit fut submergé de réminiscences du passé. Toutes me rendaient triste — même les plus heureuses, parce qu'il y en avait si peu. Je commençais à revivre des scènes de mon passé. Je me replaçais dans le contexte d'une scène donnée et j'en refaisais l'expérience — cette fois-ci, sans mes défenses — en exprimant sans restriction tout ce que je ressentais.

Au cours des premiers mois de thérapie, la plupart de mes primals étaient axés sur le fait que j'avais froid. Dès que je m'allongeais, je me mettais à trembler de tout mon corps, je claquais des dents, j'avais les mains et les pieds qui devenaient bleus. J'ai eu des primals qui duraient jusqu'à deux heures, durant lesquels je ne faisais que trembler. Au début, je considérais le froid que je ressentais comme provoqué par un phénomène extérieur : le temps, quelqu'un ou quelque chose de désagréable m'avait « donné » froid. Puis je compris que le froid (la névrose) était en moi — non pas seulement à la surface de ma peau, mais à l'intérieur de mon corps tout entier. Il fallait détruire ces couches de glace névrotiques qui recouvraient la souffrance provoquée par le fait que mes parents ne m'aimaient pas, avant de pouvoir revivre les expériences douloureuses qu'elles cachaient.

Quand le tremblement avait à peu près cessé, je me trouvais absolument sans défense. Souvent, quand je voyais mes parents, je pleurais au moindre signe de désapprobation de leur part. Un soir, j'allai voir *La Mouette* de Tchékov. Pendant la scène où le fils supplie sa mère de ne pas le quitter, je sentis une vague de sentiments violents monter de mes entrailles. Sachant que je ne pouvais faire un primal au théâtre, j'essayai de chasser ce sentiment; je m'évanouis et dus être évacuée.

Une fois que des souffrances si profondément enfouies se libèrent, il est impossible de les arrêter. Si l'on interdit à ces sentiments de faire surface, on aboutit souvent à la confusion la plus complète. Chez moi, cela se manifeste souvent par des discours incohérents et par une sorte d'aphasie. Un soir, je parlais avec cinq membres de mon groupe thérapeutique. Je ne comprenais absolument rien de ce qui se disait. Je discernais des mots isolés, mais organisés en phrases, je ne leur trouvais aucun sens. Je pouvais à peine parler. J'avais l'impression de n'être pas entièrement présente; une partie de mon esprit était ailleurs. Ce que j'essayais de dire n'avait pas de sens. La confusion résultant de l'absence de communication me coupait de tous ceux qui étaient dans la pièce : c'était le symbole de ma solitude. Dès que j'en pris conscience, je fis un primal au cours duquel je suppliai mes parents de ne pas me laisser toute seule. La confusion se dissipa.

Une autre fois, la confusion provoquée par mon refus de laisser sortir un sentiment qui surgissait, me fit brusquement perdre toute orientation spatiale. Mon ami était en colère contre moi et, bien que nous ayons des invités, il tint à le manifester. Je commençais à sentir que j'allais bientôt être complètement rejetée. J'allais me retrouver toute seule. Je coupai court à ce sentiment et essayai de jouer la parfaite maîtresse de maison. Puis je me retournai et allai donner droit contre le mur de ma propre cuisine. J'eus une énorme bosse sur le front pendant un bon moment. Dès que je laissai le sentiment d'être rejetée par mon ami éclater au grand jour, et que je le mis en relation avec la souffrance bien plus grande d'être rejetée par mon père, je retrouvai un discours cohérent et la coordination de mes mouvements. Lorsque la rupture définitive arriva, ce fut relativement sans douleur puisque j'étais rejetée seulement par un ami et non par mon père.

La grande percée est survenue au bout de cinq mois de thérapie. Je participais à une séance de groupe et je sentis tout à coup que mes yeux n'accommodaient plus et je crus que j'allais m'évanouir. J'avais souvent cette impression avec un primal violent. Ensuite, je me retrouvai allongée sur le divan, criant plus fort que je ne l'avais jamais fait. Au début, c'étaient juste des cris, puis : « Papa, maman, emmenez-moi à la maison, s'il vous plaît; je voudrais retourner à la maison, s'il vous plaît. Papa, maman, je vous aime. » Puis ce furent des cris encore plus forts. Pendant ce temps-là je n'avais pas conscience de mon corps. Tout mon être était concentré dans cette voix qui criait. Je devenais ma souffrance. Je disais ce que, pour aussi loin que remontent mes souvenirs, j'avais toujours eu envie de dire. Je n'avais jamais pu le dire à mes parents de peur qu'ils repoussent ouvertement mon amour et ma personne. Mais maintenant que je n'avais plus de défenses, les mots jaillissaient simplement de ma bouche. Pour la première fois de ma vie, j'étais entièrement sans défenses, entièrement dépourvue de contrôle. Ce fut le tournant décisif de ma thérapie.

Au cours des trois mois suivants, je suppliais mes parents dans tous mes primals de ne pas me faire souffrir. Je leur avais dit que je les aimais, — j'étais sans défenses et par conséquent entièrement vulnérable à ma souffrance. Au cours d'un primal, je hurlai de toutes mes forces : « Papa, arrête de me faire mal ! » A m'entendre, on aurait cru qu'on m'assassinait. J'avais certainement l'impression que c'était exactement cela. Et au fait, c'était bien vrai. J'avais effectivement tué mon moi réel pour devenir une personne irréelle, d'abord, pour me donner une chance de gagner l'amour de mes parents, plus tard, pour dissimuler la souffrance de n'avoir jamais reçu l'amour que je désirais et dont j'avais si terriblement besoin. Plusieurs fois par jour, je sentais la souffrance monter en moi par vagues puissantes. Souvent, il me fallait quitter ma classe parce que j'étais au bord des larmes. Toutes les nuits, je rêvais des scènes où mes parents me repoussaient et allaient même jusqu'à me haïr. Tous les matins au réveil, j'avais encore des sanglots dans la gorge. J'avais beaucoup de mal à sortir du lit et c'est tout juste si j'arrivais à donner mes cours pendant la semaine. On aurait dit que je ne pourrais jamais assurer mon travail sous l'emprise de ces vagues de souffrance dont je croyais qu'elles dureraient à tout jamais.

Il y a maintenant neuf mois que je suis en thérapie primale. Je ne suis plus la même — plus exactement, je suis enfin moi-même, avec ma propre personnalité. Mes troubles psychosomatiques commencent à disparaître. Ma circulation s'est améliorée, j'ai moins froid aux pieds et aux mains et j'en ai fini avec la tension dont je pensais devoir m'accommoder pour le restant de mes jours.

Bien que j'aie eu, à une certaine époque, une vie sexuelle intense, j'avais été frigide avant, pendant et après cette période. Je n'avais jamais pu me permettre de ressentir quoi que ce soit, pas même le plaisir sexuel. Si j'avais ressenti quelque chose, il m'aurait fallu ressentir toute la souffrance qui était refoulée en moi. Maintenant, je constate que, quand j'essaie de retarder l'émergence d'un sentiment ou de l'étouffer d'une façon quelconque, ma frigidité réapparaît. Quand je regarde en face le sentiment qui surgit — c'est-à-dire quand je sens mon moi — je ne suis plus frigide.

Je n'ai plus besoin de drogues pour me garder aussi loin que possible du fait que je suis seule (que je l'ai toujours été) et qu'il n'y a personne qui m'aime ou qui se préoccupe de moi. Je ne peux pas à la fois sentir et prendre de la drogue. J'ai appris qu'il me fallait ressentir ma souffrance (au lieu de l'étouffer sous des drogues) pour en être à tout jamais débarrassée. Du jour où j'ai su faire face à ma souffrance au lieu de la fuir, la drogue ne m'a plus servi à rien. Par conséquent, j'ai cessé d'en prendre. Je *sens* et je comprends que mes parents ne m'ont pas aimée et ne m'aimeront jamais telle que je suis. J'ai choisi d'être moi-même au lieu d'essayer (consciemment ou inconsciemment) de deviner ce qu'ils désirent en échange de leur amour. Je suis libre.

Le suicide

La tentative de suicide survient, selon moi, quand tous les moyens par lesquels l'individu a essayé de supprimer la souffrance, se sont avérés vains. Quand la névrose ne suffit pas à apaiser la souffrance, le malade peut être contraint d'avoir recours à des mesures plus radicales. Si paradoxal que cela paraisse, le suicide est le dernier refuge de l'espoir pour le névrosé qui est déterminé à être irréel jusqu'au bout.

J'ai eu en thérapie primale une jeune femme de vingt-neuf ans qui avait fait une tentative de suicide plusieurs mois avant d'entrer en traitement. Son amant l'avait quittée pour une autre femme. Elle l'avait supplié, adjuré et finalement menacé, le tout sans résultat. Elle était alors rentrée chez elle, avait fait le ménage, pris une douche, mis une chemise de nuit propre et pris quatre-vingt-dix comprimés de somnifères. Elle les avait comptés méthodiquement six par six, se sentant totalement étrangère à ce qu'elle était en train de faire. Elle disait : « Je me sentais étrangement détachée de tout cela comme si ce n'était pas à moi que cela arrivait. Ce n'est que quand je sentis ma respiration se ralentir que je pris peur, que j'appelai mon ami et lui demandai de faire venir un médecin. »

Quand son amant l'avait quittée, cette femme avait eu le sentiment de n'être pas aimée. Alors qu'elle s'était peut-être persuadée qu'elle voulait se tuer à cause de ce qui venait juste de lui arriver, il semble que la souffrance présente ait ravivé le sentiment de n'être pas aimée, sentiment qu'elle avait depuis des années. Quand il l'avait quittée, disait-elle, elle avait retrouvé l'impression de vide qu'elle avait ressentie quand elle était enfant. Rejetée par ses parents, elle avait fini par se sentir laide et indigne d'être aimée; elle était persuadée d'avoir de graves défauts pour qu'on la néglige de la sorte. Elle se servait de son amant pour dissimuler ce pénible sentiment. Mais quand il la quitta, — il voyait qu'il était impossible de combler le vide qu'avait créé le fait d'avoir été rejetée toute sa vie — elle fut forcée de retrouver ces sentiments de désespoir et de rejet. Elle avait essayé de se tuer, avant d'éprouver le plein impact de ces sentiments.

Le détachement que rapporte souvent ceux qui ont tenté de se suicider, confirme l'hypothèse primale selon laquelle le suicide est un acte dissocié du moi, dont le but est rarement la destruction irrémédiable du sujet. C'est une tentative de *préserver le moi* en effaçant la souffrance que la névrose ne peut plus cacher. Cette malade n'avait jamais pensé qu'elle allait mourir; je n'en veux pour preuve que son appel à l'aide dès qu'elle sentit que la mort était imminente. Il est évident que le névrosé tente de se tuer symboliquement de même que tout ce qu'il fait, est symbolique. Certains sont prêts à aller jusqu'au bout afin de conserver la névrose intacte. Comme me l'a dit un malade : « Le suicide n'est pas tellement irrationnel si l'on pense que toute névrose est une lutte pour garder ce que l'on ne désire pas. »

La névrose est un suicide psychologique. Celui qui a donné sa vie en partie ou entièrement (ses sentiments) pour être aimé de ses parents, n'a pas un grand pas de plus à faire pour se tuer au sens littéral du terme. Quand la névrose échoue, le sujet envisage le suicide.

Beaucoup de névrosés semblent préférer la mort à la vie qu'ils mènent. Je ne crois pas que ce soit réellement un besoin urgent de mourir qui provoque le suicide, je crois que c'est plutôt le sentiment de ne savoir quel autre moyen trouver pour alléger la souffrance. Le sujet ne sait plus quelle lutte mener. Il lui faut soit trouver une nouvelle lutte, qui lui apporte un soulagement provisoire, soit mettre fin à toute lutte, en thérapie primale.

Il ne faut pas oublier que la névrose sauve et tue à la fois. Elle empêche le moi réel de se désintégrer davantage, mais, ce faisant, elle l'enterre. L'enfant grandit alors en se raccrochant à un moi irréel qui, paradoxalement, lui arrache la vie.

Pour mieux comprendre, il suffit d'envisager ce phénomène comme une progression. L'enfant essaie d'abord d'être aimé tel qu'il est. S'il échoue, il essaie de se faire aimer en étant quelqu'un d'autre. Mais, quand cet autre (le moi irréel) ne reçoit rien de ce qui pourrait ressembler à de l'amour, il y a deux possibilités. Si le sujet est jeune, ce peut être la psychose. S'il est plus âgé, ce peut être le suicide.

Le suicide représente l'espoir. C'est un comportement symbolique destiné à supprimer le sentiment de désespoir qui surgit. C'est très souvent une tentative désespérée d'éviter le sentiment atroce que personne sur cette terre ne se soucie vraiment de vous. Au moment même où, par son acte, le sujet est en train de dire « je renonce », il dit aussi : « Je vous forcerai à vous soucier de moi, même si c'est mon dernier acte de désespoir. »

Il arrive que la tentative produise l'effet désiré. Les gens commencent à donner des coups de téléphone, la famille propose son aide, tout le monde semble regretter de n'avoir pas compris à quel degré de désespoir le sujet était parvenu. Mais quand les visites des amis cessent, quand la famille repart, le candidat au suicide se retrouve seul avec un moi qu'il préfère détruire plutôt que de ressentir.

En général, la tentative de suicide est l'acte d'un individu qui a vécu à l'extérieur de lui-même et à travers les autres (parce qu'il lui a été interdit de vivre à l'intérieur de ses propres désirs et sentiments). « Ils » sont devenus le sens de sa vie et s'il les perd, sa vie n'a plus de sens. Les individus qui sont portés au suicide ont souvent mis le centre de leur vie à l'extérieur d'eux-mêmes. Ils sont forts dans la mesure où les autres les soutiennent et ne font bonne figure que dans la mesure où l'approbation des autres le leur permet.

Un jeune homme qui suivait la thérapie primale, rapportait l'agitation croissante de sa mère, avec laquelle il vivait. Plus son propre état s'améliorait, plus elle était déprimée. Ce patient avait consacré la plus grande partie de sa vie à sa mère qui était généralement trop malade pour faire grand-chose et qui souffrait toujours plus ou moins vaguement de quelque maladie. Au fur et à mesure qu'il gagnait son indépendance, elle s'enfonçait dans le désespoir. Il projetait de quitter la maison pour aller vivre de son côté. A ce moment-là, sa mère essaya de l'acheter en lui offrant une nouvelle voiture, puis elle le supplia, le menaça et tomba malade. Tous les moyens ayant échoué, elle fit une vague tentative de suicide avec des somnifères; mais elle appela une amie à la minute même où elle les prenait, de sorte qu'elle ne courut pas de véritable danger.

La mère de ce malade ne concevait pas qu'elle devait prendre sa propre vie en charge. Elle était séparée de son mari depuis de longues années et essayait de faire de son fils un second mari. Dès les premières années de mariage, elle avait manipulé tout le monde de façon à pouvoir adopter le comportement symbolique d'un enfant incapable d'indépendance — exactement ce que sa propre mère avait fait à son égard. A cinquante ans, elle essayait encore d'être le bébé qu'on ne lui avait jamais permis d'être. Elle était prête à se suicider pour continuer à jouer ce rôle. C'est le bébé en elle qui sentait évidemment qu'il ne pouvait plus vivre sans personne sur qui s'appuyer.

Il y a, bien sûr, des tentatives de suicide sérieuses qui réussissent. Dans ces cas-là, il se peut que le sujet souffre d'une perturbation mentale si grave qu'il ne peut plus distinguer le réel de l'irréel. Mais, même à ce stade-là, au plus profond de son esprit malade, le sujet peut encore nourrir l'espoir que sa mort « les » forcera finalement à comprendre et à sentir.

Si l'on examine de près la haine de soi et les tentatives d'auto-destruction qui en résultent, on s'aperçoit que c'est en vérité le moi irréel qui est haï. Le suicide étant en grande partie un acte irréel, il faut supposer qu'il est commis par le moi irréel. Il semble que la question du suicide se pose quand *ni* le moi réel *ni* le moi irréel ne sont aimés. A mon avis, il faut aider le sujet qui est sur le point de tenter un suicide à ressentir le moi qu'il veut détruire, à ressentir dans toute sa force la formule « si personne ne m'aime, je veux mourir ». Une fois qu'il sent que le moi non aimé ne menace pas réellement la suite de son existence, il y a toutes chances pour qu'il n'ait plus envie de le détruire.

En général, on ne fait qu'aider le candidat au suicide, avant ou après sa tentative, à dissimuler le sentiment même qu'il était sur le point de ressentir. Il arrive qu'il atterrisse dans une « Crisis clinic » où l'on fait tout ce que l'on peut pour raccommoder les choses, rassurer les malades et leur permettre de poursuivre leurs activités. Souvent on prescrit des drogues pour soulager le patient, ce qui l'éloigne encore plus de ses sentiments. Pourtant, ce sont ces sentiments qui doivent être ressentis pour que le comportement irrationnel du moi irréel puisse être éliminé. Selon moi, le danger vient du moi irréel, du moi qui détermine le déjouement et qui semble être renforcé par la méthode pratiquée dans ces cliniques. Je pense que tant que le sujet est soutenu par un thérapeute, les risques de suicide sont minimes. Mais quand le patient quitte son thérapeute, qu'est-ce qui peut faire croire qu'il n'est plus hanté par l'auto-destruction et prêt au suicide ? S'il n'a pas senti la torture du petit enfant non aimé et désespéré qu'il y a en lui, il le tuera peut-être sans le vouloir.

Dans les « Crisis clinics », on s'applique à renforcer temporairement les méthodes qu'emploie le désespéré pour arriver à vivre, s'il ne peut pas y parvenir de la façon habituelle. Mais n'est-ce pas justement « cette façon habituelle » qu'il faut supprimer au lieu de la consoler ? Renforcer un système de défenses, c'est à mon avis faire œuvre de déshumanisation, car cela revient à couper le malade de ses sentiments les plus profonds. Il y a naturellement des considérations pratiques : on avancera qu'on n'a pas le temps de faire ce que les « Crisis Clinics » réalisent rapidement. Mais que dire si le sujet ne *veut* pas changer radicalement ? A mon avis, chaque individu a le droit d'être irréel, mais il devrait au moins être informé que l'on peut vivre autrement que de tentative de suicide en tentative de suicide.

Il faut aussi envisager sur le plan social le problème que constitue un individu suicidaire qui se promène en toute liberté dans la rue. Derrière un volant, il peut, dans son désir d'en finir, provoquer d'autres morts que la sienne. Il est probable qu'un individu qui fait peu de cas de sa propre vie, n'accorde pas grande valeur à celle d'autrui.

A ce propos, il peut être intéressant de mentionner que les malades qui ont suivi la thérapie primale, n'envisagent pas le suicide. Ils apprennent à connaître leur valeur et ne pensent même pas à prendre de risques avec leur vie. Ils apprennent que le moi réel est un « bon » moi et qu'il n'y a pas de raison de lui porter atteinte.

Il peut paraître absurde de dire que le but du suicide est la vie, mais tout ce que j'ai pu observer sur les tentatives de suicide, rend toute autre conclusion difficile. Il y a bien entendu des exceptions, — comme le malade chronique — mais en général, la tentative de suicide n'est qu'une prière névrotique de plus pour être aimé. En ce sens, tenter de mourir est crier pour demander à vivre.

CHAPITRE 19

DROGUES ET DEPENDANCES

Diéthylamide de l'acide lysergique (L.S.D.-25)

Pour beaucoup de jeunes gens, le L.S.D. (appelé aussi acide) est devenu un mode de vie. Ses effets semblent si profonds et cependant si mystiques que c'est devenu un véritable culte, une « Weltanschauung ». Ses adeptes chroniques l'appellent le « grand voyage à travers l'espace intérieur », tandis que d'autres parlent de « voyage au cœur de la réalité ».

Je crois que le L.S.D. est un voyage vers la réalité, dans la mesure où il stimule d'intenses sentiments réels. Mais le névrosé fait de cette réalité ce qu'il fait de la réalité en général : il la transforme en quelque chose de symbolique.

On ne peut guère mettre en doute que le L.S.D. stimule les sentiments; on en a la preuve clinique. On a récemment donné du L.S.D. à des singes, qui furent ensuite tués et autopsiés. On constata que le L.S.D. s'était surtout concentré dans les régions cérébrales dont on sait qu'elles sont le siège de la sensibilité.

L'usage du L.S.D. pose un problème : il rend artificiellement l'individu réceptif à plus de réalité que son système névrotique n'en peut supporter et cela fait naître en lui un cauchemar diurne : une psychose. La raison d'être du système de défenses est de maintenir l'intégrité de l'organisme. Le L.S.D. détruit le système de défenses et cela a de si graves conséquences que les drogués au L.S.D. remplissent les hôpitaux psychiatriques un peu partout. En général, quand l'effet de la drogue s'atténue, le sujet récupère son système névrotique de défenses. Mais, dans certains cas où ce dernier était faible à l'origine, ce n'est pas possible.

C'est la puissance du système de défenses et la quantité de L.S.D. que le sujet a prise, qui déterminent en grande partie ses réactions. Il peut arriver, et il arrive effectivement, qu'un individu ayant un système de défenses renforcé, n'ait pas la moindre réaction à la drogue. En revanche, la suppression artificielle d'un système de défenses faible chez un sujet qui a un immense réservoir de souffrances primales provoquera une stimulation d'une intensité accablante.

Si le L.S.D. a été qualifié de « drogue qui élargit la conscience » (psychédélique), c'est en raison de la fuite symbolique. La stimulation des sentiments provoque un jaillissement d'idéation symbolique et c'est ce que l'on prend souvent pour un élargissement de la conscience. Ce qu'il faut comprendre, c'est que cette exaltation est un moyen de défense. Le psychotique maniaque, dans sa fuite devant les sentiments, offre un excellent exemple de la modification de la conscience avec son débordement d'idées. Les maniaques que j'ai soignés et dont certains possédaient des dons intellectuels brillants, ont parfois écrit durant leur période d'excitation des pages et des pages. J'en ai connu un qui a écrit l'équivalent d'un livre en l'espace de trois ou quatre semaines.

La psychose se distingue de la névrose par le degré et la complexité de la symbolisation. Dans la symbolisation du névrosé, la réalité tient encore une grande place. Dans la psychose, ce contact avec la réalité peut être perdu; le sujet est entièrement pris dans son symbolisme et est incapable de faire la distinction entre le symbole (voix dans les murs, par exemple), et la réalité. Le processus de détérioration se poursuivant, le sujet en arrive à ne plus savoir qui il est, ni où il en est, ni en quelle année il vit.

Les effets du L.S.D. semblent confirmer l'une des principales hypothèses primales : à savoir que la névrose commence par nous éloigner de la réalité de nos sentiments et que si ces sentiments étaient pleinement ressentis tôt dans la vie, ils pourraient conduire à la folie. Stimuler brusquement et artificiellement *tous* les anciens sentiments primals par l'usage d'une drogue, revient à créer les mêmes conditions qui conduisent à la folie.

Dans les premières années de recherches sur le L.S.D. on en parlait comme d'un agent psychomimétique. On s'en servait pour l'étude de la psychose. Au début, on ne se faisait pas trop de souci; puisque la drogue était censée produire la psychose, cette dernière devait disparaître avec la suppression de la drogue. Mais l'enthousiasme diminua quand on constata que, dans certains cas, la psychose subsistait même après la suppression de la drogue. Par conséquent, le L.S.D. fut interdit aussi bien dans la plupart des domaines de la recherche que pour l'usage général.

Je crois que le L.S.D. ne produit pas seulement un semblant de psychose, mais déclenche une folie réelle, même si celle-ci n'est souvent que passagère. Par ailleurs, je ne crois pas que la drogue ait la propriété intrinsèque de provoquer des réactions bizarres, sauf dans la mesure où elle stimule plus de sentiments que le sujet n'en peut assimiler.

Il y a quelques mois, une jeune femme m'a été envoyée en thérapie primale; elle avait vingt et un ans et avait été diagnostiquée dans un hôpital psychiatrique comme « schizophrène après absorption de L.S.D. ». Elle avait pris une dose considérable de L.S.D. après avoir fumé plusieurs cigarettes de marijuana. Au cours du « voyage » provoqué par le L.S.D., elle était entrée dans un état de panique. Quand l'effet de la drogue s'atténua, elle constata qu'elle était comme « envoûtée ». A certains moments, elle avait l'impression qu'on la soulevait de sa chaise et qu'on l'emmenait; à d'autres, elle fixait désespérément une ampoule électrique ou une lampe, sans jamais être sûre que ce qu'elle voyait était vraiment là.

Elle fut envoyée en observation dans un hôpital neuro-psychiatrique, mise sous tranquillisants et renvoyée chez elle au bout d'une semaine. Ces accès d'irréalité persistèrent cependant et, au bout de quelques semaines, elle entra en traitement chez moi. Je provoquai immédiatement un primal, où elle commença sans incitation ni directives à revivre l'expérience de son « voyage » au L.S.D. Elle dit : « Tout sent la merde. Il y a de la merde sur les murs. Mon Dieu, il y en a partout. J'en ai sur moi et je ne peux pas l'enlever. » (A ce moment-là, elle essaya de se brosser, mais je la poussai à sentir ce que c'était.) « Oh... je deviens folle. Qui suis-je ? qui suis-je ? » (Je la forçai à garder ce sentiment : « Restez-en là, ressentez-le. ») « Ah... c'est moi, je suis de la merde, de la merde ! » A ce moment-là, elle se mit à pleurer et donna libre cours à toute une série d'insights en disant à quel point elle s'était toujours sentie « un tas de merde » (sans jamais le reconnaître). Elle parla de sa famille, une famille tombée dans le besoin, qui se composait d'un père qui buvait et d'une mère maltraitée qu'il battait. Elle disait à quel point elle se sentait

« de la racaille ». Elle n'avait jamais essayé de réagir tant elle se sentait « comme un tas de merde indigne de recevoir quoi que ce soit de qui que ce soit ». Elle avait recouvert ses sentiments et ses origines d'un vernis de culture pseudo-intellectuelle que le L.S.D. avait évidemment fait sauter. Au moment où elle allait ressentir la réalité — « je suis un tas de merde » — elle avait décroché (pour fuir ses sentiments) et elle avait eu des hallucinations et vu de la merde sur le mur. Elle avait rendu irréelle la réalité qui montait en elle, afin de survivre.

Un autre cas de psychose ne provenait absolument pas de la drogue. Il s'agissait d'une malade qui, à l'âge de sept ans, à la suite du divorce de ses parents, avait été envoyée dans un internat. Son père partait dans une autre ville et sa mère devait travailler. On avait promis à la petite fille que sa mère viendrait souvent la voir. Elle ne le fit pas. Ses visites s'espacèrent et parfois, elle arrivait soûle, parfois avec un amant, et elle finit par ne plus venir du tout. Au début, elle écrivait pour expliquer pourquoi elle ne pouvait pas venir, mais, très vite, il n'y eut plus aucune lettre. La fillette commença à ressentir la réalité de son abandon. Elle se mit à fuir tout contact social et pour étouffer son senti-ment d'abandon, elle inventa un compagnon imaginaire qui était toujours avec elle. Avec le temps, ce compagnon se mit à lui parler et à lui dire des choses étranges. Il lui disait qu'il y avait des gens qui lui étaient hostiles et qui cherchaient à l'isoler de tout le monde. Peu à peu, elle s'enfonça dans une psychose pour se protéger d'une réalité accablante.

Dans les deux cas que je viens de citer, c'est la *réalité* qui, à mon avis, créait l'irréalité : ces deux malades avaient sombré dans la folie pour éviter de rester saines d'esprit et de reconnaître la vérité. Autrement dit, pour ne pas avoir à saisir la vérité entière, elles éclataient en morceaux.

Confronté à cette vérité lors de la scène primale, le sujet crée un système de rechange qui l'aide à dissimuler la réa-lité. Ce système a pour mission de fragmenter la vérité et de la symboliser ensuite, ce qui permet à l'enfant névro-tique de déjouer ses sentiments sans en prendre conscience. Le sujet commence à jouer un rôle. Mais si la réalité reprend le dessus, soit parce qu'un événement est accablant, soit parce qu'une drogue comme le L.S.D. ne permet pas au sujet de jouer son rôle, la psychose se profile. Le L.S.D. ne laisse guère au sujet la possibilité de se livrer à son déjouement habituel. Il lui est par exemple impossible d'effectuer des travaux d'écriture : les sentiments sont trop violents et trop immédiats. Ils doivent être symbolisés mentalement (par des illusions bizarres) ou physiquement (par des troubles qui peuvent aller de l'incapacité de lever un bras à l'absence complète de coordination). Dans le cas de troubles physiques bizarres, on peut dire que le sujet a « transposé sa psychose sur le plan physique ». Cela revient à dire qu'il s'agit du même clivage interne ou de la même dissociation que dans la psychose.

Une ancienne psychotique m'a parlé de ce clivage de la façon suivante : « C'était terrifiant de sentir ce corps devenir le mien — de voir mon moi de petite fille qui essayait de comprendre le mouvement de ses pieds et de ses jambes. Mon corps avait toujours agi de façon indépendante comme quelque chose qui n'avait rien à voir avec moi. Peut-être que si le schizophrène est si souvent obsédé par son corps, c'est parce qu'il lui est profondément étranger. Peut-être faut-il que le corps soit réellement séparé de la conscience pour échapper à la souffrance. La déformation secrète de la signification de ce qui se passe autour de nous est, je suppose, ce processus automatique qui provoque une séparation si profonde entre le corps et les sentiments. »

Un autre exemple de transposition physique des sentiments est fourni par un malade qui avait pris du L.S.D. à dix reprises au cours de l'année qui avait précédé son entrée en thérapie. Entre autres choses, il ressentait au cours de chaque « voyage » un bourdonnement persistant à l'intérieur de sa bouche. Cette sensation se produisait également au cours de ses primals, et il commença à sucer son pouce sans raison apparente. Le bourdonnement persista cependant jusqu'à ce qu'il comprît que ce n'était pas son pouce mais le sein de sa mère qu'il désirait sucer. Une fois ce sentiment ressenti, le bourdonnement cessa.

Cet homme avait été sevré brutalement dans les premiers mois de sa vie parce que sa mère suivait à la lettre les conseils d'un manuel de puériculture. Il avait beau fumer deux paquets de cigarettes par jour et tirer vigoureusement sur sa cigarette, il eut des difficultés à croire qu'il souffrait encore du besoin ancien de sucer le sein de sa mère. Cependant, d'aussi loin qu'il s'en souvienne, il avait toujours eu une sensation bizarre dans la bouche. Il avait si bien caché ses sentiments qu'il n'en avait approché que sous l'effet d'une drogue puissante ; et même à ce moment-là, il n'arrivait pas à atteindre complètement le sentiment. Mais la preuve est faite : le processus de symbolisation s'instaure pour protéger l'organisme lorsque les sentiments sont extrêmement douloureux.

J'ai eu en thérapie primale une vingtaine de patients qui avaient pris du L.S.D. avant de commencer le traitement, certains en avaient pris plusieurs fois. Quand la thérapie primale en était à ses débuts, plusieurs patients prenaient, à mon insu, du L.S.D. pendant le traitement. Ils m'ont dit plus tard qu'ils croyaient que le L.S.D. accélérerait leur thérapie. (Comme je l'ai déjà indiqué, toutes les drogues, et même l'aspirine, sont proscrites pendant le traitement; en outre, on donne maintenant au patient des instructions écrites pour être sûr que ce qui a pu se produire avec le L.S.D., avant que nous fassions preuve de vigilance, ne se reproduise plus.) Néanmoins, l'expérience qu'ont faite environ sept patients en prenant du L.S.D. durant le traitement a été précieuse puisqu'elle a permis de mieux comprendre les réactions psychologiques produites par le L.S.D. Ces malades, qui avaient des souffrances très anciennes, étaient assaillis directement par les sentiments qui leur restaient et savaient immédiatement établir la connexion avec leur origine. Les sentiments n'étaient nullement symbolisés; ils surgissaient et étaient ressentis successivement. Dans certains cas, ces souffrances continuaient pendant deux ou trois heures, par libre association d'idées.

Deux malades qui avaient pris du L.S.D. au bout du troisième et du quatrième mois de thérapie eurent épisodiquement des réactions symboliques. Le premier commença à avoir des hallucinations; il voyait sur la boiserie des murs des gens qui se faisaient des choses bizarres. Intrigué par cette pièce jouée sur le mur, il comprit tout à coup : « Je me créais un spectacle extérieur afin de n'être pas contraint de ressentir ce qui se passait en moi. Cette exhibition contenait en effet beaucoup de mes propres sentiments, en particulier de la colère. Je crois que j'essayais de me convaincre que toutes ces luttes m'étaient extérieures et n'avaient rien à voir avec moi. » Il ajoutait : « Dès que je compris que ces sentiments étaient *les miens,* je me laissai aller pour les ressentir jusqu'au bout, et mon petit théâtre sur le mur disparut. » Il est vraisemblable cependant qu'avant la thérapie primale, il serait resté dans ses hallucinations pendant des jours et des semaines, jusqu'à ce que tous les effets de la drogue aient disparu. Quoi qu'il en soit, le symbolisme fut de courte durée et conduisit le malade à ses sentiments parce qu'il n'y avait pas de système de défenses solide susceptible de maintenir le processus de dissociation.

L'autre malade avait pris du L.S.D. au cours du quatrième mois de thérapie. Il s'imaginait que les gens se montraient particulièrement durs à son égard, que personne dans la pièce n'était gentil et que tout le monde voulait le faire souffrir pour une raison ou pour une autre. Il sentit ses mains enfler et devenir molles, puis, il eut un sentiment qui lui fit dire : « Sois tendre avec moi, papa. » L'enflure et la mollesse de ses mains disparurent en même temps que l'illusion que les gens conspiraient pour se montrer cruels envers lui. Il est douteux qu'il eût pu établir cette connexion simple, s'il y avait eu encore en lui beaucoup de souffrance bloquant ses sentiments.

Des sept patients qui avaient pris du L.S.D. après plusieurs mois de thérapie, la plupart en avaient fait usage auparavant : il n'est pas surprenant qu'ils aient tous dit avoir fait des « voyages » symboliques avant le traitement. L'un d'entre eux rapportait qu'au cours d'un précédent « voyage », ses mains s'étaient trouvées paralysées, tandis qu'un autre s'était pendant des heures roulé par terre, en proie à des terribles crampes d'estomac. Un troisième avait vu des vers sortir de ses pieds et de son nez, et un quatrième avait vu son squelette en se regardant dans une glace. Rétrospectivement, ils étaient étonnés de constater à quel point le corps semble symboliser automatiquement la souffrance. Dans chacun de ces cas le symbole correspondait à un sentiment spécifique non ressenti. Celui qui voyait des vers révélait à quel point il se sentait sale, visqueux et laid; au cours du primal, il revécut ces sentiments dans le contexte qui les avait produits. Celui qui avait eu les mains paralysées, ressentit plus tard son impuissance profonde et son immobilité et comprit ce qui les provoquait. Celui qui avait eu des crampes d'estomac (encore une souffrance symbolique) sentit qu'il était en train d'accoucher sous l'effet du L.S.D. Mais même ce sentiment éprouvé sous l'effet de la drogue, ne suffit pas à supprimer ses crampes; je crois que la souffrance ne cesse pas avant d'être ressentie en tant que souffrance primale.

Les malades qui approchaient de la fin du traitement, n'étaient pratiquement pas affectés par la drogue. Ils ne constataient que des modifications mineures de leurs facultés perceptives et sensitives. Ils n'avaient pas d'illusions, pas d'hallucinations et pas de sentiment de perte d'identité. Leurs « voyages » n'étaient ni mystiques ni merveilleux — seuls des sentiments réels surgissaient. Ces observations ont une importance considérable car elles viennent confirmer l'hypothèse primale concernant la maladie mentale et la souffrance primale. En l'absence de souffrance primale grave, même une stimulation intense (stress) ne conduit pas à la maladie mentale.

D'après toutes mes observations, chez le sujet normal, le L.S.D. *n'est pas* un hallucinogène. Ce n'est pas non plus une drogue psychomimétique sauf pour les sujets affligés de souffrances primales.

Mais le L.S.D. ne permet pas d'établir des connexions solides. Or, seule la connexion entraîne des modifications durables. Il y a plusieurs raisons à cette impossibilité : la plus importante est que la connexion signifie l'expérience de la souffrance primale. Sous L.S.D., le sujet peut éprouver un sentiment et n'être pas sûr, cinq minutes plus tard, de l'avoir réellement éprouvé. Le drogué vogue d'un sentiment fugitif à l'autre, sans que jamais aucun sentiment isolé ne soit solidement ancré dans la conscience. La pleine conscience est cependant indispensable à l'expérience complète d'un sentiment, sinon il s'agit d'une foule de sensations que certains prennent pour des sentiments. Un patient expliquait ce phénomène de la façon suivante : « Le primal est plus sûr que le L.S.D. Quand on a un sentiment au cours d'un primal, il peut durer une heure et puis on peut le rattacher à ce que l'on a vécu, savoir pourquoi on a fait ceci ou cela, choisi tel ou tel ami, etc. Avec le L.S.D., j'étais continuellement poussé en avant. Je ne pouvais pas me concentrer assez longtemps sur un sujet donné. La drogue produisait tant d'impulsions à la fois qu'un sentiment naissant en amenait un autre en un enchaînement interminable, jusqu'à me donner l'impression de devenir fou. » En fait, il disait tout simplement que les drogues obscurcissent la conscience; même le L.S.D. qui est censé élargir la conscience, produit un état de stupeur. Un autre malade qui avait également pris du L.S.D. expliquait à ce propos : « Tout en sachant que j'avais éprouvé un sentiment sous l'effet du L.S.D., je me retournais après coup vers mon ami pour lui demander : " Est-ce que j'ai vraiment dit ça, ou est-ce que je m'imagine seulement l'avoir dit ? " » Autrement dit, il ne savait pas avec certitude ce qui était réel, même si ses paroles et ses sentiments avaient été très réels. La drogue affaiblit le plein impact de la réalité.

Aucun des sujets qui avaient pris du L.S.D. avant de commencer la thérapie primale, n'a dit avoir jamais atteint ses sentiments primals fondamentaux au moyen de la drogue. L'horrible sentiment d'abandon, ressenti durant un primal, le sentiment de solitude associé au souvenir d'avoir été laissé seul dans son berceau, n'a par exemple jamais été ressenti avec la drogue. Trop de choses se passent sous l'influence du L.S.D. pour que le sujet puisse revenir pas à pas sur ses plus anciens souvenirs douloureux, et même sous l'effet de la drogue, les vraies souffrances primales traumatisantes n'apparaissent que sous forme de symboles.

Le L.S.D. ne permet donc pas qu'ait lieu le processus spécifique de décodage, par lequel certains sentiments sont reliés à des souvenirs déterminés, puis résolus. Le malade qui avait une espèce de bourdonnement dans la bouche fit une dizaine de « voyages » sous L.S.D., sans jamais comprendre la signification réelle de ce bourdonnement, il fallut un primal pour établir la connexion correcte.

Cela ne veut pas dire que le L.S.D. ne provoque pas de nombreux insights que le sujet ne connaîtrait pas dans des conditions normales. Mais ces insights continuent à être fragmentaires et se situent dans un système névrotique. Tout se passe comme si les terribles douleurs physiques que de nombreuses personnes éprouvent sous l'effet du L.S.D., et les insights qu'elles ont plus tard durant le même « voyage », ne se rattachaient jamais les unes aux autres. La souffrance primale s'interpose et les tient séparés.

L'affirmation selon laquelle le L.S.D. n'est pas fatalement générateur de psychose chez l'individu normal, mérite peut-être quelque éclaircissement. Je suppose que si l'on donnait à un sujet assez de L.S.D., cela provoquerait une telle pléthore de stimuli au niveau du cerveau qu'il s'ensuivrait une désorientation totale et une psychose passagère. Mais, ce qui est capital, c'est que chez le sujet normal, cet état ne se prolongerait pas au-delà des effets de la drogue, alors que chez le névrosé, il peut devenir permanent. Je ne saurais souligner assez le danger que représente l'usage du L.S.D. pour le névrosé. Un seul « voyage », même s'il ne produit pas de psychose, peut ébranler assez le système de défenses du sujet pour le rendre plus tard vulnérable dans des situations qui normalement ne l'auraient pas affecté.

Il est des « voyages » baptisés « bummers » (1) — expériences effrayantes ou déprimantes ou les deux à la fois. Le sujet est par exemple envahi par la peur de monstres, ou il se voit envahi d'araignées qui lui parcourent le corps. Ces sujets peuvent être tirés de ces « voyages » pénibles au moyen de tranquillisants tels que la chlorpromazine. On utilise aussi beaucoup les tranquillisants dans les hôpitaux

___

(1) « Bummers » signifie à peu près « expérience désagréable ». Dans le cas d'un « voyage » au L.S.D., cela signifie un « mauvais voyage ».

psychiatriques pour soigner les hallucinations. Je crois que ce qu'on « tranquillise » dans ces cas est la souffrance primale et l'on réduit ainsi le besoin de symbolisation. Le tranquillisant semble apaiser l'agitation du patient et lui donner une chance de se remettre — autrement dit, de dissimuler à nouveau la souffrance et de retrouver ainsi sa névrose. Tout compte fait, le « bummer » est un « voyage » dans lequel le sujet frôle dangereusement sa souffrance primale.

Il arrive que le premier « voyage » au L.S.D. ne soit pas un « bummer » parce que le système de défenses est encore en action. Mais plusieurs « voyages » semblent constituer un assaut contre le système de défenses et alors les troubles commencent, car s'il y a souffrance primale, le « voyage » ne peut être que douloureux. Rien d'étonnant à ce qu'après un « bummer » le sujet n'ait plus envie de prendre du L.S.D., pourtant, c'est justement lui qui semble être près du point où il peut redevenir réel. Il s'arrête avant; peut-être perçoit-il que réalité et irréalité vont de pair — plus on approche, plus on doit fuir. Tout à fait à la fin de leur traitement, beaucoup de patients ont l'impression qu'ils deviennent fous lorsqu'ils sont sur le point de se dépouiller de leurs derniers lambeaux de défenses contre le sentiment total de solitude et de désespoir qui a toujours été latent en eux. Ce n'est peut-être pas un hasard si nous avons obtenu de bons résultats avec des malades qui ont fait plusieurs « voyages » douloureux avant d'entrer en thérapie.

Je me méfie de ceux qui n'ont connu que des « voyages » merveilleux, car cela veut dire que le clivage est si profond que même une drogue puissante ne peut l'affecter. Dans certains cas, le sujet qui est éloigné de ses sentiments, prendra du L.S.D. ou de la marijuana (ou les deux) à différentes reprises, mû inconsciemment par l'espoir implicite que ces drogues lui feront connaître le sentiment. Chaque fois cependant, il fait un « voyage » névrotique où il se trouve dans un jardin paradisiaque, dans une verte forêt ou dans un palais aztèque. En lui-même, le contenu du « voyage » symbolique n'est pas d'une importance capitale, sauf dans la mesure où c'est une référence indirecte à la souffrance sous-jacente. Il ne faut pas oublier que chez le névrosé, le « voyage » agréable *doit nécessairement être irréel,* puisque stimuler les sentiments d'un névrosé à l'aide d'une drogue revient à stimuler la souffrance. Le sujet qui fait un « voyage » agréable ou mystique, se comporte exactement comme le névrosé débordant de tension et plongé dans un pseudo-bonheur sans l'usage de drogues; il se crée de jolis tableaux pour se dissimuler ce qui se passe dans son corps et dans les recoins de son esprit.

L'héroïne

Le L.S.D. est l'une des rares drogues qui stimulent les sentiments. Beaucoup d'autres les émoussent. Dans ce second genre, l'héroïne est l'une des plus puissantes. L'héroïne est appelée à la rescousse quand la névrose ne peut pas supprimer la souffrance. La névrose est le narcotique interne du sujet qui ne se drogue pas.

Le sujet qui se drogue à l'héroïne a en général épuisé les défenses qu'il utilisait jusque-là pour soulager sa tension. Il lui faut chercher de l'aide ailleurs — faire appel à la piqûre. D'après mes observations, les héroïnomanes se divisent généralement en deux catégories. La majorité d'entre eux sont apathiques, léthargiques et complètement minés par la tension. Il leur faut engourdir la moindre parcelle d'eux-mêmes pour étouffer leur souffrance. Les autres sont maniaques, hyperactifs, toujours en train de courir. Les deux catégories ont trouvé des moyens différents pour venir à bout d'une souffrance terrible. Tous utilisent la drogue lorsque leur système de défenses ne suffit plus à drainer assez de tension. Certains névrosés se sentent mieux avec de la marijuana (voir p. 444) mais c'est une drogue bien trop faible pour la souffrance de l'héroïnomane. Il arrive que le sujet qui a recours à l'héroïne, commence par se droguer à la marijuana mais passe à des drogues plus fortes quand avec la marijuana il n'atteint pas son but. D'autres, dont le système de défenses fonctionne encore en partie, essaient la marijuana et la trouvent suffisante. En tout cas, ce n'est pas la marijuana qui conduit à l'utilisation de l'héroïne, mais la souffrance primale.

Cependant la souffrance seule ne peut suffire à expliquer l'usage de la drogue. Le milieu joue un rôle important. Le sujet instable qui grandit à Harlem, au cœur du royaume du jazz où l'usage de la drogue est monnaie courante, en vient rapidement à utiliser de l'héroïne. En revanche, le sujet qui a grandi dans une ferme du Montana, se tournera plutôt vers l'alcool et les querelles d'ivrognes pour soulager sa tension. Dans les deux cas, la dynamique interne des deux individus peut être la même, seuls les exutoires diffèrent.

Le niveau élevé de tension fait généralement du toxicomane un individu toujours en mouvement; il n'a jamais pu s'attacher assez longtemps à une tâche pour la mener à bien et cette longue suite d'échecs n'a fait qu'aggraver ses problèmes. Si la thérapie conventionnelle échoue dans le traitement des toxicomanes, c'est en partie parce qu'ils sont en général incapables de rester assis assez longtemps pour que s'instaure le laborieux processus de l'insight.

Nous savons que la plupart des toxicomanes ne sont pas très portés à la sexualité. La raison en est simple. Aucun individu, lorsqu'il est plongé dans la souffrance — qu'elle soit physique ou psychologique — ne s'intéresse beaucoup à la sexualité. Les analgésiques suppriment les sentiments et augmentent ainsi l'asexualité. Ressentir la souffrance c'est être capable de ressentir tous les autres sentiments; de même, supprimer la souffrance revient à supprimer tout autre sentiment et la sexualité est une des premières victimes.

Pour bien voir la relation entre l'homosexualité latente et la drogue, en particulier chez les femmes, il suffit de faire un tour dans les pavillons de désintoxication des hôpitaux. Beaucoup d'entre elles sont lesbiennes ou ont des antécédents de tendances homosexuelles refoulées. Une toxicomane expliquait ainsi son cas : « Je n'ai jamais réellement désiré un homme, mais j'ai continué à faire l'amour avec eux pour ne pas ressentir à quel point j'étais gouine. Maintenant, je sais que c'est d'une mère que j'avais besoin. Plus je faisais l'amour avec des hommes, plus j'étais bouleversée et révoltée. Il me fallait la drogue pour m'en sortir. J'en ai eu de moins en moins besoin depuis que j'ai eu des rapports avec des lesbiennes en prison. »

En se forçant à faire l'amour avec des hommes, cette femme niait ses sentiments (le besoin de sa mère). Tant qu'elle niait tous ses besoins, elle ne pouvait évidemment pas se passer de drogue. Lorsqu'elle trouva des exutoires de substitution son besoin de drogue diminua. En prison, privée de drogues susceptibles de supprimer ses sentiments, elle s'adonna à l'homosexualité déclarée. Une fois qu'elle eut ressenti au cours d'un primal le besoin qu'elle avait de sa mère, elle n'eut plus besoin de drogues, ni de rapports homosexuels.

Ceux qui ont besoin des amphétamines (appelées « speeders » par leurs utilisateurs) et ceux qui demandent des « downers » (1) (narcotiques et barbituriques) ne se diffé-

---

(1) Ces deux termes ont été adoptés tels quels en psychiatrie française. Ils signifient littéralement « accélérateurs » et « décélérateurs » ce qui correspond à excitants-tranquillisants. N.D.T.

rencient que par l'orientation de la tension. Ceux dont la tension est profondément enfouie, semblent avoir besoin de quelque chose qui les fasse s'ouvrir, tandis que ceux qui sont déjà « ouverts » et qui sentent la tension monter, semblent avoir besoin de quelque chose qui les aide à la réprimer. Il arrive que le même sujet utilise alternativement les deux : quand sa tension « sort », il prend quelque chose pour se calmer, et plus sa tension est contenue, plus il a de nouveau besoin d'excitants; ainsi, le cycle se poursuit...

Je cite ici un extrait de la lettre que m'a adressée un toxicomane avant d'entrer en traitement.

« Quand je lis que l'héroïne "tue la souffrance" je repense au nombre infini de fois où l'on m'a dit que l'héroïne était un "voyage" mortel... un lent suicide. Mais ce n'est que récemment que j'ai pris conscience de son caractère vraiment meurtrier. J'ai observé d'autres toxicomanes, sans espoir, sans travail, sans intérêts, sans famille, je les ai vus dans un perpétuel état d'apathie, aux frontières de la vie et de la mort, mais j'ai toujours eu le sentiment que, pour moi, la drogue n'était qu'une dangereuse manière de pratiquer illégalement la médecine. Je ne cherchais qu'à atténuer l'anxiété qui remplissait mon existence... à prendre un raccourci pour accéder à cet état parfait de bien-être exempt de souffrance. C'était un moyen d'être à la hauteur pour faire mon numéro, de me concentrer sur mon travail et de faire ce qu'il y avait à faire.

Tout ce que je voulais, c'était traverser la vie sans avoir à souffrir ce que souffrent tous les hommes, de tout temps. Toute ma vie, j'ai menti pour échapper à la punition et à la souffrance. A l'école, j'ai eu recours à des expédients, sans travailler, faisant l'école buissonnière, ne vivant jamais tout à fait dans la réalité. La seule chose qu'enfant, j'aie vraiment réussie, ce fut de jouer au magicien, et on dirait que depuis, je n'ai pas cessé d'être à l'affût de la magie. Tout petit déjà, je suis passé maître en semi-vérités. Ce n'était pas difficile à faire parce que dans ma famille, personne ne s'est jamais soucié de ce qui se passait réellement.

Vers le milieu de ma troisième année universitaire, ce qui devait arriver, arriva. Je me l'étais coulé douce sans jamais faire d'efforts. Il m'avait déjà fallu une bonne dose de bluff pour aller jusque-là. Je quittai l'université pour entrer dans une affaire; j'avais de grandes idées mais pas beaucoup de connaissances. J'empruntai pas mal d'argent et, inutile de le dire, le tout fut dévoré en un rien de temps. Je trouvai un poste ailleurs, mais je fus mis à la porte. A partir de ce moment-là, tout commença à me retomber dessus et il n'était plus question de resquiller. J'essayais de voler de l'argent à ma femme, mais je fus vite privé de ressources. Puis, j'ai trouvé la drogue... C'était à nouveau le camouflage idéal. Avec ça, je n'avais plus besoin de faire face à quoi que ce soit. Je trouvais le monde magnifique. Pas besoin d'admettre mes échecs, j'échafaudais simplement de nouveaux plans, plus beaux encore. Je me mis à hanter les boîtes de Harlem. On m'avait parlé de l'héroïne et je savais que c'était dangereux; c'est pourquoi je commençai simplement par l'inhaler. Du tonnerre! Incroyable! Tout s'apaisait, plus de chagrin, plus de craintes, plus de dégoût de la vie que je menais, plus rien. L'héroïne, c'était une assurance de bien-être, de paix et de calme à vie, ce que vous voudrez. C'était juste ce qu'il me fallait. Au cours des neuf premiers mois, je n'eus pas besoin d'en prendre sous forme de piqûres. Je n'avais plus d'appétit sexuel, je foutais en l'air tout l'argent qu'il nous restait et les choses allaient de plus en plus mal. Je consultai un psychiatre et j'arrivai à ne pas me droguer pendant un certain temps, j'arrivai même à trouver du travail. Je me disais alors que je m'étais bien tiré d'un an et demi d'héroïne et j'étais réellement heureux. Je fumais toujours de l'herbe mais je croyais que ça faisait partie de la vie sociale d'aujourd'hui. Mon travail et tout le reste marchait fort bien. Mais il n'y eut bientôt plus de travail et je ne m'étais pas préparé à faire autre chose. Je décidai d'écrire, mais je ne le fis pas. Au fur et à mesure que les semaines passaient, je sentais à nouveau la peur me gagner. Je découvris qu'un invité qui passait le week-end chez nous, était toxicomane et qu'il avait de la drogue sur lui. Pour la première fois depuis presque deux ans, je me fis une piqûre. Comme auparavant, je me sentis vraiment bien. Cette fois, je commençai directement par des piqûres intraveineuses, pensant que je resterais maître des événements. Je partis pour la Californie dans l'espoir que cela changerait les choses et maintenant je suis esclave de cette bonne vieille héroïne de Californie. Pendant les deux dernières années, j'ai arrêté au moins trente fois. Mais je ne peux réellement plus m'en passer sauf en de rares occasions où je peux me procurer de la Dolophine et du Percodan. Je trouve que la douleur que je ressens les quatre ou cinq premiers jours où je suis sans drogue ressemble à celle qui s'empare de moi quand je me suis abstenu pendant des semaines. C'est une douleur qui m'enserre et qui me fait sentir que je ne peux pas continuer sans drogue. Jusqu'au mois dernier, je ne pensais même pas que je voudrais m'arrêter... Je me sentais si mal et plongé dans une si grande souffrance dès le matin, au réveil, que, pour la première fois de ma vie, j'ai compris comment on pouvait arriver au suicide. Mais je ne veux pas mourir; je veux vivre. Il faut que je cesse de me droguer; j'ai trop de raisons de vivre. La drogue n'est pas une solution. La drogue arrête ma souffrance mais elle apporte la sienne propre. La drogue est de la foutaise. Il doit bien y avoir une autre façon de vivre. Au secours. »

Une demi-heure après l'avoir écrite, l'auteur de cette lettre sortait pour se piquer (1). Cela semblerait indiquer que ni la connaissance précise des dangers que comporte l'héroïne, ni un désir désespéré de s'arrêter ne font le poids quand un être souffre.

Privé d'héroïne, le sujet vit quelque chose qui ressemble à un primal. L'auteur de cette lettre crut en effet au moment où il fit son premier primal, qu'il souffrait de manque : crampes d'estomac, sueurs, tremblements — et souffrance. Je suis persuadé que les premiers symptômes qui se manifestent lors de la suppression de l'héroïne sont physiologiques. Toutefois, les héroïnomanes qui ont fait des primals sont persuadés que la plus grande partie du syndrome du manque *est* un primal. Ce qui confère tant d'intensité à la toxicomanie, est apparemment le réservoir de souffrances primales. Si l'on considère l'héroïne comme une défense, on comprend sans peine que le sujet ait un primal dès que cette défense est supprimée.

Comme l'héroïne, la thérapie primale tue la souffrance en forçant le toxicomane à la *ressentir*. D'après ce que j'ai pu voir, le toxicomane est plus facile à soigner que bien des névrosés qui ont construit un réseau élaboré de défenses qu'il faut démanteler. Le traitement du toxicomane est rapide et ne tâtonne pas.

Il y a cependant une différence importante dans la thérapie lorsqu'il s'agit d'un toxicomane. Dans les deux premiers mois de traitement, ce dernier doit être surveillé de très près. Il arrive que des patients, qui ont brisé la barrière des sentiments, retrouvent, dans des conditions particulières de stress, leurs symptômes — ils ont à nouveau des migraines ou de l'asthme. Or, quand un drogué retourne à *son* symptôme, les résultats sont catastrophiques. Toutes ses promesses de ne pas se droguer ou de le dire lorsqu'il

---

(1) Il est intéressant de noter que certains toxicomanes emploient le terme « stoned » = « pétrifié » pour décrire leur état. Cela indique que le sujet désire ne ressentir plus rien. Pour un toxicomane, le fait de sentir semble être intolérable.

le fait, ne valent strictement rien. J'ai fait enfermer un toxicomane dans sa chambre pendant les premiers jours de traitement parce qu'en général, les cliniques n'admettent pas les drogués. Même gardé vingt-quatre heures sur vingt-quatre, il s'arrangea pour enlever les gonds de la porte et tenta de sortir pour aller se piquer. Il n'y a pas plus ingénieux qu'un drogué qui veut sa dose.

Si l'on arrive à passer le cap des premiers temps de traitement, on est à peu près sauvé. Mais en thérapie primale, je conseillerais tout de même de dix à quinze semaines d'isolement total.

Récapitulation

Quelques-uns des traitements actuels de la toxicomanie préconisent la manière forte. On fait honte au toxicomane, on le traite d'imbécile, on lui enjoint de se montrer adulte, d'être un homme. Je ne suis pas pour ce genre de méthode car je pense que beaucoup de toxicomanes ont eu une existence assez pénible en elle-même sans qu'on vienne y ajouter la réprobation sociale. Il est possible que, dans certaines formes de cure de désintoxication en groupe, la pression du groupe aide le toxicomane à changer de comportement, mais cette pression ne peut certainement pas atteindre le profond besoin d'amour qui l'habite. Tant que la souffrance existe, toutes les menaces, toutes les punitions du monde ne serviront à rien. Quand la souffrance primale a disparu, il ne sera plus nécessaire de vitupérer ou de supplier un toxicomane pour qu'il renonce à son comportement.

Je ne crois pas non plus qu'il soit efficace de forcer le toxicomane à se comporter « comme un adulte ». Beaucoup d'entre eux ont été forcés d'être adultes avant même d'avoir pu être des enfants. Ce dont ils ont besoin, c'est de cet enfant qui souffre au lieu de « jouer » à l'adulte. Selon moi, la pression sociale et les menaces augmentent l'auto-protection, au lieu de la diminuer. Beaucoup de toxicomanes sont armés pour vivre dans un monde hostile; en revanche, ils ne savent pas se défendre contre la douceur.

Les gens ne se font pas tous les jours de leur vie des piqûres dans les bras parce qu'ils sont faibles ou stupides. Ils sont malades, ils souffrent d'un mal aussi profond, aussi réel et aussi douloureux que la plupart des maladies dites physiques. L'usage de la drogue n'est en général pas un choix fait à la légère; il est la conséquence inéluctable lorsqu'un corps qui souffre cherche à découvrir un sens — à trouver un soulagement à sa maladie. Essayer de faire de la morale et de convaincre quelqu'un d'abandonner sa maladie, reviendrait à vouloir lui faire passer sa souffrance primale par des paroles. Traiter un toxicomane de « stupide » sans l'entourer de gens qui prennent soin de lui et le comprennent ou sans lui offrir un milieu qui lui garantit une certaine protection contre le monde qui lui fait mal, revient à mon avis à assurer la prochaine piqûre.

Aux Etats-Unis, les centres de désintoxication privés et locaux affichent d'excellents résultats — un pourcentage élevé de toxicomanes qui depuis des années ont renoncé à la drogue et qui ont retrouvé une vie conjugale et professionnelle normale; ils ont sans aucun doute de meilleurs résultats que les établissements fédéraux qui enregistrent 80 à 90 % de rechutes. Certes je crois qu'il est important que le toxicomane renonce avant tout aux drogues les plus dangereuses; en tout cas, si l'on peut obtenir ce résultat, c'est déjà une bonne chose. Mais je ne considère pas le fait de renoncer à la drogue comme synonyme de guérison. Pour moi, un toxicomane qui se droguait à l'héroïne et qui, dans un centre de désintoxication, renonce à l'héroïne pour des drogues moins nocives comme le café et les cigarettes (privés de l'héroïne, ils se mettent tous à en consommer énormément), est toujours un toxicomane : un niveau élevé de tension n'attend que le moment où il faiblira. Tant qu'il peut travailler dur, fumer pour éliminer sa souffrance et qu'il est soutenu par son entourage, il arrive à se passer de drogue pendant des années et peut-être pour toujours. Mais le moindre changement dans ces exutoires peut faire remonter la souffrance (qui est toujours là) et provoquer une rechute.

La durée pendant laquelle le sujet arrive à se passer de drogue ne semble pas être un indice quant à sa prédisposition à la rechute. Bien entouré, un sujet au niveau de tension élevé ne rechutera peut-être jamais. En revanche, un sujet moins tendu mais rejeté à la rue peut se remettre immédiatement à la drogue. Presque tous les jours, je reçois des coups de téléphone d'hommes ou de femmes qui ont été en prison pendant des années et se sont drogués dès leur sortie. Tout cela en dépit du programme de psychothérapie intensive qui a été mis au point pour les toxicomanes dans les prisons de Californie.

Les instituts de désintoxication qui fleurissent actuellement dans tout le pays ont eu le grand mérite de sauver certains sujets du phénomène physiologique de la toxico-manie pour leur permettre de mener une vie sociale nor-male, mais je ne peux m'empêcher de penser que ce n'est qu'une approche messianique de la question. Le toxico-mane est pris en charge par des gens « bien » qui ont des idées bien arrêtées sur ce qui est le bien et le mal. Dans leur optique, il est peut-être logique de considérer le toxico-mane comme un imbécile plutôt que comme un malade, mais si la toxicomanie est une maladie, il convient d'en trouver les causes et de pousser l'analyse bien au-delà du comportement de surface.

La marijuana

La marijuana a des effets différents de ceux de l'héroïne. L'héroïne diminue ou « supprime » la souffrance et elle anesthésie le sujet contre les sentiments douloureux. Les effets de la marijuana sur le sujet qui en consomme dépendent de trois facteurs : (1) la quantité qu'il fume; (2) la solidité de son système de défenses et (3) la quantité de souffrance primale qu'elle tient à l'écart. Avec une dose assez forte de marijuana, on peut obtenir une réaction sem-blable à celle que provoque le L.S.D., comportant des illu-sions et des hallucinations. Ce genre de réaction se produit quand il y a une grande quantité de souffrance latente demandant une fuite symbolique, ou quand le sujet a un système de défenses particulièrement fragile.

Par exemple, il n'est pas rare que le sujet qui a déjà pris du L.S.D., soit mis passagèrement (et quelquefois assez durablement) dans le même état psychotique par la mari-juana. Le premier « voyage » provoqué par le L.S.D. a ébranlé le système de défenses et a rapproché le sujet de sa souffrance, l'usage ultérieur de marijuana peut suffire à faire s'écrouler tout le système névrotique. C'est pourquoi l'usage continu de L.S.D. et de marijuana est dangereux. Une malade qui avait pris du L.S.D. puis fumé de la mari-juana, fut prise d'une peur obsessionnelle d'être coupée en deux par une lame de rasoir. Cela donna naissance à la peur d'être retenue prisonnière par le lit dans lequel elle dormait. Si ces symboles étaient devenus compulsifs et obsédants, c'est que son système de défenses qui la proté-geait de la peur, avait été affaibli par l'usage des drogues. Il n'aurait pas fallu longtemps pour que ces peurs deviennent si fortes que d'autres réactions symboliques s'avèrent nécessaires et que le sujet finisse par s'effondrer complètement.

En général, la marijuana a des effets agréables parce qu'elle ne fait qu'infléchir le système de défenses sans l'ébranler profondément, comme le fait une forte dose de L.S.D. Par conséquent, les premiers « voyages » sont euphoriques ou mystiques. Par la suite, les choses s'aggravent et deviennent moins agréables. Les malades qui ont supprimé en thérapie primale leur système de défenses ne supportent pas la marijuana. J'ai le souvenir d'un étudiant qui, vers la fin de la thérapie, se vit offrir une cigarette de marijuana; il en tira à contrecœur quatre ou cinq bouffées. En l'espace de quelques minutes, il se retrouva dans sa chambre en train de faire un primal. Il en fut très étonné parce qu'avant la thérapie, il avait régulièrement usé de la marijuana et pouvait facilement en fumer deux cigarettes, après quoi il se sentait seulement « relâché et pouffant de rire ». Tout était changé parce qu'il ne disposait plus d'un solide système de défenses.

Il est possible que le névrosé « moyen », qui fume de la marijuana pour la première fois, puisse en fumer une assez grande quantité et ne souffrir que de désordres physiologiques — palpitations, étourdissements. D'autres ont des réactions désagréables d'anxiété. Mais la réaction d'un sujet donné à une drogue donnée, ne dépend pas exclusivement de la composition chimique de cette drogue. En ce qui concerne la marijuana, le sujet bien protégé peut, la première fois qu'il en fume, voir son système de défenses assez affaibli pour que la souffrance monte, mais pas assez pour être réellement menacé — il en résulte des sentiments d'anxiété devant de nouvelles et étranges sensations.

Il en va de même d'une drogue qui nous est bien plus familière, la caféine — le stimulant que contient le café. En général, il ne vous viendrait pas à l'idée de penser que nous nous droguons à la caféine, pourtant, nombreux sont ceux qui ont de véritables difficultés à « fonctionner » sans avoir bu leur café du matin. Le sujet dont les réactions sont considérablement émoussées, comme l'héroïnomane, peut facilement boire dix tasses de café sans effet notable. En revanche, chez le sujet qui a terminé sa thérapie primale, une tasse ou deux suffisent à provoquer une profonde agitation. Ils ont presque tous renoncé au café; sans l'intervention d'un système de défenses, tout agent chimique a une action directe et puissante sur l'organisme.

Il est par conséquent clair que le système de défenses

détermine dans une large mesure notre réaction à la drogue. C'est lui qui filtre, amortit ou bloque les stimuli extérieurs ou intérieurs. Dans ce processus, les réactions internes et externes sont interdépendantes. Ainsi, on ne peut pas défendre le moi intérieur et être direct dans sa vie extérieure; inversement, on ne peut être réel sur le plan psychologique sans subir les effets directs et violents de drogues comme la caféine ou la marijuana. Etre irréel signifie que le système dans sa totalité est irréel, être réel signifie être réel dans tout son système.

Je crois que beaucoup de ceux qui fument de la marijuana cherchent à être réels, mais ils s'y prennent de façon irréelle. En un sens *planer* est quelque chose de symbolique. Cela signifie qu'on agit comme si l'on était libéré et libre. Mais une libération réelle suppose que l'on ressente son moi tourmenté, non qu'on le libère passagèrement, par la drogue, de l'oppression exercée par le système irréel.

Ce qui différencie le véritable héroïnomane de celui qui fume de la marijuana, c'est que « l'herbe » n'est pas la seule défense ou la défense clé de celui qui en use. Le fumeur de marijuana dispose d'autres défenses qui l'aident à vivre, malgré sa tension. L'héroïnomane par contre a épuisé ses défenses. L'héroïne est la seule qui lui reste et il en a besoin pour vivre. En général, le fumeur de marijuana est beaucoup moins refoulé (a moins de souffrance) que l'héroïnomane. La marijuana aide à lever la répression de sorte que le fumeur a souvent l'impression d'un éveil de tous ses sens; il perçoit les nuances d'un disque et il voit les couleurs exquises d'un tableau. Ce processus d'éveil de tous les sens provoque également des insights — ce qui n'est pas le cas de l'héroïne. Un patient racontait comme suit un « voyage » qu'il avait fait sous l'effet de la marijuana, avant d'avoir ses primals : « En planant, j'ai eu soudain le souvenir de mes parents qui se moquaient de ma façon de prononcer le mot " sky " (ciel) quand j'étais petit. Ils me le faisaient dire quand il y avait des visites. Je devais continuellement chanter " Brille, brille petite étoile " et ils s'étouffaient de rire. L'herbe me fit comprendre que depuis ce temps-là, j'ai toujours eu peur de parler devant des gens. »

Cet insight provenait d'un souvenir refoulé que la marijuana permit de rendre conscient. La scène avait été pénible et normalement, le patient ne s'en serait pas souvenu. Une fois rendue consciente, il fut possible de relier le comportement présent à la souffrance passée. C'est cela l'insight. Si le même souvenir avait fait surface au cours d'un primal, la souffrance aurait peut-être été une véritable torture mais les insights auraient été plus riches et plus complets sur le plan physique.

Tout le monde sait que beaucoup de jeunes gens sont aujourd'hui attirés par la marijuana. Pour une raison ou pour une autre, la société a décidé que pour résoudre le problème, il fallait interdire la drogue au lieu de supprimer les causes pour lesquelles on la prend. Mais le plus souvent, la marijuana est bonne à prendre pour le névrosé parce qu'il est bon de ressentir quelque chose. Il semble que la marijuana ait, à une petite échelle, le même effet que le L.S.D. — elle stimule les sentiments. Beaucoup de jeunes gens ne connaissant en vérité aucun autre moyen que la drogue d'accéder à leurs sentiments. Les expériences de la petite enfance leur ont fait « couper le contact » et maintenant il leur faut quelque chose qui les « remette en marche » — la drogue. La question n'est pas de savoir ce qui les remet en marche, mais ce qui leur fait « couper ».

Chez beaucoup de sujets, la marijuana et l'émergence des sentiments entraînent un renforcement des défenses. Le sujet rit à gorge déployée (parce qu'il peut sentir, même si ce n'est pas le sentiment réel) ou mange avec voracité. L'effet de la drogue est essentiellement de faire rentrer le sujet dans son propre corps. Par exemple, ce rire irrépressible est pour beaucoup de névrosés une expérience physique bien plus complète que le rire sans drogue. Après la thérapie primale, cependant, les sujets sont à nouveau en pleine possession de leur corps et n'ont plus besoin ni de marijuana ni d'autres drogues, ce qui me paraît encore la meilleure solution.

Sally

Lorsque Sally vint me voir pour la première fois, on avait établi à l'hôpital psychiatrique local le diagnostic de « psychotique par suite d'usage de L.S.D. ». Son effondrement final avait été provoqué par un « voyage » au L.S.D., suivi de fortes doses de marijuana. Son traitement fut très rapide, ce qui est souvent le cas des malades qui sont au bout du rouleau.

« J'ai vingt et un ans. L'enfance que j'ai vécue dans ma famille a été une perpétuelle lutte. Mes parents se disputaient et se querellaient sans arrêt et ont fait de moi une boule de nerfs. De plus, j'ai passé mes quatre premières années d'école dans une institution catholique, ce qui a été pour moi un véritable désastre. Je me souviens de plusieurs incidents pénibles parce que je n'étais pas aimée et que les sœurs me punissaient constamment. La punition consistait en général à recopier dix fois la leçon de catéchisme pendant la récréation, alors que les autres enfants s'amusaient; cela me donnait l'impression de m'éloigner de Dieu et non de m'en rapprocher, d'autant que je ne savais jamais exactement pourquoi j'étais punie. Je manifestais ma détresse en faisant pipi sous mon bureau et en me nettoyant le nez pour manger la morve. Personne ne me voyait et personne ne m'aidait. Je me souviens fort bien d'avoir été terriblement seule à cette époque et il m'en est resté une peur de la solitude qui persiste encore aujourd'hui.

Comme à la maison la vie était aussi dégueulasse qu'à l'école, je me rabattais sur la seule chose qui m'empêchait de devenir folle : le chant. A l'école, surtout entre treize et quinze ans, cela me fit bien voir. Dès les premières classes de l'école catholique, j'avais une très bonne voix. Le dimanche, j'étais dans la chorale de l'église et le jour de la saint Patrick je chantais à l'école une petite chanson sur l'Irlande. Quand j'étais seule, à la maison, je vivais dans un monde de théâtre. J'imaginais des films pour moi toute seule, dont j'étais la vedette, portant les costumes les plus somptueux qu'on puisse imaginer, et chaque nouvelle représentation me valait une récompense. Si j'avais vu à cette époque-là ma vie telle qu'elle était — c'est-à-dire de la merde — je serais devenue folle, mais grâce à mon imagination, elle était belle. J'étais contente de me jouer la comédie toute seule et persuadée qu'un jour je serais une grande cantatrice et une vedette de cinéma. Je me souviens d'avoir eu parfois de petits pincements de souffrance quand je chantais ou que je montais une pièce pour moi toute seule, parce que je me disais : « Ce n'est pas vrai, ce n'est qu'un rêve. » Quelquefois, je m'effondrais et je pleurais pendant des heures parce que je n'étais qu'une petite fille et que je voulais réaliser mon rêve, devenir quelqu'un, car en réalité je n'étais personne — vraiment personne — toute mon identité était dans mon avenir. Et cet avenir ne devait jamais arriver parce que je le repoussais toujours, je ne voulais pas découvrir que si jamais j'atteignais cet avenir, je ne connaîtrais pas le succès. Où pouvais-je aller alors pour devenir « quelqu'un » ? C'est pourquoi je ne suis jamais sortie de mon rôle de petite fille et de mes rêves de théâtre et d'opérette : jamais je ne suis entrée dans la réalité. J'ai continué à curer mon nez et à manger ce que j'en tirais, j'ai continué à crier : « Aidez-moi, aidez-moi à devenir adulte ». Mais personne ne pouvait plus m'aider parce que j'avais grandi et que je lançais ces appels à l'aide en secret. Même si les autres l'avaient voulu, ils n'auraient pas pu m'aider, et, au fond de moi-même, je vous le garantis, je ne souhaitais pas *réellement* leur aide.

C'est bizarre d'être névrosée : on grandit, on apprend de plus en plus de choses, on en comprend de plus en plus; souvent, on adopte même un comportement beaucoup plus adulte parce qu'on l'attend de vous. Mais en soi, on porte cette petite fille qui veut qu'on la caresse, qu'on l'aime, qu'on l'aide et qu'on la protège. Pour obtenir ce dont on a besoin — amour, protection, etc. — on mène intérieurement une lutte constante entre ce que l'on est censé être (un adulte) et ce que l'on veut être — on voudrait avoir grandi en même temps que son corps et que sa conscience, mais il y a quelque chose, une partie de soi-même qui semble morte.

Je suis entrée en thérapie au mois de janvier. J'y suis entrée par suite d'événements qui s'étaient produits huit mois auparavant. J'avais pris du L.S.D. J'en avais pris plusieurs fois sans graves conséquences. C'est la dernière dose qui déclencha ce que j'appellerai ma folie.

Mon ami et moi, nous avions pris chacun une double dose de L.S.D. J'étais de mauvaise humeur, parce que ce soir-là, j'aurais voulu aller avec lui à une soirée où il y avait certains de mes anciens collègues de travail. Il refusa et c'est comme ça que nous avons pris ce L.S.D.

Nous avons fini par atterrir dans une autre soirée. Il y avait là des gens qui s'étaient drogués, d'autres pas. Il y avait un gars qui faisait de magnifiques boucles d'oreilles et je demandai à mon ami de m'en acheter une paire. Je me sentais mieux, jusqu'au moment où le L.S.D. commença à faire son effet. Tous mes sens se sont exacerbés. Je sentais ma propre odeur, l'odeur de mon corps. J'ai regardé autour de moi pour voir si les autres la sentaient aussi. Apparemment, personne ne s'en rendait compte. J'ai couru à la salle de bains, j'ai attrapé un savon et ai commencé à me laver les bras et les aisselles pour essayer de me défaire de cette odeur. Je me sentais horriblement sale, de la merde. Je ne pouvais pas me défaire de cette odeur. En sortant de la salle de bains, je suis allée dire à mon ami qu'il y avait quelque chose qui n'allait pas. Nous sommes sortis pour parler. Tout à coup j'ai eu ce qu'on pourrait appeler une attaque. C'était comme si j'avais perdu l'esprit pendant quelques minutes et quand j'ai repris un peu conscience, je savais que j'avais été ailleurs, mais j'ignorais où, et je fus frappée de terreur à l'idée que cela pourrait m'arriver de nouveau et que peut-être la prochaine fois, je n'en reviendrais pas. Ce phénomène s'est répété sans discontinuer pendant environ sept heures. Chaque fois, je me demandais si j'en sortirais jamais. Je ne découvrais rien de réel. C'était une succession d'absences totales et de terreur profonde : j'étais convaincue que j'étais devenue complètement folle.

Au bout de ces sept heures, je commençai à me remettre un peu. Je n'avais plus d'attaques mais j'étais toujours agitée et remplie de peur.

J'essayai de dormir, mais, de peur, je ne pouvais rester les yeux fermés. On aurait dit que ma tête avait éclaté et que les morceaux ne voulaient plus se remettre en place.

Au bout de quelques jours, j'étais redevenue normale.

Ce n'est que deux mois plus tard que j'ai commencé à ressentir les effets secondaires du L.S.D. Cela a commencé par un cauchemar. Je m'éveillai en hurlant parce que je croyais que je devenais folle. Tout mon corps était possédé de terreur. Comme je ne pouvais plus dormir, je réveillai mon ami qui vivait avec moi, et il essaya de me rassurer. Mais je ne voulais pas être rassurée, je voulais savoir ce qui n'allait pas; il fallait que je le sache.

Ce jour-là, et les mois qui suivirent, ce fut l'*enfer*. J'étais persuadée d'être folle. Il y avait dans mon esprit des idées qui ne pouvaient relever que de la folie. D'abord, je ne comprenais pas comment je pouvais avoir une pareille peur sans objet. Il y avait deux mois que je n'avais plus pris de L.S.D., pourquoi donc me sentais-je vingt-quatre heures sur vingt-quatre comme si j'étais sous l'effet de la drogue ?

Il est pratiquement impossible d'essayer d'expliquer toutes les petites pensées qui contribuaient à me rendre folle, tout ce qu'on peut dire, c'est que toutes mes défenses étaient complètement détruites. Je veux dire par là, que je n'avais plus aucun moyen de penser logiquement. Je n'arrivais pas à admettre qu'un mur est un mur et une chaise, une chaise. Je n'avais plus du tout le sentiment de moi-même. Mon esprit était tellement bloqué que je n'avais plus de corps et que je ne ressentais rien d'autre que la peur. J'avais constamment peur. J'avais l'impression d'être enfermée dans mon esprit comme dans une prison et le seul moyen d'en sortir était la chambre à gaz. Je n'avais pas le moindre espoir de survivre à cette crise.

En même temps, il se passait autour de moi des choses

dont je ne me souciais pas le moins du monde. Mon ami, avec qui je vivais, faisait du trafic de drogue. Il était sans travail, je n'en avais pas non plus, mais nous avions beaucoup d'argent qui lui venait de ce trafic. Il y avait constamment chez nous une foule d'amis chevelus qui venaient se ravitailler; il y avait toujours de grandes quantités de drogue dans notre appartement. C'était le paradis des toxicomanes. Rien de tout cela ne m'inquiétait parce que cela me laissait vraiment indifférente. Je n'avais réellement plus conscience de ce qui se passait autour de moi. Pendant tout ce temps-là, je ne me droguais absolument pas et je n'en avais pas envie. Tout ce qui m'importait, c'était mon esprit : pourquoi il avait des absences, et pourquoi je ne pouvais pas accepter de prendre une ampoule électrique pour une ampoule électrique. A mes propres yeux, j'étais folle et ma peur terrible venait de la conscience que j'avais d'être folle et je voulais être sûre que je finirais ainsi. Je préférais devenir folle plutôt que d'accepter la réalité toute simple et de reconnaître qu'une ampoule électrique était une ampoule électrique.

A ce moment-là, j'aurais été mûre pour un primal, mais malheureusement, cette thérapie n'avait pas encore été découverte. Lorsque je suis entrée en thérapie parce que j'étais totalement désespérée, les choses ont changé, mais de façon complètement différente de ce qui se passe maintenant. C'est alors que j'ai appris à renforcer mes défenses. Au lieu d'avoir peur tout le temps, j'avais seulement peur la plupart du temps. J'avais construit en moi un système de défenses pour me détacher de tout ça. Quand je sentais la peur, je me trouvais de bonnes raisons pour me dire qu'elle n'existait pas réellement, que je n'avais pas peur du tout et que tout cela n'était qu'une banale étincelle de L.S.D. (en admettant que l'on puisse savoir ce que c'est). J'avais aussi quelqu'un sur qui m'appuyer, quelqu'un dont j'étais sûr qu'il connaissait la bonne réponse : mon thérapeute. S'il m'avait dit que la lune était un fromage, je l'aurais cru car il savait tout ce qui concerne l'esprit et il n'y avait aucune raison d'avoir peur. J'avais une entière confiance en cet homme dont j'avais fait dans mon esprit un dieu, un père et un protecteur de ma santé mentale.

Quand notre groupe commença à découvrir certaines choses au sujet de la souffrance primale, quelque chose de puissant en moi (mon moi) souhaita en faire l'expérience, parce que tout en « m'adaptant » à la vie, j'étais malheureuse. Je ne savais pas ce que je voulais faire ou être. Mon premier primal a été déclenché par une décision. J'avais décidé d'épouser mon ami. La situation avait changé : il avait un bon travail, qui n'avait absolument rien à voir avec la drogue, et j'avais également trouvé du travail. Nous commencions à ressembler au jeune couple moyen.

Après avoir pris cette décision, je racontais, un soir, en séance de groupe, je ne sais quelles sottises, je disais combien j'étais heureuse, quand tout à coup je m'interrompis, jetai un profond regard en moi-même et compris que ce n'était pas ça du tout. Ce n'était pas ça qui allait rendre ma vie heureuse.

Je m'allongeai sur le sol et commençai à respirer profondément par le ventre. Cette respiration fut suivie de cris de colère. Je me sentais dégueulasse. Je me sentais plus sale que de la merde. Je m'assis et je me souviens que les autres membres du groupe me posaient des questions et que je leur répondais. Je ne saurais me souvenir de mes réponses, mais tout le monde avait l'air content et ils disaient : « Ça y est, vous y êtes arrivée, vous y êtes arrivée ». Tout ce qui me préoccupait c'est que j'étais dégueulasse parce que toute ma vie, je m'étais menti. Toute ma vie n'avait été qu'une plaisanterie malsaine dénuée de sens. Je n'étais rien.

Ce fut ma première percée vers la réalité.

Après ce primal, j'en ai eu plusieurs autres. Chacun éliminait une des principales blessures que j'avais enfermées en moi.

Il était bien plus facile de renoncer à l'espoir d'être aimé par mon père plutôt que par ma mère, parce que mon père avait toujours été plus réel. Mon père avait une situation, la même depuis une trentaine d'années, mais il buvait énormément. Quand mes parents se disputaient, ce qui arrivait pratiquement tous les jours, j'étais toujours du côté de ma mère, comme mon frère et mes sœurs. Ma pauvre maman, c'était elle qui souffrait toujours. Il fallait qu'elle supporte d'être battue, traitée de pute et qu'elle voie ses enfants vivre cet enfer parce qu'elle voulait maintenir la famille.

Il m'était plus facile de renoncer à mon père parce que j'ai su toute ma vie ce qu'il était : un foutu bon à rien.

Avec ma mère, c'était une autre histoire. J'étais convaincue qu'elle m'aimait profondément, et elle en sera convaincue toute sa vie, de sorte qu'il était difficile de renoncer à l'espoir d'un amour dont j'avais toujours cru qu'il existait, tout en sachant que ce n'était pas vrai.

C'est au cours d'un des derniers primals que j'ai renoncé

à l'espoir d'être aimée d'elle. J'étais couchée par terre et je criais; j'ai senti la douleur au fond de mon ventre. Ma mère est sortie de moi par ces mots : « Maman, maman, pourquoi est-ce que tu ne m'aimes pas ? » J'ai hurlé cela sans discontinuer. Je savais que c'était la vérité et je comprenais que toute ma vie, j'avais lutté pour son amour plus que pour tout autre amour, parce qu'elle était la promesse de l'amour. En paroles, elle disait m'aimer. Je savais que si j'étais une gentille petite fille, un jour, j'obtiendrais peut-être son amour réel. Mais ce n'était pas mon genre d'être une gentille petite fille. Parfois, j'avais envie d'entrer dans de furieuses colères contre les gens, j'avais envie de leur dire mon désaccord, mais je ne le faisais pas parce que je sentais que je perdrais leur amour.

Après chaque primal, ma voix baissait d'un ton. A un moment donné, elle devient une véritable basse. J'avais toujours eu un registre élevé, une voix fine et douce. Aujourd'hui, elle s'est posée et j'ai une voix naturelle, réelle.

Après chaque primal, j'avais l'impression que ma vision s'améliorait. Je voyais plus de choses parce que je n'avais plus peur de regarder la lumière.

Mes idées étaient bien plus claires. Je pouvais parler aux gens et me faire comprendre. J'étais confiante lorsque j'avais quelque chose à dire parce que c'était moi-même qui parlait. Auparavant, j'avais de la peine à m'expliquer. Il y avait en moi deux être qui se combattaient.

Je finissais toujours par dire quelque chose tout en sentant que tout ce que je disais était faux.

Maintenant, il n'y a plus de lutte dans ma vie, parce que ce qui arrive, arrive. Mais je ne suis plus sans influence sur ce qui arrive, parce que je fais ce que j'ai envie de faire.

J'ai trouvé le bonheur parce que j'ai compris que nous vivions dans un monde irréel, peuplé essentiellement de personnages irréels. C'est ce que devraient comprendre les gens quand ils ne sont pas malades; on ne peut pas influencer la vie des autres, même quand elle met la nôtre en danger; alors, pourquoi se faire du souci pour ce qu'ils font ? S'il y a un moyen de se protéger et de protéger les autres, il faut l'employer, sinon, on s'abstient.

Aussi irréel que soit le monde, j'y ai trouvé ma réalité et ma propre réalité suffit à le rendre réel — parce que c'est la mienne. »

La boulimie

Si je place la boulimie dans le chapitre sur la drogue, c'est que le sujet qui a continuellement besoin de manger utilise la nourriture comme agent de détente, à peu près comme une injection périodique d'un tranquillisant. Le boulimique mange rarement par faim. Il mange sous l'emprise d'une pulsion irrésistible qui se fait en général sentir dès qu'il se retrouve seul avec lui-même pour un certain temps. La courbe de graisse que produit sa boulimie semble former un véritable isolant qui le protège de la souffrance. C'est pourquoi, en thérapie primale, les obèses sont souvent des sujets difficiles à traiter.

J'ai parlé précédemment de ce qui distingue tension ascendante et tension descendante. La distinction apparaît avec une particulière clarté dans le traitement des gens trop gros ou des obèses. Beaucoup d'entre eux, quand ils commencent la thérapie, ne sont pas particulièrement anxieux. Leur souffrance a été endormie par tout ce qu'ils ont pu avaler — drogues, alcool, nourriture. En mangeant, ils étouffaient le moi réel — les sentiments réels qui sont prêts à jaillir dès qu'ils ne sont pas protégés par de la nourriture. C'est là la tension descendante. Elle n'est en général pas ressentie en tant que telle, c'est plutôt une impression de vide qui se déguise en faim. Une malade s'expliquait ainsi : « J'employais la nourriture pour éliminer en mangeant la tension qui me rongeait. Toute ma vie consistait à attendre le repas suivant. Je trouvais si peu de chose dans ma famille que la nourriture devait me tenir lieu de tout. C'est la seule chose agréable que ma mère m'ait jamais donnée. » Cette malade mangeait pour ne pas ressentir combien était désagréable la vie dans sa famille.

La tension ascendante est celle qui se manifeste chez le boulimique privé de son moyen de défense pendant un certain temps. Au cours de la première semaine de thérapie, par exemple, le malade qui n'a pas le droit de manger beaucoup alors que simultanément son système de défenses est affaibli par le thérapeute, est plongé dans l'anxiété. Il se met à rêver comme il ne l'a jamais fait, il ne tient plus en place et bientôt il ne pourrait plus manger même s'il le voulait. C'est que ses sentiments remontent et qu'ils sont si puissants qu'ils entravent l'ingestion. Il perd beaucoup de poids sans le moindre effort au cours des trois premières semaines de traitement.

Le sujet qui mange plus qu'il ne faut, n'absorbe pas réellement de la nourriture mais quelque chose de symbolique. Certains malades parlent de remplir leur vide intérieur pour ne pas être contraints de ressentir le vide de toute une existence. D'autres pensent que c'est encore le petit enfant frustré en eux qui a gardé des besoins oraux qu'il faut satisfaire. Comme me l'a dit un patient : « Je mange pour ce petit enfant frustré. »

Cependant, le fait de trop manger n'est pas la simple satisfaction de vagues besoins, psychologiques d'ordre oral. Toute personne « grassouillette » doit sa condition à une conjoncture particulière. L'un mangera trop parce qu'il a été privé du sein de sa mère, un autre parce que les repas étaient la seule satisfaction de son enfance. Il est bien des mobiles qui peuvent faire du sujet un boulimique.

Ce qu'il ne faut jamais perdre de vue, c'est que le fait de manger (tout comme une sexualité compulsive) et l'exutoire des besoins les plus divers. Le sujet mange pour apaiser une souffrance qui n'a rien à voir avec un manque de nourriture subi dans la petite enfance; c'est pourquoi il est bien souvent inutile de traiter la boulimie comme un problème strictement alimentaire. Le sujet peut choisir la nourriture pour apaiser sa souffrance au lieu de la drogue ou de l'alcool, en fonction du milieu dans lequel il a grandi — milieu dans lequel on mettait l'accent sur la nourriture, alors qu'on avait de profondes préventions vis-à-vis de l'alcool. Le névrosé a de faux désirs. Appliquer une thérapeutique à ces pseudo-désirs, c'est ne pas traiter les besoins réels.

Par exemple, j'ai vu en thérapie une malade qui disait qu'elle avait brusquement recommencé à trop manger au cours de la semaine précédente. Elle avait eu le rêve suivant : « Ma mère plane dans le ciel, un couteau de boucherie à la main, prête à fondre sur moi. Je suis terrifiée et essaie de m'enfuir. Je prétends ne pas être moi — juste un vilain monstre — mais en vain. Elle est sur le point d'attaquer lorsque je me réveille. » Je la fais se replonger dans le sentiment du rêve pendant qu'elle le raconte, comme si elle le rêvait maintenant. Elle revit sa terreur, puis voit la situation dans son ensemble : sa mère était très possessive à l'égard de son père. Elle voulait toujours être la jeune femme délurée et affriolante qui attirerait et retiendrait l'attention de son mari. Très tôt dans sa vie, la malade commença à sentir que sa mère ne souhaitait pas la voir devenir jolie et attrayante. Pour couper court à la jalousie de sa mère, la jeune fille était devenue grosse et devait le rester la majeure partie de sa vie. Elle avait saisi que sa mère la voyait comme une rivale et son cri primal fut : « Ne te mets pas en colère, maman, je ne cherche pas à te prendre papa. » Elle déjouait ce sentiment par l'obésité. En étant grosse et laide, elle refoulait la crainte qu'elle avait de sa mère et au moment où ce sentiment menaçait de faire surface, au cours de la semaine précédente, elle s'était remise à manger trop pour l'étouffer à nouveau. Une belle silhouette menaçait donc son existence. Elle se défendait par la difformité et il n'y avait ni traitement antérieur ni régime qui puissent supprimer cet excédent de poids, tant que les sentiments profonds n'étaient pas ressentis.

Après ce primal, cette malade se souvint d'une époque de son enfance où elle avait été active et pleine d'allant. Puis, elle s'était rendu compte que sa mère au fond ne souhaitait pas la voir vive et qu'elle avait commencé presque méthodiquement à chasser toute vie de sa fille. L'enfant y avait consenti et bientôt elle refoula et enfouit tout en elle-même à l'aide de la nourriture. Après le primal, elle perdit du poids sans effort.

L'exemple de ce seul primal montre bien la complexité des problèmes d'obésité. Il est des femmes qui ont peur d'être attirantes à cause de l'activité sexuelle que cela risque d'entraîner. D'autres mangent parce qu'elles ont de la nourriture à leur disposition mais pas d'amour. Certains névrosés mangent pour éviter de sentir que personne ne les comblera jamais. Ils se « remplissent » pour ne pas se sentir vides. N'ayant pas reçu ce dont ils avaient besoin dans leur enfance, ils en sont venus à croire que c'est de la nourriture qu'ils désirent. Une patiente expliquait sa boulimie de la façon suivante : « Je n'ai jamais vécu dans mon corps parce qu'il y avait en lui trop de souffrance d'être inassouvi. C'est ainsi que je vivais avec ma tête tout en gavant mon corps pour faire taire la souffrance qui me rongeait. »

Il y a un célèbre axiome disant que tout homme gras cache en lui un maigre. C'est une autre manière de dire que toute personne irréelle renferme une personne réelle. Le sujet gras présente littéralement au monde une façade irréelle — symptôme d'un moi irréel qui cherche à protéger et à isoler le moi réel. J'ai découvert que plus l'aspect physique du névrosé est normal, plus il est proche de sa réalité et de sa souffrance. C'est pourquoi la première chose à faire dans le traitement primal d'un sujet boulimique est de l'affamer afin de détruire la façade irréelle. Pendant cette période, le patient doit être surveillé presque d'aussi près que le toxicomane parce que sa façade d'homme gras était indispensable à son déguisement psychophysique. Il sera tenté de tricher avec n'importe quel régime, exactement comme le toxicomane qui essayera de se piquer lorsque nous commençons à démanteler son système de défenses.

Le boulimique risque de rechuter tant qu'il n'a pas ressenti la plupart de ses besoins réels. Un patient m'a dit : « Si je maigris et que la vie ne m'apparaisse pas plus agréable que quand j'étais gros, je perdrai réellement tout espoir. Tant que j'étais gros, j'avais l'espoir de devenir mince. Mieux que cela, je pouvais me dire que c'était mon aspect qui me faisait rejeter par la société et non mon véritable moi. » L'espoir que le sujet place dans l'obésité varie selon les cas. Une jeune femme attendait le jour où elle serait devenue si grosse que sa mère serait obligée de reconnaître finalement qu'il y avait quelque chose qui n'allait pas et lui proposerait de l'aide. Un autre patient m'a dit qu'il avait besoin d'avoir toujours quelque chose qu'il pouvait attendre avec plaisir, et c'était la nourriture, car, en dehors des repas, sa vie était complètement stérile. Un besoin compulsif n'a pas grand-chose à voir avec son objet en lui-même (ici la nourriture). Se débarrasser de ces besoins anciens est la seule façon de mettre fin à un appétit vorace.

Dans un ouvrage sur l'obésité, un médecin bien connu a écrit que le malade doit être *éduqué* à se nourrir correctement. Il insiste pour que le sujet apprenne la teneur en calories de tout ce qu'il mange et même alors, poursuit-il tristement, le malade devra se surveiller tout le restant de ses jours. J'ai beaucoup de patients qui connaissent par cœur la valeur en calories de chaque aliment, mais cela ne les empêche pas de courir au réfrigérateur toutes les nuits, avec toutes ces statistiques dansant dans leur tête. En fait, l'alacrité avec laquelle ils se jettent sur tous les nouveaux régimes qu'on préconise, ces façons de maigrir sans douleur, est bien la preuve de leur espoir irréel.

Tant que le boulimique peut se préoccuper de nourriture et de régimes, il n'est pas contraint de faire face à ce qui va réellement mal. C'est pourquoi toute approche partielle du problème de l'obésité est vouée à l'échec. Ceux qui veulent traiter le mal par des régimes, des cachets, des piqûres et des techniques spéciales, ne soignent que le corps; quant à l'approche exclusivement psychologique, elle pêche par l'inverse.

A longue échéance, seule l'approche psychophysiologique peut réussir. Effectivement, un collègue qui fait par-

tie d'une équipe de diététiciens, m'a dit que le pourcentage de rechutes parmi leurs malades est à peu près égal
à celui que l'on enregistre pour les cures de désintoxication.

CHAPITRE 20

LA PSYCHOSE : AVEC OU SANS DROGUE

La pratique m'a conduit à penser qu'il n'est pas de « processus psychotique » latent, pas de bizarrerie secrète reléguée dans ce qu'Aldous Huxley appelle les « antipodes de l'esprit ». Tout névrosé cache au plus profond de lui-même une réalité douloureuse — une santé mentale (si cette réalité est ressentie). Dans cette optique, la folie est une défense contre cette réalité écrasante. Les gens deviennent fous pour ne pas ressentir leur vérité. Il s'agit là d'un refus de beaucoup de théories psychologiques selon lesquelles l'homme est par essence irrationnel, refréné uniquement par la société. A mes yeux, irrationnalité, rêves, hallucinations et illusions ne sont que des protections destinées à préserver notre sécurité et notre capacité de fonctionner.

Quant à la gravité de la psychose, si le moi n'a pas eu cinq ou six ans pour se consolider, avant que ne se produise son clivage, on peut s'attendre, ainsi que l'indique la théorie de Freud, à un moi ou un ego faible, comme disent les Freudiens. Si l'enfant continue à être privé de soutien et d'amour, s'il ne lui est pas donné d'exutoires pour ses blessures douloureuses, ces assauts supplémentaires contre un moi déjà affaibli auront pour résultat la constitution d'un moi irréel vigoureux qui protège l'enfant désarmé. A partir de ce moment-là, le moi irréel domine, il protège l'enfant mais en l'entraînant dans la psychose. C'est la prédominance du moi irréel (le moi qui ne ressent pas) qui explique l'apathie que l'on observe chez les névrosés fortement refoulés et chez les psychotiques : c'est ce qu'on appelle le déficit d'affect. On peut dire qu'il sont presque littéralement plus morts que vifs.

Par conséquent, la psychose est l'approfondissement du clivage névrotique du moi, approfondissement qui fait naître une nouvelle qualité d'existence. C'est dans la paranoïa que le clivage ressort le mieux, car le sujet y est incapable de maintenir la dissociation à l'intérieur de lui-même et d'utiliser son corps comme défense. Le para-noïaque projette ses sentiments à l'extérieur de lui-même, prêtant ses pensées aux autres, imaginant qu'ils sont en train de conspirer contre lui ou de contrôler ses pensées.

Bien que le contenu de la paranoïa soit différent pour chaque individu, le processus demeure le même : il s'agit de protéger le sujet contre une souffrance intolérable. Par exemple, le sujet qui ne peut supporter de ressentir sa terrible solitude, invente un personnage qui le surveille continuellement. Les pensées de ce personnage imaginaire symbolisent les sentiments du malade. Un paranoïaque pensera par exemple qu'une serveuse de restaurant pense du mal de lui. Ce sujet a peut-être eu des parents qui toute son enfance ont pensé du mal de lui, de sorte qu'il a appris à être sur ses gardes afin de se défendre de leurs coups psychologiques. Cette prudence peut continuer jus-qu'au point où il attend une blessure, même là où elle n'existe pas; c'est ainsi que les réminiscences du passé qui viennent en surimpression sur le présent, donnent un caractère bizarre à ses réactions présentes. Le caractère bizarre provient de l'incapacité de distinguer le passé du présent et ce qui se passe en lui de ce qui se passe en dehors de lui.

Il n'y a rien de terriblement illogique à s'attendre à souffrir, quand dans son enfance, on a continuellement été maltraité. Le paranoïaque ignore que c'est en fonction de *souvenirs* qu'il réagit. Son illusion pathologique est réelle : c'est la projection sur le monde extérieur de souvenirs refoulés, la souffrance faite réalité. Voit-il de la vermine sortir des murs ? Seulement si cela a une signification intérieure.

Quel que soit le contexte de sa paranoïa, le sujet voit ou entend en général dans le monde extérieur des choses qui soulageront sa souffrance intérieure. Il faut que la souf-france soit très intense pour contraindre le malade à mettre une telle distance entre lui-même et ses sentiments. Les hallucinations du paranoïaque mettent souvent en jeu une force explosive : il imaginera que quelqu'un n'a qu'à appuyer sur un bouton pour lui faire littéralement exploser la tête. Mais cette force n'est autre que celle de ses propres sentiments que pour des raisons de sécurité, il place à l'*extérieur* de lui-même pour se protéger du danger *interne*.

Le paranoïaque ne perd pas totalement le contact avec ses sentiments. Ses hallucinations possèdent du moins une certaine cohérence, ce qui n'est pas le cas des psychotiques les plus gravement atteints, qui semblent « baragouiner » et n'émettent que quelque chose d'informe.

Dans l'ensemble, le paranoïaque peut encore établir des contacts. Il parlera du prix des tomates ou connaîtra les résultats des championnats de base-ball. Sa bizarrerie se découvre peut-être seulement si l'on touche au domaine du moi caché. Pour parler en termes de thérapie primale, quand les sentiments réels sont déclenchés, le système irréel doit intervenir précipitamment pour les changer en symboles. Un paranoïaque qui est parfaitement capable de suivre un jeu de base-ball, sera brusquement pris d'angoisse lors d'une simple transaction avec un marchand de glace, parce qu'il se figurera que le marchand complote secrètement contre lui pour lui nuire. Je crois que le paranoïaque imagine toujours des conspirations cachées au lieu d'une menace ouverte, parce que cela correspond obscurément à ses propres sentiments secrets et inconnus. Une fois le secret projeté « à l'extérieur », il peut centrer sa défiance sur quelque chose de précis. Ce processus est le même que chez le névrosé, à la différence que la phobie de celui-ci, ce sur quoi il concentre sa peur, est un peu plus plausible.

Afin de comprendre pleinement les illusions pathologiques et les hallucinations, il faut saisir ce qu'est la profondeur de la peur primale — une terreur que nous ne voyons presque jamais, parce que nous la contrôlons la plupart du temps. Dans la majorité des cas, nous la contrôlons en l'enrobant de notions réconfortantes. Prenons un exemple courant : la croyance en l'au-delà pour rendre la mort moins définitive et moins irrévocable. Il ne viendrait à l'idée de personne de considérer la croyance en l'au-delà comme un phénomène de psychose parce que cette idée est une institution sociale. Mais en serait-il ainsi s'il n'y avait qu'une minorité de gens pour y croire ? Cette croyance irrationnelle, « irrationnelle » parce qu'elle n'est fondée sur rien qui puisse être prouvé, peut être adoptée par une personne éminemment rationnelle par ailleurs, mais à cause de la peur primale, elle est contrainte de créer tout un tissu d'irrationalités pour tenir en échec ses sentiments. Pour concilier l'incompatibilité apparente de notions rationnelles et de notions irrationnelles qui coexistent en elle, elle sera contrainte de développer une notion irrationnelle supplémentaire — à savoir qu'il y a en chacun de nous, un côté « obscur » et « irrationnel » qui défie toute explication logique.

Toute cette superstructure idéologique pour éviter de ressentir le sentiment réel !

La bizarrerie du raisonnement (illusion pathologique) ou de la perception (hallucination) dépend de la profondeur de la terreur. Plus la peur est profonde, plus le raisonnement qui doit la cacher est « forcé ». Aussi longtemps que les sentiments peuvent être traduits *en pensées,* l'esprit peut rester ordonné et maître de lui-même. Mais, si pour une raison ou une autre, le sujet n'arrive plus à ordonner ou à organiser ses sentiments, il approche de sa terreur.

Il y a en tout psychotique une souffrance terrible parce que ni son moi réel ni son moi irréel n'ont été acceptés. Dès le début de sa vie, il n'a eu d'autre ressource que de se retirer du monde. S'il me fallait définir d'une phrase ce qui différencie le psychotique du névrosé, je dirais que le névrosé a trouvé un moyen de se sentir à l'aise dans le monde (sa façade le sauve), tandis que rien ne peut faire que le psychotique se sente à l'aise — rien n'a « marché ».

La paranoïa naît quand, sous l'effet du stress, le moi irréel ne peut plus être maintenu et se désintègre. Cela arrive quand l'esprit n'est plus maître de ce que le corps ressent. A ce moment-là, le psychisme du sujet se reconstitue à un autre niveau, un niveau psychotique. Comme l'a dit un patient : « On devient fou quand on ne peut plus faire fonctionner sa névrose. »

Le fait que le paranoïaque parle souvent tout seul et se fasse ses propres réponses, indique le clivage dont j'ai parlé précédemment : c'est un moi qui s'adresse à l'autre. Le névrosé est en général capable de garder ce dialogue dans son esprit. Le psychotique n'a pas cette chance. On comprendra mieux ce processus à la lumière du commentaire que faisait un ancien paranoïaque : « Très tôt dans ma vie, j'ai cessé d'écouter les mensonges de mes parents, j'ai commencé à n'entendre que lorsque je le voulais. Mon oreille s'est littéralement fermée à tout ce qui était extérieur, à tel point que j'ai cru un moment que je devenais sourd. Il n'a pas fallu longtemps pour que je n'entende plus que les produits de mon imagination — des voix. A la suite du primal, j'ai retrouvé l'ouïe. J'ai découvert que je ne pouvais plus entendre les choses telles qu'elles étaient réellement dans mon enfance, je ne les entendais que telles que je devais les créer. »

La dialectique de la paranoïa est la même que celle de n'importe quel comportement irréel : plus on approche de la vérité douloureuse, plus loin on doit fuir. Il y a ainsi des distances variables par rapport à la réalité : cela va de la mauvaise interprétation de ce que l'on voit jusqu'à la vision de ce qui n'est pas. Dans l'optique primale, plus le sujet est proche de ses sentiments, plus il sera proche de la réalité extérieure et mieux il comprendra la psychologie des autres et les phénomènes sociaux. Plus la réalité intérieure est bloquée, plus la perception sociale est vague. Dans sa fuite désespérée devant sa propre vérité, le paranoïaque se voit ainsi contraint de modifier souvent de façon bizarre la réalité extérieure.

Un contact authentique avec la réalité est toujours un processus interne : le système de défenses est instauré contre le monde intérieur et *non* contre le monde extérieur. Ce n'est pas des autres que le schizophrène a peur, ce sont les autres qui déclenchent en lui la peur de ses propres sentiments. Combien de patients n'ai-je pas vus qui, après leur primal, ont touché leur visage ou un objet quelconque en disant qu'ils avaient l'impression de toucher la réalité (la réalité extérieure) pour la première fois.

Les projections du paranoïaque sont pour nous des indices de ce que renferme le réservoir de souffrances primales. Mais, à mon avis, ce n'est pas en analysant ces projections symboliques, en entrant dans le système hallucinatoire du malade, en entrant dans son jeu ou en essayant de le persuader de quitter ses idées irréelles, que l'on peut arriver à des résultats positifs. Ce n'est pas avec des discours que l'on peut tirer le paranoïaque — pas plus que tout autre malade — de sa souffrance.

Tant que des catégories de psychoses (catatonie, schizophrénie, psychose maniaco-dépressive et paranoïa) n'ont pas une incidence *matérielle* sur le genre de traitements qu'on leur applique, le diagnostic est pratiquement sans importance. Le sujet qui n'a pas perdu la capacité d'établir des rapports interpersonnels peut en général être traité.

La notion que la névrose et la psychose sont des systèmes de défenses est capitale. Un moment critique arrive lorsque des sentiments sont éveillés : le sujet peut soit les ressentir, soit les refouler et devenir ainsi malade mental. Le jeune enfant refoule ses sentiments — son moi réel — et devient quelqu'un d'autre, celui que ses parents attendent qu'il soit. Sa névrose est une défense. L'adulte qui refoule ses sentiments primals, peut aussi s'effondrer et devenir quelqu'un d'autre; seulement ce quelqu'un d'autre n'aura peut-être absolument rien à voir avec la réalité — il sera Napoléon, Mussolini ou le pape. La dépression nerveuse correspond à un primal qui se déroulerait sans thérapeute primal. Le sujet commence à ressentir les sentiments primals et, terrorisé, se réfugie dans une enclave irréelle de l'esprit. Un primal est ce même *effondrement des défenses libérant les sentiments.*

Si le jeune enfant avait eu quelqu'un vers qui se tourner avec ses sentiments primals, quelqu'un qui ait pu l'aider à comprendre ce qu'il ressentait, qui ait pu le soutenir, il est très vraisemblable qu'il n'aurait pas eu besoin de clivage et ne serait pas devenu ce qu'il n'est pas. De même, un adulte qui a quelqu'un près de lui qui l'aide à ressentir et à comprendre ses sentiments, qui le soutienne tout au long de ce processus, n'a pas besoin de clivage qui mène à la psychose. Il ne peut s'effondrer qu'en lui-même, ce qui signifie santé, et non maladie.

Voici le compte rendu du traitement d'une psychotique de trente-cinq ans, qui délirait et avait des hallucinations — elle entendait une voix qui lui parlait et dirigeait sa vie. Jusqu'à présent, elle a fait, au cours de douze mois de thérapie, plus de soixante primals (où elle était prise de convulsions, se laissait tomber du divan, allait se cacher sous la table, etc.), et rien ne laisse penser qu'il y aura rechute. Ses rêves sont réels et elle n'entend plus la voix qu'elle avait entendu pendant des années.

Cette malade a eu une vie qui défie toute description. Elle avait été sauvagement violée et presque assassinée à l'âge de trois ans et demi par son père qui était ivrogne et sadique. Le clivage semblait dater de ce viol — dont le souvenir ne lui revint qu'au bout d'une vingtaine de primals. Une fois que la mémoire commença à revenir, elle ne put revivre à chaque primal qu'un aspect isolé de ce traumatisme. Il fallut une vingtaine de primals de plus pour retrouver dans sa totalité cette seule expérience bouleversante.

Lorsque le clivage survint à l'âge de trois ans et demi, deux « moi » se développèrent. Au fur et à mesure que les années passaient, elle était de plus en plus dirigée par une voix qui lui disait ce qu'elle devait faire. C'était la voix du moi réel qui la maintenait en vie. Elle devait dire plus tard : « C'est cette voix qui m'a permis de m'en sortir. » De ses « moi » séparés elle dit aujourd'hui :

« Est-ce que j'étais folle parce que j'entendais mon moi

séparé chanter dans une forêt comme un Indien ? Est-ce que j'étais folle de croire que cette voix me disait comment agir et ce qu'il me fallait voir ou ne pas voir ? Je pense qu'il faut répondre par l'affirmative. Jamais je ne pouvais voir la réalité qui m'entourait parce que je vivais dans la souffrance. Je fuyais toutes les situations qui me paraissaient un tant soit peu effrayantes, de peur qu'elles ramènent toutes ces horreurs anciennes. Je crois que je vivais dans la folie parce que je ne pouvais pas la sentir. Je n'ai jamais osé comprendre ou même me rappeler ce qui s'était passé. De peur de me détruire, j'étais forcée de projeter mes sentiments de peur sur le monde extérieur — sur les autres.

Je crois que ma folie était causée par un excès de souffrance et sous ma folie, il y avait la souffrance réelle que je ne pouvais pas supporter. Maintenant je sais que je refoulais tous mes sentiments pour être sûre d'éviter la souffrance. La différence entre moi et les autres était peut-être le fait que je voyais mes sentiments dans tous ceux qui m'entouraient, alors qu'ils ne faisaient que déjouer leurs propres sentiments. Puisque tout ce qui m'entourait quand j'ai grandi était de la folie, étais-je folle parce que je refusais de voir les choses telles qu'elles étaient ? Peut-on appeler folie le désir de survivre à tout prix, si cela signifie mourir intérieurement pour qu'une partie de vous puisse vivre ? Si j'avais ressenti l'horreur dans laquelle je vivais sans être protégée par un univers imaginaire, si j'avais compris qu'il n'y avait personne pour m'écouter si j'avais dit la vérité, je crois que je ne m'en serais jamais sortie. »

De toute évidence, pour cette patiente, la folie était une défense contre la santé mentale. C'était une expérience accablante que de vivre avec une mère qui lui imposait un père sadique et fou, une mère qui, comme elle l'avait soupçonné très tôt, ne se souciait pas d'elle, ne s'occupait pas d'elle quand elle était malade et aurait peut-être même souhaité la voir mourir. La fillette n'avait personne vers qui se tourner. Elle m'a dit plus tard :

« Ce qu'il est tellement impossible d'admettre, c'est de se savoir tant méprisée, pour la seule raison que je vivais sous leur toit. J'essayais d'être gentille, calme et obéissante, pensant toujours qu'il fallait bien que les torts soient de mon côté pour que je sois traitée de la sorte. J'étais petite, je ne pouvais pas savoir qu'ils étaient tous réellement fous. J'essayais d'être sage afin de comprendre la haine que ma mère me portait. Je croyais qu'elle me faisait rester avec mon père parce que je n'étais pas gentille. Je me disais que c'était peut-être moi qui rendais mon père ainsi. »

Lorsqu'elle ressentit la réalité de son irréalité (sa psychose), ce fut le commencement de la fin de la souffrance. Depuis l'enfance, elle avait toujours souffert d'une espèce de bourdonnement dans sa tête; elle comprit au cours d'un de ses derniers primals que c'étaient tous ces cris qui s'étaient accumulés depuis son enfance.

Vers la fin de la thérapie, elle écrivait : « Je crois que c'est un miracle que j'aie survécu et que je sois en vie maintenant. J'accède à un degré d'humanité que les autres ont sans doute toute leur vie. Mon moi est entier, mais je le sens fragile. J'ai tellement peur d'être à nouveau séparée. »

A propos de ce clivage, elle s'exprimait de la façon suivante :

« Je voyais mon moi séparé et je l'entendais séparément, car il n'avait jamais le droit de s'exprimer. Il fallait que je suive cette voix, que je l'écoute, j'avais peur de quitter ce monde pour entrer dans un univers que je pensais fou. Elle me parlait de la beauté réelle, des couleurs et des harmonies réelles. Elle disait que la grisaille et cette quête d'illusions provenaient de ce que je ne lui obéissais pas. Elle me disait que je ne haïssais personne parce que la haine n'était jamais réelle, seulement la peur d'être blessée. C'était la peur et tout venait de l'attente de la souffrance.

Elle me disait que la réalité était amour parce que ce n'est que dans la réalité que l'on pouvait vraiment comprendre et accepter les autres. Elle me disait que j'étais humaine et que c'était tout ce que je pouvais jamais être; maintenant, je la crois. Maintenant, ce sont les gens irréels qui me font peur parce qu'ils ont tendance à s'utiliser les uns les autres, pour provoquer, apaiser ou refouler le sentiment de n'être pas aimé. Peut-être qu'en thérapie conventionnelle, on aurait essayé de me faire voir ces sentiments d'une manière pour ainsi dire artificielle. Mais cela n'aurait pas marché parce que je sais aujourd'hui qu'*il faut sentir les besoins avant de pouvoir faire face au fait qu'ils n'ont pas été satisfaits.* »

Au cours des primals, cette malade se sentait devenir « folle » et commençait à avoir des hallucinations dès qu'elle approchait du sentiment qu'elle n'avait jamais été et ne serait jamais aimée par sa mère, qu'elle n'aurait jamais un père compréhensif qui lui parlerait et écouterait ses problèmes, et qu'elle ne serait jamais caressée et bercée, *quoi qu'elle fasse.* Le but était de l'aider à ressentir les causes de son clivage, de la faire pénétrer dans cette galerie d'horreurs d'où elle s'était enfuie des années auparavant et de la plonger dans les tourments les plus douloureux afin qu'elle retrouve son moi entier. Cette démarche doit se faire à petits pas afin que le corps puisse s'en accommoder, sinon le sentiment ne sera pas ressenti. La peur et la souffrance se liguent pour écarter le sentiment et maintenir le clivage du moi.

Cet exemple montre bien qu'en thérapie primale, le processus de renversement d'une psychose est similaire au traitement de la névrose. Cependant, le psychotique se distingue du névrosé par la quantité énorme de souffrances sous-jacentes et par la fragilité de son moi réel.

Le psychotique a en lui tant de souffrance que son traitement peut demander deux à trois fois plus de temps que celui du névrosé. De plus, durant la thérapie, il faut surveiller ses conditions de vie pour être sûr qu'il ne subit pas de stress extérieur. Mais jusqu'ici, notre expérience justifie un optimisme prudent quant aux chances de guérison puisque le traitement du psychotique ne diffère pas de celui du névrosé. Il s'agit de faire ressentir au patient les sentiments qui ont causé le clivage pour qu'il n'ait plus à transformer la réalité en irréalité afin de pouvoir vivre.

Pour citer encore une fois ma patiente qui a été psychotique : « J'ignore encore beaucoup de choses, je suis encore tellement façonnée par la contrainte, mais mes sentiments disaient la vérité. Ma psychose cache la vanité de l'espoir, la terrible solitude et le fait de n'être pas aimée. Si un autre malade mental peut ressentir ces sentiments, les cris seront forcés de sortir de son corps comme ils sont sortis du mien. Ce soir, dans le silence et dans l'obscurité de la solitude, j'ai senti que dans chacun de mes actes, dans tout ce que j'entends et dans tout ce que je vois, je suis en train de devenir un être humain unique. Le monde devient magnifique parce que je deviens ce que les gens espèrent de Dieu : l'amour, sans souffrance, immuable.

Dans les Psaumes il est écrit : "J'entrerai dans la vallée de l'ombre de la mort, sans en redouter aucun mal !" Je sais que cette vallée se trouve là où j'ai commencé il y a si longtemps, où je crois que quelqu'un m'aimerait; je croyais que Dieu m'aimait, mais en même temps, je sentais qu'il n'était que dans mon esprit. Aujourd'hui je sens poindre une nouvelle réalité. »

CHAPITRE 21

CONCLUSIONS

« Je suis tout étonnée de découvrir que le langage de mes sentiments et le langage de mon intellect ont dit la même chose de façon différente. Quelle illustration de la scission entre corps et esprit, sentiments et pensée... Etre incapable de comprendre parce qu'on ne ressent pas, être incapable de ressentir parce qu'on ne comprend pas — la peur de l'inconnu. »

Barbara (une patiente)

La thérapie primale est essentiellement une méthode dialectique par laquelle l'individu gagne en maturité au fur et à mesure qu'il ressent ses besoins de l'enfance, gagne en chaleur en ressentant sa froideur, devient fort en ressentant sa faiblesse, se transporte entièrement dans le présent en ressentant le passé, et revient à la vie en ressentant la mort du système irréel. C'est l'inverse de la névrose où l'on a peur et joue au courageux, où l'on ressent peu et fait l'important et où l'on déjoue continuellement le passé dans le présent.

Je crois que la thérapeutique primale est efficace parce qu'elle donne au patient l'occasion de ressentir ce qu'il a déguisé sous les comportements symboliques les plus divers tout au long de sa vie. Il n'a plus à jouer l'adulte maître de lui, il peut enfin être ce qu'on lui a toujours interdit d'être, dire à voix haute ce qu'il n'a jamais osé murmurer. Selon moi, la maladie, c'est le reniement des sentiments et le remède, c'est de les ressentir.

Le système irréel était indispensable au petit enfant, mais plus tard, il nous étouffe et nous déforme. Il ne permet ni repos, ni sommeil sans terreur et sans tension. C'est le système irréel qui doit administrer des tranquillisants au système réel afin d'empêcher son cri dans un moment d'inattention. C'est ce système irréel qui bourre le système réel d'aliments dont il n'a pas envie et qu'il ne peut pas digérer. C'est encore le système irréel qui traîne le système réel de travaux en projets, dans un cycle infernal. D'une façon méthodique, il tue littéralement le sujet à petit feu. En attendant, il s'acquitte généralement bien de sa tâche : il écarte la souffrance en couvrant le moi qui ressent, d'un bouclier tel que plus rien ne traverse. Jusqu'à la mort, on fait alors semblant de vivre — toujours avec le sentiment désespérant que le temps passe et que l'on n'a pas encore commencé à vivre.

Tant qu'il subsiste la moindre parcelle du système irréel, il restera vigoureux et réprimera le système réel. Il est un tout dans tous les sens du terme, et si j'insiste tant sur ce point, c'est qu'il y a tant de thérapeutiques sérieuses qui ne traitent que des aspects fragmentaires de la névrose, croyant qu'il s'agit d'entités indépendantes, sans rapport avec un système. C'est pourquoi il existe des cliniques de désintoxication pour fumeurs, alcooliques et toxicomanes, des instituts d'amaigrissement, des cliniques où l'on soigne les phobies par l'hypnose, où l'on pratique le conditionnement de symptômes au moyen de chocs ou de récompenses, des thérapies du mouvement et la méditation.

La thérapie primale affirme que le système tout entier doit être éliminé. Tant qu'on ne le fait pas, on verra toujours des pères d'enfants délinquants jurer, dans des établissements où les parents viennent consulter, de bien se comporter à l'égard de leur fils, de passer plus de temps avec lui et de ne plus le critiquer. Ils le feront... pendant six mois environ, jusqu'à ce qu'ils soient repris par la névrose. On verra des obèses perdre des kilos dans des cliniques diététiques, pour les reprendre en quelques mois. Le névrosé arrive quelquefois à se refaire une façade (pour l'obèse, on peut prendre la formule en son sens littéral) pour un temps; mais, à long terme, c'est la névrose qui l'emporte.

Toute la thérapie primale est centrée sur le sentiment. Il ne s'agit pas seulement du sentiment présent mais aussi de ces sentiments anciens qui nous empêchent de ressentir le présent. Notre but est de faire *ressentir le sentiment,* chose que le névrosé a laissé derrière lui mais qui fait irruption dans sa vie de chaque instant; le sentiment qui dit : « Papa, soit gentil ! Maman, j'ai besoin de toi. »

Ce sont ces sentiments primals qui viennent en surimpression sur la vie de tous les jours et font naître un malaise latent. Ce sont eux qui provoquent les cauchemars, les mariages trop hâtifs (on épouse la lutte), produisent des impulsions perverties toutes-puissantes. Ce sont ces sentiments que soixante ou soixante-dix ans de vie laissent intacts. La thérapie consiste exclusivement à les ressentir.

Le névrosé vit dans une curieuse contradiction. Il est pris au piège de son passé en même temps qu'il est sans passé. Il en est coupé par la souffrance primale. Ainsi il doit jour après jour déjouer sa propre histoire. C'est la raison pour laquelle il ne change pas beaucoup au cours de sa vie. Il est pratiquement à quarante ans ce qu'il était à douze — se frayant un chemin à travers sa lutte, se livrant à ses rites névrotiques, exprimant sa névrose par chaque parole, trouvant toujours de nouvelles occasions de recréer la situation qu'il a connue dans son enfance.

Le sujet normal a une histoire, son moi a une continuité que la souffrance n'a pas interrompue. Il est entièrement en possession de lui-même. Comme le névrosé est retenu par son passé, son développement — aussi bien physique que mental — en souffre souvent. Ni le corps ni l'esprit ne se développent régulièrement de sorte qu'on peut voir des retards de croissance. Une fois la raison du retard écartée, on observe l'apparition de la barbe chez des hommes adultes, un comportement sexuel normal, et toutes les preuves incontestables de changements psychophysiques complets que j'ai déjà décrits. Beaucoup de théories psychologiques traitent du développement de l'individu, mais je me demande s'il s'agit réellement du développement de la personne *entière*.

La baisse spectaculaire de la tension artérielle, les modifications de température et le ralentissement du rythme cardiaque, m'ont convaincu que les patients qui ont suivi la thérapie primale, non seulement mèneront une vie plus saine, mais aussi qu'ils vivront plus longtemps. Toutes les autres raisons de redevenir réel mises à part, je crois que l'irréalité tue. On dirait vraiment qu'elle déchire le corps, elle supprime la sécrétion de certaines hormones, elle en stipule d'autres à l'excès, elle met l'esprit aux abois et maintient le corps dans son collier de misère.

Etre réel, c'est être détendu — plus de dépressions, plus de phobies, plus d'anxiété. Fini la tension chronique et avec elle, la drogue, l'alcool, la boulimie, les cigarettes et le surmenage. Etre réel, c'est n'avoir plus besoin de comportements symboliques.

Etre réel, c'est être capable de produire sans tous les blocages qui affligent tant de créateurs; c'est nouer des relations où nul n'est exploité de sorte que finalement « le moule » peut être brisé et que nous pouvons mettre au monde des êtres nouveaux, capables d'être vraiment contents. Etre réel, c'est trouver la satisfaction de ses propres besoins et savoir satisfaire ceux des autres.

La notion fondamentale, c'est le besoin. L'enfant a des besoins. C'est avec les besoins qu'il établit une relation dès le début de sa vie. On peut éluder un besoin, le refouler, le ridiculiser ou l'ignorer, mais tout cela est vain et ne modifie pas d'un iota le besoin. C'est ainsi que le besoin fondamental frustré peut se transformer plus tard en besoin de boire ou d'avoir des rapports sexuels ou de manger, mais le besoin réel est toujours là et c'est lui qui rend ces besoins de substitution aussi compulsifs et tenaces. Voilà l'objet de la thérapie primale : ressentir le besoin.

On est en droit de penser que dans une société normale, où les besoins réels seraient reconnus et satisfaits, on devrait rencontrer peu de comportements irrationnels. On n'aurait pas besoin d'une telle multitude de lois et de règlements (de « tu dois ») car les gens normaux comprendraient la nécessité de ralentir ou de s'arrêter à un carrefour et ils n'éprouveraient pas le besoin de conduire dangereusement. Ils respecteraient les droits des autres et ne verraient pas le moindre intérêt à supprimer la vie d'autrui.

Le refoulement des sentiments et des besoins exige une bonne dose de maîtrise de soi. Quand le sujet ne se fie pas à son système réel, il faut qu'il examine et vérifie un à un tous les aspects de son comportement pour arriver à s'en rendre maître. Cette maîtrise est nécessaire pour réprimer le système réel. Mais la maladie exige ses symptômes. Ainsi, le contrôle que le sujet exerce ici ou là se traduit par l'apparition d'un nouveau symptôme ailleurs. Un contrôle total crée une telle pression interne que le système lui-même s'effondre ou explose.

Dans une société irréelle, ceux qui montrent le moins de sentiments passent pour des modèles, tandis que ceux qui en expriment beaucoup sont souvent taxés d'hystérie ou d'hyperémotivité. On dirait le monde à l'envers. Mais dans un milieu irréel, l'impassibilité passe pour saine, et la passion pour suspecte. Ce principe a été généralisé de telle sorte que, dans notre société, on entraîne même ceux qui doivent guérir, les psychologues et les psychiatres, à ne pas montrer d'émotion. On fait d'eux les miroirs impassibles des sentiments des autres, alors qu'ils devraient en être les dynamiques pourvoyeurs. L'enfant qui commence par être élevé par des parents qui refusent tout contact affectif, dont le quotidien est fait de héros de cinéma laconiques et d'enseignants qui sont le plus souvent l'incarnation même de l'impassibilité, doit finalement aller demander de l'aide à un thérapeute froid.

La thérapie primale insiste sur le fait que les mesures réformatrices que l'on prend en thérapie conventionnelle ne servent qu'à modifier la façade tout en gardant la névrose intacte. A mes yeux, les thérapeutiques laborieuses et interminables de l'insight maintiennent le patient dans le processus de la guérison (plus exactement la lutte pour la guérison), sans qu'il arrive jamais à *être* guéri !

A mon avis, la thérapie conventionnelle a été acceptée par les intellectuels de la bourgeoisie parce que c'est en gros une approche de bon ton qui peut stimuler les sentiments, mais ne risque pas de remettre en question les structures fondamentales. Trop souvent, les méthodes thérapeutiques qui s'appuient essentiellement sur l'explication, n'ont eu pour effet que d'aggraver sans le vouloir la maladie des intellectuels qui consiste à vouloir tout expliquer et tout comprendre.

Toute la psychothérapie conventionnelle est basée sur le principe selon lequel le sujet arrive à comprendre ses sentiments et ses besoins inconscients, et change en les rendant conscients. Dans l'optique de la thérapie primale, la prise de conscience est le *résultat* du fait de ressentir; arriver à connaître les besoins ne résout rien. Cela vient du fait que les besoins (et toutes les expressions refoulées, qu'elles soient physiques ou verbales, *deviennent* des besoins jusqu'à leur résolution) ne sont pas enfermés dans une capsule dans le cerveau. Il faut qu'ils soient ressentis par l'organisme tout entier parce qu'ils imprègnent l'organisme tout entier. S'il n'en était pas ainsi, il n'y aurait pas de symptômes psychosomatiques. S'il est exact que la tension est le besoin primal déconnecté et que cette tension se retrouve dans tout le système, il est évident que le besoin existe à tous les niveaux de l'organisme. Sinon, il nous faudrait conclure que les besoins sont consignés dans un recoin du cerveau et qu'il suffirait pour soigner la névrose de rendre conscient ce qui est inconscient.

De plus, les besoins ne doivent pas seulement être ressentis par tout le corps, mais ils doivent être revécus *tels qu'ils ont été*. Si l'adulte arrive, en thérapie primale, à se débarrasser de ses besoins, c'est qu'ils datent de l'enfance et qu'une fois résolus, ils ne représentent plus rien de réel pour l'adulte. J'ai eu un patient qui, enfant, était « le bon petit garçon de sa maman », parce qu'il ne faisait pas pipi dans sa culotte. Il avait grandi en urinant rarement. Pendant la thérapie, il urinait presque toutes les heures, jusqu'au jour où il arriva à revivre ces premiers temps où il avait eu besoin d'uriner mais s'était retenu pour gagner l'amour de sa mère. Une fois revécu, ce besoin disparut définitivement.

Bien que le monde d'aujourd'hui connaisse d'indescriptibles tragédies, le sens de l'horreur semble insuffisant. C'est peut-être à cause de la névrose que nous laissons de telles atrocités se poursuivre, chacun de nous se démenant pour fuir sa propre horreur. C'est pourquoi les parents névrosés ne peuvent pas voir l'horreur de ce qu'ils font à leurs enfants, pourquoi ils ne peuvent comprendre qu'ils sont en train de tuer un être humain à petit feu. Ils ne voient même pas cet être humain. Le résultat sur le plan social de ce mécanisme de refoulement généralisé est analogue à ce qui se passe dans l'individu — l'adoption d'un comportement qui n'est pas en accord avec la réalité. C'est ce qui permet que beaucoup d'entre nous subissent des lavages de cerveau : nous ne voyons et n'entendons que ce qui soulage notre souffrance, et nous privons notre corps de la faculté de sentir.

Lorsqu'un système irréel ne peut satisfaire les besoins, il doit offrir l'espoir et la lutte comme substituts. C'est ainsi que le sujet consent à renoncer à ses besoins réels afin de poursuivre des valeurs symboliques — puissance, prestige, succès et réussite sociale. Mais ces satisfactions symboliques sont toujours insuffisantes parce que le besoin demeure.

Bon nombre de psychologues et de psychiatres ont abandonné les diverses écoles de psychothérapie et ne se réclament plus ni de Freud ni de Jung, préférant adopter une position éclectique. Mais ce qu'on ne semble pas voir, c'est que l'éclectisme n'est souvent qu'un solipsisme à l'envers, où à peu près tout peut être vrai parce que rien ne l'est. Selon moi, l'éclectisme est une défense contre la croyance en une réalité unique; il nourrit l'illusion que nous sommes ouverts à toutes les conceptions. Je crois que la psychologie s'est coupée des sentiments des patients individuels et qu'elle a échafaudé des hypothèses sur certains types de comportement, d'après des expériences faites sur les animaux ou des théories élaborées il y a des dizaines d'années. Souvent, ces abstractions théoriques ne se sont guère révélées plus aptes à expliquer et à prévoir les processus psychologiques que l'analyse que fait le patient de son propre comportement.

Peut-être ne devrions-nous pas nous attendre à ce que les psychologues soient différents des autres hommes. Les théories qu'ils adoptent sont simplement des vues subtiles sur l'homme et son univers. Il faut que ces idées soient en accord avec l'ensemble des conceptions du psychologue — c'est-à-dire qu'elles doivent aider à renforcer le système de défenses et à tenir la souffrance (la vérité) à distance. Ainsi, à moins que le psychologue ne soit pratiquement dépourvu de défenses, il est peu vraisemblable qu'il adoptera une méthode fondée sur l'absence de défenses et sur la libération de la souffrance. Essayer de persuader un psychologue doté de solides défenses d'adopter une théorie nouvelle sur les individus, reviendrait à peu près à essayer de persuader un patient d'abandonner ses idées irréelles et sa souffrance.

Jusqu'ici, la psychothérapie a dans l'ensemble été fondée sur l'interprétation. Cela supposerait que les psychologues soient les détenteurs d'un ensemble particulier de vérités sur l'existence humaine. Non seulement je ne pense pas qu'il existe de telles vérités universelles, mais je ne pense même pas qu'il y ait des vérités spécifiques qu'un individu puisse transmettre à un autre. A mon avis, les problèmes psychologiques ne peuvent être résolus que de l'intérieur vers l'extérieur, jamais en sens inverse. Nul ne peut expliquer à un autre quelle est la signification de ses actes. Par conséquent, toutes les thérapeutiques fondées sur la discussion ou sur l'explication, sont vouées à l'échec sur ce point.

Lorsque le patient est capable de ressentir, je suis persuadé que tous les graphiques, les schémas, les diagrammes et les listes que nous avons établis afin de comprendre le comportement humain, seront inutiles, car ils ne sont pas plus que la symbolisation d'actions symboliques. Je propose que nous renoncions à l'analyse et au traitement de ce qui est irréel pour aller droit à ce qui est réel.

Je trouve regrettable que les psychologues aient passé autant de temps à affiner leurs descriptions du comportement humain (de tous les manèges et de tous les trucs), croyant qu'un tel fignolage en donnerait la clé. Mais décrire n'est pas expliquer. Si détaillée que soit la description, elle ne donne pas le « pourquoi », elle ne nous rapproche pas d'un pas de la réponse.

Maintenant que le lecteur en est arrivé là, il doit se demander qui est en mesure d'exercer correctement la thérapie primale. L'expérience que nous avons faite dans notre Institut de formation de thérapeutes, nous a prouvé que seule la personne qui a subi la thérapie, peut la pratiquer. La raison en est simple : le meilleur moyen de comprendre les méthodes et leurs effets est d'observer sur soi-même le processus complet. En outre, et c'est plus important encore, le thérapeute ne pourrait pas effectuer de travail efficace sur ses patients s'il y avait en lui une quantité importante de souffrance bloquée. Quelqu'un qui n'a pas un psychisme sain, risque d'exercer un contrôle trop grand et d'éloigner le patient du lieu de sa souffrance. Ou, s'il réprime sa propre souffrance, il hésitera peut-être juste au moment où le patient a besoin qu'on le pousse pour arriver à un primal. Le thérapeute primal névrotique qui « joue » à « l'expert », bombardera le patient d'insights et de vocabulaire technique. S'il cherche à se faire aimer, il sera incapable d'attaquer le système de défenses du patient. Quoi qu'il fasse, il ne doit pas priver le patient de ses sentiments. Or, c'est un travers dans lequel on tombe facilement; j'ai moi-même le souvenir d'avoir dit, dans les premiers temps de ma pratique en thérapie primale, à un jeune homme qui se lamentait sur ce que sa vie avait de tragique : « Mais voyons, vous n'avez que vingt ans; vous avez toute la vie devant vous. » Je le privais de son besoin de ressentir la tragédie des vingt ans qu'il venait de vivre.

Le thérapeute primal ne doit pas avoir de défenses. Il doit faire jaillir de ses patients une souffrance à faire frémir et il ne peut le faire s'il ne s'est pas débarrassé de toute défense contre sa propre souffrance. S'il a des défenses, il sera automatiquement tenté de calmer et de rassurer son patient juste au moment où il devrait faire le contraire. De toute façon, je ne crois pas que le patient cherche vraiment à se faire consoler. Il a besoin de quelqu'un qui lui permette d'être ce qu'il est — même si cela équivaut à lui permettre d'être malheureux.

Un thérapeute irréel contraindrait involontairement son patient à accepter son irréalité. Son prestige et sa position représentent aux yeux du patient la réalité; même si pendant des mois, le thérapeute parle à peine au cours du traitement, le patient accepte cette attitude impénétrable comme une pratique habituelle. Si le thérapeute est froid et distant, le malade lutte pour obtenir un peu de chaleur, si le thérapeute adopte une attitude de supériorité intellectuelle, cela implique que le patient adopte une attitude déférente vis-à-vis de cette intelligence. Le patient ne devrait pas être obligé d'adopter une attitude particulière vis-à-vis de son thérapeute; il ne doit jamais avoir le sentiment que le thérapeute a des besoins que lui, le patient, doit satisfaire, consciemment ou inconsciemment.

Que dire des qualifications professionnelles requises pour un thérapeute primal ? Il doit avoir assez de connaissances en physiologie et en neurologie pour ne pas traiter un trouble cérébral organique comme un trouble psychologique. Il doit avoir le sens de la démarche scientifique et savoir ce qu'est une preuve. Il doit apprendre à renoncer à toutes spéculation abstraite sur ce qui se passe dans son malade, mais être assez ouvert pour permettre au patient de *lui dire* ce qui est réel.

Il doit être à la fois sensible et perceptif. Cela suppose évidemment qu'il ait ressenti toute sa souffrance. Cela le rend automatiquement apte à comprendre les autres. Sensible au rythme de sa propre vie, il décélera si celle des autres est déphasée. Il peut ressentir; par conséquent, il saura quand les autres ne ressentent pas. En résumé, il doit avoir des qualités que beaucoup d'entre nous ont perdues dans leurs premières années de vie : il doit être direct, réceptif, bon et chaleureux.

Je ne crois pas qu'un névrosé (une personne qui ne ressent pas, aussi grandes que soient ses connaissances théoriques), puisse vraiment aider un malade névrosé. Si le thérapeute bloque ses propres sentiments, il ne peut savoir si le malade refoule les siens ou les exprime. Par définition, le névrosé ne vit pas dans le présent. Le thérapeute primal doit être avec son malade seconde après seconde. Il doit sentir la montée du sentiment et savoir comment l'encourager. Il ne peut le faire s'il est toujours en train d'échafauder des explications élaborées pour son patient.

C'est le degré de réalité du thérapeute qui détermine le degré de réalité auquel le patient peut accéder, de même que le degré d'irréalité des parents détermine en une large mesure le degré de réalité que leur enfant pourra atteindre. C'est non seulement ce que fait le thérapeute qui importe, mais ce qu'il est !

La thérapeutique primale comporte un certain nombre de techniques, mais entre les mains d'un névrosé, elles perdent toute valeur, même si cette personne a une connaissance approfondie de la physiologie, de la sociologie et des théories psychologiques.

Le thérapeute primal n'est pas en présence d'un patient à analyser qui présente des défaillances de son superego ou d'un malade « existentiel » qui passe par une crise, bref, il n'a pas affaire à des catégories ou à des types théoriques. Nous savons que le malade qui vient en thérapie, a en général un comportement irréel. Nous ne croyons pas nécessaire de mettre une étiquette sur son type de comportement et d'en faire autre chose — par exemple : identification psychosexuelle insuffisante. Le thérapeute primal ne soigne pas une conduite compulsive ou hystérique, il traite un sujet qui déguise ses sentiments d'une certaine manière. La forme que prend ce déguisement ne l'intéresse qu'accessoirement, ce qui lui importe, c'est la réalité sous-jacente.

Ce qui est fâcheux, c'est que le névrosé a passé toute sa vie à commettre des actes irréels et il fait probablement de même dans le choix de son thérapeute. Il choisit des pseudo-psychothérapies et des pseudo-psychothérapeutes de manière à *faire semblant* de guérir, sans ressentir la souffrance dont il sait souvent au plus profond de lui-même qu'elle lui est nécessaire pour guérir réellement. Trop souvent, la thérapie ne se distingue pas du reste de sa vie — elle est le symbole de quelque chose de réel, mais non la chose réelle elle-même. Il participe peut-être à des analyses de rêves ou entre dans des groupes thérapeutiques organisés par des profanes. Trop souvent encore, le névrosé qui passe sa vie à se précipiter d'une chose à l'autre, choisit des formes expéditives de thérapie — séminaires de week-end, cures de six semaines où l'on apprend les techniques d'expansion de la perception ou de formation de la conscience de soi. La plupart du temps, tous ces programmes visent à faire du malade un nouvel individu alors que tout le problème est, selon moi, de faire de lui ce qu'il est réellement.

La séparation de l'entrée et de la sortie du cabinet du thérapeute est un héritage des premiers temps de la psychanalyse. Le fait que les patients ne se rencontrent pas et qu'il n'y ait pas de pendule dans le cabinet, a peut-être contribué à faire de la thérapie quelque chose de fantomatique — qui donne au patient l'impression que les maladies du psychisme ont quelque chose de honteux qu'il faut tenir secret.

Il arrive souvent que le malade quitte le cabinet du thérapeute les yeux rougis et quelque peu échevelé, mais je ne vois pas pourquoi il faudrait dissimuler cette réalité aux autres patients. Si le malade sort irrité ou déprimé, pourquoi le cacher ? En fait, les malades disent souvent que le fait de voir les autres quitter le cabinet bouleversés, les aide. De cette façon ils apprennent que derrière cette porte close, on les aidera à ressentir au lieu de les en dissuader.

On peut se demander pourquoi les malades qui sont en thérapie conventionnelle ne font pas spontanément des primals. L'une des principales raisons est sans doute qu'un thérapeute conventionnel, surchargé de travail, consacre rarement assez de temps à un seul malade pour l'amener à faire l'expérience de ses sentiments profonds. Souvent, quand le malade serait juste sur le point d'arriver à quelque chose d'essentiel, les cinquante minutes de séance sont écoulées et il doit partir. Dans une société où « le temps est de l'argent », il est souvent difficile de trouver quelqu'un qui ait le temps de faire son travail à fond. En thérapie primale, les patients sont unanimes à noter combien il est reposant de savoir qu'ils sont le seul patient en thérapie individuelle pendant une période de trois semaines et que ce sont uniquement leurs sentiments qui déterminent la fin de la séance.

Le temps n'est pas la seule considération. Si un événement inhabituel, comme le début d'un primal, devait survenir en thérapie conventionnelle, le thérapeute tâcherait dans la plupart des cas de faire entrer le phénomène dans le cadre de ses théories préconçues, au lieu de laisser la nature suivre son cours. Le thérapeute primal doit être prêt à perdre le contrôle de soi, presque autant que son malade. Il doit être disposé à laisser se produire des événements dont il n'a pas l'explication immédiate. De plus, il n'est pas probable que cet événement inhabituel se situe dans le cadre de la *psycho*thérapie, qui ne concerne que l'esprit du patient. (Qu'on pense au simple fait que le patient est couché sur le sol au lieu d'être assis sur une chaise). De son côté, le thérapeute doit être prêt à se déplacer, à quitter son fauteuil.

Si le thérapeute pouvait cesser d'essayer de « comprendre » son malade, il aurait peut-être le temps de faire une découverte importante, à savoir qu'il *n'y a rien à comprendre*. Le malade, qui ressent sa souffrance, arrivera sans aucune aide à trouver ses propres explications. Trop d'entre nous, psychothérapeutes de métier, ont un intérêt à avoir raison, à prouver que nos théories sont justes et nous avons tenu la bride trop serrée à nos patients. Je ne veux pas dire que la théorie n'ait aucune importance; nous provoquons jour après jour des primals parce que nous sommes guidés par une théorie. Mais une théorie devrait découler de l'observation.

Je crois qu'il pourrait y avoir sous peu une révolution complète dans le traitement des troubles psychologiques. Le traitement relativement court qui caractérise la thérapie primale, me fait penser qu'il n'y a pas de raison pour que nous vivions plus longtemps dans une époque d'anxiété.

Comme nous avons besoin de la coopération et de l'aide des gens de métier qui s'occupent de la santé mentale, je me vois dans l'obligation de leur adresser une mise en garde : Il faut se méfier de la tendance à vouloir incorporer la thérapie primale à des théories que les thérapeutes connaissent depuis des années. Se servir d'une terminologie ancienne pour expliquer les primals ou comparer la thérapie primale à quelque chose qui a été dit il y a des dizaines d'années, c'est s'engager dans la lutte névrotique qui consiste à conférer un sens ancien à quelque chose de nouveau. Bien que la thérapie primale ait des similitudes avec de nombreuses autres approches thérapeutiques, je demande qu'on l'examine en elle-même.

Evidemment je crois qu'il y a une vérité, une réalité. Le fait que les résultats de la technique primale se laissent prédire, me pousse à penser que le principe de la souffrance est l'une des vérités essentielles qui régit le comportement humain. De toute évidence, il y a tout un ensemble de lois qui régissent le comportement humain, tout particulièrement les processus névrotiques, et qui sont tout aussi précises que les lois physiques. Il n'y a pas trente-six mille explications de la pesanteur, il n'y a pas non plus trente-six mille manières d'expliquer la névrose. Je ne vois pas comment il peut y avoir une multitude de théories psychologiques qui seraient toutes également valides et apporteraient toutes leur contribution à la cause de la vérité. Si une théorie est valable, et je crois que les notions primales le sont, les autres ne le sont pas. Quand je dis que la névrose est le déjouement de sentiments cachés et qu'on peut éliminer la névrose en découvrant ces sentiments, et quand effectivement on assiste invariablement à l'élimination du déjouement névrotique lorsqu'on découvre ces sentiments, je dis que mes hypothèses sont vérifiées. Je crois que si l'on a élaboré tant d'approches psychologiques de la névrose, c'est que l'on n'a pas mis au point des théories qui *prédisent* les résultats.

Le fait qu'il n'existe pas une infinité de possibilités pour expliquer le comportement peut déplaire à certains. Il est dans la tradition de la pensée libérale de croire qu'il y a toujours plusieurs aspects d'une même question et que nul ne peut être le détenteur exclusif de la vérité. Cependant, il ne viendrait pas à l'idée de ces mêmes personnes de mettre en question les lois physiques qui leur permettent d'avoir de l'électricité chez eux. Ils aimeraient pourtant croire que l'homme est trop complexe pour être gouverné par des lois scientifiques. Accepter une réponse, c'est renoncer à la lutte pour découvrir la vérité. Nous semblons plus à l'aise dans la lutte.

Certains d'entre nous préfèrent le royaume imaginaire du névrotique où l'on considère que rien ne peut jamais être absolument vrai, pour éviter d'avoir à reconnaître des vérités intérieures qui sont infiniment douloureuses. Le névrosé a un intérêt personnel à nier la vérité et c'est cela qu'il ne faut pas perdre de vue quand on affirme qu'une vérité a été découverte. Trouver la vérité, c'est trouver la liberté. C'est éliminer la liberté de choix névrotique qui n'est qu'une anarchie systématisée. Le névrosé qui veut être libre de voir tous les aspects des choses, a souvent peine à croire qu'il peut accéder directement à la vérité — non la *mienne,* mais la *sienne.* Il lui suffit de partir à la découverte de lui-même, terre bien plus proche que les Indes.

La science est la quête de la vérité, ce qui n'exclut pas qu'on la trouve. Les sciences humaines se sont trop souvent contentées de vérités statistiques au lieu de chercher des vérités humaines; nous avons accumulé des cas pour « prouver » ce que nous avançons alors que, selon moi, la vérité scientifique repose sur le fait que le résultat peut être prédit. Il faut que la guérison ait lieu, il ne suffit pas de construire des raisonnements théoriques pour *expliquer a posteriori* pourquoi l'état d'un malade s'est amélioré au cours de telle ou telle thérapie.

Il faut encore faire, et nous ferons, de multiples recherches sur la théorie primale et la thérapie qui en découle. Toutefois, les résultats que nous avons obtenus jusqu'ici sont assez prometteurs pour me convaincre que la thérapie primale aura des effets durables parce qu'elle consiste exclusivement à faire du sujet ce qu'il est déjà, ni plus, ni moins. Dès que cela se produit, le sujet ne peut plus se réfugier dans son irréalité, même s'il le voulait. Rechuter après une thérapie primale serait équivalent à perdre les centimètres que l'on a gagnés, à perdre la barbe qui a finalement poussé ou à voir sa poitrine se réduire aux proportions qu'elle avait avant la thérapie — ce sont des événements peu probables qui nous rappellent avec insistance que nous ne soignons pas une maladie mentale, mais une maladie psychophysiologique.

Mon plus grand espoir est de voir des hommes de métier prendre en considération cette approche révolutionnaire de la névrose et reconnaître peut-être que presque un siècle de psychothérapie a passé sans gagner vraiment du terrain sur la maladie mentale. Je crois qu'il faut nous rendre compte que les méthodes de rafistolage employées pour renverser un système irréel, ne sont pas efficaces et ne l'ont jamais été vraiment.

Au névrosé qui souffre et qui considère peut-être que la thérapie primale est trop accablante ou trop difficile à subir, je dirais simplement que la tâche herculéenne consiste à être ce qu'on n'est pas. Le plus facile est d'être soi-même.

La thérapie primale n'est exercée qu'au Primal Institute de Los Angeles, Californie. Elle peut être dangereuse si elle est pratiquée par des personnes n'ayant pas reçu de formation à cet effet, quelle que soit leur expérience professionnelle antérieure. Le terme de thérapie primale est une marque déposée et il ne doit être utilisé que par les praticiens qui sont en liaison avec le Primal Institute; de même, le terme primal ne doit pas être associé à un mot ou à une expression pouvant sous-entendre thérapie ou consultation.

Les techniques utilisées en thérapie primale sont complexes et leur pratique demande une formation intensive. Elles ne doivent pas être utilisées par des amateurs.

Table des Matières

DÉJA PARUS

ABELLIO Raymond
△△△ Assomption de l'Europe.
ADOUT Jacques
△△△ Les raisons de la folie.
ALQUIÉ Ferdinand
△ Philosophie du surréalisme.
ARAGON Louis
△ Je n'ai jamais appris à écrire ou les *Incipit*.
ARNAULD Antoine NICOLE Pierre
△△△ La Logique ou l'art de penser.
AXLINE Dr. Virginia
△△ Dibs.
BADINTER Elisabeth
△△△△ L'amour en plus.
BARRACLOUGH Geoffrey
△△△△ Tendances actuelles de l'histoire.
BARTHES Roland
△△△ L'empire des signes.
BASTIDE Roger
△△△ Sociologie des maladies mentales.
BECCARIA Cesare
△△ Des délits et des peines. Préf. de Casamayor.
BIARDEAU Madeleine
△△ L'Hindouisme. Anthropologie d'une civilisation.
BINET Alfred
△△ Les idées modernes sur les enfants. Préf. de Jean Piaget.
BOIS Paul
△△△ Paysans de l'Ouest.
BRAUDEL Fernand
△△ Écrits sur l'histoire.
BROUÉ Pierre
△ La révolution espagnole (1931-1939).
BURGUIÈRE André
△△△ Bretons de Plozévet. Préf. de Robert Gessain.
BUTOR Michel
△△△ Les mots dans la peinture.
CAILLOIS Roger
△△△ L'écriture des pierres.
CARRÈRE D'ENCAUSSE Hélène
△△△ Lénine, la révolution et le pouvoir.
△△△ Staline, l'ordre par la terreur.
CASTEL Robert
△△△ Le psychanalysme.
CHASTEL André
△△△ Éditoriaux de la *Revue de l'art*.
CHEVÈNEMENT Jean-Pierre
△△△ Le vieux, la crise, le neuf.
CHOMSKY Noam
Réflexions sur le langage.

CLAVEL Maurice
△△△ Qui est aliéné ?
COHEN Jean
△△ Structure du langage poétique
DAVY Marie-Madeleine
△△△ Initiation à la symbolique romane.
DERRIDA Jacques
△ Éperons. Les styles de Nietzsche.
△△△ La vérité en peinture.
DETIENNE Marcel et VERNANT Jean-Pierre
△△ Les ruses de l'intelligence. La mètis des Grecs.
DODDS E.R.
△△△ Les Grecs et l'irrationnel.
DUBY Georges
L'Économie rurale et la vie des campagnes dans l'Occident médiéval.
△△ Tome I.
△△ Tome II.
△ Saint Bernard. L'art cistercien.
ÉLIADE Mircéa
△ Forgerons et alchimistes.
ERIKSON E.
△△△ Adolescence et crise.
ESCARPIT Robert
△△ Le Littéraire et le social.
ÉTATS GÉNÉRAUX DE LA PHILOSOPHIE △△
FABRA Paul
△△△ L'Anticapitalisme.
FERRO Marc
△ La révolution russe de 1917.
FINLEY Moses I.
△ Les premiers temps de la Grèce.
FONTANIER Pierre
△△△△ Les figures du discours.
GOUBERT Pierre
△△△ 100 000 provinciaux au XVIIe siècle.
GREPH (Groupe de recherches sur l'enseignement philosophique)
△△ Qui a peur de la philosophie ?
GRIMAL Pierre
△△△△ La civilisation romaine.
GUILLAUME Paul
△△ La psychologie de la forme.
GURVITCH Georges
△△ Dialectique et sociologie.
HEGEL G.W.F.
△△△ Esthétique. Tome I. Introduction à l'Esthétique.
△△△ Esthétique. Tome II. L'Art symbolique. L'Art classique.

L'Art romantique.
△ △ △ Esthétique. Tome III.
L'Architecture ; la Sculpture ;
La Peinture ; la Musique.
△ △ △ Esthétique. Tome IV.
La Poésie.

JAKOBSON Roman
△ Langage enfantin et aphasie.

JANKÉLÉVITCH Vladimir
△ △ △ La mort.
△ △ Le pur et l'impur.
△ L'ironie.

JANOV Arthur
△ △ △ L'Amour et l'enfant.
△ △ △ Le cri primal.

KRIEGEL Annie
△ △ △ Aux origines
du communisme français.

KROPOTKINE Pierre
△ △ Paroles d'un révolté.

LABORIT Henri
△ L'Homme et la ville.

LAPLANCHE Jean
△ △ Vie et mort en psychanalyse.

LAPOUGE Gilles
△ △ Utopie et civilisations.

LE GOFF Jacques
△ △ △ △ La civilisation de l'Occident médiéval.

LEPRINCE-RINGUET Louis
△ Science et bonheur des hommes.

LE ROY LADURIE Emmanuel
△ △ △ Les Paysans de Languedoc.

LOMBARD Maurice
△ △ △ L'Islam dans sa première grandeur.

LORENZ Konrad
△ △ L'agression.

MANDEL Ernest
△ △ La crise 1974-1978.

MARIE Jean-Jacques
△ Le trotskysme.

MICHELET Jules
△ Le Peuple.
△ △ △ △ La Femme.

MICHELS Robert
△ △ Les partis politiques.

MOSCOVICI Serge
△ △ △ Essai sur l'histoire humaine de la nature.

MOULÉMAN MARLOPRÉ
△ △ △ Que reste-t-il du désert ?

NOEL Bernard
△ △ Dictionnaire
de la Commune. Tome I.
△ △ Dictionnaire
de la Commune. Tome II.

ORIEUX Jean
Voltaire
△ △ △ Tome I.
△ △ △ Tome II.

POINCARÉ Henri
△ △ La science et l'hypothèse.

PORCHNEV Boris
△ △ △ Les soulèvements
populaires en France
au XVIIe siècle.

POULET Georges
△ △ △ Les métamorphoses
du cercle.

RENOU Louis
△ △ La civilisation de l'Inde
ancienne d'après les textes
Sanskrits.

RICARDO David
△ △ △ Des principes de
l'économie politique et de l'impôt.

RICHET Denis
△ La France moderne.
L'esprit des institutions.

SCHWALLER DE LUBICZ R.A.
△ △ Le miracle égyptien.

SCHWALLER DE LUBICZ ISHA
△ △ △ △ Her-Bak, disciple.
△ △ △ △ Her-Back « Pois Chiche ».

SIMONIS Yvan
△ △ △ △ Claude Lévi-Strauss
ou la « Passion de l'inceste ».
Introduction au structuralisme.

STAROBINSKI Jean
△ △ △ 1789. Les emblèmes de
la raison.

STOETZEL Jean
△ △ △ La psychologie sociale.

STOLERU Lionel
△ △ Vaincre la pauvreté
dans les pays riches.

SUN TZU
△ △ L'art de la guerre.

TAPIÉ Victor L.
△ △ △ △ La France de Louis XIII
et de Richelieu.

ULLMO Jean
△ △ △ La pensée scientifique
moderne.

VILAR Pierre
△ △ △ Or et monnaie dans
l'histoire (1450-1920).

11885 IMPRIMERIE OBERTHUR
No d'édition 9718 — 2e trimestre 1978 — Printed in France.